WYZNANIA SPOD SZUBIENICY

WYZNANIA SPOD SZUBIENICY

autobiografia Rudolfa Hössa
komendanta KL Auschwitz

spisane w krakowskim więzieniu Montelupich

mireki

Opracowanie przypisów
prof. dr hab. Andrzej Pankowicz

Projekt okładki
Robert Kurzyński

Łamanie:
Edycja

Fotografie postaci na okładce wykonał prawdopodobnie Stanisław Dąbrowiecki z Agencji Robotniczej i Filmu Polskiego. Po egzekucji Hössa rolki z filmem zostały zarekwirowane przez funkcjonariuszy MBP i umieszczone w archiwum „po wsze czasy".

ISBN 978-83-89533-98-2

Przedmowa

11 marca 1946 r. zostaje aresztowany przez angielską Field Security Police (Polową Policję Bezpieczeństwa) Rudolf Höss, któremu przez dłuższy czas udawało się pod fałszywym nazwiskiem Franz Lang pracować jako robotnik w gospodarstwie rolnym koło Flensburga, a nawet utrzymywać kontakty z rodziną.

Przekazany zostaje Międzynarodowemu Trybunałowi Wojskowemu w Norymberdze. W norymberskim procesie zbrodniarzy wojennych zeznawał jako świadek obrony jednego z głównych oskarżonych, Kaltenbrunnera.

Po ekstradycji do Polski był w Krakowie przesłuchiwany przez sędziego śledczego dr Jana Sehna. Śledztwo kończyło się formalnym przyznaniem Hössa do winy. Dr Jan Sehn był autorem przedmowy do wydań autobiografii Hössa z 1956 i 1961 r. Lekarzy psycholog i kryminolog prof. Stanisław Batawia, który przeprowadził z Hössem długie rozmowy, swoje wrażenia z nich zamieścił w przedmowie do pierwszego polskiego wydania (1951) jego autobiografii. Pod wpływem właśnie tych rozmów napisał Höss w przerwie między śledztwem a rozprawą główną w styczniu–lutym 1947 r. — swoją słynną autobiografią, zatytułowaną *Meine Psyche, Werden, Leben und Erleben* (Moja dusza. Rozwój, życie i przeżycia).

Czy zapiski więźnia oskarżonego o jedną z największych zbrodni w dziejach Europy, wypowiadane w związku z procesem, który zakończy się dla niego wyrokiem śmierci przybliżają nas do zrozumienia rzeczywistego stanu rzeczy, prawdy o Hössie jako człowieku, czy naznaczone intencją obrony mają przesłaniać prawdę tam gdzie mogłaby ona działać obciążająco.

Prof. Batawia mówi na ten temat:

„Kwestionowanie szczerości wypowiedzi komendanta obozu oświęcimskiego, których prawdziwość mogła zostać sprawdzona tylko częściowo, jest oczywiście możliwe. Ale zarówno badający, jak i ci wszyscy, którzy bliżej zetknęli się z Rudolfem Hössem, uważali jego wypowiedzi z reguły za wiarygodne w przeciwstawieniu do zeznań większości badanych przestępców wojennych”[1].

„Wypowiedzi Rudolfa Hössa, zawartych w [...] autobiografii, nie należy uważać za opowiadanie wyjątkowo mądrego człowieka, który widząc beznadziejność swojej sytuacji zrezygnował z nieudolnej obrony, typowej dla wszystkich przestępców wojennych, i pragnął jedynie zrehabilitować się moralnie w oczach czytelnika. Cała mentalność komendanta Oświęcimia

---

[1] St. Batawia, *Rudolf Höss, komendant obozu koncentracyjnego w Oświęcimiu*, w: „Biuletyn Głównej Komisji Badania Zbrodni Hitlerowskich w Polsce” VII (1951), s. 27.

i jego postawa podczas badań zaprzeczają takiemu podejściu do sprawy. Höss, człowiek o zupełnie przeciętnej inteligencji, niezmiernie prostolinijny w ujmowaniu zasadniczych kwestii, zamknięty w sobie i małomówny, nie był w ogóle z początku skłonny do wyjawienia swoich przeżyć. [...] nie formułował nigdy odpowiedzi w taki sposób, jaki jest typowym dla osób usiłujacych przedstawić się w korzystnym świetle"[2].

30 kwietnia 1940 roku Höss przybył do Oświęcimia, aby rozpocząć przygotowanie do przyjęcia więźniów. Obóz koncentracyjny Auschwitz, pomyślany początkowo jako obóz przejściowy dla 10 000 ludzi, bardzo szybko się rozrastał. Już wkrótce ewakuowano szereg okolicznych wsi (Babice, Broszkowice, Brzezinkę, Budy, Harmęże, Pławy, Rajsko) i utworzono obejmujący ok. 40 km^2 „obszar interesów obozu Auschwitz". Było to podyktowane nie tylko względami bezpieczeństwa, lecz również tym, że w myśl woli Himmlera Auschwitz miał się stać „rolniczą stacją doświadczalną dla Wschodu". We wniosku o awans ze stycznia 1941 roku czytamy: „Höss jest komendantem wielkiego obozu Auschwitz, w którym głównie prowadzona jest gospodarka rolna i którym Reichsführer SS bardzo się interesuje".

Po wizycie Himmlera w marcu 1941 roku przyszedł rozkaz, aby obóz w Oświęcimiu rozbudować na 30 000 wieźniów, założyć w Brzezince obóz dla jeńców wojennych na 100 000 ludzi, oddać do dyspozycji firmie IG--Farben-Industrie 10 000 więźniów na budowę jej nowego zakładu w Oświęcimiu — Monowicach, rozbudować gospodarstwo rolne i warsztaty obozowe. „Zgodnie z wolą Reichsführera SS Oświęcim miał się stać gigantyczną centralą zbrojeniową obsługiwana przez więźniów"[3].

Obok zaopatrywania w siłę roboczą własnych zakładów przemysłowych w coraz szerszym zakresie „wypożyczano" więźniów innym firmom i budowano w ich pobliżu filie obozowe, pozostające pod zarządem komendantury. Przedsiębiorstwo wewnątrzobozowe obejmowało wielki kompleks warsztatów i filie prowadzące gospodarstwo rolne, a poza tym ogromny aparat administracyjny. Komendant był jednocześnie dowódcą garnizonu SS w Auschwitz (który w czerwcu 1943 roku liczył około 2000 SS-manów. Lekarzom, którzy na polecenie Hitlera przeprowadzali medyczne eksperymenty, miał stworzyć warunki potrzebne do pracy i dostarczyć „króliki doświadczalne" w postaci więźniów. W końcu „zgodnie z wolą Reichsführera SS Oświęcim stał się największym w dziejach zakładem uśmiercania ludzi".

Auschwitz nie był jakimś tam sobie obozem, lecz wzorcem obozu koncentracyjnego w Trzeciej Rzeszy. „Oświęcim zajmował szczególne stanowisko w rzędzie wszystkich obozów koncentracyjnych i mnie nakazano, żeby tam przeprowadzić niejedną rzecz, o której w ogóle nie myślano w innych obozach", powiedział Höss na warszawskim procesie. „Himmler otrzymywał co tydzień dokładny raport odnoszący się do wszystkich obozów, a już od połowy 1941 r. doszedł do tego specjalny raport odnoszący się do Oświęcimia".

[2] Batawia, *dz. cyt.*, s. 28.
[3] *Autobiografia*, s. 78.

Tak więc kierownictwo było z osiągnięć Hössa zadowolone. W sprawozdaniu z wizyty Himmlera w Oświęcimiu z marca 1941 roku czytamy: „Z postępów i wykonanych prac w KZ Auschwitz, jakie stwierdzono podczas inspekcji Reichsführera SS w towarzystwie inspektora obozów koncentracyjnych SS-Oberführera Glücksa, Reichsführer SS był bardzo zadowolony i wyraził komendantowi KZ Auschwitz, SS-Stturmbannführerowi Hössowi, swoje jak najpełniejsze uznanie"[4].

Kiedy bliskie już było przeniesienie Hössa do Berlina, do Inspektoratu Obozów Koncentracyjnych, otrzymał on opinię (zapewne ze względu na tajemnicę nie zawierająca wzmianki o akcji eksterminacyjnej), którą warto zacytować: „KZ Auschwitz. SS-Obersturmbannführer Höss. Dobra postawa żołnierska, wysportowany, jeździ konno, umie się zachować w każdej sytuacji, spokojny i skromny, a przy tym stanowczy i rzeczowy. Nie wysuwa swojej osoby na czoło, lecz pozwala, aby mówiły za niego jego czyny. Höss jest nie tylko dobrym komendantem obozu, lecz przez swoje nowatorskie pomysły i metody wychowawcze okazał się również pionierem na polu organizacji obozów koncentracyjnych. Jest dobrym organizatorem i dobrym gospodarzem rolnym — wzorowym niemieckim pionierem dla terenów wschodnich. Jest bezwzględnie zdolny do objęcia kierowniczych stanowisk w zarządzie obozów koncentracyjnych. Jego szczególnie mocną stroną jest praktyka"[5].

Kiedy w listopadzie 1943 roku Höss został przeniesiony do Berlina, KZ Auschwitz był ogromnym kombinatem, w którego skład wchodziły: obóz męski (macierzysty) w Oświęcimiu; w Brzezince: obóz męski, obóz-kwarantanna dla mężczyzn, obóz szpitalny dla mężczyzn, obóz kobiecy, obóz rodziny dla Cyganów, obóz rodzinny dla Żydów z Terezina, poza tym urządzenia eksterminacyjne, obejmujące cztery krematoria z komorami gazowymi.

Przed sądem Höss odpowiadał na wszystkie zadawane sobie pytania krótko, precyzyjnie i bez emocji. Prokurator dr Tadeusz Cyprian tak opisuje jego zachowanie podczas rozprawy: „Wszystko, co odtwarzają [zeznania świadków], jest przez Hössa kontrolowane i śledzone. Jego milczenie może uchodzić niemal za potwierdzenie, a czyni to wszystko z kamienną twarzą i spokojem niemal legendarnym. Nie żal mu ludzi, nie wzruszają go najkoszmarniejsze opisy. Tak było, więc po co ma przeczyć. Ale czasem kamienna twarz Hössa ożywia się. Boli go dziś tylko to, co wskazuje, że on działał albo nie dociągając do granic swoich obowiązków służbowych, albo przekraczając te granice. Przytoczę fakt, który go może najbardziej oburzył [...]. Zabolał go zarzut, że dawał za mało gazu do komór gazowych. Wstał i oświadczył, że dawał tyle gazu, ile trzeba było dawać, bo przepis ustalał tę

---

[4] Miesięczne sprawozdanie filii działu zatrudnienia więźniów KL Auschwitz, sporządzone przez SS-Untersturmführera Schwarza dla centrali w Berlinie 17.3.1941; przedrukowane w: *Auschwitz, Zeugnisse und Berichte*, wyd. H.G. Adler, H. Langbein, E. Lingens, Frankfurt/M. 1962, s. 26.

[5] Opinia sporządzona przy okazji podróży służbowej po Generalnej Guberni gruppenführera SS v. Herffa w maju 1943.

rzecz z całą dokładnością. Oskarżony Höss stale podkreślał, że zarządzenia władz, które szły z góry, wykonywał bez słowa protestu, podporządkowywał się im, bo ufał i ślepo wierzył swoim przełożonym. [...] I chwilami doprawdy odnosiło się wrażenie, że Höss nie mówi do Trybunału polskiego, ale że stoi przed kapitułą wysokiego orderu, którym został w Niemczech odznaczony, krzyża zasługi służbowej, że przed tą kapitułą orderu legitymuje się z tego, jak on cudownie wykonał wszystkie swoje obowiązki".

W dniu 2 kwietnia 1947 r. ogłoszono wyrok, jak można było się spodziewać, wyrok śmierci.

Höss wysłuchał wyroku wraz z 64-stronicowym uzasadnieniem z kamienną twarzą, podziękował swoim obrońcom i oświadczył, że rezygnuje z prawa wniesienia prośby o ułaskawienie.

Egzekucja — przez powieszenie — miała się odbyć 15 kwietnia na terenie byłego obozu Auschwitz, w miejscu, gdzie kiedyś stał barak oddziału politycznego, między starym krematorium a willą Hössa, z widokiem na obóz. Ponieważ zebrał się tam tłum ludzi, obawiano się próby samosądu. Ponadto prawo polskie nie pozwala na publiczne egzekucje, w związku z czym Höss został stracony następnego dnia — 16 kwietnia 1947 r. Przy egzekucji obecny był ks. Tomasz Zaremba, salezjanin z Oświęcimia. Kiedy zapytał Hössa, czy nie chce się wyspowiadać, ten odpowiedział, że uczynił to już w Wadowicach.

W protokole wykonania wyroku prokurator napisał: „Rudolf Höss do ostatniej chwili zachował się zupełnie spokojnie i żadnych życzeń nie zgłosił". Egzekucja nastąpiła o godzinie 10^{08}.

W przedmowie wykorzystano materiały i cytaty z rozprawy doktorskiej ks. Manfreda Deselaersa „Bóg a zło w świetle biografii i wypowiedzi Rudolfa Hössa, komendanta Auschwitz", która w formie książkowej ukazała się w 1999 r. staraniem wyd. WAM, w przekł. Juliusza Zychowicza. Autor pracuje w Centrum Dialogu i Modlitwy w Oświęcimiu.

Moja dusza

Rozwój, życie i przeżycia

Chcę spróbować opisać najbardziej osobiste szczegóły mego życia. Chcę wydobyć ze wspomnień wiernie wszystkie istotne wydarzenia, wszelkie wzloty i upadki mego życia psychicznego i moich przeżyć.

Aby móc możliwie kompleksowo przedstawić obraz całości, muszę sięgnąć do najwcześniejszych przeżyć z dzieciństwa.

Do szóstego roku mego życia mieszkaliśmy prawie poza miastem Baden-Baden.[1] W dalszym sąsiedztwie naszego domu znajdowały się pojedyncze zagrody chłopskie. W owym okresie nie miałem żadnych towarzyszy zabaw, wszystkie dzieci sąsiadów były już starsze, na skutek czego obcowałem jedynie z dorosłymi. Nie odpowiadało mi to jednak zbytnio i dlatego też, gdy tylko mi się udawało, starałem się wymknąć spod kontroli i samotnie chodzić na odkrywcze wyprawy. Szczególnie pociągał mnie rozpoczynający się w pobliżu las wysokopiennych jodeł Schwarzwaldu. Nie zapuszczałem się jednak do niego zbyt daleko, jedynie na tyle, abym mógł ze zboczy gór widzieć naszą dolinę. Nie wolno mi było właściwie samemu chodzić do lasu, ponieważ pewnego razu, gdy byłem jeszcze małym chłopcem, zabrali mnie z sobą wędrowni Cyganie, napotkawszy mnie samotnie bawiącego się w lesie. Przechodzący przypadkowo drogą rolnik z sąsiedztwa wyrwał mnie jednak z rąk Cyganów i przyprowadził do domu.

Szczególnie pociągał mnie wielki zbiornik wody dla miasta. Godzinami mogłem wsłuchiwać się w tajemniczy szum wody za grubymi murami i mimo objaśniania przez dorosłych nie mogłem pojąć tego zjawiska.

Większość czasu jednak spędzałem w chłopskich stajniach i gdy mnie szukano, zaglądano najpierw do stajni. Szczególnie pociągały mnie konie. Nigdy nie miałem dosyć ich głaskania, przemawiania do nich i karmienia łakociami. Jeśli udało mi się zdobyć narzędzia do czyszczenia, zabierałem się zaraz do szczotkowania i czyszczenia zgrzebłem. Ku przerażeniu gospodarzy kręciłem się między nogami koni, jednak nigdy żadne ze zwierząt nie potrąciło mnie ani nie ugryzło czy też kopnęło. Zaprzyjaźniłem się nawet ze złośliwym bykiem jednego z gospodarzy. Nie obawiałem się również psów i nigdy też żaden nie uczynił mi krzywdy. Porzucałem najpiękniejsze zabawki, gdy tylko trafiła się okazja wymknięcia się do stajni. Moja matka starała się na wszelkie możliwe sposoby, aby mnie odwieść od tej — jej zdaniem — niebezpiecznej miłości do zwierząt. Nie udało się jej to jednak.

---

[1] Rudolf Franz Ferdinand Höss urodził się w Baden-Baden 25 listopada 1900 r. Rodzicami jego byli Franz Xawer Höss i Paulina Speck.

Byłem i pozostałem samotnikiem, najchętniej bawiłem się lub robiłem coś, będąc sam i nie czując się obserwowanym. Miałem również nieodparty pociąg do wody, musiałem się stale myć i kąpać. Co tylko się dało myłem i kąpałem w łazience lub strumyku, który przepływał przez nasz ogród. Wiele rzeczy z odzieży i zabawek uległo zepsuciu przez tę moją manię. To pragnienie przestawania z wodą pozostało mi do dnia dzisiejszego.

Gdy miałem siedem lat, przeprowadziliśmy się w okolice Mannheimu. Mieszkaliśmy znów poza miastem, jednak ku memu wielkiemu żalowi nie było tam żadnych stajni ani zwierząt. Jak później często opowiadała mi matka, całymi tygodniami byłem chory z tęsknoty za mymi zwierzętami i górskim lasem. Rodzice czynili wszystko co mogli, aby mnie odzwyczaić od tej nadmiernej miłości do zwierząt. Nie udało im się jednak; wyszukiwałem wszystkie książki, w których były obrazki zwierząt, zaszywałem się w jakiś kąt i marzyłem o nich. Na moje siódme urodziny dostałem w prezencie Hansa, czarnego jak węgiel pony, z błyszczącymi oczyma i długą grzywą. Nie posiadałem się z radości. Wreszcie miałem przyjaciela. Ponieważ Hans był bardzo przywiązany, chodził za mną wszędzie jak pies, gdzie to tylko było możliwe. Pewnego razu, gdy nie było rodziców, zabrałem go nawet do swego pokoju. Ponieważ ze służbą żyłem zawsze w dobrej komitywie, miała ona zrozumienie dla mej słabości i nie zdradziła mnie nigdy.

W okolicy, gdzie mieszkaliśmy, miałem do zabaw dość towarzyszy w moim wieku. Wyżywałem się z nimi w młodzieńczych zabawach jednakowych na całym świecie i niejednokrotnie płataliśmy wspólnie różne psoty. Najchętniej jednak chodziłem z mym Hansem do wielkiego lasu Haardtwald, gdzie byliśmy zupełnie sami i gdzie mogliśmy godzinami hasać, nie napotykając żywej duszy.

Wkroczyłem w poważne życie, zaczęła się szkoła. W pierwszych latach szkoły podstawowej nie wydarzyło się nic godnego wzmianki. Uczyłem się pilnie, zadane lekcje odrabiałem jak mogłem najszybciej, aby mieć dużo czasu na moje włóczęgi z Hansem. Rodzice dawali mi dużo swobody.

Na skutek ślubowania mego ojca, iż zostanę duchownym, miałem już z góry ustalony zawód. Całe moje wychowanie było na to nastawione. Byłem wychowywany przez ojca według surowych zasad wojskowych. Do tego dochodziła głęboko religijna atmosfera panująca w naszej rodzinie. Ojciec był fanatycznym katolikiem. W okresie zamieszkiwania przez nas w Baden-Baden widywałem ojca rzadko, ponieważ dużo podróżował lub też miesiącami pracował w innych miejscowościach. W Mannheim nastąpiła jednak zmiana. Ojciec znajdował codziennie czas, aby się mną zajmować, obejrzeć moje szkolne zadania czy też rozmawiać na temat mego przyszłego zawodu. Najbardziej lubiłem opowiadania o jego służbie w Afryce Wschodniej,[2]

---

[2] Niemiecka Afryka Wschodnia obejmowała obszar dzisiejszej Tanzanii, Rwandy i Burundi; proklamowana została w 1885 r. Obszar ten był jedyną kolonią niemiecką w Afryce, która nie uległa wojskom Ententy; gen. von Lettow-Vorbeck złożył broń dopiero w listopadzie 1918 r.

opowieści o walkach z tubylczymi powstańcami, ich życiu, obyczajach i kulcie bożków. Z żarliwym zachwytem słuchałem jego opowiadań o religijnej i cywilizacyjnej działalności zgromadzeń misyjnych. Byłem zdecydowany zostać misjonarzem i działać w najciemniejszych częściach Afryki, pośród mrocznej puszczy. Szczególnym świętem były dla mnie odwiedziny u nas starych, brodatych misjonarzy z Afryki, których ojciec znał jeszcze z okresu pobytu w Afryce Wschodniej. Nie odstępowałem ich na krok, aby nie stracić żadnego słowa z prowadzonych rozmów. Zapominałem wówczas nawet o moim Hansie. Rodzice moi prowadzili dom otwarty, mimo iż sami nie udzielali się towarzysko. Gościli u nas przeważnie duchowni ze wszystkich środowisk.

Z biegiem lat ojciec stawał się coraz bardziej religijny. Jak tylko czas mu na to pozwalał, jeździł ze mną do różnych miejsc pielgrzymek i słynących łaskami zarówno w kraju, jak również do Einsiedeln w Szwajcarii i Lourdes we Francji. Gorąco błagał niebiosa o błogosławieństwo dla mnie, abym został kiedyś świątobliwym kapłanem. Ja byłem również głęboko wierzący, na ile chłopiec w moich latach takim być może, i swoje religijne obowiązki traktowałem bardzo poważnie. Modliłem się z całą dziecięcą powagą i gorliwie pełniłem obowiązki ministranta.

Rodzice wpoili we mnie, iż do wszystkich dorosłych, a w szczególności starszych osób, winienem się odnosić z szacunkiem i czcią, niezależnie od tego, z jakiego pochodzą środowiska. Nauczono mnie, iż mam być pomocny wszędzie, gdzie tylko jest to konieczne. Szczególnie zwracano mi uwagę na to, iż powinienem bezwzględnie wypełniać życzenia czy polecenia rodziców, nauczycieli, księży i w ogóle dorosłych, nie wyłączając służby, i nic mnie od tego nie powinno odwieść. Wszystko, co oni mówili, było zawsze słuszne.

Te zasady weszły mi w ciało i krew. Przypominam sobie dobrze, jak mój ojciec, który jako fanatyczny katolik był zdecydowanym przeciwnikiem rządu Rzeszy i jego polityki, stale powtarzał swoim przyjaciołom, iż mimo całej wrogości należy bezwzględnie przestrzegać praw i zarządzeń państwa.

Już od najwcześniejszej młodości byłem wychowywany w głębokim poczuciu obowiązku. W domu rodzinnym surowo przestrzegano, aby wszelkie polecenia były dokładnie i sumiennie wypełniane. Każdy miał określony zakres obowiązków. Ojciec mój zwracał szczególną uwagę, abym jak najdokładniej wypełniał jego polecenia i życzenia. Pamiętam jeszcze teraz, że pewnej nocy wyciągnął mnie z łóżka, ponieważ pozostawiłem w ogrodzie wiszącą derkę pod siodło, zamiast ją powiesić w szopie, aby wyschła. Po prostu zapomniałem o tym. Stale pouczał mnie, że z drobnych, często na pozór nic nie znaczących zaniedbań powstają duże szkody. Wówczas nie pojmowałem tego całkowicie, w okresie późniejszym jednak, nauczony gorzkim doświadczeniem, nauczyłem się w pełni uznawać tę zasadę.

Między moimi rodzicami istniał stosunek pełen dobroci, miłości i wzajemnego szacunku. Nigdy jednak nie zauważyłem u nich jakichś odruchów wzajemnej czułości. Nigdy nie słyszałem również jakiegokolwiek złego lub gniewnego słowa między nimi.

Podczas gdy moje dwie o 4 i 6 lat młodsze siostry były bardzo przymilne i stale kręciły się koło matki, ja odrzucałem wszelkie wyrazy czułości ku wielkiemu żalowi mej matki, ciotek i krewnych. Uścisk dłoni i kilka słów podziękowania były wszystkim, czego ode mnie można było oczekiwać.

Mimo iż oboje rodzice byli dla mnie bardzo dobrzy, nie mogłem nigdy znaleźć do nich drogi w różnych swoich małych i dużych troskach, jakich wiele uciska serce młodego człowieka. Wszystko załatwiałem sam z sobą. Moim jedynym powiernikiem był Hans i moim zdaniem rozumiał mnie.

Obie moje siostry bardzo mnie lubiły i starały się stale nawiązać ze mną miłe, serdeczne stosunki. Nie chciałem się jednak z nimi zadawać. Bawiłem się z nimi jedynie wówczas, gdy musiałem. Wówczas jednak drażniłem się z nimi poty, póki nie uciekły z płaczem do matki. Spłatałem im niejednego figla. Mimo to pozostały mi najserdeczniej oddane i żałuję do dziś, że nigdy nie zdobyłem się. w stosunku do nich na cieplejsze uczucie. Pozostawały mi zawsze obce.

Moich rodziców, ojca oraz matkę bardzo szanowałem i otaczałem czcią. Jednakże miłości do rodziców, takiej, jaką później poznałem, nigdy do nich nie odczuwałem. Nie potrafię sobie tego wytłumaczyć, również i dzisiaj nie jestem w stanie wyjaśnić przyczyn tego.

Nigdy nie byłem grzecznym, a tym bardziej wzorowym chłopcem. Czyniłem wszelkie psoty, jakie w tym wieku może wymyślić umysł dziecka. Wyżywałem się z innymi chłopcami w najdzikszych zabawach i bójkach, jakie się tylko nadarzały. Mimo iż stale nachodziły mnie chwile, w których musiałem być sam, miałem jednak dostatecznie dużo towarzyszy zabaw.

Nie dawałem sobie nigdy niczego narzucić i zawsze musiałem postawić na swoim. Jeżeli uczyniono mi krzywdę, nie spocząłem, póki, moim zdaniem, nie została pomszczona. Byłem w tych sprawach bezwzględny i moi koledzy w klasie bali się mnie. Charakterystyczne, że przez cały okres uczęszczania do gimnazjum siedziałem w jednej ławce z dziewczynką, Szwedką, która chciała zostać lekarką. Przez wszystkie te lata panował między nami dobry, koleżeński stosunek i nigdy się nie pokłóciliśmy. W naszym gimnazjum był zwyczaj, iż przez wszystkie lata siedziało się w ławce z tym samym kolegą.

W trzynastym roku życia miało miejsce wydarzenie, które muszę określić jako pierwszy wyłom w traktowanym przeze mnie tak poważnie życiu religijnym.

Podczas przepychania się o pierwszeństwo w wejściu do sali gimnastycznej zrzuciłem niechcący ze schodów jednego z moich kolegów klasowych. Przy upadku pękła mu kostka u nogi. Przez wszystkie te lata setki chłopców zjeżdżało po tych schodach, w tym również i ja kilka razy, jednak nikt nie odniósł nigdy poważniejszych obrażeń. Tylko ten miał pecha. Ukarany zostałem 2 godzinami kozy.

Było to w sobotę przed południem. Po południu, jak co tydzień, chodziłem do spowiedzi i wyspowiadałem się również z tego wypadku. W domu jednak nic o tym nie mówiłem, aby nie psuć rodzicom niedzieli. Jeszcze zdążą się dowiedzieć dosyć o tym w przyszłym tygodniu. Wieczorem przyszedł do nas w gości mój spowiednik, który był przyjacielem mego ojca. Następnego ranka ojciec zażądał, abym się wytłumaczył ze wspomnianego wypadku, i ukarał mnie, że mu o tym zaraz nie powiedziałem. Byłem zupełnie zdruzgotany, nie z powodu kary, lecz na skutek niesłychanego nadużycia zaufania przez mego spowiednika. Uczono stale, iż tajemnica spowiedzi jest nienaruszalna, że nawet najcięższa zbrodnia, o której się powie spowiednikowi w trakcie spowiedzi, nie może być wyjawiona. Tymczasem zaś ksiądz, do którego miałem takie zaufanie i który był moim stałym spowiednikiem, który dogłębnie znał wszystkie moje drobne przewinienia, złamał tajemnicę spowiedzi z powodu takiego drobiazgu. Tylko bowiem on mógł powiedzieć memu ojcu o tym zajściu, ponieważ ani ojciec, ani matka tego dnia nie wychodzili do miasta. Telefon nie był czynny, a żaden z moich kolegów klasowych nie mieszkał w naszej okolicy. Nie odwiedzał nas także nikt poza moim spowiednikiem. Przez długi czas badałem związane z tym okoliczności, było to bowiem dla mnie coś strasznego. Byłem wówczas i jestem jeszcze dzisiaj zdecydowanie o tym przekonany, że spowiednik mój naruszył tajemnicę spowiedzi. Moje zaufanie do świętego stanu kapłańskiego zostało złamane i nigdy więcej nie poszedłem do spowiedzi. Wzywany przez niego i ojca do wytłumaczenia, dlaczego nie chodzę do spowiedzi, wymówiłem się, że byłem u spowiedzi u katechety w kościele szkolnym. Ojciec zadowolił się tym wyjaśnieniem, jestem jednak przekonany, że mój były spowiednik zorientował się w prawdziwej przyczynie. Czynił on starania, aby mnie odzyskać, ja jednak nie mogłem. Posunąłem się jeszcze dalej — jak tylko było to możliwe, nie chodziłem wcale do spowiedzi, ponieważ po tym, co zaszło, nie uważałem duchownych za godnych zaufania.

Na nauce religii mówiono, iż kto idzie do komunii bez uprzedniej spowiedzi, zostanie ciężko ukarany przez Boga. Zdarzało się, iż tacy grzesznicy padali martwi przy przyjmowaniu komunii. W mej dziecięcej naiwności błagałem Boga o wyrozumiałość, że nie potrafię się już z wiarą wyspowiadać i aby mi wybaczył grzechy, które mu wyznaję. Wierzyłem, iż dzięki temu pozbyłem się moich grzechów i z drżącym sercem i wątpliwościami odnośnie do słuszności mego postępowania przystąpiłem do komunii w innym kościele. — Nic mi się nie stało! A ja nędzny robak uwierzyłem, iż Bóg wysłuchał mej modlitwy i akceptował moje postępowanie. Będąc dotychczas w sprawach wiary spokojny i pewny, doznałem poważnego wstrząsu. Głęboka, prawdziwa dziecięca wiara została zniszczona.

W następnym roku zmarł nagle mój ojciec. Nie pamiętam, czy wydarzenie to poważniej mnie dotknęło. Byłem również zbyt młody, aby zdać sobie sprawę z doniosłości tego faktu. Śmierć ojca miała jednak nadać memu życiu zupełnie inny przebieg, aniżeli on sobie tego życzył.

Wybuchła wojna. Garnizon z Mannheimu wyruszył w pole. Utworzono formacje zapasowe. Z frontu przybyły pierwsze pociągi z rannymi. Ja prawie stale przebywałem poza domem. Było tyle do zobaczenia, czego nie chciałem stracić. Na moje ciągłe nalegania matka pozwoliła mi zgłosić się do służby pomocniczej w Czerwonym Krzyżu. Doznałem wówczas zbyt wielu wrażeń, abym dziś był jeszcze w stanie pamiętać, jak podziałał na mnie widok pierwszych rannych. Widzę jedynie zakrwawione opatrunki na głowach i rękach, zakrwawione i ubłocone mundury, szare naszych żołnierzy i niebieskie z czerwonymi spodniami mundury Francuzów z okresu pokoju. Słyszę jeszcze tłumione jęki rannych przy ładowaniu ich do pośpiesznie przystosowanych do tego celu tramwajów. Biegałem wśród rannych i rozdzielałem napoje orzeźwiające i papierosy. W czasie wolnym od nauki przebywałem tylko w szpitalach, w koszarach lub na dworcu, przyglądając się przejeżdżającym transportom wojskowym czy też transportom rannych i pomagając w rozdzielaniu posiłków i podarków. W lazaretach widziałem jęczących ciężko rannych, prześlizgiwałem się nieśmiało obok ich łóżek. Widziałem również konających i zmarłych. Doznawałem wówczas jakiegoś swoistego dreszczu, którego jednak dzisiaj nie potrafię dokładnie opisać.

Smutne te obrazy zatarły się szybko przez niewyczerpany humor żołnierski lżej rannych lub też tych, którzy byli wolni od bólów. Nie miałem nigdy dosyć ich opowieści z frontu i ich żołnierskiego życia. Odzywała się we mnie moja żołnierska krew. Od wielu pokoleń moi przodkowie ze strony ojca byli oficerami, mój dziadek w randze pułkownika zginął na czele swego pułku w roku 1870. Mój ojciec był także żołnierzem z krwi i kości, mimo iż później po wyjściu z wojska jego religijny fanatyzm przytłumił tamtą namiętność. Chciałem zostać żołnierzem, a przynajmniej nie stracić okazji, jaką dawała wojna. Moja matka, mój opiekun, wszyscy moi krewni chcieli mnie od tego zamiaru odwieść. Miałem najpierw zrobić maturę, a potem dopiero można było o tym mówić. Poza tym miałem zostać duchownym. Pozwalałem im mówić i próbowałem wszystkiego, aby dostać się na front. Wyjeżdżałem często, ukrywając się wśród transportów wojskowych, zawsze jednak mnie odkrywano i mimo moich najgorętszych próśb, z powodu zbyt młodego wieku, odprowadzany byłem przez żandarmerię polową do domu. Wszystkie moje myśli i pragnienia w owym czasie obracały się wokół tego, aby zostać żołnierzem. Szkoła, przyszły zawód, dom rodzicielski, wszystko zeszło na dalszy plan. Matka moja starała się z wzruszającą nieskończoną cierpliwością odwieść mnie od tych planów, ja jednak szukałem każdej nadarzającej się okoliczności, aby osiągnąć swój cel. Matka była bezsilna. Moi krewni chcieli mnie umieścić w seminarium misyjnym, jednakże matka na to nie chciała się zgodzić. W sprawach religijnych stałem się oziębły, aczkolwiek sumiennie wypełniałem obowiązujące praktyki. Brak było kierownictwa mocnej ręki ojca.

W roku 1916 udało mi się jednak przy pomocy poznanego w szpitalu rotmistrza dostać się do pułku,[3] w którym służył mój ojciec i dziadek, i po krótkim okresie wyszkolenia wyjechać na front bez wiedzy mej drogiej matki, której nie miałem już więcej zobaczyć, umarła bowiem w roku 1917. Zostałem wysłany do Turcji na front iracki.[4] Zarówno potajemne przeszkolenie w ciągłej obawie, iż zostanę odkryty i odesłany do domu, jak i długa i urozmaicona podroż przez wiele krajów do Turcji były dużym przeżyciem dla mnie, nie mającego jeszcze ukończonych 16 lat. Pobyt w Konstantynopolu, wówczas jeszcze bardzo egzotycznym, jak również jazda, częściowo konna, na daleki front iracki dostarczyły mi sporo nowych wrażeń. Z okresu tego nic nie utrwaliło się specjalnie w mej pamięci. Dokładnie pamiętam jednak pierwszą potyczkę, moje pierwsze spotkanie z wrogiem.

Krótko po naszym przybyciu na front zostaliśmy przydzieleni do tureckiej dywizji. Nasz oddział kawalerii został rozdzielony między trzy pułki. Jeszcze w trakcie naszego wprowadzania do służby zostaliśmy zaatakowani przez Anglików — byli to Nowozelandczycy i Hindusi, Turcy zaś, z chwilą gdy sytuacja stała się poważna, uciekli. Nasza mała grupka żołnierzy niemieckich została sama na rozległych piaskach pustyni między skałami oraz resztkami ruin stanowiących pozostałości dawnych kwitnących kultur i musieliśmy walczyć o ocalenie własnej skóry. Mieliśmy jedynie niewiele amunicji, gdyż zasadnicze zapasy pozostały przy koniach. Zauważyłem wkrótce, że nasze położenie stało się bardzo poważne, gdy coraz dokładniej i liczniej zaczęły wokół nas padać pociski. Jeden po drugim padali ranni koledzy, leżący najbliżej mnie w pewnym momencie przestał odpowiadać na moje wołanie. Gdy spojrzałem na niego, broczył krwią z wielkiej rany w czaszce i był już martwy. Ogarnęło mnie przerażenie i trwoga przed podobnym losem, jakich nigdy później nie doświadczyłem. Gdybym był sam, uciekłbym z pewnością tak jak Turcy. Musiałem wciąż spoglądać na zabitego towarzysza. Pełen rozpaczy ujrzałem nagle leżącego między skałami naszego rotmistrza, który z żelaznym spokojem, jakby znajdował się na poligonie, strzelał z karabinu poległego obok kolegi. Teraz i we mnie wstąpił nieznany mi dotychczas dziwny, tępy spokój. Stało się dla mnie jasne, iż i ja powinienem strzelać. Do tej chwili nie wystrzeliłem ani razu, jedynie patrzyłem pełen strachu na coraz bardziej zbliżających się Hindusów. Jeden z nich właśnie wyskoczył przed stos kamieni. Widzę go jeszcze dzisiaj przed sobą, wysokiego, barczystego mężczyznę z czarną sterczącą

[3] Rudolf Höss 1 sierpnia 1916 r. wstąpił do 21 pułku dragonów badeńskich. Po przeszkoleniu w szwadronie zapasowym w Bruchsal (Badenia) został przydzielony do Korpusu Azjatyckiego, wysłany na front z samodzielnym oddziałem kawalerii „Pasza II".

[4] Walczące w Mezopotamii z brytyjskim korpusem ekspedycyjnym wojska tureckie po otrzymaniu posiłków niemieckich rozwinęły działania zaczepne. 29 kwietnia 1916 r. pod Kut al-Amara część oddziałów brytyjskich skapitulowała przed wojskami 6 Armii (tureckiej). Pozostałe przeszły do obrony, odpierając latem 1916 r. zacięte ataki tureckie. W styczniu 1917 r. nowa ofensywa brytyjska wzdłuż Tygrysu przechyliła szalę zwycięstwa na korzyść aliantów.

brodą. Przez chwilę zwlekałem jeszcze — leżący obok zabity stał mi przed oczyma — następnie strzeliłem i z drżeniem patrzyłem, jak Hindus w trakcie skoku naprzód padł i nie poruszył się więcej. Nie mogę faktycznie powiedzieć, czy dobrze wycelowałem. Mój pierwszy zabity! Bariera została przełamana. Zacząłem strzelać raz po razie, tak jak nauczono mnie na szkoleniu, aczkolwiek jeszcze nie całkiem pewnie. Nie myślałem więcej o niebezpieczeństwie. Ponadto w pobliżu był rotmistrz i od czasu do czasu zachęcająco nawoływał do działania.

Natarcie ugrzęzło z chwilą, gdy Hindusi zauważyli, iż natrafili na poważny opór. Tymczasem Turcy zostali popędzeni do przodu i nastąpił kontratak. Jeszcze tego samego dnia odzyskaliśmy utracony teren. Przechodząc spojrzałem z wahaniem i nieśmiało na mego zabitego, nie czułem się jednak zbyt dobrze.

Nie udało mi się stwierdzić, czy podczas tej pierwszej potyczki zabiłem lub zraniłem więcej Hindusów, mimo iż po pierwszym strzale dokładnie celowałem i strzelałem do wychylających się z ukrycia. Wszystko to bowiem jeszcze zbyt mnie podniecało.

Mój rotmistrz wyraził się z uznaniem o moim spokoju podczas tej pierwszej potyczki i chrztu ogniowego. Gdyby wiedział, jak się czułem! — Później opowiedziałem mu o stanie, w jakim się znajdowałem podczas pierwszego spotkania z wrogiem. Śmiał się z tego i powiedział, iż każdy żołnierz przeżywa to podobnie.

Osobliwe było to, iż do mego rotmistrza, mego żołnierskiego patrona, miałem duże zaufanie i bardzo go szanowałem. Łączył mnie z nim bardziej serdeczny stosunek aniżeli z mym ojcem. On też stale miał mnie na oku. Mimo iż mi w niczym nie pobłażał, był dla mnie życzliwy i troszczył się o mnie, jakbym był jego synem. Niechętnie puszczał mnie na dalekie zwiady, od czasu do czasu jednak na skutek moich stałych nalegań wyrażał zgodę. Szczególnie był dumny, gdy mnie odznaczono lub awansowano. Sam jednak nigdy nie występował z tego rodzaju wnioskami.

Gdy poległ wiosną 1918 roku podczas drugiej bitwy nad Jordanem, przeżyłem to boleśnie. Jego śmierć bardzo mnie dotknęła.

Na początku roku 1917 nasza formacja została przeniesiona na front palestyński. Przyszliśmy do Ziemi Świętej. Nazwy dobrze znane z nauki religii i legendy odżyły na nowo. Różniło się to jednak bardzo od obrazów, jakie stworzyły młodzieńcza fantazja i opisy.

Najpierw obsadziliśmy kolej hedżaską, a następnie zostaliśmy przerzuceni na front koło Jerozolimy. Pewnego ranka, gdy wracaliśmy z długiego konnego patrolu na drugim brzegu Jordanu, napotkaliśmy w Dolinie Jordanu szereg chłopskich wózków załadowanych mchem. Ponieważ przeszukiwaliśmy wszystkie wozy i juczne zwierzęta w poszukiwaniu broni, Anglicy bowiem stale dostarczali wszystkimi możliwymi drogami broni Arabom i mieszanej ludności Palestyny, która chciała pozbyć się jarzma tureckiego, kazaliśmy chłopom rozładować ich wozy i za pośrednictwem tłumacza, żydowskiego chłopca, nawiązaliśmy z nimi rozmowę. Na nasze pytanie, dokąd jadą z tym mchem, odpowiedzieli, że wiozą go do klasztorów w Jerozolimie w celu sprzedaży pielgrzymom. Nie mogliśmy tego w pełni zrozumieć.

Niedługo po tym zostałem ranny i dostałem się do szpitala w Wilhelma — osiedlu niemieckich kolonistów położonym między Jerozolimą a Jaffą. Tamtejsi koloniści ze względów religijnych wywędrowali przed wielu pokoleniami z Wirtembergii. W szpitalu dowiedziałem się od nich, że mchem przewożonym przez wieśniaków uprawia się dochodowy handel. Chodzi o pewien gatunek islandzkiego szarobiałego splotu z czerwonymi cętkami. Pielgrzymom sprzedawano ten mech za drogie pieniądze, jako pochodzący z Golgoty, cętki zaś miały być krwią Jezusa. Koloniści opowiadali całkiem otwarcie o zyskownych interesach, jakie prowadzono w pokojowych czasach z pielgrzymami, których tysiące zjeżdżało do świętych miejsc. Pielgrzymi kupowali wszystko, co miało jakikolwiek związek ze świętymi miejscami czy też postaciami świętych. Odznaczały się tym szczególnie duże klasztory pątnicze w Jerozolimie. Robiono tam wszystko, aby z pielgrzymów wyciągnąć jak najwięcej pieniędzy.

Po zwolnieniu ze szpitala przyjrzałem się dokładniej temu procederowi. Z powodu wojny było wówczas niewielu pielgrzymów, natomiast wielu niemieckich i austriackich żołnierzy. Później widziałem to samo w Nazarecie. Mówiłem o tym z wieloma kolegami, ponieważ ten trywialny handel rzekomymi świętościami, prowadzony przez przedstawicieli wszystkich osiadłych tam kościołów, budził we mnie wstręt. Większość moich kolegów odnosiła się do tego obojętnie i mówiła: jeśli są tacy głupcy, którzy dają się nabrać na to oszustwo, niech płacą za swoją głupotę. Inni uważali ten handel za swego rodzaju przemysł turystyczny, jaki powszechnie spotyka się w miejscach odwiedzanych przez turystów. Jedynie niewielu, podobnie jak ja, głęboko wierzących katolików, potępiało tego rodzaju postępowanie kościoła, brzydzili się tym żerowaniem na religijnych uczuciach pielgrzymów, którzy często sprzedawali cały swój majątek, aby choć raz w życiu odwiedzić święte miejsca.

Przez długi czas nie mogłem się oswoić z tymi sprawami i były one prawdopodobnie decydującym czynnikiem w moim późniejszym odejściu od Kościoła. Pragnę jednak zauważyć, że koledzy z mojej formacji byli wszyscy głęboko wierzącymi katolikami i pochodzili z mocno katolickiego Schwarzwaldu. W tym czasie nigdy nie słyszałem jakiegokolwiek wrogiego słowa w odniesieniu do Kościoła.

Na ten okres przypada również moje pierwsze miłosne przeżycie. W szpitalu w Wilhelma opiekowała się mną młoda niemiecka pielęgniarka. Miałem przestrzelone kolano i jednocześnie cierpiałem na przewlekły nawrót złośliwej malarii. Wymagałem więc szczególnej opieki i nadzoru, ponieważ w napadach gorączki przysparzałem wielu kłopotów. Siostra ta troszczyła się o mnie tak, że matka nie mogłaby tego lepiej robić. Z czasem jednak spostrzegłem, iż troskliwość o mnie nie była spowodowana jedynie uczuciem macierzyńskim. Do tej pory nie znałem jeszcze miłości do kobiety jako przedstawicielki płci odmiennej.

Wprawdzie moi koledzy rozmawiali wiele o sprawach płci, a żołnierz na te tematy mówi bez specjalnych osłonek, jednakże popęd ten był mi dotychczas obcy, być może ze względu na brak okazji. Również trudy tamtejszego teatru wojny nie sprzyjały wzruszeniom miłosnym. Jej delikatne głaskanie wprowadzało mnie początkowo w zakłopotanie, podobnie jak i dłuższe podtrzymywanie, aniżeli to było konieczne, od najmłodszych bowiem lat unikałem wszelkich objawów czułości. Jednakże i ja wpadłem w zaczarowany krąg miłości i spojrzałem na kobietę innymi oczyma. To uczucie było dla mnie cudownym, niesłychanym przeżyciem, aż do cielesnego połączenia, do którego ona doprowadziła. Sam nie miałbym na tyle odwagi. To pierwsze przeżycie miłosne z jego całą delikatnością i urokiem stało się dla mnie wytyczną na całe życie. O tych sprawach nigdy nie mogłem trywialnie mówić, stosunek płciowy bez głębokiej sympatii był dla mnie czymś nie do pomyślenia. Dzięki temu ustrzegłem się miłostek i domów publicznych.

Wojna się skończyła. W jej wyniku zewnętrznie i wewnętrznie zmężniałem i stałem się dojrzałym mężczyzną. Przeżycia wojenne pozostawiły na mnie niezatarte piętno. Wyrwałem się z ciepłej atmosfery domu rodzicielskiego, rozszerzył się mój horyzont. W okresie dwóch i pół lat widziałem i przeżyłem wiele w dalekich krajach, poznałem wielu ludzi z różnych środowisk, ich kłopoty i słabości. Z trzęsącego się ze strachu chłopca, który uciekł spod opieki matki, jakim byłem podczas pierwszej potyczki, stałem się twardym, szorstkim żołnierzem. W wieku siedemnastu lat zostałem podoficerem, najmłodszym w armii odznaczonym Krzyżem żelaznym I klasy. Po awansowaniu na podoficera zlecano mi prawie wyłącznie ważne, dalekie rajdy zwiadowcze oraz akcje dywersyjne. Nauczyłem się wtedy, iż dowodzenie nie zależy od stopnia służbowego, lecz od większych zdolności, że zimny i niewzruszony spokój dowódcy jest decydującym elementem w trudnych sytuacjach. Nauczyłem się również, jak trudno być stale wzorem dla innych i zachowywać twarz, podczas gdy we wnętrzu bywa inaczej.

Po zawieszeniu broni, które nas zastało w Damaszku, byłem zdecydowany nie pozwolić się internować, lecz przebić na własną rękę do kraju. W korpusie odradzano mi tego rodzaju działanie. Zapytani żołnierze mego plutonu zgłosili się na ochotnika, aby się wraz ze mną przebijać. Od wiosny 1918 r. dowodziłem samodzielnym plutonem kawalerii. Wszyscy żołnierze byli po trzydziestce, ja natomiast miałem 18 lat. W pełnym przygód pochodzie przeciągnęliśmy przez Anatolię, nędznym żaglowcem przepłynęliśmy Morze Czarne do Warny, następnie konno przejechaliśmy przez Bułgarię, Rumunię, w głębokim śniegu przebrnęliśmy Alpy Transylwańskie, przez Siedmiogród, Węgry, Austrię i po prawie trzymiesięcznej tułaczce bez map, ufając jedynie wiadomościom ze szkolnej geografii, rekwirując furaż dla koni i żywność dla ludzi we wrogiej Rumunii, dobiliśmy do ziemi ojczystej, do naszej zapasowej formacji. Nikt nas tam się nie spodziewał. O ile mi wiadomo, żadna zwarta formacja nie powróciła do kraju z tamtego frontu wojny.

Jeszcze podczas wojny budziły się we mnie wątpliwości, czy rzeczywiście mam powołanie do stanu kapłańskiego. Przez moje przeżycie ze spowiedzią, jak i to, co widziałem w świętych miejscach, jak kupczono świętymi rzeczami, straciłem zaufanie do duchowieństwa. Miałem również wątpliwości odnośnie do różnych instytucji kościelnych. Stopniowo narastał we mnie opór przeciwko zawodowi wychwalanemu przez mego ojca. Nie myślałem przy tym o jakimkolwiek innym zawodzie. Nie mówiłem o tym z nikim. W ostatnim liście przed śmiercią pisała do mnie matka, że nie powinienem zapominać, do czego przeznaczył mnie ojciec. Szacunek dla woli rodziców i niechęć do tego zawodu kłóciły się we mnie i po przybyciu do ojczyzny nie doszedłem jeszcze ze sobą do ładu.

Po powrocie do kraju zarówno mój opiekun, jak i cała rodzina przypuścili atak na mnie, abym natychmiast wstąpił do seminarium duchownego, gdzie znajdę odpowiednie otoczenie i przygotowanie się do przeznaczonego dla mnie zawodu. Nasz dom był zlikwidowany, a siostry uczęszczały do szkół przyklasztornych. Teraz dopiero odczułem naprawdę utratę matki, nie miałem już domu. Opuszczony i zdany całkowicie na własne siły pozostałem sam. „Kochani krewni" podzielili między siebie wszystko to, co stanowiło nasze wspomnienie o domu rodzicielskim, wszystkie pamiątki, które czyniły ten dom dla nas miłym i drogim. Uważali oni, iż siostry moje pozostaną w klasztorze, ja zostanę misjonarzem i te „świeckie" rzeczy nie będą nam potrzebne. Było jeszcze dosyć majątku, aby móc opłacić mój pobyt w domu misyjnym oraz dać klasztorny posag dla moich sióstr.

Pełen oburzenia na samowolę krewnych oraz zgryzoty z powodu utraty domu udałem się jeszcze tego samego dnia do mego opiekuna, którym był mój wuj, i oświadczyłem mu krótko, że nie chcę być duchownym. Chciał on mnie do tego zmusić, mówiąc, iż nie da pieniędzy na naukę jakiegokolwiek innego zawodu, ponieważ rodzice moi wybrali dla mnie zawód księdza. Zdecydowany, zrzekłem się przypadającej na mnie części majątku na rzecz mych sióstr, potwierdziłem to również następnego dnia u notariusza i zdecydowanie odrzuciłem wszelkie dalsze starania mych krewnych. Postanowiłem przebijać się przez życie o własnych siłach. Pełen wściekłości opuściłem bez pożegnania dom „krewnych" i następnego dnia udałem się do Prus Wschodnich w celu wstąpienia do Korpusu Ochotniczego udającego się do krajów nadbałtyckich.[5]

---

[5] Rudolf Höss wstąpił w Królewcu do Wschodnio-Pruskiego Korpusu Ochotniczego dowodzonego przez por. Rossbacha. Po przeszkoleniu w zakresie łączności w Rydze uczestniczył w walkach z oddziałami rewolucyjnymi na Łotwie. W styczniu 1920 r. oddziały powróciły do Niemiec i zostały użyte do stłumienia w kwietniu 1920 r. powstania robotniczego w Zagłębiu Ruhry. Po rozbiciu przez Reichswehrę i korpusy ochotnicze 50-tysięcznej robotniczej armii Zagłębia Ruhry oddziały ochotnicze formalnie rozwiązano, zachowując jednak pewną więź organizacyjną. Freikorpsy ponownie zmobilizowane w maju 1921 r. uczestniczyły w walkach z polskimi powstańcami na Górnym Śląsku.

Tak więc problem wyboru zawodu został nagle rozwiązany i zostałem znów żołnierzem. Znalazłem znowu dom i bezpieczne schronienie w koleżeńskiej przyjaźni. Charakterystyczne było to, iż ja — samotnik, który sam w sobie trawił wewnętrzne przeżycia i wzruszenia — czułem się pociągnięty koleżeńską przyjaźnią, w której w razie potrzeby i niebezpieczeństwa jeden na drugim mógł bezwzględnie polegać.

Walki w rejonie nadbałtyckim cechowała dzikość i zawziętość, z jakimi dotychczas jeszcze nigdy się nie zetknąłem, ani podczas wojny światowej, ani też podczas innych walk korpusów ochotniczych. Nie było ustalonego frontu, wróg zaś znajdował się wszędzie. Wszędzie tam, gdzie dochodziło do starć, przeradzały się one w rzeź aż do całkowitego zniszczenia. (Szczególnie wyróżniali się tym Łotysze). Tam również widziałem pierwszy raz okrucieństwa dokonywane na ludności cywilnej. Łotysze, mścili się okrutnie na swoich rodakach, którzy przyjmowali lub też zaopatrywali niemieckich lub rosyjskich żołnierzy białej armii. Podpalali ich domy i palili przy tym żywcem znajdujących się w tych domach mieszkańców. Niezliczoną ilość razy widziałem wstrząsające widoki spalonych chat ze zwęglonymi lub nadpalonymi zwłokami kobiet i dzieci.

Gdy ujrzałem to po raz pierwszy, byłem jak skamieniały. Uważałem wówczas, iż ludzki obłęd niszczenia nie może się już dalej posunąć. Mimo iż w okresie późniejszym wielokrotnie widziałem okrutniejsze jeszcze obrazy, do dzisiejszego dnia mam przed oczyma na wpół spaloną chatę z wymordowaną w niej całą rodziną na skraju lasu nad brzegiem Dźwiny. Wówczas potrafiłem się jeszcze modlić i czyniłem to!

Korpusy ochotnicze lat 1918–1921 były szczególnym zjawiskiem owego czasu. Każdorazowy rząd potrzebował ich, gdy gorzało na granicy czy też we wnętrzu Rzeszy, a siły policyjne, później Reichswehry, nie wystarczały lub też ze względów politycznych nie mogły występować. Gdy niebezpieczeństwo zostało zażegnane lub też gdy Francja energicznie domagała się wyjaśnień, wypierano się ich. Rozwiązywano je i prześladowano organizacje, jakie z nich powstawały i czekały na następne akcje. Korpusy te składały się z oficerów i żołnierzy, którzy na tej drodze szukali szczęścia, z bezrobotnych, którzy powrócili z wojny światowej i nie potrafili się przystosować do normalnego mieszczańskiego życia, z awanturników, którzy chcieli uniknąć bezczynności i opieki społecznej, oraz młodych entuzjastów, którzy z miłości dla ojczyzny chwytali za broń. Wszyscy oni bez wyjątku składali przysięgę na wierność dowódcy swego korpusu. Oddział opierał się na nim i wraz z nim upadał. W wyniku tego powstawało uczucie wzajemnej przynależności, duch, korpusu, którego nic nie było w stanie złamać. Im bardziej byliśmy prześladowani przez każdorazowy rząd, tym mocniej trzymaliśmy się razem. Biada temu, kto zrywał te więzy wspólnoty lub ją zdradzał.

Ponieważ rząd musiał zaprzeczać faktowi istnienia korpusów ochotniczych, nie mógł on również ścigać przestępstw dokonywanych w tych oddziałach, jak kradzieże broni, zdrada tajemnic wojskowych, zdrada kraju itp.

W wyniku tego w korpusach ochotniczych oraz organizacjach, które zajęły ich miejsce, powstał samosąd, oparty na starych niemieckich wzorach — sąd kapturowy. Każda zdrada karana była śmiercią. W ten sposób zostało straconych wielu zdrajców. Ujawniono jednak niewiele tego rodzaju przypadków i jedynie bardzo rzadko sprawcy bywali ujęci i sądzeni przez specjalnie w tym celu powołany Trybunał Stanu dla Ochrony Republiki.

Tak też było i z moją sprawą — procesem o mord kapturowy w Parchim, w którym ja jako przywódca i główny uczestnik mordu zostałem skazany na 10 lat więzienia. Zabiliśmy zdrajcę, który wydał Francuzom Schlagetera.[6] Jeden z uczestników zawiadomił o tym przypadku „Vorwärts" — czołowy dziennik socjaldemokratyczny, jak to się później okazało, dla pieniędzy. Jak sprawa w rzeczywistości wyglądała, nie zostało wyjaśnione. Donosiciel w czasie zajścia nie był na tyle trzeźwy, aby móc zapamiętać dokładnie wszystkie szczegóły. Ci, którzy je znali, milczeli. Ja brałem również w tym udział, jednakże nie byłem ani przywódcą, ani też głównym sprawcą. Kiedy w czasie śledztwa zauważyłem, że kolega, który był właściwym sprawcą, może zostać obciążony jedynie przeze mnie, wziąłem winę na siebie, on zaś został jeszcze w trakcie śledztwa zwolniony.

Nie muszę podkreślać, że z przytoczonych wyżej względów zgadzałem się na śmierć zdrajcy, Schlageter był moim starym dobrym kolegą, z którym niejednokrotnie w rejonie nadbałtyckim i Zagłębiu Ruhry wspólnie walczyliśmy, z którym pracowaliśmy wspólnie na Górnym Śląsku za liniami nieprzyjacielskimi i załatwialiśmy niejedną ciemną sprawę przy dostawach broni.

Byłem wówczas i jestem również dzisiaj głęboko przekonany, że zdrajca ten zasłużył na śmierć. Ponieważ jednak według wszelkiego prawdopodobieństwa nie zostałby on skazany przez żaden sąd niemiecki, zgodnie z niepisanym prawem, które sobie sami ustanowiliśmy z ówczesnej konieczności, osądziliśmy go sami. Zrozumieć to mógł tylko ten, kto sam przeżył ten czas lub też potrafi wczuć się w ten okres zamętu.

Podczas dziewięciomiesięcznego pobytu w areszcie śledczym, jak i w czasie procesu nie zdawałem sobie sprawy ze swego położenia. Byłem przeświadczony, iż nie dojdzie do procesu, a nawet jeśli on się odbędzie, to w żadnym razie nie będę musiał odsiadywać kary. Stosunki polityczne w roku 1923 w Rzeszy zaostrzyły się do tego stopnia, że musiało bezwzględnie dojść do przewrotu, wszystko jedno z której strony. Liczyłem się z tym, iż w odpowiednim czasie zostaniemy uwolnieni przez naszych kolegów. Nieudany pucz Hitlera w dniu 9 listopada 1923 roku powinien był być dla mnie

[6] Na mocy postanowień Traktatu Wersalskiego z 28 czerwca 1919 r. Zagłębie Ruhry znalazło się w 50-kilometrowym zdemilitaryzowanym pasie na prawym brzegu Renu. Wobec niewywiązywania się przez Niemców z obowiązku spłaty odszkodowań wojennych wojska francuskie i belgijskie przystąpiły 11 stycznia 1923 r. do okupacji Zagłębia Ruhry. Niemiecką akcją sabotażową na tym terenie kierował Albert Leo Schlageter. Został on wydany Francuzom przez byłego żołnierza formacji ochotniczych Waltera Kadova. W odwecie w maju 1923 r. Höss wraz z dwoma kolegami zamordował Kadova. W miesiąc później Höss został aresztowany i postawiony przed sądem. W 1924 r. został skazany na karę 10 lat więzienia.

dobrą nauczką. Wierzyłem jednak nadal w jakiś korzystniejszy układ stosunków. Moi obaj obrońcy zwracali mi uwagę na powagę sytuacji, że muszę się liczyć nawet z możliwością wyroku śmierci, ze względu zaś na nowy skład Trybunału Stanu oraz zaostrzone prześladowanie i potępienie wszystkich organizacji o nastawieniu nacjonalistycznym — co najmniej z wysoką karą pozbawienia wolności. Nie mogłem i nie chciałem w to uwierzyć. W areszcie śledczym mieliśmy wszelkie możliwe udogodnienia, ponieważ wśród więźniów znajdowało się — z politycznego punktu widzenia — znacznie więcej więźniów z lewicy, głównie komunistów, aniżeli z prawicy.[7] Również minister sprawiedliwości Saksonii, Zeigner,[8] siedział w swoim własnym więzieniu z powodu nieczystych interesów i pogwałcenia prawa.

Mogliśmy dużo pisać, a także otrzymywać listy i paczki, mogliśmy prenumerować dzienniki i orientowaliśmy się we wszystkim, co działo się na wolności. Izolacja w więzieniu była jednak bardzo surowa; gdy nas wyprowadzano z celi, zawiązywano nam zawsze oczy. Kontakty z kolegami były możliwe jedynie rzadko w formie krótkiej rozmowy przez okno. Podczas procesu rozmowy i możliwości przebywania w gronie kolegów podczas przerw, w czasie transportu do sądu i z sądu były dla nas o wiele ważniejsze i bardziej interesujące aniżeli sam proces.

Również ogłoszenie wyroku nie wywarło specjalnego wrażenia na mnie ani też na mych kolegach. Weseli i rozbawieni, śpiewając nasze stare pieśni bojowe, wracaliśmy z więzienia. Czy był to humor wisielczy? Jeżeli chodzi o mnie, to wątpię. Nie chciałem po prostu wierzyć w konieczność odbywania kary.

Po przeniesieniu do więzienia karnego nastąpiło rychło bolesne przebudzenie. Otworzył się przede mną nowy, nieznany dotychczas świat.

W owym czasie odbywania kary w pruskim więzieniu nie można było porównywać z pobytem w sanatorium. Całe życie było uregulowane w najdrobniejszych szczegółach. Ścisła dyscyplina wojskowa. Największy nacisk kładziono na dokładne i staranne wykonywanie ustalonej dziennej normy pracy. Każde wykroczenie było surowo karane i oddziaływanie tych kar porządkowych potęgowane było przez odrzucanie na konferencjach urzędników ewentualności ułaskawienia, a więc skrócenia kary, gdy więzień otrzymał kary porządkowe.

---

[7] Fakt przebywania w więzieniach znacznej liczby komunistów, o których mówi Höss, należy wiązać z okresową delegalizacją Komunistycznej Partii Niemiec (KPD) w okresie 23 listopada 1923 r. — 1 marca 1924 r. W więzieniach i aresztach przebywało w tym czasie około 6500 jej członków.

[8] W 1923 r. dochodzi w Saksonii do zwycięstwa połączonych sił lewicy, socjalistów i komunistów. Premierem rządu krajowego zostaje socjalista dr Erich Zeinger (1886–1949). Po opanowaniu Saksonii przez Reichswehrę 21 października 1923 r. Zeinger został aresztowany pod zarzutem zdrady kraju. Akt oskarżenia zarzucał mu krytykę rządu centralnego w Berlinie, występowanie przeciwko prawicowym organizacjom paramilitarnym i tworzenie w Saksonii tzw. proletariackich setek mających dać początek nowej rewolucyjnej armii typu bolszewickiego.

Jako przestępca z motywów politycznych — tak mnie zakwalifikowano — korzystałem z jedynego przywileju, że siedziałem w pojedynczej celi. Początkowo nie byłem z tego zadowolony — miałem tego dosyć podczas 9 miesięcy w Lipsku, później jednak, mimo wielu drobnych wygód, jakie daje przebywanie w dużych wieloosobowych salach, zmieniłem zdanie. W swojej celi byłem niezależny i wykonawszy przepisane obowiązki, mogłem podzielić sobie dzień jak chciałem, nie musiałem liczyć się ze współwięźniami i jednocześnie unikałem terroru przestępczej wspólnoty panującego w tych salach. Aczkolwiek powierzchownie i z daleka poznałem ten terror kierujący się bezwzględnie przeciw wszystkim, którzy nie należeli do przestępczej kliki lub też nie podzielali jej poglądów. Terroru tego nie potrafiono złamać nawet w dobrze nadzorowanym pruskim zakładzie karnym.

Po poznaniu w rozmaitych i odległych krajach ludzi z różnych środowisk, ich obyczajów, a jeszcze bardziej ich nieobyczajności, po tym, jak wiele przeżyłem i przeszedłem w swoim młodym życiu, wydawało mi się, iż nic z tego, co ludzkie, nie jest mi obce. Przestępcy w więzieniu przekonali mnie jednak, iż się myliłem. Jeśli nawet w celi siedziałem sam, to jednak codziennie stykałem się z innymi więźniami czy to na spacerze na dziedzińcu, czy też przy doprowadzaniu na różne oddziały zakładu, w kąpieli, przez kalifaktorów, fryzjerów, poprzez więźniów, którzy dostarczali lub odbierali materiały robocze, jak również przy wielu innych okazjach. Przede wszystkim słyszałem ich wieczorne rozmowy przez okna. Orientowały mnie one o sposobie myślenia i psychice tego środowiska. Otwarła się przedemną otchłań ludzkich błędów, występków i namiętności.

Zaraz na początku odsiadywania kary jeden z więźniów z sąsiedniej celi opowiadał pewnego wieczoru swemu sąsiadowi o napadzie rabunkowym na leśniczówkę, przekonawszy się uprzednio, iż leśnik przebywa w gospodzie. Najpierw zabił on siekierą służącą, następnie żonę leśniczego, będącą w zaawansowanej ciąży, a po tym dlatego, że krzyczały, czworo małych dzieci. Bił tak długo głowami o ścianę, aż przestały „piać". Opowiadał o tej haniebnej zbrodni w tak plugawy sposób, że najchętniej bym go udusił. Tej nocy nie zaznałem spokoju. Później słyszałem jeszcze gorsze okropności, ale nie potrafiły mnie one tak wyprowadzić z równowagi jak ta słyszana po raz pierwszy. Opowiadający był wielokrotnie skazanym na śmierć mordercą, którego jednak stale ułaskawiano. Jeszcze w okresie odbywania przezemnie kary uciekł on pewnego wieczoru przy powrocie do celi. Zabił przy tym kawałkiem żelaza zagradzającego mu drogę funkcjonariusza i uciekł przez mur. W trakcie ucieczki został jednak zastrzelony przez funkcjonariusza policji, gdy powalił na ziemię spokojnego przechodnia, aby ukraść jego odzież, i gwałtownie zaatakował policjanta.

W więzieniu w Brandenburgu zgromadzona była elita wielkomiejskich przestępców Berlina, międzynarodowych kieszonkowców aż do osób ze szczytów społecznych, znanych kasiarzy, sutenerów, szulerów, oszustów dużego formatu oraz wszelkiego rodzaju bestialskich przestępców seksualnych włącznie. Odbywało się tam regularne szkolenie przestępców. Młodzi nowicjusze w poszczególnych dziedzinach „branży" wprowadzani byli przez starszych w arkana „sztuki", jednakże najbardziej indywidualne tricki utrzymywane były w najściślejszej tajemnicy. Za szkolenie kazali sobie ci starzy przestępcy naturalnie dobrze płacić: tytoniem, będącym zwyczajowym środkiem płatniczym w więzieniu (palenie było surowo wzbronione, ale każdy palacz zdobywał tytoń w nielegalny sposób, dzieląc się po połowie z młodszymi pomocniczymi funkcjonariuszami), jak również usługami w dziedzinie seksualnej, które były również traktowane jako środek płatniczy, oraz ustalonym udziałem w łupach pochodzących z planowanych jeszcze w więzieniu „przedsięwzięć" po zwolnieniu. Wiele przestępstw na dużą skalę przygotowanych zostało w okresie odbywania kary za poprzednio popełnione przestępstwa.

Bardzo szeroko rozpowszechniony był homoseksualizm. Młodzi, dobrze się prezentujący więźniowie, byli przedmiotem pożądania i wokół tych „piękności" toczyły się ostre walki i intrygi. Bardziej wyrafinowani kazali za swoje „łaski" dobrze sobie płacić. Moim zdaniem, do którego doszedłem na podstawie wieloletnich doświadczeń i poczynionych obserwacji, szerzący się w tych zakładach homoseksualizm jest jedynie w niewielu przypadkach skłonnością wrodzoną czy też spowodowaną chorobliwym popędem. U ludzi z silnym popędem płciowym potrzeba seksualna skłania ich do tych czynów, ale w znacznie większej liczbie przypadków powodowany on jest poszukiwaniem podniecającej czynności, „aby także mieć coś z życia" w środowisku, w którym nikt nie nakłada sobie żadnych hamulców.

W tej masie przestępców działających z popędu i ze skłonności znajdowała się duża część ludzi, którzy w tych ciężkich pod względem gospodarczym czasach powojennych, w okresie inflacji stali się złodziejami czy oszustami, ludzi, którzy nie byli na tyle silni, aby oprzeć się pokusom łatwego zysku, którzy na skutek nieszczęśliwego zbiegu okoliczności dostali się w krąg przestępstwa. Wielu z tych ludzi uczciwie i dzielnie walczyło, aby się uchronić od aspołecznego oddziaływania przestępczej atmosfery i aby po odbyciu kary rozpocząć znów normalne życie. Jednakże wielu było zbyt słabych, aby się oprzeć wieloletniemu aspołecznemu naciskowi i przestępczemu terrorowi. Ulegali przestępczości już na całe życie.

Pod tym względem więzienie było prawdziwym konfesjonałem. Już w Lipsku w areszcie śledczym słyszałem niektóre rozmowy przez okno, rozmowy, w których mężczyźni i kobiety skarżyli się na swój los i wzajemnie się pocieszali, rozmowy, w których współwinni gorzko oskarżali się o zdradę, rozmowy, które były w najwyższym stopniu interesujące dla prokuratury i dzięki którym można by wyjaśnić wiele ciemnych zbrodni. Dziwiłem się wówczas, że więźniowie tak swobodnie i bez zabezpieczenia zwierzali się sobie przez okno o rzeczach najbardziej skrytych i utrzymywanych w tajemnicy. Czy był to wewnętrzny przymus nawiązywania kontaktu, wynikający z izolacji w jednoosobowej celi, czy też ogólnoludzka potrzeba nawiązywania kontaktu z innymi ludźmi? W areszcie śledczym takie rozmowy przez okno były bardzo ograniczone i zagrożone stałymi kontrolami przeprowadzanymi w celach przez funkcjonariuszy więziennych. Natomiast w zakładzie karnym żadnego funkcjonariusza one nie interesują, chyba że stają się zbyt głośne.

W więzieniu w Brandenburgu w pojedynczych celach przebywały trzy rodzaje więźniów: 1) pierwszy raz karani więźniowie polityczni — był to ich przywilej; 2) brutalni i powodujący konflikty zbrodniarze, którzy byli nie do zniesienia w dużych celach ogólnych; 3) więźniowie, którzy się narazili współwięźniom, ponieważ często nie chcieli się ugiąć przed terrorem przestępców, i tacy, którzy byli donosicielami i obawiali się zemsty. Dla nich cela pojedyncza była swego rodzaju aresztem ochronnym. Co wieczór mogłem się przysłuchiwać ich rozmowom, które mi dawały głęboki wgląd w psychikę więźniów karnych. Później, gdy w ostatnim roku mego pobytu w więzieniu pracowałem w ciągu dnia jako pierwszy pisarz w magazynie i w codziennym osobistym kontakcie mogłem ich poznać jeszcze bliżej, moje przypuszczenia wielokrotnie się potwierdziły.

Prawdziwy przestępca zawodowy z nawyku lub skłonności wyrzeka się społecznej wspólnoty. Swoim zbrodniczym postępowaniem przestępca ją zwalcza. Nie pragnie on powrotu do tej wspólnoty, kocha swoją przestępczość, swój „zawód". Poczucie wspólnoty zna tylko z wyrachowania lub też zależności, podobnie jak prostytutka przywiązuje się do sutenera, choćby ją najgorzej traktował. Pojęcia moralne, jak wierność i wiara, są dla niego śmieszne — podobnie jak wszelkie pojęcia własności. Skazanie i odbywanie kary jest dla niego, potknięciem w zawodzie, nieszczęśliwym wypadkiem w interesie, czymś w rodzaju kraksy samochodowej, niczym więcej. Stara się on o maksymalnie beztroskie odbycie kary. Ponieważ zna wiele zakładów karnych, ich właściwości, starych funkcjonariuszy, stara się uzyskać przeniesienie do najbardziej mu odpowiadającego. Uważam go za niezdolnego do jakiegokolwiek serdeczniejszego odruchu. Wszelkie próby wychowawcze, wszelkie wysiłki w kierunku naprowadzenia go dobrocią na właściwą drogę zdecydowanie odrzuca, choć od czasu do czasu, ze względów taktycznych, dla uzyskania skrócenia wykonania kary udaje skruszonego grzesznika. Jest on na ogół brutalny i nikczemny i sprawia mu przyjemność fakt, gdy może zdeptać coś, co dla innego stanowi świętość.

Przykład dla ilustracji. W latach 1926–1927 wprowadzony został do ciężkich więzień humanitarno-postępowy system wykonywania kary. Między innymi w niedzielne przedpołudnia w więziennym kościele odbywały się imprezy muzyczne, w których występowały czołowe siły scen berlińskich.

Pewnego razu jedna ze słynnych berlińskich artystek wykonała tak znakomicie AVE MARIA Gounoda i z taką tkliwością, jak rzadko zdarzyło mi się słyszeć. Większość więźniów była głęboko wzruszona, melodia ta mogła wstrząsnąć najbardziej zatwardziałymi. Jednakże niestety nie wszystkimi. Ledwo przebrzmiały ostatnie tony, gdy znajdujący się za mną jakiś stary, cyniczny osobnik powiedział do swego sąsiada: „Ty, Edek, ale na brylanty to ja jestem pazerny". Tak oddziałało to rzeczywiście do serca przemawiające wykonanie na przestępcę — aspołeczną jednostkę w najpełniejszym tego słowa znaczeniu.

W tej masie typowych przestępców zawodowych znajdowała się duża liczba więźniów, których nie można było zaliczyć do więźniów z pogranicza, takich, którzy już staczali się do awanturniczego świata zbrodni, i takich, którzy całą siłą bronili się przed usidleniem, przed zwodniczymi pokusami. Byli również i tacy, którzy potknęli się po raz pierwszy, słabe natury, duchowo rozdarci zewnętrznymi wpływami więzienia oraz wewnętrznymi przeżyciami. Psychika tych ludzi nosiła na sobie różnorodne piętna, przechodziła przez wszelkie stopnie i tonacje ludzkich uczuć, popadając często z jednej skrajności w drugą.

Na natury lekkomyślne kara nie wywierała wrażenia, nie odczuwali oni żadnych duchowych obciążeń, żyli dniem dzisiejszym i nie martwili się o przyszłość. Będą oni nadal szli przez życie jak dotychczas aż do następnej wpadki.

Zupełnie inaczej zachowywały się natury poważniejsze. Kara działała na nich bardzo przygnębiająco, nie mogli się z tym pogodzić. Starali się również uciec od złej atmosfery panującej w ogólnych salach. Większość jednak z nich nie wytrzymywała życia w pojedynczej celi, odczuwali obawę przed samotnością, bali się natłoku myśli i zgłaszali się ponownie do powrotu w bagno wielkich sal. W więzieniu istniała również możliwość przebywania w jednej celi w trójkę, ale na dłuższą metę trudno było dobrać trzech więźniów, którzy by się mogli wzajemnie znosić w tej niewielkiej wspólnocie. Te małe wspólnoty musiały być ciągle rozwiązywane. Nie przypominam sobie żadnej, która by przetrwała przez dłuższy czas. Długi pobyt w więzieniu czyni najbardziej dobrotliwych ludzi drażliwymi i trudnymi do zniesienia, a nawet bezwzględnymi. A należy mieć wzgląd również i na innych, jeśli się chce żyć w takiej ścisłej wspólnocie.

Nie tylko sam pobyt w więzieniu — ta monotonna jednostajność codziennych czynności, stały przymus i ucisk niezliczonych przepisów, nieustanne krzyki i wymysły wielu funkcjonariuszy z błahych powodów, wszystko to działało przytłaczająco na poważniejszych więźniów, a jeszcze bardziej myśl o przyszłości, o dalszym życiu po odcierpieniu kary. Rozmowy ich toczyły się głównie wokół tego tematu. Troska ich polegała na tym, czy odnajdą drogę do społeczeństwa, czy też zostaną przez nie odrzuceni. Jeśli jeszcze byli przy tym żonaci, następną troską było zmartwienie o rodzinę. Czy żona przez długi czas rozłąki dotrzyma wierności? Wszystkie te sprawy powodowały u tych natur głębokie przygnębienie; nawet codzienna praca czy też czytanie poważniejszych dzieł w wolnym czasie nie były w stanie ich z tego przygnębienia wyzwolić. Nierzadko kończyło się to stanem duchowego zamroczenia czy też samobójstwem, mimo iż nie było ku temu bezpośredniego powodu. Przez powód bezpośredni rozumiem: złe wiadomości z zewnątrz, rozwód, śmierć najbliższych członków rodziny, odrzucenie podania o łaskę itp.

Także ludzie chwiejni o zmiennych charakterach nielekko znosili więzienie. Na ich stan psychiczny miały duży wpływ wrażenia zewnętrzne. Kilka kuszących słów ze strony starego łotra, paczuszka tytoniu, mogły zachwiać wszelkimi dobrymi zamiarami, spowodować ich zapomnienie, i na odwrót, dobra książka, poważnie spędzona godzina odpoczynku skłaniały te natury do skupienia się i opamiętania.

Moim zdaniem wielu więźniów można by było sprowadzić na dobrą drogę, gdyby wyżsi funkcjonariusze więzienni byli bardziej ludźmi niż urzędnikami. Szczególnie odnosi się to do duszpasterzy obu wyznań, którzy już na skutek cenzury listów zorientowani byli w nastrojach i stanie duszy swoich owieczek. Jednakże wszyscy ci funkcjonariusze osiwieli i otępieli przy pełnieniu wiecznie tej samej służby. Nie dostrzegali oni wewnętrznej niedoli więźnia, który naprawdę walczył o to, by stać się lepszym. Jeżeli taki więzień zdobył się na odwagę zwrócenia się do duszpasterza o radę w swoich duchowych konfliktach, uważano, iż chce odgrywać rolę skruszonego grzesznika, aby dzięki temu uzyskać ułaskawienie.

Tego rodzaju przekonania funkcjonariuszy wynikały z pewnością z faktów wprowadzania ich w błąd przez osoby niegodne współczucia i zrozumienia. Nawet najbardziej niemoralni więźniowie stawali się nagle pobożnymi, gdy zbliżał się okres badania możności ułaskawienia, a dla nich istniała choć minimalna szansa.

Niezliczone razy słyszałem, jak więźniowie w rozmowie między sobą skarżyli się na brak pomocy ze strony kierownictwa zakładu karnego w ich wewnętrznych problemach. Na te poważne natury, które rzeczywiście pragnęły się poprawić, psychiczne oddziaływanie kary było znacznie bardziej dotkliwe aniżeli jakiekolwiek fizyczne dolegliwości związane z pobytem w wiezieniu. W porównaniu z ludźmi traktującymi te sprawy bardziej powierzchownie byli oni podwójnie karani.

Po ustabilizowaniu się stosunków politycznych i gospodarczych, po okresie inflacji, pojawiły się w Niemczech bardziej demokratyczne poglądy. Oprócz wielu innych środków podejmowanych przez rząd w tych latach wprowadzono również bardziej humanitarny i postępowy system wykonywania kary. Wierzono, iż dzięki dobroci i odpowiedniemu wychowaniu można będzie odzyskać dla społeczeństwa te osoby, które naruszyły ustawy państwowe. Wychodząc z założenia, iż każdy człowiek jest produktem swego środowiska, próbowano po odbyciu kary stworzyć przestępcom takie warunki bytowania, które byłyby dla nich bodźcem do społecznego awansu i mogły ich uchronić przed dalszymi niewłaściwymi postępkami. Odpowiednia opieka społeczna miała pomóc w zmianie asocjalnego nastawienia oraz zapobiegać powrotowi do środowiska przestępczego. Poziom moralny w zakładach karnych miał zostać podniesiony poprzez podjęcie odpowiednich działań wychowawczych, takich jak wieczory muzyczne, które miały się przyczynić do poruszenia serc, odpowiednie odczyty na tematy zasad moralnych społeczeństwa, podstaw etyki itp. zagadnień. Wyżsi funkcjonariusze zakładów karnych mieli się więcej troszczyć o pojedyńczych więźniów i ich duchowe potrzeby. Zgodnie z trzystopniowym systemem, wprowadzającym nieznane dotychczas istotne ulgi, sam więzień mógł stopniowo przechodzić aż do trzeciego stopnia poprzez dobre zachowanie, pilną pracę oraz wykazanie wewnętrznej przemiany i tym samym uzyskać przedterminowe warunkowe zwolnienie. W najbardziej korzystnym przypadku mogła mu w ten sposób zostać darowana połowa kary.

Spośród około 800 więźniów tamtejszego zakładu karnego pierwszy przeszedłem do trzeciego stopnia. Do chwili mego zwolnienia było takich więźniów nie więcej niż tuzin, którzy na konferencji urzędników zostali uznani za godnych noszenia na rękawie trzech pasków. Ja spełniałem z góry wszelkie wymagane warunki, nie miałem żadnych kar dyscyplinarnych ani też żadnych ostrzeżeń, wykonywałem zawsze z nadwyżką wyznaczoną normę pracy, byłem karany po raz pierwszy, nie byłem pozbawiony praw obywatelskich i byłem zakwalifikowany jako więzień polityczny. Ponieważ jednak jako przestępca polityczny skazany zostałem przez Trybunał Stanu, mogłem zostać zwolniony jedynie na podstawie aktu łaski prezydenta Rzeszy lub na podstawie amnestii.

Już w pierwszych dniach odbywania kary uświadomiłem sobie jasno swoje położenie. Oprzytomniałem. Musiałem liczyć się niestety z koniecznością odbycia całej dziesięcioletniej kary więzienia. List jednego z moich obrońców na ten temat potwierdził moje przeświadczenie. Nastawiłem się na odbycie całej wymierzonej mi kary. Opamiętałem się. Dotychczas żyłem dniem dzisiejszym, brałem życie tak jak przychodziło i nie myślałem poważnie o przyszłości. Obecnie miałem dość czasu do przemyślenia mego całego dotychczasowego życia, poznania błędów i słabości oraz przygotowania się do późniejszego, bogatszego w treść życia.

W okresach między poszczególnymi akcjami korpusu ochotniczego wyuczyłem się wprawdzie zawodu, który polubiłem i w którym mogłem się doskonalić. Miałem zamiłowanie do rolnictwa i nawet pewne osiągnięcia, czego dowodzą moje świadectwa. Brakowało mi jednak prawdziwej treści życia; tego, co mogłoby rzeczywiście wypełnić życie, jeszcze sobie nie uświadomiłem. Choć może to brzmieć niedorzecznie, rozpocząłem poszukiwania treści życia za murami więzienia i później ją rzeczywiście znalazłem.

Wychowany od młodości do bezwzględnego posłuszeństwa, pedantycznego porządku i czystości, nie miałem szczególnych trudności w przystosowaniu się do twardego życia więziennego. Sumiennie wypełniałem przypisane mi obowiązki, wykonywałem żądaną pracę, a nawet więcej ku zadowoleniu moich majstrów, w celi utrzymywałem wzorowy porządek i czystość, tak że nawet najbardziej złośliwe oczy nie mogły niczego znaleźć, co by można było mi zarzucić.

Przyzwyczaiłem się nawet do niezmiennego przebiegu dnia, rzadko przerywanego jakimś wydarzeniem, choć było to sprzeczne z moją żywą naturą. Dotychczas prowadziłem niespokojny i ruchliwy tryb życia.

W okresie pierwszych dwóch lat szczególnym wydarzeniem było na przykład otrzymywanie co kwartał listu z zewnątrz. Już na kilka dni przed tym przemyśliwałem i kombinowałem, co w nim może być. List był od mojej narzeczonej, tzn. była ona nią dla kierownictwa zakładu, ja bowiem tej dziewczyny, siostry jednego z kolegów, nigdy nie widziałem, ani o niej nie słyszałem. Ponieważ jednak mogłem pisać jedynie do krewnych i tylko od nich otrzymywać listy, koledzy moi — jeszcze w Lipsku — postarali się dla mnie o „narzeczoną". Dziewczyna ta przez wszystkie lata pisała do mnie stale, spełniała wszystkie moje życzenia, informowała mnie dokładnie o wydarzeniach, które zaszły wśród moich znajomych i przekazywała dalej wiadomości ode mnie.

Nigdy jednak nie mogłem się przyzwyczaić do małostkowych i wymyślnych szykan niższych funkcjonariuszy więziennych; szczególnie gdy były celowo wymyślane i złośliwe, wprawiały mnie zawsze w głębokie wewnętrzne wzburzenie. Przez wyższych funkcjonariuszy, do dyrektora zakładu karnego włącznie, byłem zawsze traktowany poprawnie, podobnie zresztą jak przez większość niższych funkcjonariuszy, z którymi stykałem się w ciągu trzech lat. Trzech jednak spośród nich — byli oni socjaldemokratami — ze względów politycznych szykanowało mnie, jak tylko mogło; często były to drobiazgi, ale dotkliwie mnie raniły. Każda z tych szykan była dla mnie bardziej dotkliwa, aniżeli gdyby mnie wychłostano. Każdy więzień o wrażliwej psychice cierpi na skutek nieusprawiedliwionych, złośliwych i wymyślnych szykan oraz działań psychicznych bardziej aniżeli na skutek fizycznego znęcania się. Odczuwa on je jako bardziej hańbiące i przygnębiające aniżeli maltretowanie fizyczne. Często próbowałem nie reagować na nie, ale nie udało mi się to nigdy.

Przywykłem do szorstkiego tonu niższych funkcjonariuszy, którzy im bardziej byli prymitywni, tym bardziej samowolnie wykorzystywali daną im władzę. Przyzwyczaiłem się również i do tego, iż wydawane mi przez tych pod każdym względem ograniczonych funkcjonariuszy polecenia, często najbardziej bzdurne, wypełniałem chętnie i bez wewnętrznego oporu, a nawet z wewnętrznym uśmiechem. Przywykłem również do ordynarnego tonu, z którym spotykała się większość więźniów.

Nie mogłem jednak nigdy przywyknąć, mimo iż miało to codziennie miejsce, do ordynarnych, niskich i ohydnych kpin więźniów ze wszystkiego, co było piękne i dobre w życiu i dla wielu ludzi było świętością. Miało to miejsce szczególnie wówczas, gdy oni widzieli, że mogli tym któremuś ze współwięźniów zrobić przykrość. Słuchając tego rodzaju wypowiedzi, zawsze się oburzałem.

Dobra książka była zawsze moim przyjacielem. W trakcie ciągłej gonitwy w moim dotychczasowym życiu nie miałem jednak na to ani czasu, ani chęci. W samotności celi książka stała się jednak dla mnie wszystkim, szczególnie podczas pierwszych dwóch lat odbywania kary. Była ona moim wytchnieniem — przy niej mogłem zapomnieć o mojej sytuacji.

Po upływie dwóch lat, które spędziłem bez specjalnych wydarzeń w monotonii dnia codziennego, wpadłem nagle w jakiś dziwny stan. Stałem się bardzo drażliwy, nerwowy i podniecony. Ogarnął mnie wstręt do pracy, zajmowałem się wówczas krawiectwem i sprawiało mi to nawet przyjemność. Nie mogłem jeść, każdy kąsek, który połykałem na siłę, wracał z powrotem. Nie mogłem czytać i w ogóle skupić się. Jak dzikie zwierzę miotałem się po celi tam i z powrotem. Nie mogłem spać, dotychczas spałem zawsze głęboko przez całą noc, bez żadnych snów. Musiałem wstawać i krążyć po celi, nie mogąc znaleźć spokoju. Gdy z wyczerpania padałem na łóżko i zasypiałem, po krótkim czasie budziłem się zlany potem od koszmarnych snów. W trakcie tych bezładnych snów byłem stale ścigany, zabijany lub rozstrzeliwany albo spadałem w przepaść. Noce stały się dla mnie koszmarem. Godzina po godzinie słyszałem bicie zegarów wieżowych. Ze zbliżającym się rankiem ogarniała mnie groza przed nadchodzącym dniem, przed ludźmi, którzy się pokażą — a ja nie chciałem, nie mogłem nikogo widzieć. Próbowałem na siłę wziąć się w karby, nie byłem w stanie jednak temu przeciwdziałać. Chciałem się modlić, lecz zdobywałem się jedynie na trwożny bełkot, zapomniałem się modlić, nie mogłem znaleźć już drogi do Boga. W tym stanie byłem przekonany, iż Bóg nie chce mi więcej pomóc, ponieważ Go opuściłem. Dręczyło mnie moje oficjalne wystąpienie z Kościoła w roku 1922. Było ono jednak konsekwencją stanu, jaki istniał od końca wojny. Wewnętrznie oderwałem się od Kościoła, jakkolwiek następowało to stopniowo, już w ostatnich latach wojny.

Czyniłem sobie najbardziej gorzkie wyrzuty, że nie spełniłem woli moich rodziców i nie zostałem duchownym. Dziwne, że mnie to wszystko dręczyło właśnie w tym stanie. Moje wewnętrzne napięcie rosło z dnia na dzień, a nawet z godziny na godzinę. Byłem bliski szaleństwa. Pogarszał się coraz bardziej również i mój stan fizyczny. Mój majster zauważył u mnie niezwykłe roztargnienie, najprostsze rzeczy robiłem na opak i mimo iż wściekle pracowałem, nie byłem w stanie wykonać normy. Od wielu dni głodowałem, gdyż przypuszczałem, iż po tym będę mógł wreszcie jeść. Wtedy zostałem przyłapany przez oddziałowego funkcjonariusza, jak wyrzucałem obiad do kubła. Nawet on, który pełnił swoją służbę zmęczony i obojętny i prawie wcale nie troszczył się o więźniów, zwrócił uwagę na moje niezwykłe zachowanie i mój wygląd i dlatego też, jak mi to później sam powiedział, bacznie mnie obserwował.

Zaprowadzono mnie natychmiast do lekarza. Ten starszy pan, od dziesiątków lat pracujący w zakładzie, cierpliwie mnie wysłuchał, przejrzał moje akta, a następnie powiedział z największym spokojem: psychoza więzienna. To przejdzie, nie jest tak źle! — Umieszczono mnie na rewirze w celi obserwacyjnej, otrzymałem zastrzyk i zimne okłady, po czym zapadłem w głęboki sen. W okresie następnych kilku dni otrzymywałem uspokajające tabletki oraz szpitalne wyżywienie. Stan ogólnego podniecenia się zmniejszał i mogłem nad sobą zapanować. Na własne życzenie wróciłem do celi, chciano mnie bowiem umieścić w celi ogólnej, prosiłem jednak o pozostawienie mnie samego. W tych dniach dyrektor zakładu zakomunikował mi, iż w wyniku dobrego zachowania oraz wydajnej pracy zostałem zakwalifikowany do drugiego stopnia i przyznane mi zostały różne ulgi. Od tej chwili mogłem pisać listy co miesiąc, otrzymywać zaś ich tyle, ile do mnie przychodziło. Wolno mi było otrzymywać książki i pomoce naukowe. Mogłem trzymać kwiaty w oknie. Wieczorem wolno mi było palić światło do godziny 22. W niedziele i święta mogłem na życzenie przebywać wiele godzin z innymi więźniami.

Perspektywa otrzymania tych wszystkich ulg pomogła mi szybciej przezwyciężyć mój stan depresji, aniżeli nastąpiłoby to za pomocą środków uspokajających. Jednakże ślady tego stanu długo się jeszcze we mnie utrzymywały. Na tym świecie dzieją się rzeczy, których w życiu codziennym się nie doświadcza, na temat jednak których człowiek będący w całkowitej samotności wiele rozmyśla. Czy istnieją jakieś kontakty z tymi, którzy odeszli? W godzinach najwyższego wzburzenia widziałem często przed sobą mych żywych rodziców i rozmawiałem z nimi tak, jak bym był jeszcze pod ich opieką. Jeszcze dzisiaj nie potrafię sobie wytłumaczyć tych spraw. O sprawach tych nie rozmawiałem nigdy z nikim.

W następnych latach mego pobytu w więzieniu mogłem jeszcze wielokrotnie obserwować psychozę więzienną. Wiele przypadków kończyło się w celi dla obłąkanych, wiele prowadziło do całkowitego zamroczenia umysłowego. Znani mi osobiście więźniowie, którzy przeszli i przetrzymali psychozę więzienną, przez długi jeszcze okres byli po tym nieśmiali, przybici i pesymistyczni. Niektórzy z nich nigdy nie pozbyli się stanu głębokiego przygnębienia.

Większość samobójstw, które tam obserwowałem, kładę na karb psychozy więziennej. W tym stanie zawodzą wszystkie rzeczowe argumenty, odpadają wszelkie hamulce, które w normalnym życiu przeciwdziałają samobójstwu. Niesłychane podniecenie opanowujące wówczas człowieka doprowadza go do ostateczności, aby tylko zakończyć tę mękę i znaleźć spokój!

Moim zdaniem przypadki symulacji stanów szałowych i obłędu w celu wydostania się z więzienia zdarzają się w zakładach karnych niezmiernie rzadko, ponieważ z chwilą przeniesienia do zakładu psychiatrycznego termin biegu wykonania kary ulega zawieszeniu do czasu odzyskania przez chorego zdolności do dalszego jej odbywania, bądź też chory pozostaje w szpitalu psychiatrycznym do końca życia. Ciekawe, że więźniowie mają wprost zabobonny lęk przed chorobą psychiczną.

Po tej depresji, po tym załamaniu, dalsze moje życie w więzieniu przebiegało bez specjalnych wydarzeń. Stawałem się coraz bardziej spokojny i zrównoważony. W wolnym czasie uczyłem się z zapałem angielskiego, kazałem sobie przysłać książki do nauki tego języka, później zaś prosiłem o systematyczne przysyłanie mi angielskich książek i czasopism, i w ten sposób w ciągu jednego roku bez żadnej obcej pomocy nauczyłem się tego języka. Był to jednocześnie doskonały sposób zachowania duchowej dyscypliny.

Od kolegów i znajomych rodzin otrzymywałem stale dobre i cenne książki ze wszystkich dziedzin, szczególnie jednak interesowała mnie historia, nauka o rasach oraz nauka o dziedziczności i najchętniej zajmowałem się tymi zagadnieniami. W niedzielę grywałem często w szachy z więźniami, którzy mi odpowiadali. Właśnie ta gra, będąca swego rodzaju umysłowym pojedynkiem, nadaje się szczególnie do utrzymania i odświeżenia elastyczności umysłu, która na skutek jednostajności życia za kratami jest szczególnie zagrożona.

Dzięki licznym i wielostronnym kontaktom ze światem zewnętrznym poprzez listy, gazety i czasopisma otrzymywałem stale pożądane nowe bodźce.

Gdy czasami nachodziły mnie posępne nastroje i zniechęcenie lub gniew, wówczas wspomnienie przebytego „martwego punktu" działało jak podcięcie biczem i powodowało szybkie rozpędzenie nadciągającej chmury. Obawa przed nawrotem choroby była zbyt silna.

Zaszeregowanie mnie do trzeciego stopnia w czwartym roku mego uwięzienia spowodowało dalsze ulgi: co czternaście dni mogłem pisać listy na neutralnym papierze i bez żadnych ograniczeń. Nie miałem teraz obowiązku pracy, lecz mogłem pracować dobrowolnie, wolno mi było wyszukać sobie pracę, za którą otrzymywałem wyższe wynagrodzenie. Dotychczasowe wynagrodzenie za pracę, czyli — jak to określano — za wykonaną dzienną normę, wynosiło 8 fenigów, z czego 4 fenigi wolno było przeznaczyć na zakup dodatkowych artykułów spożywczych. W najlepszym przypadku oznaczało to funt tłuszczu w miesiącu. Na trzecim stopniu wynagrodzenie wynosiło 50 fenigów dziennie i cały zarobek można było przeznaczyć na swoje potrzeby. Poza tym można było z własnych pieniędzy wykorzystać na zakupy do 20 marek miesięcznie. Nowością było wprowadzenie dla trzeciego stopnia możliwości słuchania radia oraz swoboda palenia papierosów w określonych godzinach.

Ponieważ w tym czasie zwolniła się funkcja pisarza w magazynie, zgłosiłem swoją kandydaturę. Dzięki temu miałem w ciągu dnia urozmaicone zajęcie, dużo widziałem i słyszałem od przychodzących i zwalnianych więźniów, także od więźniów z innych oddziałów, którzy przychodzili codziennie do magazynu w celu zmiany odzieży, bielizny i sprzętu. Niemało też słyszałem od pełniących służbę lub towarzyszących funkcjonariuszy o wszystkim, co się wydarzyło w codziennym życiu zakładu karnego. Magazyn był zbiornicą wiadomości zakładu o wszelkich nowościach i plotek. Poznałem również powstawanie i błyskawiczne rozchodzenie się wszelkiego rodzaju plotek oraz ich oddziaływanie. Każda nowina czy plotka, przekazywana szeptem w możliwie najbardziej tajemniczy sposób, jest w więzieniu eliksirem życia. Im bardziej jest izolowany więzień, tym skuteczniejsza jest plotka, im bardziej jest on prymitywny, tym bardziej jej wierzy.

Jeden z moich „współpracowników", czyli więzień zatrudniony podobnie jak ja w magazynie, który tam pracował już przeszło 10 lat i należał do inwentarza, znajdował szatańskie zadowolenie w rozpowszechnianiu całkowicie wyssanych z palca plotek, które sam wymyślał, i następnie obserwowaniu ich skutków. Ponieważ jednak przy tym działał bardzo sprytnie, nie można go było nigdy uchwycić, gdy niekiedy powstawały z tego powodu poważne sytuacje.

Ja sam stałem się pewnego razu ofiarą tego rodzaju plotki. Rozeszła się pogłoska, że dzięki pomocy przyjaciół wśród wysoko postawionych funkcjonariuszy więziennych mogę w nocy przyjmować w celi wizyty kobiet. Jeden z więźniów przeszmuglował przez pewnego funkcjonariusza tę wiadomość w formie zażalenia do władz nadzorujących wykonanie kary. Pewnej nocy zjawił się nagle w mojej celi dyrektor departamentu więziennictwa wraz z kilku wyższymi urzędnikami i z wyciągniętym z łóżka dyrektorem zakładu karnego, aby na własne oczy sprawdzić prawdziwość doniesienia. Mimo szczegółowego śledztwa nie można było wykryć zarówno donosiciela, jak i autora plotki. Gdy mnie zwalniano, ów wspomniany „współpracownik" powiedział mi, iż to on był autorem plotki, więzień zaś z celi sąsiadującej z moją celą napisał donos, potem on przemycił list na zewnątrz, by zrobić na złość dyrektorowi zakładu, ten bowiem odrzucił jego prośbę o ułaskawienie. Przyczyna i skutek. Złośliwi mogą w ten sposób narobić wiele złego.

Szczególnie interesowali mnie tam nowo przybyli więźniowie. Bezczelny, pewny siebie i impertynencki przestępca zawodowy, którego najcięższa kara nie mogła poskromić, był optymistą wierząc, że może powstać korzystna dla niego sytuacja. Często przebywał on na wolności kilka tygodni, niby na urlopie. Więzienie stawało się dla niego stopniowo miejscem stałego pobytu.

Ci, którzy potknęli się po raz pierwszy, lub też na skutek przeciwności losu karani byli po raz drugi lub trzeci, byli przygnębieni, nieśmiali, przeważnie smutni, małomówni, a także często zalęknieni. Na twarzach ich odbijało się wewnętrzne cierpienie, nieszczęście, nędza i rozpacz. Dosyć materiału dla psychoanalityka lub socjologa.

Po tym, co słyszałem i widziałem podczas dnia, byłem zawsze zadowolony, gdy mogłem wieczorem powrócić do samotności w mej celi. W spokoju rozmyślałem nad wydarzeniami dnia i wyciągałem wnioski. Zagłębiałem się w książki i czasopisma lub czytałem listy otrzymane od miłych i dobrych ludzi. Czytałem o ich planach, zamiarach w stosunku do mnie po zwolnieniu z więzienia i podśmiewałem się z ich zamiarów dodania mi odwagi i otuchy. Nie było mi to potrzebne, w piątym roku bowiem stopniowo zżyłem się z więzieniem i celą. Jeszcze pięć lat miałem przed sobą do odsiedzenia, bez żadnej szansy na jakiekolwiek skrócenie tego okresu. Wiele próśb o ułaskawienie, składanych przez wpływowe osobistości, a nawet osobista interwencja pewnego człowieka stojącego bardzo blisko prezydenta Rzeszy von Hindenburga, zostały przez tego ostatniego ze względów politycznych odrzucone. Nie liczyłem więc na wyjście z więzienia przed upływem dziesięciu lat. Byłem przeświadczony, iż resztę mej kary przetrzymam w dobrej kondycji fizycznej i psychicznej. Miałem również plany co do dalszej pracy: nauka języków i dokształcanie zawodowe. Myślałem o wszystkim możliwym, lecz nigdy o przedterminowym zwolnieniu.

A zwolnienie przyszło w ciągu jednej nocy! W Reichstagu znalazła się nagle i nieoczekiwanie większość złożona z najskrajniejszej prawicy i najskrajniejszej lewicy, które były w jednakowym stopniu zainteresowane w uzyskaniu zwolnienia dla swoich więźniów politycznych. Prawie bez przygotowania uchwalona została amnestia polityczna[9] i wraz z wielu innymi również ja znalazłem się na wolności. Po sześciu latach znów na wolności, znów przywrócony życiu!

Jeszcze dzisiaj widzę się stojącego na wielkich schodach Dworca Poczdamskiego w Berlinie, z zainteresowaniem spoglądającego na tłok panujący na Placu Poczdamskim. Stałem tam dość długo, aż zagadnął mnie jakiś pan, pytając, dokąd chcę się udać. Musiałem pewnie na niego dość głupio spojrzeć i głupio odpowiedzieć, ponieważ szybko odszedł ode mnie. Cały ten ruch był dla mnie czymś nierzeczywistym, zdawało mi się, że jestem w kinie i oglądam film. To zwolnienie było zbyt gwałtowne, zbyt nieoczekiwane, wszystko wydawało mi się nieprawdopodobne, zbyt obce.

Otrzymałem telegraficzne zaproszenie od zaprzyjaźnionej rodziny mieszkającej w Berlinie. Mimo iż Berlin znałem dobrze i droga do ich domu była prosta, potrzebowałem dużo czasu, aby tam dotrzeć. W pierwszych dniach stale ktoś mi towarzyszył, kiedy odważałem się wyjść na ulicę, ponieważ nie zwracałem uwagi na znaki komunikacyjne ani też na szalejący wielkomiejski ruch. Wędrowałem jak we śnie. Wiele dni upłynęło, zanim się przystosowałem do surowej rzeczywistości. Chciano mi świadczyć wiele dobrego, ciągnięto mnie na filmy, do teatrów, do wszystkich możliwych miejsc rozrywki, na towarzyskie spotkania, krótko mówiąc wszędzie, co mieszkańcy wielkiego miasta uważali za niezbędne do życia. Wszystko to zwaliło się na mnie z łoskotem, było za wiele tego dobrego. Byłem zupełnie oszołomiony i tęskniłem za spokojem. Chciałem tak szybko jak to możliwe, wydostać się z tego hałasu i pośpiechu wielkiego miasta. Wyrwać się na wieś.

Po dziesięciu dniach wyjechałem z Berlina, aby podjąć pracę urzędnika rolnego. Miałem wprawdzie jeszcze wiele zaproszeń na wypoczynek, lecz chciałem pracować, dostatecznie długo wypoczywałem.

Liczne i różnorodne były zamiary, którymi chciały mnie uszczęśliwić zaprzyjaźnione ze mną rodziny i koledzy. Wszyscy chcieli mi pomóc w zbudowaniu egzystencji i ułatwić przejście do normalnego życia. Proponowano,

---

[9] Amnestia, o której mowa, miała miejsce w 1929 r.

abym wyjechał do Afryki Wschodniej, do Meksyku, do Brazylii, do Paragwaju lub też do Stanów Zjednoczonych. Wszystko to w dobrej intencji usunięcia mnie z Niemiec, abym nie mógł się ponownie wmieszać w polityczne walki skrajnej prawicy.

Inni znowu, przede wszystkim moi starzy koledzy, chcieli mnie bezwzględnie widzieć w pierwszych szeregach bojowej organizacji NSDAP. Odrzuciłem obie propozycje. Mimo iż byłem członkiem partii od 1922 roku,[10] przekonanym o słuszności jej celów, z którymi się zgadzałem, zdecydowanie odrzucałem masową propagandę, targi o względy tłumu, granie na najniższych instynktach mas. „Masy" poznałem już w latach 1918–1922. Chciałem nadal pozostać członkiem partii, lecz bez pełnienia funkcji i bez przystępowania do jakiejkolwiek organizacji pomocniczej. Miałem inne zamiary. Nie chciałem również wyjeżdżać za granicę. Chciałem pozostać w Niemczech i tutaj pomagać w odbudowie, planowanej perspektywicznie z daleko sięgającymi celami. Chciałem osiedlić się na roli! W ciągu długich lat osamotnienia w mej celi uświadomiłem sobie, że dla mnie istniał tylko jeden cel, dla którego opłacało się walczyć i pracować — zdobyte własną pracą gospodarstwo rolne ze zdrową i dużą rodziną. To miało się stać treścią mego życia, jego celem.

Zaraz po zwolnieniu z więzienia nawiązałem kontakt ze Związkiem Artamanów.[11] Zarówno związek ten, jak i jego cele poznałem jeszcze w okresie odbywania kary z dostępnych mi publikacji i dokładnie się z nimi zapoznałem. Była to wspólnota młodych, uświadomionych narodowo chłopców i dziewcząt, wywodząca się z ruchu młodzieżowego wszystkich nacjonalistycznych kierunków partyjnych, którzy przede wszystkim chcieli się wydostać z niezdrowego, destrukcyjnego i powierzchownego życia w mieście i powrócić do zdrowego, twardego, lecz naturalnego trybu życia na wsi. Gardzili oni alkoholem i nikotyną, wszystkim, co nie służyło zdrowemu rozwojowi ciała i ducha. Wyznawali oni zasadę powrotu do ziemi, z której wyszli ich przodkowie, do źródła życia narodu niemieckiego, do zdrowego chłopskiego osadnictwa.

Była to również i moja droga — mój długo poszukiwany cel. Zrezygnowałem z posady urzędnika i przystąpiłem do wspólnoty ludzi podobnie myślących. Zerwałem wszelkie kontakty z dawniejszymi kolegami oraz ze znajomymi i zaprzyjaźnionymi rodzinami, ponieważ nie mogli oni zrozumieć mego kroku oraz ponieważ chciałem rozpocząć nowe życie bez żadnych zakłóceń.

---

[10] Mowa Hitlera wysłuchana na zjeździe byłych żołnierzy korpusu Rossbacha w Monachium w listopadzie 1922 r. zadecydowała o wstąpieniu Hössa do NSDAP, gdzie otrzymał numer 3240.

[11] Związek Artamanów kontynuował tradycje „wspólnot rolnych" żołnierzy korpusów ochotniczych. Zrzeszał „grupy służby na roli" (Landdienstgruppen) składające się z osadników mężczyzn i kobiet przepojonych duchem nacjonalizmu niemieckiego. Jednym z przywódców i inspiratorów Związku Artamanów był Heinrich Himmler.

Już w pierwszych dniach poznałem tam moją przyszłą żonę, która opanowana takimi samymi ideałami znalazła wraz ze swoim bratem drogę do Związku Artamanów. Już przy pierwszym spotkaniu odczuliśmy wzajemny pociąg do siebie. Znaleźliśmy taką harmonię zaufania i zrozumienia, jakbyśmy od dzieciństwa przebywali razem. Nasze poglądy na życie były we wszystkich dziedzinach identyczne. Uzupełnialiśmy się wzajemnie pod każdym względem. Znalazłem kobietę, jaką sobie wymarzyłem przez długie lata samotności.

Przez wszystkie lata naszego wspólnego życia aż do dnia dzisiejszego ta wewnętrzna harmonia się utrzymała, w doli i niedoli, nie zakłócona przypadkowymi wydarzeniami codziennymi ani też wydarzeniami zewnętrznymi.

Jedno tylko stale martwiło moją żonę: wszystko to, co mnie najgłębiej poruszało, musiałem załatwiać sam ze sobą, nie mogłem jej tego wyjawić.

Pobraliśmy się najszybciej, jak tylko to było możliwe, aby wspólnie rozpocząć nasze twarde życie, które dobrowolnie wybraliśmy z najgłębszego wewnętrznego przekonania. Jasno widzieliśmy przed sobą długą, ciężką i żmudną drogę prowadzącą do naszego celu. Nic nie miało nas od tego odwieść.

Nasze życie w ciągu następnych pięciu lat nie było lekkie, nie zniechęcały nas jednak nawet największe trudności. Byliśmy szczęśliwi i zadowoleni, gdy nasz przykład i oddziaływanie pozyskiwały wciąż nowych wyznawców dla naszej idei.

Urodziło się nam troje dzieci, na nowe jutro, na nową przyszłość. Wkrótce mieliśmy otrzymać przydział ziemi.

Stało się jednak inaczej!

Wezwanie Himmlera[12] z czerwca 1934 roku do wstąpienia do aktywnej służby w SS miało mnie sprowadzić z drogi, którą dotychczas tak pewnie i świadomie dążyłem do celu. Długo, długo, nie mogłem podjąć decyzji. Było to wbrew moim dotychczasowym zwyczajom. Pokusa stania się znów żołnierzem była jednak zbyt silna, silniejsza aniżeli wątpliwości mej żony, czy zawód ten potrafi wypełnić mi życie i dać wewnętrzne zadowolenie. Zgodziła się jednak, gdy zobaczyła, jak bardzo mnie pociągała perspektywa ponownego stania się żołnierzem.

Nadzieja szybkiego awansu i związanych z tym finansowych korzyści pozwoliła mi się oswoić z myślą, że muszę zejść z naszej dotychczasowej drogi, ale mimo tego mogę trwać nadal przy naszym życiowym celu. Ten cel życia, gospodarstwo rolne jako nasz dom, dla nas i naszych dzieci, pozostał nie zmieniony również w latach późniejszych. Nigdy od tego nie odstąpiliśmy. Po wojnie chciałem wystąpić z czynnej służby i założyć gospodarstwo rolne.

Po długich, pełnych wątpliwości rozważaniach zdecydowałem się przejść do czynnej służby w SS.

---

[12] Heinrich Himmler objął komendę nad oddziałami SS w 1929 r Po dojściu Hitlera do władzy 30 stycznia 1933 r. rozpoczął podporządkowywanie sobie policji w poszczególnych krajach niemieckich. Decydujące znaczenie dla przyszłej pozycji Himmlera miało podporządkowanie sobie w dniu 20 kwietnia 1934 r. Tajnej Policji Politycznej — Gestapo.

Dzisiaj głęboko żałuję, że opuściłem drogę, którą wówczas kroczyłem. Moje życie i życie mojej rodziny przebiegłoby inaczej, chociaż również teraz nie mielibyśmy własnego domu i gospodarstwa. Byłyby jednak lata pracy dającej zadowolenie. Kto może jednak przewidzieć bieg wzajemnie ze sobą powiązanych losów ludzkich? Co jest słuszne, a co błędne?

Przy powołaniu mnie przez Himmlera do czynnej służby w SS, do oddziału wartowniczego w obozie koncentracyjnym, nie zastanawiałem się nad dopiskiem o obozie koncentracyjnym. Pojęcie to było mi zbyt obce. Nie potrafiłem sobie niczego wyobrazić. W odosobnieniu naszego wiejskiego życia na Pomorzu niewiele słyszeliśmy o obozach koncentracyjnych. Przed oczyma miałem jedynie czynną służbę wojskową i żołnierskie życie. Przybyłem do Dachau.[13]

Stałem się znów rekrutem, ze wszystkimi radościami i przykrościami, a następnie instruktorem. Życie żołnierskie porwało mnie. Podczas nauki i szkolenia słyszałem o „wrogach państwa", więźniach za drutami, o obchodzeniu się z nimi, ich pilnowaniu, użyciu broni i zagrożeniu ze strony tych „wrogów państwa", jak ich nazywał Eicke,[14] inspektor obozów koncentracyjnych.

Widziałem więźniów przy pracy, przy wychodzeniu i powrocie do obozu. Słyszałem o nich również od kolegów, którzy od roku 1933 pełnili służbę w obozie.

Dokładnie przypominam sobie pierwszy raz oglądaną karę chłosty. Zgodnie z zarządzeniem Eickego przy wykonywaniu tej kary cielesnej miała być obecna przynajmniej jedna kompania z załogi. Dwóch więźniów, którzy ukradli w kantynie papierosy, skazano na karę po 25 kijów. Oddział pod bronią ustawił się w otwartym czworoboku. W środku stał kozioł do bicia. Obaj więźniowie doprowadzeni zostali przez blokowych. Ukazał się komendant. Schutzhaftlagerführer[15] i najstarszy stopniem dowódca kompanii złożyli meldunki. Rapportführer[16] odczytał zarządzenie o karze i pierwszy więzień, mały, zatwardziały, posadzony za uchylanie się od pracy, musiał położyć się na koźle. Dwóch żołnierzy z załogi trzymało mocno głowę i ręce, dwóch

---

[13] Dachau był pierwszym obozem koncentracyjnym w Rzeszy. Założony w 1933 r. spełniał funkcję obozu wzorcowego (Musterlager), w którym szkolono esesmanów dla nowo powstających obozów. Pierwszymi więźniami byli niemieccy komuniści, socjaldemokraci i działacze związków zawodowych. Pierwsi Polacy — obywatele niemieccy przywiezieni zostali do obozu w 1935 r. Pierwszy transport z Polski 17 więźniów nadszedł 16 września 1939 r. Od 1941 r. obóz stał się głównym obozem koncentracyjnym dla duchowieństwa różnych wyznań z całej okupowanej Europy. Obóz został wyzwolony 29 kwietnia 1945 r.

[14] Theodor Eicke — patrz przypis 191 na s. 171.

[15] Schutzhaftlagerführer to kierownik obozu koncentracyjnego. Sprawował władzę nad więźniami wewnątrz obozu. Podlegał bezpośrednio komendantowi obozu (Lagerkommandant) i w czasie jego nieobecności miał jego uprawnienia.

[16] Rapportführer — podoficer SS, prawa ręka Schutzhaftlagerführera, do którego obowiązków należało m.in. składanie raportów o stanie liczebnym więźniów, ustalanym codziennie na apelach. Był odpowiedzialny za wszystkie sprawy związane z regulowaniem życia obozowego. Podlegali mu bezpośrednio blockfürerzy.

blokowych[17] zaś na zmianę wymierzało karę. Więzień nie wydał z siebie żadnego głosu.

Inaczej było z drugim, silnym, barczystym więźniem politycznym. Już przy pierwszym uderzeniu dziko wrzasnął i chciał się wyrwać. Krzyczał aż do ostatniego uderzenia,[18] mimo iż komendant wielokrotnie go nawoływał, aby był cicho. Stałem w pierwszym szeregu i byłem zmuszony dokładnie obserwować przebieg całego zdarzenia Mówię „zmuszony", gdybym bowiem stał w tylnym szeregu, nie patrzyłbym na to. Gdy rozległy się krzyki, przebiegło mnie zimno i gorąco. Całe wydarzenie już przy pierwszym delikwencie przyprawiło mnie o dreszcze. Później, podczas pierwszej egzekucji po wybuchu wojny, nie byłem tak podniecony jak przy tej pierwszej chłoście. Nie potrafię tego wyjaśnić.

W więzieniu karnym do rewolucji 1918 r. stosowano karę chłosty, którą jednak później zniesiono. Funkcjonariusz, który tę karę zawsze wykonywał, pełnił jeszcze służbę; nazywano go „łamaczem kości". Surowy, stale cuchnący alkoholem, łajdak, dla którego wszyscy więźniowie byli jedynie numerami. Łatwo go można było sobie wyobrazić chłoszczącego więźniów. W więziennej piwnicy widziałem również kozioł do wymierzania chłosty oraz kije do bicia. Przechodziły mnie ciarki, gdy wyobrażałem sobie przy tym „łamacza kości".

Przy następnych karach chłosty, przy wymierzaniu których musiałem być obecny, póki pełniłem służbę w oddziale, stawałem zawsze z tyłu. Później jako Blockführer, jeśli to tylko było możliwe, starałem się zawsze unikać asystowania, a w każdym razie uchylałem się od bicia. To ostatnie nie nasuwało trudności, gdyż niektórzy Blockführerzy stale się do tego rwali. Jako Rapportführer czy Schutzhaftlagerführer musiałem być zawsze obecny przy wymierzaniu chłosty. Nie czyniłem tego chętnie. Gdy jako komendant sam stawiałem wnioski o wymierzenie tej kary, rzadko byłem obecny przy jej wymierzaniu. Wniosków w sprawie chłosty nie stawiałem lekkomyślnie.

Dlaczego odczuwałem niechęć do tej kary? Przy najlepszej woli nie potrafię tego powiedzieć. W tym czasie był jeszcze jeden Blockführer, z którym działo się to samo i który zawsze się od wykonywania tej kary

---

[17] Blockführer, blokowy, kierownik bloku — podoficer SS, sprawujący nadzór nad więźniami umieszczonymi w jednym bloku, bezpośredni zwierzchnik wszystkich więźniów funkcyjnych danego bloku.

[18] Regulamin obozów koncentracyjnych przewidywał karę chłosty od 5 do 25 uderzeń. Wymiar kary wnioskowany przez komendanturę obozu koncentracyjnego każdorazowo podlegał zatwierdzeniu przez Inspektorat Obozów Koncentracyjnych, a w okresie późniejszym przez Główny Urząd Administracji i Gospodarki SS (WVHA SS). We wszystkich obozach członków SS obowiązywał zakaz znęcania się nad więźniami. W KL Auschwitz każdy członek SS podpisywał honorowe zobowiązanie dołączone do akt personalnych w którym m.in. czytamy: o życiu i śmierci wroga państwa decyduje Führer. Dlatego żaden narodowy socjalista nie jest upoważniony do podniesienia ręki na wroga państwa. Każdy więzień jest karany wyłącznie przez komendanta.

uchylał. Był to późniejszy Schutzhaftlagerführer w Brzezince i Ravensbrück — Schwarzhuber.[19]

Blockführerzy, którzy rwali się do wymierzania chłosty, były to prawie zawsze surowe, brutalne i często ordynarne kreatury; podobnie się odnosili do kolegów i swych rodzin. Więźniowie nie byli dla nich ludźmi. Trzech z nich powiesiło się w areszcie, gdy w latach późniejszych zostali pociągnięci do odpowiedzialności za ciężkie maltretowanie więźniów w innych obozach.

Również wśród szeregowych SS-manów było wielu takich, którzy wykonywanie kary chłosty traktowali jako chętnie oglądane widowisko, jako rodzaj zabawy ludowej. Ja do nich na pewno nie należałem.

Jeszcze za moich rekruckich czasów w Dachau przeżyłem następujący przypadek. Podoficerowie SS dokonywali w rzeźni wspólnie z więźniami poważnych nadużyć. Czterech członków SS zostało skazanych przez sąd w Monachium — nie było jeszcze wówczas sądów SS — na wysokie kary pozbawienia wolności. Tych czterech w pełnym umundurowaniu postawiono przed batalionem wartowniczym, Eicke osobiście ich zdegradował, po czym w hańbiący sposób zostali wyrzuceni z SS. Eicke zerwał im oznaki, naszywki i dystynkcje, kazał przeprowadzić przed poszczególnymi kompaniami, potem przekazał ich w ręce sprawiedliwości dla odbycia kary.

Przypadek ten posłużył następnie Eickemu do wygłoszenia dłuższego pouczenia i ostrzeżenia. Powiedział on: najchętniej przebrałbym tych czterech za więźniów i ukarał chłostą oraz wsadził ich do wspólników za druty. Reichsführer SS[20] nie wyraził jednak na to zgody. Podobny los oczekuje wszystkich, którzy wchodzą w jakiekolwiek kontakty z więźniami, czy to w celu przestępczym czy też z powodu współczucia. Jedno i drugie jest czynem godnym nagany. Każdy objaw współczucia ukazuje wrogom państwa słabość, którą starają się oni natychmiast wykorzystać. Jakiekolwiek współczucie dla wrogów państwa jest niegodne członka SS. Dla mięczaków nie ma miejsca w szeregach SS i zrobią oni najlepiej, jeżeli jak najszybciej wstąpią do klasztoru. On potrzebuje jedynie twardych, zdecydowanych ludzi, którzy będą bezwzględnie słuchać każdego rozkazu. Nie bez powodu noszą trupią główkę i zawsze nabitą broń. Są oni jedynymi żołnierzami, którzy również w czasie pokoju dzień i noc stoją w obliczu nieprzyjaciela, nieprzyjaciela za drutami.

Degradacja i wyrzucenie z SS było bolesnym wydarzeniem, które dotykało każdego żołnierza, zwłaszcza mnie, który to przeżywałem pierwszy raz. Pouczenie Eickego nasunęło mi jeszcze więcej refleksji. Nie mogłem uzyskać jasności odnośnie do „wrogów państwa", „wrogów za drutami" — bo jeszcze ich nie znałem. Wkrótce jednak miałem ich gruntownie poznać!

---

[19] Johann Schwarzhuber wstąpił do SS w 1933 r. Doszedł do stopnia SS-Obersturmführera. Pełnił kolejno służbę w obozach koncentracyjnych Dachau, Sachsenhausen, Auschwitz-Birkenau i Ravensbrück. W tych dwóch ostatnich był Lagerführerem.

[20] Reichsführer SS — najwyższy stopień służbowy w SS, posiadał go tylko Heinrich Himmler.

Po półrocznej służbie w oddziale wartowniczym przyszedł nagle rozkaz Eickego, że wszyscy starsi oficerowie i podoficerowie mają objąć stanowiska w obozie. Dotyczyło to również i mnie. Zostałem przeniesiony na stanowisko Blockführera w obozie koncentracyjnym. Nie podobało mi się to. Krótko po tym przyjechał Eicke i zgłosiłem się do raportu. Przedstawiłem mu prośbę, aby wyjątkowo zechciał przenieść mnie z powrotem do oddziału. Jestem z krwi i kości żołnierzem i tylko możliwość zostania znów żołnierzem skłoniła mnie do czynnej służby w SS.

Eicke znał dokładnie koleje mego życia i uważał mnie za szczególnie nadającego się do tej służby, gdyż na własnej skórze doświadczyłem, jak się obchodzono z więźniami. Nikt nie nadawał się bardziej do pracy w obozie koncentracyjnym niż ja. Przy tym Eicke nie zamierzał czynić żadnych wyjątków. Jego rozkaz był ostateczny i nieodwołalny.

Musiałem słuchać, bo byłem przecież żołnierzem. Sam tego chciałem. W tym momencie zatęskniłem za ciężką pracą na roli, za ciężką, ale wolniejszą drogą, która dotychczas kroczyłem.

Nie było jednak powrotu. Ze szczególnymi uczuciami rozpoczynałem nową pracę. Wstępowałem w nowy świat, z którym miałem pozostać związany i skuty przez następne dziesięć lat.

Sam byłem wprawdzie sześć lat więźniem i w dostatecznym stopniu znałem życie więźniów. Znałem ich nawyki, ich jasne, a bardziej jeszcze ciemne strony, wszystkie ich uczucia i kłopoty. Obóz koncentracyjny był dla mnie jednak czymś nowym. Olbrzymią różnicę między życiem w areszcie, ciężkim więzieniem a życiem w obozie koncentracyjnym miałem jeszcze poznać. Poznałem ją gruntownie, często bardziej gruntownie, aniżeli bym chciał.

Wraz z dwoma nowicjuszami, Schwarzhuberem i Remmele,[21] późniejszym Kommandoführerem w hucie Zgoda,[22] postawiony zostałem wobec więźniów, bez bliższych instrukcji ze strony Schutzhaftlagerführera czy też Rapportführera. Dosyć onieśmielony stanąłem na wieczornym apelu przed powierzonymi mi więźniami skazanymi na przymusową pracę, którzy z ciekawością przyglądali się swemu nowemu Kompanieführerowi, bo tak byli wówczas nazywani Blockführerzy Jakie pytanie malowało się na ich twarzach, zrozumiałem dopiero później.

Mój feldwebel (tak nazywano wówczas blokowego) miał pod swoją opieką kompanię, później nazywaną blokiem. On, tak jak jego pięciu kaprali

---

[21] Josef Remmele ur. 3 marca 1903 r. Doszedł do stopnia SS-Hauptscharführera. Był Rapportführerem w Dachau. skąd przeszedł do służby w Oświęcimiu.

[22] Huta Zgoda-Arbeitslager Eintrachthütte w Świętochłowicach na Śląsku, męski podobóz pracy podległy KL Auschwitz. Istniał od 7 czerwca 1943 r. do 23 stycznia 1945 r. Przebywało w nim około 1300 więźniów: Polaków, Rosjan, Czechów, Niemców i Żydów z różnych krajów europejskich. Więźniowie pracowali głównie w hucie, która należała do Oberschiesische Maschinen- und Waggonfahrik AG, wchodzącej w skład koncernu Berghütte 23 stycznia 1945 r. więźniów ewakuowano pociągiem towarowym do obozu koncentracyjnego w Mauthausen

(sztabowych), byli więźniami politycznymi, starymi, ideowymi komunistami i byłymi żołnierzami, którzy chętnie opowiadali o swym żołnierskim życiu. Uczyli oni porządku i czystości więźniów przeważnie rozwiązłych i wykolejonych, ja zaś nie potrzebowałem się wcale wtrącać. Również więźniowie starali się, aby nie podpadać przy wykonywaniu pracy przymusowej. Od ich zachowania bowiem i wydajnej pracy zależało, czy zostaną zwolnieni po upływie pół roku czy też zatrzymani w celu reedukacji na następny kwartał lub następne pół roku.[23]

W krótkim czasie poznałem dokładnie moją kompanię liczącą 270 ludzi i mogłem sobie wyrobić pogląd na to, czy dojrzeli do zwolnienia. Jedynie niewielu było takich, których w okresie pełnienia przeze mnie funkcji Blockführera musiałem jako niepoprawnych i aspołecznych zakwalifikować do aresztu ochronnego.[24] Kradli oni jak kruki, uchylali się od wszelkiej pracy i byli hultajami pod każdym względem. Większość więźniów odchodziła jako poprawieni po upływie okresu, na jaki zostali skierowani do obozu. Recydywistów prawie nie było. Więźniów, którzy nie byli wielokrotnie karani lub też w jakiś sposób obciążeni jako aspołeczni,[25] areszt przytłaczał, wstydzili się; szczególnie występowało to u starszych, którzy nigdy nie popadli w konflikt z prawem. Teraz zostali ukarani, ponieważ z głupoty, na skutek bawarskiego uporu, wielokrotnie uciekali z pracy lub też nazbyt smakowało im piwo albo inne powody skłoniły ich do bumelanctwa, a Urząd Pracy do skierowania ich do obozu. Mniej lub bardziej łatwo przechodzili oni do porządku nad złymi stronami życia obozowego, ponieważ wiedzieli, iż po upływie określonego czasu będą znowu wolni.

---

[23] W pierwszych latach istnienia obozów koncentracyjnych więźniowie byli w nich osadzani na ustalony z góry okres. Począwszy od 1936 r., o zwolnieniu decydowała najczęściej placówka Gestapo, na której rozkaz więzień został osadzony w obozie. Decyzja podejmowana była na podstawie opinii wydawanej przez kierownictwo obozu. Po rozpoczęciu wojny w 1939 r. przyjęto zasadę osadzania więźniów w obozach koncentracyjnych na czas nieokreślony, właściwie aż do czasu zakończenia wojny. Były oczywiście wyjątki w sytuacji, gdy zwolnienie uzasadnione było interesem politycznym Trzeciej Rzeszy lub gdy więźniowie skierowani zostali do obozu w celach wychowawczych (Erziehungshäftlinge). Ta kategoria więźniów miała ściśle określony czas pobytu, przy czym mógł być on przedłużony.

[24] Po przejęciu przez hitlerowców władzy w Niemczech w 1933 r. zaistniała potrzeba prawnego usankcjonowania aresztowań i deportacji do obozów koncentracyjnych. W tym celu wprowadzano instytucję aresztu ochronnego — Schutzhaft. Do 1938 r. praktykę wywodzono z rozporządzenia z 28 lutego 1933 r. o ochronie narodu i państwa. Pełna i precyzyjna definicja została wprowadzona okólnikiem ministerstwa spraw wewnętrznych z 25 stycznia 1938 r., który głosił: „Areszt tymczasowy jest środkiem przymusu Tajnej Policji Stanu do obrony przed wszystkimi wrogimi zamierzeniami wobec narodu i państwa". Areszt miał dotyczyć osób, „które przez swoje zachowanie zagrażają stanowi posiadania i bezpieczeństwa narodu i państwa". Osadzenie w obozie koncentracyjnym na tej podstawie było w zasadzie bezterminowe, a zwolnienie mogło nastąpić, gdy „środek osiągnie swój cel". W czasie wojny procedurę aresztu ochronnego systematycznie upraszczano, czyniąc z niej całkowitą fikcję.

[25] Aspołeczni lub asocjalni — pojęciem tym obejmowano w Trzeciej Rzeszy grupy ludności lub pojedyncze osoby uznane za niepożądane z punktu widzenia społecznego lub rasowego, a więc włóczęgów, prostytutki, osoby uchylające się od pracy, w czasie wojny pojęcie rozszerzono na pewne kategorie Żydów, Cyganów oraz osoby nieuleczalnie chore.

Inaczej jednak było z pozostałymi 9/10 obozu, 1 kompanią Żydów, emigrantami, homoseksualistami, badaczami Pisma św., 1 kompanią aspołecznych oraz siedmioma kompaniami więźniów politycznych, głównie komunistów. Czas pobytu w obozie więźniów politycznych był nieokreślony, zależał od nieobliczalnych czynników. Więźniowie ci wiedzieli o tym i dlatego też przygniatała ich niepewność. Już choćby z tego względu życie obozowe było dla nich męczarnią. Rozmawiałem na ten temat z wieloma rozumnymi i rozsądnymi więźniami politycznymi. Wszyscy mówili jednomyślnie, że mogliby pogodzić się z wszelkimi niedogodnościami obozu, z samowolą SS-manów lub funkcyjnych więźniów, twardą dyscypliną obozową, wieloletnią koniecznością życia w grupie, codzienną monotonią wykonywanych czynności; to wszystko można przetrzymać, jednak nie niepewność co do tego, jak długo będą więzieni. To nękało ich najbardziej i paraliżowało najmocniejszą wolę. Niepewność co do czasu uwięzienia, często zależnego od samowoli niższych funkcjonariuszy, była — według moich obserwacji i doświadczeń — tym czynnikiem, który najgorzej i najsilniej oddziaływał na psychikę więźniów.

Skazany np. na 15 lat więzienia przestępca zawodowy wiedział, że najpóźniej po upływie tego terminu znajdzie się na wolności, prawdopodobnie jednak znacznie wcześniej. Natomiast więzień polityczny w obozie koncentracyjnym, aresztowany często na podstawie tendencyjnego doniesienia wrogiego mu człowieka, kierowany był do obozu koncentracyjnego na czas nieokreślony. Mogło to trwać zarówno rok, jak i dziesięć lat. Kwartalne badanie spraw więźniów, obowiązujące dla więźniów niemieckich, było czystą formalnością. Decydującym czynnikiem był organ zarządzający umieszczenie w obozie, a ten nie chciał nigdy przyznać się do popełnionego błędu. Ofiarą pozostawał więzień, którego dola i niedola zależna była od widzimisię kierującej go do obozu, placówki. Nie mógł wnieść ani sprzeciwu, ani skargi. Sprzyjające, okoliczności w wyjątkowych przypadkach dopuszczały „ponowne badanie", które w nadzwyczajnych przypadkach kończyło się zwolnieniem. Wszystko to jednak były wyjątki. Zasadniczo czas pobytu w obozie zależał od kaprysu losu.

Istnieją trzy kategorie personelu nadzorczego, niezależnie od tego, czy chodzi o areszt śledczy, więzienie czy też obóz koncentracyjny. Mogą one życie więźnia uczynić piekłem, mogą jednak także ułatwić mu życie i jego ciężką egzystencję uczynić bardziej znośną.

Złośliwe, z gruntu złe, surowe, nikczemne natury widzą w więźniu jedynie przedmiot, na którym bez żadnych hamulców i obawy jakiegokolwiek oporu mogą wyładowywać swoje często zboczone popędy, złe humory, kompleksy niższości. Nieznane jest im współczucie ani też żadne cieplejsze uczucie. Wykorzystują oni każdą nadarzającą się okazję, aby dręczyć powierzonych ich opiece więźniów, szczególnie zaś tych, których nie mogą znieść i ścierpieć; dręczą ich, począwszy od najdrobniejszych szykan, poprzez cała skalę wstrętnych machinacji wynikających z ich zboczonych popędów aż do najcięższego maltretowania, w zależności od skłonności tego rodzaju typów. Szczególne zadowolenie znajdują oni w psychicznym dręczeniu swych ofiar. Najsurowsze zakazy nie potrafią ich powstrzymać od tego rodzaju praktyk. Tylko ścisły nadzór może ich hamować w stosowaniu niektórych rodzajów udręki. Poszukują oni stale nowych metod tortur psychicznych i fizycznych. Biada powierzonym im więźniom, jeśli te ciemne typy mają zwierzchników, którzy tolerują ich złe skłonności lub też powodowani takimi samymi skłonnościami zachęcają ich do tego rodzaju praktyk.

Drugą kategorię, obejmującą większość, stanowią obojętni, indyferentni funkcjonariusze, wykonujący tępo swoją służbę, a swoje obowiązki w miarę dobrze lub niedbale. Więźniowie są dla nich przedmiotami, które mają nadzorować i pilnować. Dla własnej wygody stosują się do obowiązujących przepisów, przestrzegają martwej litery regulaminu. Postępowanie, zgodnie z treścią przepisu, jest dla nich zbyt. uciążliwe. Przeważnie są to również ludzie ograniczeni, przy czym nie chcą oni więźniom specjalnie dokuczać. Na skutek jednak swojej obojętności, wygodnictwa i ograniczoności wyrządzają wiele szkody, dręczą i ranią psychicznie i fizycznie niektórych więźniów w sposób nie zamierzony. Oni są przede wszystkim tymi, którzy umożliwiają jednym więźniom panowanie nad innymi współwięźniami, często z wielką krzywdą dla tych ostatnich.

Trzecią kategorię funkcjonariuszy stanowią z natury dobroduszni, mający dobre serce, współczujący więźniom, potrafiący odczuwać cudzą niedolę. Jednakże i wśród nich występuje duże zróżnicowanie, począwszy od takich, którzy surowo oraz sumiennie przestrzegają przepisów i nie tolerują u więźniów żadnych uchybień, którym jednak dobre serce i dobra wola pozwalają interpretować przepisy na korzyść więźnia i którzy próbują, jeśli to tylko w ich mocy, ulżyć sytuacji więźniów, a przynajmniej niepotrzebnie jej nie utrudniać, przez wiele dalszych odmian, aż do naiwnie dobrodusznych, których naiwność jest aż zdumiewająca i którzy więźniom pozwalają na wszystko, z dobroduszności oraz bezgranicznego współczucia pomagają więźniom, jak tylko mogą, spełniają ich wszelkie życzenia i którzy nie mogą uwierzyć, iż wśród więźniów są również źli ludzie.

Idąca w parze ze zrozumieniem i życzliwością surowość działa uspokajająco na więźnia, który stale poszukuje ludzkiego zrozumienia, i to tym bardziej, im trudniejsze jest jego położenie. Życzliwe spojrzenie, dobrotliwe skinięcia głową i dobre słowo czynią często cuda, szczególnie u wrażliwych natur. Jeśli taki więzień spotka się ze zrozumieniem dla sytuacji i stanu, w jakich się znajduje, skutki, tego bywają nieoczekiwane. Nawet najbardziej zrozpaczeni najbardziej zrezygnowani więźniowie nabierają znów chęci do życia, gdy zobaczą lub odczują najdrobniejszą oznakę ludzkiej życzliwości.

Każdy więzień stara się ukształtować swoje położenie i ulżyć swemu losowi. Korzysta z okazanej mu dobroci i ludzkiego zrozumienia. Więźniowie o bezwzględnym charakterze idą na całego i próbują dokonać wyłomu i przełomu. Ponieważ więzień pod względem umysłowym na ogół przewyższa niższy personel strażniczy i nadzorczy, odkrywa szybko słabe strony u natur dobrodusznych, lecz ograniczonych. Jest to odwrotna strona zbyt daleko idącej dobroduszności i pełnego zaufania w stosunku do więźniów; często jeden tylko okazany dowód ludzkiego zrozumienia w stosunku do więźnia o silniejszej indywidualności może pociągnąć za sobą łańcuch uchybień służbowych, kończących się poważnym, a nawet najcięższym ukaraniem. Początek stanowi niewinne przemycanie listów, a kończy się na pomocy w ucieczce.

Następnych kilka przykładów zobrazuje różne skutki postępowania wspomnianych trzech kategorii dozorców w tej samej sprawie.

W więzieniu śledczym. Więzień prosi funkcjonariusza o zwiększenie dopływu pary do ogrzewania w celi, ponieważ jest mocno przeziębiony i marznie. Złośliwy dozorca zakręca całkowicie ogrzewanie i obserwuje, jak więzień na skutek zimna w celi biega dokoła celi i wykonuje ćwiczenia gimnastyczne. Nocną służbę obejmuje strażnik obojętny, którego więzień ponownie prosi o ogrzewanie. Obojętny dozorca włącza ogrzewanie na pełny regulator i przez całą noc nie interesuje się, co się w celi dzieje. Po upływie godziny cela jest tak przegrzana, że więzień musi przez całą noc trzymać okno otwarte i przeziębią się jeszcze bardziej.

W zakładzie karnym. Kąpiel w różnych porach roku. Oddział prowadzony jest do kąpieli przez złośliwego dozorcę. W rozbieralni każe on szeroko otworzyć okna — jest środek zimy — ponieważ jest zbyt zaparowana. Poganiając krzykiem więźniów, pędzi więźniów pod prysznice, puszcza tak gorącą wodę, iż nikt pod nią nie może wytrzymać, następnie puszcza całkiem zimną i wszyscy muszą stać pod zimnym prysznicem przez dłuższy czas. Z szyderczym uśmiechem przygląda się później, jak więźniowie z zimna ledwo są w stanie się ubrać.

Innym razem, również w zimie, do kąpieli prowadzi strażnik obojętny. Więźniowie się rozbierają, on zaś siada i czyta gazetę. Po pewnym czasie przerywa lekturę i odkręca wodę. Puszcza gorącą i czyta dalej gazetę. Pod lejący się wrzątek nikt nie może wejść. Na krzyki więźniów dozorca nie reaguje. Dopiero gdy skończy czytanie gazety, wstaje i zakręca wodę. Nie umyci więźniowie ubierają się. Strażnik spogląda na zegarek — jeśli chodzi o czas, to obowiązek swój spełnił.

W obozie koncentracyjnym w żwirowni. Łagodny nadzorca troszczy się o to, aby wagony kolejki nie były przeładowane, aby pod górę pchała je podwójna obsada, aby szyny dobrze przylegały do ziemi i zwrotnice były nasmarowane. Dzień przechodzi bez krzyków, przepisana zaś norma pracy zostaje wykonana.

Złośliwy nadzorca każe wagony przeładowywać, pod górę musi je pchać pojedyncza obsada, przy czym przez całą drogę wagony muszą być pchane w tempie przyśpieszonym. Uważa on za zbyteczne, aby któryś z więźniów kontrolował ułożenie szyn i je smarował. Powoduje to ciągłe wykolejanie się wagoników, kapo[26] mają powód do bicia, a duża część więźniów z powodu okaleczenia stóp już w południe nie może ruszyć do pracy. Przez cały dzień rozlegają się dzikie wrzaski wszystkich nadzorców. W efekcie wieczorem okazuje się, że wykonano jedynie połowę przepisanej normy.

Nadzorca obojętny nie troszczy się wcale o grupę roboczą. Pozwala „pracować" kapo, którzy robią, co się im podoba. Wyróżniani przez nich więźniowie przez cały dzień nic nie robią, pozostali zaś muszą pracować w dwójnasób. Strażnicy nic nie widzą, a dowódca straży jest stale nieobecny.

Te trzy przykłady wybrałem z całego szeregu przeżytych osobiście. Można by tomy o tym pisać. Mają one tylko wykazać w drastyczny sposób, jak dalece życie więźnia zależne jest od zachowania się i charakteru poszczególnych strażników i nadzorców, i to mimo wszelkich przepisów i w dobrej wierze wydawanych zarządzeń.

Nie dolegliwości fizyczne powodują, iż życie więźnia jest tak ciężkie, lecz głównie i przede wszystkim przeżycia psychiczne, które nie dają się wymazać, a są wynikiem samowoli, złośliwości i nikczemności obojętnych lub złośliwych osobników spośród personelu strażniczego lub nadzorczego. Więzień jest odporny na bezwzględną, lecz sprawiedliwą surowość, nawet jeżeli jest ona bardzo ostra, jednakże samowola i oczywiście niesprawiedliwe traktowanie godzą w jego psychikę jak ciosy maczugi. Bezsilny wobec nich musi je cierpliwie znosić.

Strażników i więźniów należy na ogół uważać za dwa wrogie sobie światy. Więzień jest zwykle stroną atakowaną, z jednej strony przez samo życie więzienne, z drugiej zaś przez zachowanie się dozorców. Jeśli chce on się utrzymać na powierzchni, musi bronić swej skóry. Ponieważ nie może atakować tą samą bronią, dla celów obrony musi znaleźć inne środki i sposoby. Zależnie od usposobienia albo pozwala na rozbicie się ataków przeciwnika o pancerz jego gruboskórności, sam zaś kroczy mniej lub bardziej niewzruszony swoją drogą, albo też staje się podstępny, fałszywy i skryty, wprowadzając tym w błąd przeciwnika i dzięki temu uzyskując ulgi i ułatwienia, albo też przechodzi na stronę przeciwnika i zostaje kalifaktorem, kapo, blokowym itd.; dzięki temu, kosztem współwięźniów, stwarza sobie znośne warunki egzystencji albo też stawia wszystko na jedną kartę i ucieka lub wreszcie załamuje się, poddaje się, podupada fizycznie i kończy samobójstwem.

Wszystko to brzmi twardo i wydaje się nieprawdopodobne, a jednak jest prawdziwe! Uważam, że na podstawie swoich własnych przeżyć, moich wieloletnich doświadczeń i obserwacji jestem w stanie sprawy te właściwie ocenić.

W życiu więźnia praca odgrywa dużą rolę. Może ona służyć do uczynienia jego egzystencji znośniejszą, może jednak prowadzić również do jego zguby.

[26] Kapo — słowo pochodzi z języka włoskiego, capo to tyle co naczelnik, szef. Pojęcie to zostało zapożyczone od robotników włoskich pracujących przy budowie dróg w południowej Bawarii. W obozach koncentracyjnych wyraz ten oznaczał więźnia, który nadzorował innych więźniów. Pojawił się po raz pierwszy w Dachau, gdzie tworzono terminologię obozową.

W normalnych warunkach dla każdego zdrowego więźnia praca jest potrzebną, wewnętrzną koniecznością. Notoryczne nieroby, złodziejaszki i inne aspołeczne darmozjady potrzeby tej jednak nie odczuwają. Mogą oni wegetować bez pracy, nie odczuwając przy tym żadnych psychicznych cierpień.

Praca pomaga wypełnić pustkę życia więziennego. Usuwa ona na drugi plan przykrości dnia codziennego; jeżeli więzień uważa ją za interesującą i wykonuje dobrowolnie, rozumiem przez to wewnętrzną gotowość do jej wykonywania, daje ona mu pewne zadowolenie. Gdy znajdzie on jeszcze możliwości pracy we własnym zawodzie lub też pracę odpowiadającą jego uzdolnieniom, wówczas zdobywa podbudowę psychiczną, której nie można łatwo zburzyć, nawet w wyniku niesprzyjających okoliczności.

Praca w obozie koncentracyjnym i w więzieniu jest wprawdzie obowiązkiem, przymusem, ale na ogół każdy więzień w warunkach właściwego zatrudnienia daje z siebie dobrowolnie dość dużo. Jego wewnętrzne zadowolenie znajduje odbicie w jego stanie i odwrotnie, niezadowolenie z pracy może uczynić jego egzystencję bardziej uciążliwą. Ilu cierpień, przykrości, a nawet nieszczęść można by uniknąć, gdyby inspektorzy i kierownicy służby pracy uwzględniali te fakty i z otwartymi oczyma przechodzili przez warsztaty i miejsca pracy.

Przez całe moje życie pracowałem pilnie i z ochotą. Często w najtrudniejszych warunkach życiowych wykonywałem ciężką i najcięższą pracę fizyczną, w szybie węglowym, w rafinerii nafty, w cegielni, przy wyrębie lasu, ciosaniu podkładów, kopaniu torfu. Nie ma w rolnictwie ważniejszej pracy, której bym sam nie wykonywał. Przy tym nie tylko wykonywałem pracę, lecz także dokładnie obserwowałem ludzi, którzy razem ze mną pracowali, ich postępowanie, nawyki i warunki życiowe.

Mogę zdecydowanie twierdzić, iż wiem, co to znaczy pracować, i że należycie potrafię ocenić wydajność pracy. Z siebie byłem zadowolony jedynie wówczas, gdy wykonałem kawałek dobrej roboty. Od moich podwładnych nie wymagałem nigdy więcej, aniżeli bym sam był w stanie wykonać.

Nawet w areszcie śledczym w Lipsku, gdzie wiele rzeczy zaprzątało moją uwagę — samo śledztwo, obfita korespondencja, gazety, odwiedziny, odczuwałem brak pracy. W końcu poprosiłem o pracę i uzyskałem zgodę na jej wykonywanie. Kleiłem torebki. Chociaż praca ta była bardzo monotonna, stanowiła jednak zatrudnienie wypełniające dużą część dnia i zmuszała do pewnej regularności. Najważniejszy przy tym był fakt, iż dobrowolnie nałożyłem na siebie twardy obowiązek.

W okresie odbywania kary wybierałem sobie, jeśli to było możliwe, takie prace, które wymagały napięcia uwagi, a więc nie były czysto mechaniczne. Taka praca chroniła mnie przez wiele godzin dziennie przed destruktywnym skutkiem rozmyślań. Wieczorem zaś odczuwałem zadowolenie nie tylko dlatego, że miałem znów jeden dzień za sobą, lecz również dlatego, że wykonałem kawałek dobrej roboty. Najcięższą karą byłoby dla mnie pozbawienie mnie możności pracy.

Właśnie w obecnym więzieniu szczególnie odczuwam brak pracy. Jestem bardzo wdzięczny za zaproponowaną mi możliwość pisania, która mnie całkowicie pochłania.

Na temat pracy rozmawiałem z wieloma współwięźniami w okresie pobytu w więzieniu, jak również z wieloma więźniami obozów koncentracyjnych, szczególnie w Dachau, Wszyscy byli przekonani, iż życie za kratami i za drutami na dłuższą metę nie byłoby bez pracy możliwe i byłoby najcięższą karą.

Praca w okresie pozbawienia wolności jest nie tylko skutecznym środkiem utrzymania dyscypliny, w pozytywnym znaczeniu tego słowa, lecz pomaga więźniowi w utrzymaniu się w karbach i lepszym opieraniu się demoralizującemu wpływowi uwięzienia. Poza tym stanowi ona środek wychowawczy dla więźniów, którzy mają słabą wolę, dla tych, których trzeba przyzwyczajać do wytrwałości, oraz dla tych, którzy dzięki błogosławionemu działaniu pracy mogą jeszcze zostać wyrwani z przestępczego środowiska.

Wszystko, co powiedziano, odnosi się jednak tylko do normalnych warunków. W ten sposób należy również rozumieć dewizę: „praca czyni wolnym".[27] Eicke zmierzał do tego, żeby tych więźniów, niezależnie od ich rodzaju, którzy wyróżniali się wytrwałą i pilną pracą, zwalniano z obozów, nawet gdyby Gestapo i policja kryminalna były innego zdania. Kilka tego rodzaju przypadków miało faktycznie miejsce. Wojna jednak zniweczyła te dobre zamiary.

Pisałem o pracy tak obszernie dlatego, że sam nauczyłem się cenić jej wartość psychiczną i ponieważ chcę pokazać, jak skutecznie oddziałuje ona na psychikę więźniów i jak ja widziałem jej oddziaływanie.

O tym, co później uczyniono z pracy więźniów, napiszę w dalszym ciągu.

W Dachau jako Blockführer miałem bezpośredni kontakt z więźniami, nie tylko z mojego bloku. Do obowiązków Blockführerów należała również cenzura listów wysyłanych przez więźniów. Kto przez dłuższy czas czyta listy więźnia i ma odpowiednią znajomość ludzi, uzyskuje dokładny obraz jego psychiki. Każdy z więźniów próbuje w tych listach do żony, matki, przedstawić swoje potrzeby i troski, przy czym w zależności od usposobienia czyni to mniej lub bardziej otwarcie. Na dłuższą metę żaden więzień nie potrafi ukryć swoich myśli. Nie potrafi się on przez dłuższy czas maskować i oszukiwać wprawnego spojrzenia doświadczonego obserwatora. Podobnie i w listach.

Pojęcie „niebezpiecznych wrogów państwa" Eicke potrafił gruntownie i przekonywająco wpoić w swoich SS-manów i całe lata wygłaszał im na ten temat kazania, nadal tak, że każdy z nich, nie mając własnych poglądów, był

---

[27] Napis „Arbeit macht frei". czyli „Praca czyni wolnym". był umieszczony w obozach koncentracyjnych na widocznym miejscu, w Auschwitz np. na bramie wiodącej do obozu. Miał on oddziaływać na psychikę więźnia i sugerować mu, że wytężoną pracą i sumiennym spełnianiem obowiązków może doprowadzić do swego uwolnienia. Konfrontacja tego napisu z rzeczywistością odbierała więźniom wszelką nadzieję i często prowadziła do załamań.

całkowicie przesiąknięty nauką Eickego. Ja również w to wierzyłem. Szukałem więc „niebezpiecznych wrogów państwa" i tego, co ich czyniło tak niebezpiecznymi.

I znalazłem niewielką liczbę zagorzałych komunistów i socjaldemokratów, którzy, gdyby wyszli znów na wolność, wywołaliby niepokój wśród ludzi i próbowali skutecznej nielegalnej działalności. Otwarcie się zresztą do tego przyznawali. Jednakże cała masa byli to wprawdzie działacze komunistyczni lub socjaldemokratyczni, którzy walczyli również o swoje idee, pracowali dla nich. i wiele uszczerbku przynieśli nacjonalistycznej ideologii NSDAP, ale przy bliższym przyjrzeniu się im i w codziennym kontakcie okazywali się niegroźnymi, spokojnymi ludźmi, którzy zobaczywszy, iż ich świat legł w gruzach, pragnęli jedynie znośnej pracy i powrotu do swych rodzin.

Moim zdaniem, w latach 1935/1936 można by z Dachau spokojnie zwolnić 3/4 wszystkich więźniów politycznych bez obawy, iż w ten sposób powstałaby jakakolwiek szkoda dla Trzeciej Rzeszy. Jedna czwarta była jednak fanatycznie przekonana, iż świat jej znów odżyje. Ci musieli nadal pozostawać w zamknięciu. Byli to niebezpieczni wrogowie państwa. Można było jednak ich łatwo rozpoznać, chociaż nie przyznawali się otwarcie do swoich poglądów i usiłowali się maskować.

O wiele bardziej niebezpieczni dla państwa i społeczeństwa jako całości byli przestępcy zawodowi i jednostki aspołeczne, karani uprzednio po 20–30 razy.

Eicke poprzez systematyczne pouczanie, wydawanie odpowiednich rozkazów o przestępczości więźniów i o tym, jak są niebezpieczni, dążył do nastawienia SS-manów przeciwko więźniom, wywołania wrogiego do nich stosunku, tłumienia z góry wszelkich odruchów współczucia. W wyniku systematycznego oddziaływania w tym kierunku doprowadzał on, szczególnie u prymitywnych natur, do powstania nienawiści i antypatii w stosunku do więźniów, niezrozumiałych zupełnie dla osób postronnych. Tego rodzaju nastawienie rozprzestrzeniło się na wszystkie obozy koncentracyjne i pełniących tam SS-manów i oficerów i utrzymywało się przez wiele lat po odejściu Eickego ze stanowiska inspektora. Taką pełną nienawiści postawą można tłumaczyć maltretowanie więźniów i ich dręczenie w obozach koncentracyjnych.

Tę zasadniczą postawę w stosunku do więźniów zaostrzał jeszcze wpływ starych komendantów jak Loritz[28] i Koch,[29] dla których więźniowie nie byli

---

[28] Hans Loritz, ur. 21 grudnia 1895 r., członek NSDAP nr 298668 i SS nr 4165, wyróżniony odznakami pierścienia SS i szpady SS. W 1935 r, doszedł do stopnia SS-Oberführera. Pełnił funkcję komendanta w obozach koncentracyjnych Dachau i Sachsenhausen,

[29] Karl Otto Koch ur. 2 sierpnia 1897 r. Był członkiem NSDAP nr 475586 i SS nr 14830. wyróżniony odznakami pierścienia SS i szpady SS. W 1937 r, doszedł do stopnia SS-Standartenführera. Był komendantem kolejno obozów koncentracyjnych Dachau, Buchenwald i Lublin-Majdanek. Zasłynął jako jeden z najbardziej skorumpowanych oficerów SS, znany z samowolnych mordów na więźniach. Zbyt jaskrawe przypadki łamania dyscypliny skłoniły Himmlera do postawienia Karla Ottona Kocha przed sądem SS, który skazał go dwukrotnie na śmierć. Wyrok wykonano.

ludźmi, lecz jedynie „Ruskami" lub „Kanakami". Więźniowie oczywiście zdawali sobie sprawę z tej sztucznie wywoływanej nienawiści. Powodowało to umacnianie postaw fanatyków i ludzi zawziętych, ludzi dobrej woli zaś raziło i odrzucało.

W obozie wyraźnie odczuwało się każde nowe pouczenie Eickego. Natychmiast pogarszał się nastrój. Z lękiem obserwowano każde poruszenie SS-manów. Roiło się od plotek i pogłosek obozowych o zamierzonych zarządzeniach. Szerzył się powszechny niepokój. Nie dlatego, że od razu traktowano gorzej ogół więźniów, lecz dlatego, że więźniowie mocniej odczuwali bardziej wrogą postawę przeważającej części personelu wartowniczego i nadzorczego.

Muszę stale podkreślać, że więźniów w ogóle, a więźniów obozu koncentracyjnego w szczególności, przygnębiały, dręczyły i doprowadzały do rozpaczy nie tyle fizyczne dolegliwości, ile psychiczne udręki. Dla większości więźniów nie jest obojętne, czy dozorcy odnoszą się do nich wrogo, obojętnie czy życzliwie. Nawet wówczas, gdy dozorca nie czyni więźniowi fizycznie nic złego, jego ponure spojrzenie, jego wroga i nienawistna postawa wywołują trwogę, przygnębienie i powodują udrękę dla więźnia. W obozie w Dachau bardzo często zadawali mi więźniowie pytania: „Dlaczego SS nas tak nienawidzi? My przecież też jesteśmy ludźmi". Już to samo wystarcza do wyjaśnienia stosunku istniejącego między SS a więźniami.

Nie wierzę, aby Eicke osobiście tak nienawidził „niebezpiecznych wrogów państwa" i nimi pogardzał, jak to nieustannie przedstawiał oddziałom wartowniczym. Myślę raczej, że jego stałe podjudzanie miało na celu jedynie zmuszenie SS-manów do baczniejszej uwagi i ciągłej gotowości. Do czego to doprowadzi i jak daleko będą sięgać skutki tego świadomego podjudzania, nad tym już się nie zastanawiał.

Wychowany i wyszkolony w duchu Eickego, miałem pełnić służbę w obozie koncentracyjnym jako Blockführer, Rapportführer i jako zarządca obozu. Tutaj muszę przyznać, że służbę pełniłem zawsze sumiennie i starannie ku zadowoleniu wszystkich, nie pobłażałem więźniom, byłem surowy i często twardy. Byłem jednak sam zbyt długo więźniem, aby nie widzieć ich niedoli. Nie bez wewnętrznego współczucia odnosiłem się do wszystkich wydarzeń w obozie.

Zewnętrznie zimny, wręcz kamienny, lecz wewnętrznie najgłębiej wzburzony uczestniczyłem w wizjach lokalnych z okazji samobójstw, zastrzeleń przy próbach ucieczki, przy których mogłem dobrze rozpoznać, które były sfingowane, a które prawdziwe, wypadków przy pracy, „pójścia na druty", w sądowych oględzinach zwłok w pomieszczeniu sekcyjnym. Uczestniczyłem przy wymierzaniu kary chłosty, przy karach zarządzanych przez Loritza i osobiście przez niego nadzorowanych, przy „jego" robotach karnych, przy „jego" wykonywaniu kary. Z powodu mojej kamiennej maski Loritz był głęboko przekonany, iż nie musi mnie „hartować", jak to czynił z upodobaniem wobec tych SS-manów, którzy wydawali mu się zbyt łagodni.

Tutaj zaczyna się właściwie moja wina. Zdałem sobie jasno sprawę, że nie nadaję się do tej służby, ponieważ nie zgadzałem się wewnętrznie z życiem i postępowaniem w obozie koncentracyjnym, jak tego wymagał Eicke. Byłem wewnętrznie zbyt związany z więźniami, ponieważ zbyt długo żyłem ich życiem, sam przeżywałem ich niedole.

Wówczas powinienem był pójść do Eickego lub Reichsführera SS i powiedzieć im, iż nie nadaję się do służby w obozie koncentracyjnym, ponieważ odczuwam zbyt wiele współczucia dla więźniów. Nie zdobyłem się na tę odwagę; nie chciałem się kompromitować, nie chciałem się przyznać do swojej miękkości. Byłem zbyt uparty, aby przyznać się, iż poszedłem błędną drogą, gdy zrezygnowałem z mego zamiaru osiedlenia się na roli. Do czynnej służby w SS poszedłem dobrowolnie, czarny mundur stał się dla mnie zbyt drogi, abym go w ten sposób chciał zrzucić. Przyznanie się, iż jestem zbyt miękki do służby w SS, pociągnęłoby za sobą niewątpliwie usunięcie z szeregów, a przynajmniej zwykłą dymisję. Tego jednak nie zniósłbym.

Długo walczyło we mnie moje wewnętrzne przekonanie z poczuciem obowiązku wierności wobec przysięgi SS i uroczystego ślubowania Führerowi.[30] Czy miałem zdezerterować?

Nawet moja żona nic nie wie o tej rozterce wewnętrznej, o tym przekonaniu. Do tej pory zachowałem to w tajemnicy. Jako stary narodowy socjalista byłem przekonany o konieczności istnienia obozów koncentracyjnych. Prawdziwi wrogowie państwa musieli zostać internowani; aspołeczni i zawodowi przestępcy, którzy na podstawie dotychczas obowiązujących praw. nie mogli zostać osadzeni w więzieniu, powinni byli zostać pozbawieni wolności, aby uchronić naród przed ich szkodliwym działaniem.

Byłem również głęboko przeświadczony, że tylko SS jako siła ochronna nowego państwa jest w stanie to zrealizować. Nie zgadzałem się jednak z poglądami Eickego odnośnie do osób przebywających w obozach, z rozbudzaniem przez niego najniższych uczuć nienawiści wśród personelu strażniczego, z jego polityką kadrową, w wyniku której przydzielał do służby z więźniami ludzi nie posiadających do tego kwalifikacji i pozostawiał na stanowiskach ludzi nieodpowiednich, często wręcz niemożliwych do zniesienia. Nie zgadzałem się również z samowolą w zakresie określania czasu uwięzienia.

Na skutek jednak pozostania w obozie koncentracyjnym przyswoiłem sobie obowiązujące tam poglądy, rozkazy i zarządzenia. Pogodziłem się ze swoim losem, który dobrowolnie sam sobie wybrałem, mając cichą nadzieję,

[30] Tekst ślubowania SS brzmiał: „Przysięgam Ci, Adolfie Hitlerze, Wodzu i Kanclerzu Rzeszy, że będę Ci wierny oraz mężny i ślubuję Tobie oraz wyznaczonym przez Ciebie przełożonym posłuszeństwo aż do poświęcenia życia. Tak mi dopomóż Bóg". W formacjach wojskowych SS składano ponadto następującą przysięgę: „Składam przed Bogiem świętą przysięgę, że będę bezwzględnie posłuszny Wodzowi Rzeszy i Narodu Niemieckiego Adolfowi Hitlerowi — naczelnemu dowódcy Wehrmachtu i ze jako dzielny żołnierz będę gotów w każdej chwili w imię tej przysięgi oddać życie" Każdy członek SS składający ślubowanie lub przysięgę podpisywał jednocześnie protokół zawierający odpowiedni tekst.

że otrzymam później jakiś inny przydział służbowy. Na razie jednak nie można było o tym myśleć, ponieważ zdaniem Eickego nadawałem się do pracy z więźniami.

Przyzwyczaiłem się wprawdzie do tego wszystkiego, czego w obozie koncentracyjnym nie można było zmienić, nigdy jednak nie straciłem wrażliwości na ludzką niedolę. Zawsze ją widziałem i odczuwałem. Przeważnie jednak musiałem nad nią przechodzić do porządku dziennego, ponieważ nie wolno mi było być miękkim. Nie chcąc uchodzić za miękkiego, wolałem, aby mnie okrzyczano jako twardego.

Otrzymałem przydział do Sachsenhausen[31] jako adiutant. Tam zaznajomiłem się z Inspektoratem Obozów Koncentracyjnych,[32] jego pracą i zwyczajami. Poznałem bliżej Eickego, jego oddziaływanie na obóz i na załogę. Zetknąłem się z Gestapa.[33] Z korespondencji poznałem wzajemne zależności wyższych instancji SS. Krótko mówiąc, poszerzył mi się horyzont.

Od kolegi ze sztabu łączności Hessa[34] słyszałem o wielu sprawach z otoczenia Führera. Pewien mój stary kolega piastował kierownicze stanowisko w Reichsjugendführung,[35] inny w sztabie Rosenberga[36] w charakterze referenta prasowego, inny zaś jeszcze w Izbie Lekarskiej. Z tymi starymi kolegami z okresu korpusu ochotniczego spotykałem się często w Berlinie i w szerszym niż dotychczas stopniu poznawałem ideologię partii i jej zamiary, W owych latach dawał się zauważyć w Niemczech ogromny rozwój. Przemysł i handel kwitły jak nigdy dotąd. Sukcesy Adolfa Hitlera

---

[31] Obóz koncentracyjny w Sachsenhausen powstał w 1936 r. Tu 27 listopada 1939 r. przybyli aresztowani 6 listopada 1939 r. w Krakowie pracownicy naukowi Uniwersytetu Jagiellońskiego i Akademii Górniczej. Pod koniec wojny obóz posiadał 53 podobozy. Przebywało w nim przeciętnie 50000 więźniów.

[32] Inspektorat Obozów Koncentracyjnych mieścił się w Oranienburgu w pobliżu obozu Sachsenhausen Stąd kierowano wszystkimi obozami koncentracyjnymi. W związku z potrzebami przemysłu zbrojeniowego i gospodarki Trzeciej Rzeszy w 1942 r. obozy podporządkowano Głównemu Urzędowi Gospodarki i Administracji SS (WVHA-SS).

[33] Gestapa — das Geheime Staatpolizeiamt — urząd Tajnej Policji Państwowej powstał w 1933 r. z inicjatywy Hermana Goringa i początkowo działał tylko w Prusach. W kwietniu 1934 r. kierownictwo nad Gestapo i policją polityczną w krajach niemieckich objął Heinrich Himmler. W czerwcu 1936 r. policja polityczna (Gestapo) i kryminalna (Kripo) utworzyły razem Policję Bezpieczeństwa (Sipo — Sicherheitspolizei), na której czele stanął Reinhard Heydrich. 23 czerwca 1938 r. wprowadzono obowiązkową przynależność jej funkcjonariuszy do SS Kolejna reorganizacja nastąpiła 27 września 1939 r., kiedy to w warunkach wojennych utworzono scentralizowany Główny Urząd Bezpieczeństwa Rzeszy (RSHA) W strukturze RSHA funkcje Gestapo, inwigilacji i zwalczania przeciwników reżimu oraz prowadzenie kontrwywiadu i kontrsabotażu przejął Departament IV RSHA kierowany przez Heinricha Müllera.

[34] Rudolf Hess urodził się 25 listopada 1900 r. Wstąpił do NSDAP w wieku lat dwudziestu. W 1933 r. wspiął się na szczyt kariery, obejmując funkcję zastępcy Führera w NSDAP i zarazem członka Rządu Rzeszy jako minister bez teki. W tym też czasie został wybrany posłem do Reichstagu. W 1938 r. powołano go w skład Tajnej Rady Gabinetowej, a w 1939 r. — Rady Obrony Rzeszy. We wrześniu 1939 r. został drugim w kolejności następcą Hitlera. W maju 1941 r. Hess rzekomo bez zgody najwyższych władz Rzeszy poleciał z misją pokojową do Anglii, licząc na swoje kontakty w przedwojennych germanofilskich kręgach

w dziedzinie polityki zagranicznej były dostatecznie oczywiste, aby zmusić do milczenia wszystkich niedowiarków i przeciwników. Partia opanowała państwo. Sukcesy były niezaprzeczalne. Droga i cel NSDAP były słuszne. Byłem o tym przekonany i nie miałem najmniejszych wątpliwości. Moje wewnętrzne kłopoty, czy pozostać nadal w obozie koncentracyjnym, mimo iż do tego się nie nadaję, zeszły na dalszy plan, ponieważ nie miałem już tak bezpośredniego kontaktu z więźniami, jak to miało dotychczas miejsce w Dachau. W Sachsenhausen nie było również takiej atmosfery nienawiści, jaka panowała w Dachau, mimo iż na miejscu znajdowała się placówka Eickego. Jednakże załoga była inna: wielu młodych rekrutów, wielu młodych oficerów ze szkół junkierskich. Starych „dachauowców" spotykało się rzadko.

Inny był również komendant.[37] Był on surowy i twardy, ale odznaczał się dużym poczuciem sprawiedliwości i fanatycznym poczuciem obowiązku. Jako stary oficer SS i narodowy socjalista stał się dla mnie wzorem. Widziałem w nim zawsze swoje odbicie w powiększonym formacie. On również miewał momenty, w których widać było jego łagodność i wrażliwe serce, jednakże we wszystkich sprawach służbowych był twardy i nieubłaganie surowy. W ten sposób unaoczniał on mi stale, jak wymagany w SS twardy „mus" powinien tłumić wszelkie odruchy łagodności.

Nadeszła wojna i z nią wielka zmiana w życiu obozów koncentracyjnych. Któż jednak wówczas mógł przewidzieć, jakie okropne zadania zlecone zostaną obozom koncentracyjnym podczas jej trwania.

W pierwszym dniu wojny Eicke wygłosił przemówienie do dowódców formacji zapasowych, które zluzowały jednostki czynnej SS przy obozach. W przemówieniu tym podkreślił, że twarde prawa wojny mają swoje wymagania. Każdy SS-man, bez względu na swoje dotychczasowe życie, musi się

---

arystokracji angielskiej. Internowany przez władze brytyjskie przebywał w więzieniach do końca wojny. Wyrokiem Międzynarodowego Trybunału Wojskowego w Norymberdze z dnia 1 października 1946 r. został skazany na dożywotnie więzienie. Aż do śmierci w 1987 r. przebywał w berlińskim wiezieniu Spandau.

[35] Reichsjugendführung — Urząd do Spraw Młodzieży skupiał w swym ręku całość spraw związanych z życiem młodzieży w hitlerowskich Niemczech. Na jej czele stał Baldur von Schirach jako Reichsjugendführer der NSDAP. Hitleryzm na długo przed przejęciem władzy widział przyszłość partii w młodzieży. Męska organizacja — Hitlerjugend po 1933 r. systematycznie rozrastała się kosztem innych związków młodzieży aż do końca 1936 r., kiedy to na mocy ustawy stała się jedyną organizacją młodzieżową, skupiającą całą młodzież niemiecką. Żeńskim odpowiednikiem HJ był Bund Deutscher Mädel — BDM. Baldurowi von Schirachowi ustawa przyznała tytuł Przywódcy Młodzieży Rzeszy Niemieckiej — Jugendführer des Deutschen Reiches.

[36] Sztab Rosenberga był komórką NSDAP kierowaną przez Alfreda Rosenberga, odpowiedzialną, jak to określano, za całe duchowe i światopoglądowe wychowanie i szkolenie ruchu narodowosocjalistycznego. Biuro utworzone zostało 24 stycznia 1934 r.

[37] Był nim Herman Baranowski, który urodził się 11 czerwca 1884 r. Był on członkiem NSDAP nr 34321 i SS nr 24009, wyróżnionym odznakami pierścienia SS i szpady SS. W 1938 r. doszedł do stopnia SS-Oberführera. Był komendantem obozu koncentracyjnego Sachsenhausen do stycznia 1940 r.

całkowicie poświęcić sprawie. Każdy rozkaz musi być dla niego święty i nawet najcięższy i najtrudniejszy musi być bezzwłocznie wykonany. Reichsführer SS wymaga od każdego oficera SS wzorowego poczucia obowiązku i poświęcenia dla narodu i ojczyzny, aż do pełnego wyrzeczenia się siebie. Główne zadanie SS w tej wojnie polega przede głównie na ochronie państwa Adolfa Hitlera — przede wszystkim wewnątrz kraju — przed wszelkimi niebezpieczeństwami. Rewolucja jak w 1918 roku, strajk robotników fabryk amunicji jak w roku 1917 są wykluczone. Każdy pojawiający się wróg państwa powinien być zniszczony. Führer wymaga od SS, aby broniła ojczyzny przed wszystkimi machinacjami wrogów. Dlatego też on, Eicke, żąda, aby wszyscy dowódcy wychowywali pełniących służbę w obozach żołnierzy formacji zapasowych w duchu nieubłaganej surowości w stosunku do więźniów. Będą oni musieli pełnić najcięższą służbę i wykonywać twarde rozkazy. Ale po to są teraz tutaj. SS musi obecnie wykazać, że słuszne było surowe wychowanie w okresie pokoju. Tylko SS może uchronić państwo narodowo-socjalistyczne przed wszelkimi wewnętrznymi niebezpieczeństwami. Wszelkim innym organizacjom brakuje niezbędnej do tego surowości.

Tego samego wieczoru dokonano w Sachsenhausen pierwszej wojennej egzekucji. Pewien komunista, który w zakładach Junkersa w Dessau odmówił wykonania prac przy obronie przeciwlotniczej, został aresztowany przez tamtejsze Stapo[38] na skutek doniesienia straży fabrycznej, przewieziony do Gestapo w Berlinie i tam przesłuchany. Przedstawiono raport Reichsführerowi SS, który nakazał natychmiastowe rozstrzelanie. Stosownie do tajnego rozkazu mobilizacyjnego wszelkie egzekucje zarządzone przez Reichsführera SS lub przez Gestapa miały być wykonywane w najbliżej położonym obozie koncentracyjnym.

O godzinie 22 zatelefonował Müller[39] z Gestapo, że w drodze znajduje się kurier z rozkazem. Rozkaz ten ma być natychmiast wykonany. Krótko po tym przyjechał samochód osobowy z dwoma funkcjonariuszami policji państwowej i jednym skutym w kajdany cywilem. Komendant otworzył zapowiedziane pismo, zawierające krótką treść: „NN ma być na rozkaz Reichsführera SS rozstrzelany. Należy go zawiadomić o tym w areszcie i w godzinę później wykonać rozkaz".

Komendant powiadomił skazanego o otrzymanym rozkazie. Skazany był całkowicie opanowany, chociaż — jak to później oświadczył — nie liczył się z rozstrzelaniem. Pozwolono mu napisać list do rodziny, otrzymał również papierosy, o które prosił.

Eicke został powiadomiony przez komendanta i zdążył przybyć jeszcze w oznaczonym terminie.

Jako adiutant byłem szefem sztabu komendantury i w tym charakterze, zgodnie z tajnym rozkazem mobilizacyjnym, byłem obowiązany do prze-

---

[38] Stapo — Policja Państwowa, pojęcie używane zamiennie w Trzeciej Rzeszy z Gestapo i Sipo.

[39] Heinrich Müller — patrz przypis 240 na s. 235.

prowadzenia egzekucji. Gdy rano po ogłoszeniu wojny komendant otworzył tajne rozkazy mobilizacyjne, nie myśleliśmy obaj, że przepis o egzekucji znajdzie zastosowanie jeszcze tego samego dnia.

Wyszukałem szybko trzech starszych, spokojnych podoficerów sztabu, powiadomiłem ich o tym, co ma nastąpić, pouczyłem o zachowaniu się i przeprowadzeniu egzekucji. Na dziedzińcu szybko wkopano pal. Bezpośrednio po tym nadjechały samochody. Komendant nakazał skazanemu, aby ustawił się przy palu. Ja go podprowadziłem. Ustawił się spokojnie. Odstąpiłem od niego i dałem rozkaz— ognia. Skazany upadł, ja zaś oddałem strzał dobijający. Lekarz stwierdził trzy rany przestrzałowe serca. Oprócz Eickego przy egzekucji było jeszcze obecnych kilku oficerów formacji zapasowej. Żaden z nas po porannym przemówieniu Eickego nie myślał, że zapowiedź tak szybko stanie się surową rzeczywistością, nawet sam Eicke, jak to powiedział po egzekucji.

Tak byłem zajęty przygotowaniami do egzekucji, że właściwie dopiero po niej doszedłem do siebie. Wszyscy oficerowie, którzy byli obecni przy egzekucji, po jej zakończeniu siedzieli jeszcze przez chwilę w kasynie, jednakże nie doszło do nawiązania jakiejś prawdziwej rozmowy, każdy był zajęty własnymi myślami i przypominał sobie instrukcję Eickego. Każdemu też stawała przed oczyma z całą wyrazistością surowość wojennych wydarzeń. Oprócz mnie wszyscy obecni byli starszymi panami, którzy byli oficerami już w czasie wojny światowej, byli starymi oficerami SS i wykazali się odwagą w czasie walk wiecowych w bojowym okresie NSDAP. Wszyscy jednak byli pod głębokim wrażeniem tego wydarzenia, a ja nie mniej od nich. W czasie następnych dni przeżywaliśmy wiele podobnych wydarzeń. Prawie codziennie musiałem występować z moim oddziałem egzekucyjnym.

Chodziło głównie o uchylających się od służby wojskowej i sabotażystów. Powodów egzekucji można się było jedynie dowiedzieć od towarzyszących funkcjonariuszy policji, ponieważ nawet w rozkazie egzekucyjnym nie były one podawane.

Szczególnie poruszył mnie jeden wypadek. Pewien oficer SS, urzędnik policji, z którym miałem wiele do czynienia, ponieważ często przywoził on ważniejszych więźniów lub oddawał komendantowi ważniejsze pisma, został pewnej nocy przywieziony nagle do obozu z poleceniem natychmiastowego rozstrzelania. Jeszcze poprzedniego dnia siedzieliśmy razem w kasynie i rozmawialiśmy o egzekucjach. Teraz przyszła kolej na niego samego i ja musiałem wykonać rozkaz. Nawet dla mojego komendanta było tego za wiele. Po egzekucji chodziliśmy obaj długo po terenie, aby się uspokoić. Od towarzyszącego skazanemu funkcjonariusza dowiedzieliśmy się, że skazany otrzymał rozkaz aresztowania byłego działacza komunistycznego i dostarczenia go do obozu. Oficer SS znał dobrze już od dawna z okresu inwigilacji owego aresztowanego, który zachowywał się zawsze bardzo poprawnie. Z dobroduszności pozwolił mu udać się jeszcze raz do mieszkania, aby mógł się przebrać i pożegnać z żoną. Podczas gdy oficer i jego towarzysz rozmawiali w sąsiednim pokoju z żoną aresztowanego, ten uciekł przez drugi pokój. Gdy odkryto ucieczkę, było już za późno.

Podczas składania w Gestapo meldunku o ucieczce oficer ten został natychmiast aresztowany, Reichsführer SS zaś zarządził natychmiastową rozprawę sądu wojennego. W godzinę później zapadł w stosunku do odpowiedzialnego wyrok śmierci, jego towarzysz zaś został skazany na wieloletnie więzienie. Reichsführer SS odrzucił zdecydowanie wstawiennictwo Heydricha[40] i Müllera o ułaskawienie. Pierwsze poważne przewinienie służbowe w czasie wojny popełnione przez oficera SS miało być karane w sposób odstraszająco surowy. Skazany był przyzwoitym człowiekiem, lat około trzydziestu, żonaty i miał troje dzieci; służbę swoją pełnił dotychczas sumiennie i wiernie, a teraz padł ofiarą swej dobroduszności i ufności. Na śmierć poszedł opanowany i spokojny.

Do dnia dzisiejszego nie mogę jednak pojąć, że mogłem spokojnie dać rozkaz ognia. Trzej strzelający żołnierze nie wiedzieli, kogo rozstrzeliwują. Dobrze, że tego nie wiedzieli, być może zadrżałyby im ręce. Na skutek wewnętrznego wzburzenia ledwo byłem w stanie przyłożyć skazanemu pistolet do skroni i dać strzał dobijający. Potrafiłem się jednak do tego stopnia opanować, iż uczestnicy niczego szczególnego nie zauważyli. Kilka dni później rozmawiałem z jednym z trzech podoficerów oddziału egzekucyjnego i pytałem go o to.

Egzekucja ta stoi mi stale przed oczyma w związku z nieustannym żądaniem od nas przezwyciężania się i niezłomnej surowości. Wówczas jednak uważałem, iż jest to nieludzkie, a Eicke wciąż prawił o jeszcze większej surowości. SS-man musi umieć zgładzić nawet członków najbliższej rodziny, jeżeli popełnią oni przestępstwo przeciwko państwu lub idei Adolfa Hitlera. „Ważne jest tylko jedno: rozkaz!” Był to nagłówek jego listów. Co to oznaczało i co Eicke przez to rozumiał, dowiedziałem się w pierwszych tygodniach wojny. Nie tylko ja, lecz również wielu starych oficerów SS. Niektórzy z nich, posiadający wyższe stopnie w Allgemeine SS[41] i bardzo niski numer ewidencyjny SS, którzy odważali się na ten temat wypowiadać, mówili w kasynie, że ta katowska robota hańbi czarny mundur SS. Doniesiono o tym Eickemu. Zażądał od nich wyjaśnień, a następnie

---

[40] Reinhard Heydrich urodził się 7 marca 1904 r. Był członkiem NSDAP nr 544916 od 1931 r. i SS nr10120 od 1932r.. wyróżnionym odznakami pierścienia SS i szpady SS. W 1932 r. został szefem Służby Bezpieczeństwa (SD) NSDAP. Był organizatorem krwawej rozprawy z SA w 1934 r. W tym samym roku został awansowany do stopnia Gruppenführera. Doszedł do stopnia SS-Obergruppenführera i generała policji. W 1936 r. stanął na czele Policji Bezpieczeństwa i Służby Bezpieczeństwa (SiPO i SD). W 1939 r. został szefem Głównego Urzędu Bezpieczeństwa Rzeszy (RSHA). 27 września 1941 r. objął stanowisko zastępcy Protektora Rzeszy w Protektoracie Czech i Moraw. 27 maja 1942 r. czeski ruch oporu zorganizował zamach na Heydricha. Zmarł na skutek odniesionych ran 4 czerwca 1942 r.

[41] Allgemeine SS miała charakter paramilitarny i najbardziej powszechny. Zorganizowana była na wzór wojskowy w oddziały — od drużyny do dywizji, noszące nazwy: Schar, Sturm, Sturmbahn. Standarte, Abschnitt, Oberabschnitt.

zwołał zebranie oficerów oranienburskiej placówki, którym powiedział mniej więcej, co następuje: Wypowiedzi osób na temat katowskiej roboty SS świadczą o tym, że osoby te, mimo długiego okresu przynależności do SS, nie pojęły jeszcze jej zadań. Najważniejszym zadaniem SS jest ochrona nowego państwa za pomocą wszystkich służących temu celowi środków. Każdy przeciwnik, w zależności od stopnia jego niebezpieczeństwa, musi być albo należycie izolowany, albo zniszczony, i jedno, i drugie może być wykonane tylko przez SS. Jedynie w ten sposób można zagwarantować bezpieczeństwo państwa do chwili, gdy wydane zostaną nowe ustawy chroniące państwo i naród. Niszczenie wewnętrznego wroga państwa jest takim samym obowiązkiem jak niszczenie wroga na froncie i nie wolno tego nigdy obelżywie nazywać. Wypowiedzi te świadczą o obciążeniach starymi mieszczańskimi poglądami, wyrzuconymi za burtę w wyniku rewolucji Adolfa Hitlera. Świadczą one o miękkości i uczuciowym mazgajstwie, niegodnych oficera SS, a które stać się mogą nawet niebezpieczne. Z tego względu musi on winnych zgłosić Reichsführerowi SS w celu ukarania.
Na przyszłość zabrania w swojej jednostce raz na zawsze zajmowania tego rodzaju destrukcyjnego stanowiska. W swoich szeregach potrzebuje on jedynie bezwzględnie twardych mężczyzn, którzy rozumieją znaczenie trupiej czaszki, noszonej przez nich jako odznaka honorowa.

Reichsführer SS nie ukarał bezpośrednio wspomnianych oficerów. Zostali oni przez niego osobiście napomnieni i pouczeni, a następnie pomijani przy awansach i przez całą wojnę pozostali jedynie Obersturmführerami lub Hauptsturmführerami. Do końca wojny musieli również pozostawać w zasięgu władzy inspektora obozów koncentracyjnych. Ponieśli ciężkie konsekwencje, nauczyli się jednak milczeć i z zaciśniętymi zębami spełniać swoje obowiązki.

Na początku wojny więźniowie godni noszenia broni stanęli przed komisjami poborowymi okręgowych komend wojskowych. Uznanych za zdolnych do służby wojskowej zgłaszano do Gestapa lub RKPA;[42] urzędy te kierowały więźniów do służby wojskowej bądź też zatrzymywały ich.

W Sachsenhausen przebywało wielu badaczy Pisma św. Wielu z nich odmówiło pełnienia służby wojskowej i dlatego zostali przez Reichsführera SS skazani na śmierć. Rozstrzelano ich w obozie w obecności wszystkich więźniów, których w tym celu zwołano na apel. Badacze Pisma św. musieli się temu przyglądać z pierwszych szeregów. Poznałem już wielu fanatyków religijnych w miejscach pielgrzymek, w klasztorach w Palestynie, na kolei

[42] RKPA skrót od Reichskriminal-Polizeiamt — Urząd Policji Kryminalnej Rzeszy. Kierownikiem urzędu byt Artur Nebe, współodpowiedzialny m.in. za eksperymenty medyczne w obozach koncentracyjnych pod kryptonimem „Homeopata". Program realizowany na więźniach miał na celu wynalezienie środka przeciw zgorzeli gazowej, bardzo często występującej na froncie wschodnim. Badania poszły w błędnym kierunku. Nie poszukiwano odpowiednika alianckiej penicyliny, gdyż Himmler forował środki biochemiczne. Odpowiedzialny także za decyzje mające na celu wynalezienie toksycznej amunicji. Została wykorzystana przy likwidacji gett żydowskich w Europie Wschodniej i Rosjan.

hedżaskiej, w Iraku, w Armenii, katolików i prawosławnych, muzułmanów, szyitów i sunnitów, jednakże badacze Pisma św. w Sachsenhausen, a szczególnie dwóch spośród nich, przewyższali wszystko, co dotychczas poznałem. Tych dwóch szczególnie fanatycznych badaczy Pisma św. odmawiało wykonania czegokolwiek, co tylko mogło mieć jakiś związek ze sprawami wojskowymi. Nie stawali na baczność, a więc nie zsuwali razem obcasów, nie przykładali rąk do szwów spodni, nie zdejmowali czapek. Mówili, że te oznaki czci należą się jedynie Jehowie, a nie ludziom. Nie istnieli dla nich żadni przełożeni, za jedynego zwierzchnika uznawali oni tylko Jehowę. Musiano tych dwóch usunąć z bloku badaczy Pisma św. i zamknąć w areszcie, ponieważ stale wzywali innych badaczy Pisma św. do podobnego postępowania. Eicke wielokrotnie skazywał ich na karę chłosty za ich niezdyscyplinowanie. Karę tę przyjmowali z takim entuzjazmem, że można było ich posądzać niemal o perwersyjne skłonności. Prosili oni komendanta o dalsze kary, aby tym lepiej służyć swojej idei i Jehowie. Po przejściu przez komisję poborową, którą — jak można było przypuszczać — całkowicie zbojkotowali, odmówili nawet podpisania wojskowych dokumentów, zostali przez Reichsführera SS również skazani na śmierć. Kiedy ich o tym w areszcie zawiadomiono, ogarnęła ich nieopisana radość i zachwyt. Nie mogli się doczekać egzekucji. Wciąż składali ręce, patrzyli z zachwytem w górę i wołali bez przerwy: „Wkrótce będziemy u Jehowy, jakie to szczęście, że zostaliśmy do tego wybrani". Parę dni przedtem byli obecni przy egzekucji swoich współwyznawców i nie można ich było wtedy utrzymać. Chcieli, aby ich również rozstrzelano. Nie można było patrzeć na to opętanie. Przemocą musiano ich zaprowadzić do aresztu. Na swoją egzekucję biegli niemal kłusem. Nie chcieli w żaden sposób dać się wiązać, aby móc podnieść ręce do Jehowy. W olśnieniu i zachwycie, które nie miały w sobie nic ludzkiego, stali przed drewnianą ścianą. Tak wyobrażałem sobie pierwszych chrześcijańskich męczenników oczekujących na arenie na rozszarpanie ich przez dzikie zwierzęta. Szli oni na śmierć z jasnym obliczem, skierowanymi ku górze oczyma, złożonymi do modlitwy i podniesionymi rękoma.

Wszyscy, którzy oglądali tę śmierć, byli wzruszeni, poruszony był nawet pluton egzekucyjny. Tą męczeńską śmiercią swoich współwyznawców badacze Pisma św. zostali jeszcze bardziej utwierdzeni w swej wierze świadków Jehowy. Wielu z tych, którzy już podpisali zobowiązanie, że nie będą więcej zajmować się zdobywaniem nowych wyznawców dla swojej wiary — miało im to pomóc w wydostaniu się na wolność — wycofało je, gdyż chcieli nadal cierpieć dla Jehowy.

W normalnym życiu badacze Pisma św. byli w rzeczy samej ludźmi spokojnymi, pilnymi i zawsze chętnymi do udzielania pomocy innym. Zarówno mężczyźni, jak i kobiety. Przeważnie byli to rzemieślnicy, wielu ich było wśród rolników w Prusach Wschodnich. Dopóki w czasie pokoju ograniczali się do swoich modlitw, nabożeństw i zebrań, nie stanowili dla państwa żadnego niebezpieczeństwa, nie byli szkodliwi. Gdy jednak od roku

1937 dał się zauważyć wzmożony werbunek do sekty, poddano ją obserwacji, zatrzymano działaczy, którzy dostarczyli dowodów na to, że nieprzyjaciel świadomie działał w kierunku rozpowszechnienia idei badaczy Pisma św., aby w ten sposób od strony religijnej podważyć w społeczeństwie wolę walki. Na początku wojny okazało się, na jak wielkie niebezpieczeństwo bylibyśmy narażeni, gdyby od roku 1937 nie aresztowano najczynniejszych działaczy i najbardziej fanatycznych badaczy Pisma św. i dzięki temu nie położono tamy propagandzie świadków Jehowy.

W obozie badacze Pisma św. byli pilnymi i zasługującymi na zaufanie robotnikami, których można było wysyłać do pracy nawet bez nadzoru. Chcieli cierpliwie znosić uwięzienie dla Jehowy. Odrzucali jednak zdecydowanie wszystko, co miało jakikolwiek związek z wojskiem i z wojną. Na przykład badaczki Pisma św. w Ravensbrück[43] odmawiały zawijania pakietów opatrunkowych pierwszej pomocy. Fanatyczki odmawiały ustawiania się na apelu i można je było liczyć jedynie w nie uporządkowanych gromadach.

Aresztowani badacze Pisma św. byli wprawdzie członkami Międzynarodowego Zrzeszenia Badaczy Pisma św., ale nic nie wiedzieli na temat organizacji swego związku. Znali jedynie działaczy, którzy zaopatrywali ich w pisma, którzy prowadzili zebrania i godziny czytania biblii. Nie mieli pojęcia, do jakich politycznych celów nadużywano ich fanatycznej wiary. Gdy im o tym mówiono, śmiali się jedynie, nie byli w stanie tego zrozumieć. Mieli tylko iść za wezwaniem Jehowy i być mu wierni. Jehowa mówił do nich w natchnieniu poprzez biblię — gdy się ją właściwie czytało, poprzez kaznodziejów pisma ich zrzeszenia. To wszystko było dla nich oczywistą prawdą, nie wymagającą żadnych wyjaśnień. Dla Jehowy i jego nauki gotowi byli cierpieć, a nawet pójść na śmierć. Wierzyli, że dopiero dzięki temu staną się naprawdę wybranymi świadkami Jehowy. Tak też zapatrywali się na uwięzienie i pobyt w obozie koncentracyjnym. Chętnie brali na siebie wszelkie cierpienia i niedogodności. Wzruszająca była ich braterska miłość bliźniego, wzajemna troska o siebie i pomoc wszędzie tam, gdzie to było tylko możliwe.

Zdarzały się jednak liczne przypadki, gdy badacze Pisma św. dobrowolnie się zgłaszali w celu „odżegnania się". W ten sposób badacze określali sami ten akt. Podpisywali oni zobowiązanie, w którym wyrzekali się Międzynarodowego Zrzeszenia Badaczy Pisma św. i zobowiązywali się do uznawania i wykonywania wszystkich praw i zarządzeń państwa oraz oświadczali, że nie będą werbować nowych świadków Jehowy. Na podstawie tego wyrzeczenia się byli oni po pewnym czasie, a później od razu zwalniani z obozu. Początkowo Reichsführer SS przez zatrzymanie ich w obozie po podpisaniu zobowiązania chciał się upewnić, czy ich wy-

[43] Ravensbrück, obóz koncentracyjny dla kobiet założony wiosną 1939 r. w Meklemburgii niedaleko miasteczka Fürstenberg. Pierwszymi więźniarkami były Niemki i niemieckie Żydówki. Po wybuchu wojny najliczniejszą grupę stanowiły Polki i najwięcej ich zginęło. W latach 1939–1945 przeszło przez obóz 132 000 kobiet 27 narodowości, w tym 40 000 Polek.

rzeczenie się było szczere i wynikało z przekonania. „Bracia” dokuczali bardzo odszczepieńcom za ich odstępstwo od Jehowy i dlatego niektórzy z nich, szczególnie kobiety, na skutek wyrzutów sumienia wycofywali swoje podpisy. Nieustanna presja moralna była zbyt silna. Zachwianie badaczy Pisma św. w ich wierze było rzeczą wprost niemożliwą. Również i ci tzw. odszczepieńcy chcieli zachować bezwzględną wierność Jehowie nawet wówczas, gdy wyrzekali się wspólnoty religijnej. Gdy badaczom Pisma św. zwracano uwagę na sprzeczności w ich nauce i w biblii, oświadczali oni po prostu, że sprzeczności te widzi się jedynie ludzkimi oczyma, natomiast u Jehowy sprzeczności nie ma. On i jego nauka są nieomylne.

Zarówno Himmler, jak i Eicke powoływali się wielokrotnie na religijny fanatyzm badaczy Pisma św. i stawiali go za przykład. Tak samo fanatycznie i niewzruszenie jak badacze Pisma św. w Jehowę musi wierzyć SS-man w ideę narodowego socjalizmu i w Adolfa Hitlera. Dopiero gdy wszyscy SS-mani staną się takimi fanatykami swego światopoglądu, zostanie zapewniona trwałość państwa Adolfa Hitlera. Tylko przez fanatyków gotowych do całkowitego wyrzeczenia się swego ja może być realizowany i utrzymywany określony światopogląd.

Muszę jeszcze raz wrócić do sprawy egzekucji w Sachsenhausen na początku wojny.

Jak różne było zachowanie się idących na śmierć. Badacze Pisma św. szli na śmierć w nastroju szczególnego zadowolenia, można powiedzieć egzaltacji, z niewzruszonym przekonaniem, że idą do królestwa Jehowy. Odmawiający służby wojskowej i sabotażyści z motywów politycznych szli pewnie, spokojni i opanowani, podporządkowując się nieuchronnemu losowi. Zawodowi przestępcy i prawdziwie aspołeczne jednostki byli albo cynicznie bezczelni, albo pozornie zuchwali, ale wewnętrznie drżący przed wielką niewiadomą, lub też szaleli i bronili się albo lamentowali o pociechę religijną.

Dwa jaskrawe przypadki. Bracia Sass zostali schwytani w Danii podczas obławy na przestępców i zgodnie z międzynarodowymi umowami wydani Niemcom. Obaj byli znanymi w skali międzynarodowej włamywaczami, specjalistami od rozpruwania kas pancernych. Byli wielokrotnie karani, nigdy jednak żadnej kary nie odsiedzieli w pełnej wysokości, ponieważ zawsze udawała się im ucieczka. Bezskuteczne były wszelkie środki ostrożności w stosunku do nich, gdyż zawsze znaleźli okazję do ucieczki. Ostatnią ich słynną „robotą” było włamanie do najbardziej nowocześnie zabezpieczonego skarbca jednego z wielkich banków berlińskich. Z grobu znajdującego się na cmentarzu, położonym naprzeciwko banku zrobili podkop pod ulicą i po ostrożnym usunięciu wszystkich zabezpieczeń spokojnie dostali się do piwnicy bankowej. Udało się im zrabować złoto, dewizy i biżuterię wielkiej wartości. Łup ten przechowywali bezpiecznie w kilku grobach i pokrywali potrzeby z zasobów „swego banku” do chwili ich schwytania.

Te dwie sławy złodziejskie po ich ekstradycji zostały skazane przez sąd berliński na karę 12 czy 10 lat więzienia; był to najwyższy wymiar kary przewidziany za tego rodzaju przestępstwo przez niemieckie prawo. W dwa dni po skazaniu Reichsführer SS na podstawie posiadanego specjalnego pełnomocnictwa nakazał przewiezienie ich z więzienia śledczego do Sachsenhausen w celu rozstrzelania. Mieli być natychmiast rozstrzelani.

Przywieziono ich samochodem do piaskarni na terenie przemysłowym. Funkcjonariusze, którzy ich przywieźli, mówili, że w drodze zachowywali się dość bezczelnie i wyzywająco i chcieli wiedzieć, dokąd są wiezieni.

Gdy przybyli na miejsce egzekucji, odczytałem im rozkaz rozstrzelania. Podnieśli natychmiast krzyk: „To jest niemożliwe, skąd wam to przyszło do głowy. Chcemy najpierw księdza" itp. Nie chcieli w żaden sposób ustawić się przy palu i musiałem nakazać ich związanie. Bronili się przed tym ze wszystkich sił. Byłem zadowolony z chwilą, gdy mogłem wydać rozkaz ognia.

Wielokrotnie karany przestępca seksualny zwabił w Berlinie ośmioletnią dziewczynkę do klatki schodowej i tam ją zgwałcił, a następnie udusił. Sąd skazał go na 15 lat więzienia. Tego samego dnia przywieziono go do Sachsenhausen na egzekucję.

Jeszcze dzisiaj go widzę, jak wysiada z samochodu przy wejściu na teren przemysłowy z cynicznym wyrazem twarzy, obrzydliwie wyglądający, wykolejony facet w starszym wieku, typowy aspołeczny. W stosunku do tego rodzaju przestępców zawodowych Reichsführer SS nakazywał bezzwłoczne rozstrzelanie. Z chwilą gdy oznajmiłem mu rozkaz rozstrzelania, stał się bladożółty, zaczął krzyczeć, jęczeć i się modlić, a później wołać o łaskę — ohydny widok. Również jego musiałem kazać przywiązać do pala. Czy ci amoralni odczuwają lęk przed „tamtym światem"? Nie potrafię sobie inaczej wytłumaczyć ich zachowania się.

Przed Olimpiadą nie tylko oczyszczono w Niemczech ulice z żebraków i włóczęgów, którzy powędrowali do domów pracy lub obozów koncentracyjnych, lecz także oczyszczono miasta i kąpieliska z wielu prostytutek i homoseksualistów. W obozach koncentracyjnych miano ich wychować do pożyteczniejszych prac.

Homoseksualiści stali się problemem już w Dachau, mimo iż w porównaniu z Sachsenhausen było ich znacznie mniej. Komendant i Schutzhaftlagerführer byli zdania, że najbardziej celowe będzie rozmieszczenie ich w całym obozie i rozdzielenie na poszczególne izby. Ja byłem odmiennego zdania, ponieważ znałem ich już dobrze z okresu pobytu w więzieniu.

Po upływie krótkiego czasu ze wszystkich bloków poczęły nadchodzić meldunki o praktykach homoseksualnych. Kary nic nie pomagały. Zaraza się rozprzestrzeniała. Na mój wniosek umieszczono wszystkich homoseksualistów razem. Otrzymali sztubowego,[44] który potrafił się z nimi obchodzić. Posyłano ich również oddzielnie do pracy, bez kontaktów z innymi więźniami. Przez długi czas ciągnęli oni walec drogowy. Również więźniów

[44] Sztubowy — starszy bloku, więzień nadzorujący więźniów mieszkających w jednym bloku czy baraku. Sztubowy cieszył się pewnymi przywilejami, m.in. posiadał prawo do odrębnego pomieszczenia w baraku.

innych kategorii, którzy hołdowali temu nałogowi, przeniesiono do nich. Zaraza od razu wygasła. Jeśli nawet dochodziło jeszcze czasami do tego rodzaju praktyk przeciwnych naturze, były to pojedyncze przypadki. W zajmowanych przez nich pomieszczeniach pilnowano homoseksualistów tak, że nie mogło dochodzić do żadnych zbliżeń.

Pamiętam jeszcze jeden jaskrawy przypadek. Pewien rumuński książę, mieszkający w Monachium ze swoją matką, stał się przedmiotem rozmów w mieście z powodu praktyk homoseksualnych. Mimo wszystkich względów dla powiązań towarzyskich i politycznych nie można było dłużej tolerować jego postępowania, w wyniku czego dostał się do Dachau. Policja była zdania, że na skutek hulaszczego trybu życia kobiety mu się sprzykrzyły i dlatego stał się homoseksualistą, poszukując nowej podniety i rozrywki. Reichsführer SS przypuszczał, iż ciężka praca i twarde życie w obozie koncentracyjnym w krótkim czasie go uleczą. Bezpośrednio po dostarczeniu go do obozu zwróciłem na niego uwagę, mimo iż nie wiedziałem jeszcze, o co chodzi. Jego błędny wzrok, wzdryganie się przy najmniejszym szmerze, jego miękkie i taneczne ruchy zdradziły mi od razu homoseksualistę. Gdy komendant w trakcie przeglądu nowych więźniów szorstko go potraktował, rozpłakał się. Nie chciał również iść do kąpieli, wstydził się. Przyczynę zobaczyliśmy po rozebraniu go. Całe jego ciało, od szyi do przegubów rąk i kostek u nóg było wytatuowane sprośnymi scenami. Osobliwe jednak było to, że wizerunki pokazywały nie tylko wszelkiego rodzaju perwersje, jakie kiedykolwiek wymyślił mózg ludzki, lecz także normalne stosunki płciowe z kobietami. Seksuolodzy mieliby w tej żywej książce z obrazkami ciekawy materiał do badań. Na pytania oświadczył, iż wszystkie wizerunki wykonywane były według jego wskazówek we wszystkich możliwych miastach portowych starego i nowego świata.

Podczas fotografowania tego zbioru obrazków przez służbę rozpoznawczą — wszystkie tatuaże musiały być fotografowane na potrzeby policji kryminalnej — przy ustawianiu i koniecznym przy tym dotykaniu go popadał w stan szczególnego podniecenia. Poleciłem sztabowemu, którego uczyniłem odpowiedzialnym za więźnia, aby na moment nie spuszczał go z oczu. Gdy po kilku godzinach zainteresowałem się, co się dzieje z nowym więźniem, sztubowy poprosił mnie o natychmiastowe zwolnienie go z obowiązku pilnowania, ponieważ „nowy" go „wykańcza". Stoi bez przerwy koło pieca i patrzy tępo przed siebie. Kiedy jednak ktoś się do niego zbliży, dotknie go, aby go odciągnąć, popada natychmiast w podniecenie i zaczyna się onanizować.

Zaprowadziłem go do lekarza. Już przy pierwszych pytaniach co do jego stanu popadł znów w podniecenie. Podał, że od młodości cierpi z powodu silnego popędu seksualnego, przy czym w żadnym rodzaju stosunków nie doznał pełnego zadowolenia i nieustannie go poszukuje. Lekarz sporządził raport do Reichsführera SS i na końcu stwierdził, że więzień nie nadaje się do obozu koncentracyjnego, lecz powinien być skierowany do zakładu leczniczego. Wyleczenie przez ciężką pracę nie jest możliwe.

Raport został wysłany, „nowy” zaś zgodnie z rozkazem skierowany do pracy. Miał wozić taczki z piaskiem. Ledwo mógł podnieść pełną łopatę do góry. Przewracał się, pchając nawet pustą taczkę. Kazałem go zaprowadzić z powrotem do izby i zameldowałem o tym komendantowi, który następnego dnia chciał sam to zobaczyć. Więzień musi pracować, takie bowiem było polecenie Reichsführera SS. Następnego dnia ledwo go można było „doprowadzić do niezbyt odległej piaskowni. Ledwo się tam dowlókł. O pracy nie było co myśleć, przyznał to nawet Loritz. Zaprowadzono go do izby i położono do łóżka. To równie okazało się niewłaściwe, gdyż wciąż się onanizował. Lekarz mówił do niego jak do chorego dziecka, wszystko na próżno. Związano mu ręce, ale na dłuższą metę nie było to możliwe. Otrzymywał środki uspokajające i zimne okłady. Nic nie pomagało. Stan jego się pogarszał. Mimo to wypełzał jeszcze z łóżka, aby się dostać do innych więźniów. Ponieważ w obozie był nie do zniesienia, umieszczono go w areszcie do czasu wydania decyzji przez Reichsführera SS. W dwa dni później już nie żył. Umarł w czasie onanizowania się. W obozie przebywał wszystkiego 5 tygodni.

Reichsführer SS zarządził sekcję sądowo-lekarską i zażądał dokładnego sprawozdania. Sekcja, przy której byłem również obecny, wykazała całkowite wyniszczenie fizyczne bez jakichkolwiek anomalii. Profesor monachijskiego instytutu medycyny sądowej, który dokonywał sekcji, w czasie swojej wieloletniej praktyki nigdy nie spotkał się jeszcze z tego rodzaju przypadkiem, a miał przecież duże doświadczenie.

Byłem obecny przy tym, jak komendant pokazywał matce zwłoki. Powiedziała ona, że śmierć była dla niego i dla niej błogosławieństwem, na skutek bowiem swego wyuzdanego życia seksualnego stał się nie do zniesienia. Bezskutecznie szukała pomocy u najbardziej znanych europejskich lekarzy specjalistów. Uciekał z każdego sanatorium. Był również w klasztorze, ale i tam nie mógł pozostać. Ona sama w swej rozpaczy namawiała go do popełnienia samobójstwa, jednakże nie miał odwagi. Teraz ma przynajmniej spokój. Dzisiaj jednak wzdragam się, gdy myślę o tym przypadku.

W Sachsenhausen homoseksualiści byli od razu umieszczani w oddzielnym bloku. Pracowali również oddzielnie od innych więźniów. Zatrudnieni byli w gliniance wielkiej klinkierni. Była to ciężka praca i każdy z nich musiał wykonać określoną normę. Musieli pracować niezależnie od warunków atmosferycznych, ponieważ każdego dnia musiała być przywieziona określona ilość wagonów z gliną. Materiał musiał być bez przerwy dostarczany dla zapewnienia ciągłości procesu wypalania. Więźniowie musieli więc pracować przy każdej pogodzie, zarówno latem, jak i zimą.

Oddziaływanie tej ciężkiej pracy, dzięki której mieli się znów stać „normalnymi” ludźmi, było różne na różnego rodzaju homoseksualistów. Najbardziej celowa i skuteczna okazywała się, praca w stosunku do „łazików”. Tak nazywano w żargonie berlińskim prostytuujących się młodych mężczyzn, którzy w ten sposób szukali łatwego zarobku i unikali wszelkiej, nawet najlżejszej pracy. Nie można ich było nazwać prawdziwymi homoseksualistami, był to bowiem ich zawód. Surowe życie obozowe i ciężka praca szybko wychowywały tych więźniów. Większość z nich pracowała pilnie i starała się, aby się nie narazić i dzięki temu jak najszybciej wyjść na wolność. Unikali oni również bliższego kontaktu z tymi, którzy byli obciążeni tym nałogiem. Chcieli przez to wykazać, iż właściwie nie mają nic wspólnego z homoseksualistami.

Wielu w ten sposób wychowanych odzyskiwało wolność i nie popadało w recydywę. Nauka była dostatecznie skuteczna, tym bardziej że chodziło tutaj głównie o młodych chłopców.

Również część tych, którzy stali się homoseksualistami ze skłonności, którym na skutek częstych stosunków znudziły się kobiety i którzy w swoim pasożytniczym życiu szukali nowych podniet, można było wychować i odwieść od nałogu.

Nie odnosiło się to jednak do tych, którzy z powodu swych skłonności zbyt głęboko popadli w nałóg. Trzeba było ich traktować na równi z rzeczywistymi homoseksualistami o wrodzonych skłonnościach, takich zresztą było tylko kilku. Nie pomagała tutaj najcięższa praca, najbardziej surowy nadzór. Jak tylko trafiała się okazja, padali sobie w ramiona. Nawet najbardziej wyniszczeni fizycznie tkwili nadal w nałogu. Można ich było łatwo rozpoznać. Mizdrzący i krygujący się w dziewczęcy sposób, o pieszczotliwym sposobie wyrażania się i zbyt przymilnym sposobie zachowania się w stosunku do sobie podobnych wyraźnie odróżniali się od tych, którzy odeszli od nałogu albo którzy chcieli z nim zerwać. Przy dokładnej obserwacji można było zauważyć u tych ostatnich proces stopniowego uzdrawiania.

Podczas gdy jedni chcący zejść z tej drogi mieli dostatecznie silną wolę, przetrzymywali najcięższą pracę, drudzy w zależności od konstytucji powoli wykańczali się fizycznie. Ponieważ nie chcieli lub też nie mogli zerwać z nałogiem, wiedzieli, iż nigdy nie wyjdą na wolność. Ta dotkliwa presja psychiczna u tych przeważnie delikatnych natur przyśpieszała ich fizyczny upadek. Jeżeli do tego doszła jeszcze utrata „przyjaciela" na skutek choroby czy też śmierci, koniec był do przewidzenia. Wielu popełniało samobójstwo. W takiej sytuacji „przyjaciel" był dla tych natur wszystkim. Było wiele przypadków, iż dwóch przyjaciół razem szło na śmierć.

W roku 1944 Reichsführer nakazał w Ravensbrück przeprowadzenie badań „nawróconych". Homoseksualistów, co do których wyzdrowienia nie miano całkowitej pewności, stykano przy pracy niby przypadkowo z prostytutkami i poddawano obserwacji. Prostytutkom polecono, aby w dyskretny sposób zbliżyły się do homoseksualistów i ich podniecały. Wyleczeni natychmiast wykorzystywali tę okazję, nie potrzeba ich było do tego specjalnie namawiać. Nieuleczalni natomiast nie zwracali na kobiety żadnej uwagi. Jeżeli zaś te zbliżały się do nich z wyraźnymi zamiarami, to ze wstrętem i odrazą się od nich odwracali. Po takiej próbie przewidzianym do zwolnienia dawano jeszcze raz okazję do stosunku homoseksualnego. Prawie wszyscy nie korzystali z tej możliwości i zdecydowanie odrzucali próby zbliżenia się ze strony prawdziwych homoseksualistów. Zdarzały się jednak przypadki graniczne — osobnicy korzystający z obu okazji. Pozostawiam sprawę otwartą, czy można ich określać jako biseksualnych. Obserwacja życia i zachowywania się wszelkiego rodzaju homoseksualistów oraz ich psychiki w warunkach więziennych była dla mnie bardzo pouczająca.

W Sachsenhausen znajdowało się wielu prominentów, a także kilku więźniów specjalnych. Prominentami nazywano więźniów, którzy kiedyś odgrywali jakąś rolę w życiu publicznym. Przebywali oni w obozie głównie jako więźniowie polityczni razem z innymi tego rodzaju więźniami, bez specjalnych ulg. Na początku wojny liczba ich poważnie się zwiększyła na skutek ponownego aresztowania byłych działaczy Komunistycznej Partii Niemiec i Socjaldemokratycznej Partii Niemiec (KPD i SPD).

Więźniami specjalnymi byli więźniowie, którzy ze względów państwowych umieszczani byli w obozie koncentracyjnym lub też przy obozie. Nie wolno im było stykać się z innymi więźniami. O miejscu ich uwięzienia lub ich więzieniu w ogóle nie mógł wiedzieć nikt nie wtajemniczony. Przed wojną tego rodzaju więźniów było niewielu. W czasie trwania wojny liczba ich jednak poważnie wzrosła. Później wrócę jeszcze do tego tematu.

W roku 1939 osadzono w Sachsenhausen również czeskich profesorów i studentów[45] oraz polskich profesorów z Krakowa.[46] W obozie byli oni umieszczeni w specjalnym bloku. O ile sobie przypominam, nie wolno ich było brać do pracy, nie było też w stosunku do nich przewidziane żadne specjalne postępowanie. Na skutek interwencji wielu niemieckich profesorów u Führera za pośrednictwem Göringa[47] krakowscy profesorowie zostali

---

[45] 28 października 1939 r. w rocznice odzyskania niepodległości przez Czechosłowację doszło do studenckich manifestacji ulicznych, w wyniku których aresztowano 400 osób. 17 listopada odbył się manifestacyjny pogrzeb ciężko rannego podczas rozruchów studenta, Jana Opletala. Pogrzeb stał się pretekstem do aresztowania około 1200 studentów i wielu pracowników. Postanowiono zamknąć uczelnie w Protektoracie Czech i Moraw. Większość aresztowanych osadzona została w Sachsenhausen.

[46] 6 listopada 1939 r. miała miejsce Sonderaktion Krakau. Gestapo aresztowało w gmachu Collegium Novum Uniwersytetu Jagiellońskiego 183 pracowników Uniwersytetu i Akademii Górniczej. Zgromadzono ich pod pretekstem wysłuchania programowego referatu SS-Sturmbannführera Bruno Müllera na temat polityki narodowego socjalizmu wobec nauki i szkolnictwa wyższego. Aresztowani osadzeni zostali w krakowskim więzieniu Montelupich, następnie przewiezieni do Wrocławia, a stamtąd po 17 dniach do Sachsenhausen. Ciężkie warunki panujące w obozie doprowadziły do śmierci w bardzo krótkim czasie 13 wybitnych uczonych. W lutym 1940 r pod naciskiem międzynarodowej opinii publicznej przeszło połowę starszych wiekiem zwolniono. Pozostałych po pewnym czasie przeniesiono do Dachau.

[47] Hermann Wilhelm Göring urodził się w 1893 r. W czasie pierwszej wojny światowej walczył jako pilot obserwator. W 1918 r dowodził dywizjonem samolotów myśliwskich „Richthofen". Na początku lat dwudziestych związał się z ruchem narodowo-socjalistycznym. Uczestniczył m.in. w puczu monachijskim 8 listopada 1923 r. W 1933 r został premierem i ministrem spraw wewnętrznych Prus, a równocześnie ministrem lotnictwa Rzeszy i przewodniczącym parlamentu Reichstagu. 21 maja 1935 r mianowano go naczelnym dowódcą sił

po kilku tygodniach zwolnieni.[48] Jak pamiętam, profesorów tych było około stu. Sam widziałem ich tylko podczas przybycia do obozu, w czasie ich uwięzienia natomiast nic o nich nie słyszałem.

Muszę się zająć bliżej jednym więźniem specjalnym, ponieważ jego zachowanie się w okresie uwięzienia było osobliwe, a miałem możność obserwowania zarówno jego, jak i wszystkich okoliczności. Był to ewangelicki pastor Niemöller.[49] W czasie wojny światowej był on znanym dowódcą łodzi podwodnej. Po wojnie został pastorem.

Niemiecki kościół ewangelicki był rozbity na liczne grupy. Jedną ze znaczniejszych, mianowicie kościół wyznający, prowadził Niemöller. Führer dążył do zjednoczenia kościoła ewangelickiego i mianował ewangelickiego „prymasa Rzeszy". Jednakże wiele grup ewangelickich nie uznało go i gwałtownie zwalczało. Również Niemöller. Miał on swoją gminę wyznaniową w Dahlem, przedmieściu Berlina. W gminie tej zbierała się cała berlińsko-poczdamska reakcja ewangelicka, wszystkie te cesarskie ekscelencje, które były niezadowolone z reżimu narodowosocjalistycznego. Niemöller w swoich kazaniach głosił opór i to było powodem jego aresztowania.

W Sachsenhausen umieszczono go w areszcie i przyznano wszelkie możliwe ulgi. Wolno mu było pisać do żony tak często, jak tylko chciał. Co miesiąc mogła go ona odwiedzać i przynosić mu książki, wyroby tytoniowe i żywność, ile tylko zechciał. Wolno mu było spacerować po podwórzu aresztu. W celi miał również udogodnienia. Krótko mówiąc, uczyniono dla niego wszystko, co było możliwe. Komendant był .obowiązany stale się o niego troszczyć i dowiadywać się o jego życzenia.

Führer był zainteresowany w tym, aby skłonić Niemöllera do wyrzeczenia się oporu. Do Sachsenhausen przyjeżdżały różne osobistości, aby przekonać Niemöllera, w tym nawet wieloletni dowódca z czasów służby w marynarce i wyznawca jego kościoła, admirał Lanz. Jednakże bezskutecznie. Niemöller obstawał przy stanowisku, że żadnemu państwu nie wolno mieszać się do praw kościelnych czy też takowe ustanawiać. Jest to wyłącznie i jedynie sprawa społeczności wyznaniowych. Kościół wyznający nadal się rozwijał i Niemöller stał się jego męczennikiem. Jego żona prowadziła

---

powietrznych — Luftwaffe. W obliczu zbliżającej się wojny nastąpiła dalsza koncentracja stanowisk w jego ręku Po sierpniu 1939 r. został m.in. przewodniczącym Rady Obrony Rzeszy, a w styczniu 1940 r. kierownikiem gospodarki wojennej Niemiec. Hitler wyznaczył go na swojego pierwszego następcę.

[48] Patrz przypis 46

[49] Martin Niemöller urodził się w 1892 r Podczas .pierwszej wojny światowej dowodził łodzią podwodną. Gdy 23 lipca 1933 r. zwolennicy narodowego socjalizmu opanowali 2/3 obieralnych stanowisk kościelnych i 27 września ich kandydat Ludwig Müller został biskupem Rzeszy w łonie kościoła protestanckiego, powstała opozycja. Pastor Martin Niemöller i docent teologii Dietrich Bonhöffer utworzyli tzw. Kościół wyznający — Bekennende Kirche. Ich celem było odrodzenie moralne niemieckiego protestantyzmu. W lipcu 1937 r. rozpoczęto masowe aresztowania w kościele wyznającym. Osadzony w obozie koncentracyjnym w Dachau pastor Martin Niemöller byt ściśle izolowany i pozbawiony wpływu na życie religijne zarówno w obozie, jak i poza nim.

nadal działalność w jego duchu. Ponieważ czytałem całą jego korespondencję i przysłuchiwałem się rozmowom w czasie odwiedzin, które odbywały się u komendanta, byłem dokładnie we wszystkim zorientowany.

W roku 1938 napisał on do dowódcy marynarki, wielkiego admirała Raedera,[50] że rezygnuje z prawa noszenia munduru oficera marynarki, ponieważ nie zgadza się z państwem, któremu ta marynarka służy. Po wybuchu wojny zgłosił się na ochotnika i prosił o mianowanie go dowódcą łodzi podwodnej. Teraz Führer odrzucił prośbę, ponieważ Niemöller nie chciał nosić munduru państwa narodowosocjalistycznego.

Z biegiem czasu Niemöller zaczął kokietować zamiarem przejścia do kościoła katolickiego. Wyszukiwał w tym celu najosobliwsze argumenty, między innymi zgodność jego kościoła wyznającego z kościołem katolickim w zasadniczych problemach. Jego żona jednak energicznie mu to odradziła. Moim zdaniem pragnął on uzyskać wskutek przejścia do kościoła katolickiego zwolnienie z obozu. Jego zwolennicy jednak nigdy by za nim nie poszli.

Często i szeroko rozmawiałem z Niemöllerem. Można się było z nim porozumieć we wszystkich życiowych zagadnieniach, wykazywał on zrozumienie również dla obcych mu spraw. Z chwilą jednak poruszenia problemów kościelnych zapadała żelazna kurtyna. Uparcie trzymał się swego punktu widzenia, odrzucał wszelką krytykę zajmowanego przezeń stanowiska, mimo iż wyrażając gotowość przejścia do kościoła katolickiego, musiał być skłonny do uznania państwa, podobnie jak to uczynił kościół katolicki przez zawarcie konkordatu.

Gorzkie rozczarowanie sprawiła Niemöllerowi jedna z jego córek. Miał on 7 dzieci, które razem z matką kontynuowały jego dzieło, na ile ze względu na wiek było to możliwe. Jego córka jednak się wyłamała. Chciała koniecznie poślubić oficera marynarki, który był bogowiercą.[51] Niemöller czynił wszystko, aby jej to wyperswadować. Podczas jednych odwiedzin córki zaklinał ją i przytaczał wszelkie religijne i kościelne argumenty, lecz bezskutecznie. Wyszła za mąż za tego oficera.

Gdy w roku 1941 na rozkaz Reichsführera SS przeniesiono wszystkich duchownych do Dachau, znalazł się tam również Niemöller. Widziałem go tam w roku 1944 w budynku aresztu. Miał on tam jeszcze większą swobodę poruszania się i przebywał z byłym ewangelickim biskupem krajowym z Poznania Wurmem. Pod względem fizycznym zniósł on dobrze wszystkie

---

[50] Admirał Erich Raeder urodził się w 1876 r. Podczas pierwszej wojny światowej był szefem sztabu admirała Hippera, w latach 1925–1928 szefem baz morskich na Bałtyku. W 1928 r. objął stanowisko szefa kierownictwa marynarki wojennej Reichswehry, a w 1935 r. naczelnego dowódcy Kriegsmarine jako samodzielnego rodzaju sił zbrojnych. Był faktycznym twórcą potęgi morskiej Trzeciej Rzeszy. Zwolniony ze stanowiska naczelnego dowódcy 30 stycznia 1943 r., do końca wojny sprawował funkcje generalnego inspektora marynarki wojennej. Międzynarodowy Trybunał Wojskowy w Norymberdze wyrokiem z 1 października 1946 r. skazał Ericha Raedera na karę dożywotniego więzienia. Wyszedł na wolność w 1955 r.

[51] Bogowierca — Gottgläubig — prawne pojęcie w Trzeciej Rzeszy oznaczające osoby, które przyznając się do wiary w Boga nie należały do żadnego kościoła w Niemczech.

te lata uwięzienia. O jego stan cielesny troszczono się dostatecznie dobrze i na pewno nikt mu nie ubliżał. Był zawsze traktowany poprawnie.

Podczas gdy Dachau było przeważnie „czerwone",[52] tzn. przeważali w nim więźniowie polityczni, Sachsenhausen było „zielone". Odpowiednia do tego była również i atmosfera w obozie, ponieważ najważniejsze funkcje zajmowali więźniowie polityczni. W Dachau panował wśród więźniów duch pewnej wspólnoty, którego całkowicie brakowało w Sachsenhausen. Obydwie główne barwy gwałtownie się zwalczały. Kierownictwo obozu mogło to z łatwością wykorzystywać, co też czyniło, wygrywając przeciwko sobie obie grupy więźniów.

Również ucieczki były tu stosunkowo liczniejsze niż w Dachau. Były one przede wszystkim bardziej wyrafinowane i bardziej pomysłowe w przygotowaniu, jak i realizacji. Jeżeli w Dachau ucieczka była szczególnym wydarzeniem, to w Sachsenhausen ze względu na obecność Eickego traktowano ją jeszcze poważniej. Gdy tylko zaczęła wyć syrena, Eicke, jeżeli tylko przebywał w tym czasie w Oranienburgu, zjawiał się natychmiast w obozie. Chciał natychmiast znać wszystkie najdrobniejsze szczegóły ucieczki i uporczywie poszukiwał winnych nieuwagi czy też niedbalstwa, na skutek których ucieczka mogła dojść do skutku. Łańcuch posterunków utrzymywany był często przez 3 lub 4 dni, jeżeli były jakiekolwiek dane przemawiające za tym, że więzień może się jeszcze znajdować wewnątrz tego łańcucha. Dniem i nocą wielokrotnie wszystko przeczesywano i przeszukiwano. Włączony był do tego każdy SS-man z garnizonu. Dowódcy, przede wszystkim komendant obozu, Schutzhaftlagerführer i oficer służbowy nie mieli jednej spokojnej godziny, gdyż Eicke stale pytał o stan akcji poszukiwawczej. Jego zdaniem żadna ucieczka nie powinna się udać.

Nieprzerwane utrzymywanie łańcucha posterunków w większości przypadków kończyło się sukcesem, ponieważ więzień, któremu udało się gdzieś ukryć czy też dać zakopać, zostawał w końcu znaleziony. Jakie to jednak stanowiło obciążenie dla obozu. Wartownicy musieli często trwać 16 do 20 godzin bez przerwy na posterunkach. Więźniowie musieli stać aż do pierwszej zmiany warty. Przez cały okres akcji poszukiwawczej nie wolno było wychodzić do pracy, w ruchu utrzymywano tylko zakłady najniezbędniejsze dla życia obozowego.

Jeżeli więźniowi udało się przedostać przez łańcuch posterunków lub też gdy uciekł on z komanda pracującego poza obozem, to wówczas wprawiano w ruch olbrzymi aparat w celu jego schwytania. Wszystkie dostępne siły SS

[52] W 1937 r. zaczęto wprowadzać w obozach koncentracyjnych system znakowania więźniów za pomocą kolorowych trójkątów, zwanych w gwarze obozowej winklami. Kolory trójkątów: czerwony — więzień polityczny, zielony — przestępca kryminalny, czarny — więzień aspołeczny, różowy — homoseksualista, fioletowy — badacz Pisma Świętego, żółty — Żyd. W tym ostatnim przypadku trójkąt żółty był najczęściej kombinowany z którymś z pozostałych kolorów w zestawieniu tworzącym gwiazdę Dawida. Trójkąt wraz z paskiem płótna, na którym wypisywano numer więźnia, był przyszyty na bluzie więźniarskiej na wysokości lewej piersi oraz na zewnętrznym szwie prawej nogawki spodni.

i policji włączane były do akcji. Strzeżono koleje i drogi, kierowane za pomocą radia zmotoryzowane jednostki pogotowia żandarmerii przeczesywały szosy i drogi. Stawiano posterunki na wszystkich licznych mostach w okolicy Oranienburga. Zawiadamiano i ostrzegano mieszkańców domów położonych w pobliżu. Większość z nich była już zorientowana, gdy słyszała wycie syreny. Dzięki pomocy ludności ujęto kilku więźniów. Mieszkająca w okolicy ludność wiedziała, że w obozie przebywali głównie przestępcy zawodowi, których się bała, szczególnie podczas ucieczki. O każdym swoim spostrzeżeniu natychmiast zawiadamiała obóz lub też poszukujące patrole.

Jeżeli uciekiniera odnaleziono, przeprowadzano go — jeśli to było możliwe, w obecności Eickego — w obozie przed ustawionymi w szeregu więźniami. Na szyi miał zawieszoną tablicę z napisem: „Znowu tu jestem" (Ich bin wieder da). Musiał on przy tym bić w duży bęben, który miał zawieszony. Po tej defiladzie otrzymywał 25 kijów i kierowano go do karnej kompanii.

SS-man, który go znalazł lub schwytał, dostawał pochwałę w rozkazie dziennym i specjalny urlop. Ludzie spoza obozu, policjanci lub cywile, otrzymywali nagrody pieniężne. Jeżeli jakiś SS-man dzięki uważnemu i przezornemu postępowaniu zapobiegł ucieczce, Eicke nagradzał go szczególnie urlopem i awansem.

Eicke chciał mieć bezwzględną pewność, czy uczyniono wszystko, aby uniemożliwić ucieczkę, a jeśli się już udała, że nie zaniedbano niczego, co mogłoby się przyczynić do schwytania uciekiniera. Surowo karano SS-manów, którzy umożliwili ucieczkę, nawet jeśli ich wina była niewielka, jeszcze surowiej zaś karano więźniów, którzy w ucieczce pomogli.

Chciałbym opisać kilka niezwykłych ucieczek. Siedmiu niebezpiecznym przestępcom zawodowym udało się z ich baraku, położonego w bezpośredniej bliskości drutów, przekopać pod ogrodzeniem tunel sięgający do lasu i nocą uciec. Wykopaną ziemię rozsypywali pod barakiem, postawionym na palach. Wejście znajdowało się pod łóżkiem. Praca nad wykopem trwała wiele nocy, przy czym współwięźniowie w baraku niczego nie zauważyli. W tydzień później jeden z uciekinierów został rozpoznany, przez Blockführera wieczorem na ulicy w Berlinie i aresztowany. Podczas przesłuchania wydał miejsce pobytu innych zbiegów, na skutek czego wszyscy zostali ujęci.

Jednemu z homoseksualistów udało się uciec z glinianki. Dokonał tego mimo dostatecznego nadzoru i zasieków z drutu. Brak było poszlak, w jaki sposób mogła nastąpić ucieczka. Wyjeżdżające pociągi z gliną kontrolowane były przez dwóch SS-manów i Kommandoführera. Szeroko zakrojona akcja poszukiwawcza i całodzienne przeszukiwanie położonego w sąsiedztwie lasu nie naprowadziły na żaden ślad. Po dziesięciu dniach nadszedł dalekopis z posterunku granicznego w Warnemünde, że poszukiwany został właśnie doprowadzony przez rybaków. Przywieziono go stamtąd i musiał nam pokazać drogę ucieczki. Do ucieczki przygotowywał się on wiele tygodni. Badał wszelkie możliwości. Jedyną możliwością był pociąg wywożący glinę. Ponieważ dobrze pracował, zwrócono na niego uwagę i wybrano do smarowania wagonów i nadzorowania szyn. Całymi dniami obserwował teraz kontrolę wyjeżdżających pociągów. Każdy wagon był sprawdzany od góry i od dołu. Przeszukiwano również lokomotywę spalinową, jednakże nikt nie zaglądał pod spód, ponieważ blachy ochronne sięgały prawie do samych szyn. Zauważył on, iż tylna blacha była luźno zawieszona. Podczas gdy pociąg zatrzymał się przy wyjeździe dla przeprowadzenia kontroli, szybko wpełznął pod lokomotywę, wcisnął się między koła i w ten sposób wyjechał. Przy najbliższym zakręcie, gdy pociąg jechał wolno, zsunął się na ziemię, pociąg przejechał nad nim, on zaś zniknął w lesie. Zdawał sobie sprawę, iż musi uciekać w kierunku północnym.

Ponieważ ucieczkę wkrótce zauważono, Kommandoführer telefonicznie zawiadomił obóz. W tego rodzaju przypadkach obsadzano najpierw mosty zmotoryzowanymi patrolami. Gdy więzień dotarł do wielkiego szlaku wodnego Berlin-Szczecin, zobaczył, iż most jest już obsadzony. Schował się więc w wypróchniałej wierzbie w ten sposób, aby mógł widzieć kanał i most. Ja sam kilkakrotnie przejeżdżałem obok tej wierzby. Nocą przepłynął kanał. Trzymając się z dala od dróg i wsi, zdążał w kierunku północnym. Zaopatrzył się w cywilne ubranie, które zabrał z szopy w jakiejś piaskarni. Żywił się mlekiem, dojąc krowy na pastwiskach, oraz ziemiopłodami. W ten sposób dotarł przez Meklemburgię aż do Bałtyku. W jakiejś wiosce rybackiej udało mu się zdobyć żaglówkę i popłynął w kierunku Danii. Niedaleko duńskich wód terytorialnych natknął się na rybaków, którzy znali jego łódź. Zatrzymali go i ponieważ podejrzewali w nim uciekiniera, dostawili do Warnemünde.

Pewien berliński przestępca zawodowy, malarz z zawodu, pracował w domach w osadzie SS wewnątrz łańcucha posterunków. Nawiązał stosunek ze służącą mieszkającego tam lekarza i przychodził wielokrotnie do tego domu, w którym zawsze znajdował coś do zrobienia. Zarówno lekarz, jak i jego żona nie zauważyli, że służącą łączy z nim intymny stosunek. Lekarz wraz z żoną wyjechał na pewien czas, służąca zaś w tym czasie miała otrzymać urlop. Nasunęła się okazja do ucieczki. Dziewczyna zostawiła w piwnicy jedynie przymknięte okno, przez które wszedł do domu, kiedy wszyscy wyjechali. Na piętrze odsunął płytę ścienną i utworzył w ten sposób na poddaszu schowek. Wywiercił dziurę w drewnianej ścianie, by móc obserwować łańcuch posterunków i większą część osiedla. Zaopatrzył się w żywność i napoje oraz na wszelki wypadek w pistolet. Gdy zawyła syrena, wsunął się do swego schowka, przysunął jakiś większy mebel do ściany schowka i czekał na rozwój wydarzeń.

W przypadku ucieczki przeszukiwano również domy osiedla. Ja sam byłem pierwszego dnia w tym domu, ponieważ jako chwilowo nie zamieszkały wydał mi się podejrzany. Nie zauważyłem jednak nic podejrzanego. Wszedłem również do pokoju, za którego szczytową ścianą czaił się ten przestępca z odbezpieczonym pistoletem. Powiedział on później, iż gdyby został odkryty, na pewno zrobiłby użytek z broni. Chciał za wszelką cenę wydostać się na wolność, ponieważ toczyło się przeciw niemu śledztwo z powodu morderstwa rabunkowego, którego dokonał przed wielu laty, w obozie zaś zdradził go wspólnik, powodowany zazdrością na tle homoseksualnym.

Łańcuch posterunków stał przez 4 dni. Piątego dnia pierwszym rannym pociągiem kolejki podmiejskiej zbieg udał się do Berlina. Z zasobów lekarza ubrał się jak najlepiej, przez wszystkie dni ukrywania korzystał z kuchni i piwnicy, o czym świadczyły liczne puste butelki po likierze i winie. Do dwóch waliz zapakował srebra, bieliznę, aparaty fotograficzne i inne wartościowe przedmioty. Miał dosyć czasu, aby wyszukać co najlepsze.

Po kilku dniach został przypadkowo aresztowany w pewnej berlińskiej spelunce przez patrol policji kryminalnej, gdy próbował spieniężyć resztki zawartości walizek.

Służąca, z którą nawet umówił się na spotkanie, została umieszczona w Ravensbrück.

Lekarz był niemile zdziwiony, gdy wrócił do swego mieszkania. Eicke chciał go jeszcze pociągnąć do odpowiedzialności z powodu broni, zrezygnował jednak z tego, gdy lekarz wystąpił z żądaniem dużego odszkodowania.

Te trzy przykłady, o których sobie właśnie przypomniałem, stanowią niewielki wycinek z urozmaiconego życia w obozie koncentracyjnym.

Rudolf Höss

W styczniu 1947 r.

O ile dobrze pamiętam, Schutzhaftlagerführerem w Sachsenhausen zostałem około Bożego Narodzenia 1939 r.

W styczniu 1940 roku miała miejsce niespodziewana wizyta Reichsführera SS, po której nastąpiła zmiana komendanta. Przyszedł Loritz. Starał się on gorliwie o to, aby obóz, w którym zdaniem Reichsführera SS przestała panować właściwa dyscyplina, uczynić znów wzorowym. Loritz to potrafił. Już raz w roku 1936 uczestniczyłem jako Rapportführer w tego rodzaju akcji w Dachau. Był to dla mnie trudny okres. Loritz stale deptał mi, po piętach, zwłaszcza że moje odejście w roku 1938 na adiutanta do jego najbardziej znienawidzonego wroga bardzo go rozgniewało. Przypuszczał, iż starałem się o przeniesienie poza jego plecami. Nie było to jednak zgodne z prawdą. Komendant w Sachsenhausen sam mnie zażądał, ponieważ widział, że w Dachau zostałem odsunięty na boczny tor ze względu na to, iż byłem mu zbyt oddany w okresie, gdy pełnił w Dachau funkcję Schutzhaftlagerführera. Loritz był bardzo mściwy i często dawał mi odczuć swoją niełaskę.

Jego zdaniem w Sachsenhausen postępowano zbyt łagodnie zarówno w stosunku do SS-manów, jak i do więźniów. Stary komendant Baranowski w tym czasie zmarł i Eicke, mający w związku z organizowaniem dywizji dosyć, innej pracy, nie przeszkadzał Loritzowi. Glücks[53] zresztą nigdy nie

[53] Richard Glücks — patrz przypis 206 na s. 185.

sprzyjał Baranowskiemu, wobec czego ponowne powołanie Loritza do obozu było mu bardzo na rękę. Miał on w nim, „starym" komendancie, dobrą podporę jako nowy inspektor. Gdy aktualna stała się sprawa organizacji Oświęcimia,[54] nie musiano w Inspektoracie zbyt długo szukać odpowiedniego komendanta Loritz mógł się mnie pozbyć, aby dostać Schutzhaftlagerführera, który by mu bardziej odpowiadał. Był nim Suhren,[55] późniejszy komendant w Ravensbrück, który był adiutantem Loritza w Allgemeine SS.

W ten sposób zostałem komendantem organizującego się obozu kwarantanny w Oświęcimiu. Był on położony daleko w Polsce. Niewygodny Höss mógł tam do woli wyładowywać swój zapał do pracy. Była to opinia inspektora obozów koncentracyjnych Glücksa. W takich warunkach przystąpiłem do realizacji swego nowego zadania. Nigdy nie spodziewałem się, iż tak wcześnie awansuję na to stanowisko, tym bardziej że jeszcze kilku starych Schutzhaftlagerführerów czekało od dawna na zwolnienie się stanowiska komendanta.

Zadanie nie było łatwe. Z istniejącego kompleksu budynków, wprawdzie dobrze zachowanych pod względem budowlanym, ale zupełnie zaniedbanych i rojących się od robactwa, miałem w najkrótszym czasie stworzyć obóz przejściowy dla 10000 więźniów. Z punktu widzenia higieny brak było wszystkiego. W Oranienburgu powiedziano mi przed wyjazdem, iż nie mogę spodziewać się większej pomocy i że w miarę możliwości muszę sobie radzić sam. Tam (w Polsce) jest jeszcze wszystko, czego Rzeszy brakuje od lat. O wiele łatwiej jest zbudować obóz od nowa, niż z istniejącego konglomeratu budynków i baraków nie nadających się na obóz koncentracyjny stworzyć maksymalnie szybko coś nadającego się do użytku, i to zgodnie z otrzymanym na początku rozkazem — bez większych przeróbek budowlanych. Ledwie przyjechałem do Oświęcimia, a już inspektor policji bezpieczeństwa i służby bezpieczeństwa we Wrocławiu pytał, kiedy będą mogły być przyjęte pierwsze transporty.

Od samego początku było dla mnie jasne, że z Oświęcimia można zrobić coś użytecznego jedynie przy niestrudzonej, żmudnej pracy wszystkich, począwszy od komendanta, a skończywszy na ostatnim więźniu. Aby wprzęgnąć wszystkich do realizacji tego zadania, musiałem łamać wszystkie tradycyjne zwyczaje i nawyki obozów koncentracyjnych. Jeśli miałem od

---

[54] Obóz koncentracyjny w Oświęcimiu powstał z inicjatywy urzędu Wyższego Dowództwa SS i Policji we Wrocławiu, którym był SS-Gruppenführer Erich von dem Bach-Zelewski. Autorem projektu był inspektor Policji i Służby Bezpieczeństwa SS-Oberführer Arpad Wiegandt. Teren przyszłego obozu wizytowały dwie komisje wysłane przez Inspektorat Obozów Koncentracyjnych. Druga pod kierunkiem Rudolfa Hössa przebywała na terenie Oświęcimia w dniach 18 i 19 kwietnia 1940 r. Wnioski przez nią sporządzone stały się podstawą rozkazu Reichsführera SS z 27 kwietnia o utworzeniu obozu koncentracyjnego Auschwitz i z 29 kwietnia powołującego na komendanta tego obozu Rudolfa Hössa.

[55] Fritz Suhren urodził się 10 czerwca 1908 r. Był członkiem NSDAP nr 109561 i SS nr 14682, wyróżnionym odznaka pierścienia SS. W 1936 r. doszedł do stopnia SS-Hauptsturmführera.

swoich oficerów i żołnierzy wymagać maksymalnej wydajności, musiałem im sam dawać dobry przykład. Gdy budzono zwykłego SS-mana, ja wstawałem również. Zanim rozpoczął on swoją służbę, ja już byłem w ruchu. Na odpoczynek udawałem się dopiero późnym wieczorem. W Oświęcimiu niewiele było takich nocy, że nie byłem niepokojony telefonami spowodowanymi nadzwyczajnymi wydarzeniami.

Jeśli chciałem uzyskiwać od więźniów dobrą i wydajną pracę, musieli oni — odmiennie aniżeli to było w zwyczaju w obozach koncentracyjnych — być lepiej traktowani. Zakładałem, że uda mi się ich lepiej zakwaterować i lepiej żywić, aniżeli to miało miejsce w starych obozach. Wszystko to, co moim zdaniem w tamtych było robione niewłaściwie, chciałem tutaj urządzić inaczej. Wierzyłem, iż w tych warunkach pozyskam więźniów do chętnego wykonywania pracy. Musiałem również wymagać od więźniów największych wysiłków. Liczyłem, iż mi to się z pewnością uda. Jednak już w pierwszych miesiącach — można powiedzieć nawet w pierwszych tygodniach — spostrzegłem, że cała dobra wola, wszystkie najlepsze intencje muszą się rozbić o nieudolność i opór większej części przydzielonych mi oficerów i szeregowców. Za pomocą wszelkich stojących do dyspozycji środków starałem się przekonać moich współpracowników o mej woli, moich zamiarach, starałem się im wyjaśnić, że jest to jedyna droga do owocnej współpracy wszystkich, która pozwoli wykonać postawione przed nami zadanie. Próżny trud.

U „starych" wieloletnie „szkolenie" Eickego, Kocha i Loritza weszło w ciało i krew do tego stopnia, że nawet ci, którzy mieli najlepszą wolę, nie potrafili inaczej działać aniżeli tak, jak to miało miejsce przez wiele lat w obozach koncentracyjnych. „Nowi" uczyli się szybko od „starych", niestety nie tego najlepszego. Wszystkie moje starania w inspektoracie obozów koncentracyjnych, aby pozyskać choć niewielu dobrych, użytecznych oficerów i podoficerów dla Oświęcimia, nie powiodły się. Glücks po prostu nie chciał tego. Podobnie było z więźniami funkcyjnymi. Rapportführer Palitzsch[56] miał wyszukać 30 nadających się zawodowych przestępców ze wszystkich grup zawodowych;[57] na politycznych Główny Urząd Bezpieczeństwa Rzeszy (RSHA)[58] nie wyraził zgody. Z postawionych mu w Sachsenhausen do dyspozycji Palitzsch wybrał 30, jego zdaniem, najlepszych. Nawet

---

[56] Gerhard Palitzsch — patrz przypis 242 na s. 237.

[57] Była to powszechnie przyjęta zasada. Jako ekipy założycielskie przekazywano ze starych obozów do nowych, więźniów wywodzących się ze środowisk przestępczych. W tym znaczeniu więźniowie Sachsenhausen założyli Buchenwald, a więźniowie Buchenwaldu, Mauthausen i Flossenburg. Obóz kobiecy w Auschwitz opierał się na więźniarkach przywiezionych z Ravensbrück.

[58] RSHA — Reichssicherheitshauptamt, czyli Główny Urząd Bezpieczeństwa Rzeszy, powstał 27 września 1939 r. z połączenia policji bezpieczeństwa, policji kryminalnej i służby bezpieczeństwa. RSHA wyróżniał się podwójnym podporządkowaniem, będąc jednocześnie jednym z głównych urzędów Reichsführung SS i departamentami Ministerstwa Spraw Wewnętrznych. Na czele RSHA stał początkowo szef Policji Bezpieczeństwa i Służby Bezpieczeństwa Reinhard Heydrich, a po jego śmierci w 1942 r. Ernst Kaltenbrunner.

dziesięciu z nich nie odpowiadało moim wyobrażeniom i nie nadawało się do przewidzianych funkcji.

Palitzsch wyszukał więźniów według własnego wyobrażenia o traktowaniu więźniów, do jakiego był przyzwyczajony i jak się tego nauczył. Przy swoich predyspozycjach nie mógł zresztą działać inaczej.

Tak więc cała struktura wewnętrznej organizacji obozu od samego początku była chybiona. Od samego początku wprowadzono zasady, które później miały przynieść straszliwe skutki. Można było jednak wszystko złagodzić, a nawet ominąć, gdyby Schutzhaftlagerführerzy i Rapportführerzy podzielali moje poglądy i stosowali się do mej woli. Nie chcieli tego, a nawet nie byli w stanie ze względu na swoją ograniczoność, upór, złośliwość, a w niemałym stopniu i wygodnictwo. Dla nich tego rodzaju kreatury były dobre, odpowiadały ich usposobieniom i poglądom.

Właściwym panem w każdym obozie koncentracyjnym jest Schutzhaftlagerführer. Wprawdzie osobowość komendanta wywiera w mniejszym lub większym stopniu wpływ na kształtowanie się życia więźniów, zależy to od jego energii i zainteresowania. Komendant nadaje ogólny kierunek i jest ostatecznie za wszystko odpowiedzialny, ale prawdziwym władcą nad życiem więźniów, kształtowaniem się wewnętrznych stosunków w obozie jest Schutzhaftlagerführer lub Rapportführer, jeżeli jest inteligentniejszy i ma silniejszą wolę.

Komendant wydaje także wytyczne, zarządzenia, rozkazy odnośnie do ogólnego kształtowania życia więźniów, jakie uważa za właściwe. Jak to jednak jest realizowane, zależy jedynie i wyłącznie od Schutzhaftlagerführera. Komendant jest zdany całkowicie na dobrą wolę i rozsądek kierownictwa obozu, chyba że przejmie tę funkcję w swoje ręce w przypadku, gdy nie ma zaufania do kierownictwa lub też uważa je za niezdatne do wykonywania tych funkcji. Tylko w ten sposób może mieć gwarancję, iż jego polecenia i rozkazy wykonywane będą zgodnie z jego intencjami. Nawet dowódcy pułku trudno jest się dowiedzieć, czy wydane przez niego rozkazy zostały właściwie wykonane, jeżeli chodzi o kwestie wykraczające poza ramy codziennych spraw.

O ileż trudniej jest dowiedzieć się komendantowi obozu, czy rozkazy jego dotyczące więźniów, mające niejednokrotnie doniosłe znaczenie, zostały właściwie zrozumiane i wykonane. Właśnie w zakresie sprawowania władzy nad więźniami nie da się skontrolować właściwości wykonania rozkazów. Ze względów prestiżowych i dyscyplinarnych komendant nie może nigdy wypytywać więźniów o ich zwierzchników z SS, chyba że chodzi o szczególny przypadek wyjaśnienia przestępstwa.

Również wówczas prawie wszyscy więźniowie bez wyjątku nic nie wiedzą lub z obawy przed represjami udzielają odpowiedzi wymijających.

Sprawy te poznałem dostatecznie dobrze w czasie pełnienia w Dachau i Sachsenhausen funkcji Blockführera, Rapportführera i Schutzhaftlagerführera. Wiem dobrze, jak w obozie zmienia się, a nawet całkowicie przekręca rozkazy, aby przełożony tego nie zauważył.

W Auschwitz upewniłem się szybko, iż również tutaj postępuje się w ten sposób. Radykalna zmiana była możliwa jedynie przez natychmiastową zmianę całego kierownictwa obozu. Nie było to jednak możliwe do przeprowadzenia w Inspektoracie Obozów Koncentracyjnych. Nie byłem w stanie osobiście nadzorować w najdrobniejszych szczegółach wykonywania moich rozkazów, chyba że zaniedbałbym moje główne zadanie — maksymalnie szybkie stworzenie obozu nadającego się do użytku — i zacząłbym sam odgrywać rolę Schutzhaftlagerführera. Szczególnie w pierwszym okresie, przy rozruchu obozu musiałbym stale w nim przebywać ze względu na mentalność kierownictwa. A właśnie w tym czasie ze względu na nieudolność większości funkcjonariuszy musiałem stale przebywać poza obozem.

Aby w ogóle uruchomić obóz i go utrzymać, musiałem prowadzić rozmowy z urzędami gospodarczymi, ze starostą i prezydentem rejencji. Ponieważ mój oficer gospodarczy[59] był skończonym głupcem, musiałem zamiast niego prowadzić wszelkie rozmowy dla zapewnienia wyżywienia załogi i więźniów, dostaw chleba, mięsa czy ziemniaków. Musiałem nawet jeździć do majątków, aby zdobyć słomę.

Ponieważ nie mogłem spodziewać się żadnej pomocy ze strony Inspektoratu Obozów Koncentracyjnych, musiałem sam sobie radzić. Musiałem wyłudzać samochody osobowe i ciężarowe oraz niezbędne do nich paliwo. Dla zdobycia kilku kotłów dla kuchni więźniów musiałem jechać aż do Zakopanego i Rabki, po łóżka i sienniki w Sudety. Ponieważ mój kierownik budowy[60] nie potrafił zdobyć pilnie potrzebnego materiału musiałem jeździć razem z nim w ich poszukiwaniu.

W Berlinie trwały jeszcze spory kompetencyjne w sprawie rozbudowy Auschwitz, ponieważ zgodnie z umową cały obiekt należał do Wehrmachtu i był przekazany w użytkowanie SS jedynie na okres wojny. RSHA, dowódca Policji Bezpieczeństwa w Krakowie,[61] Inspektor Policji Bezpieczeństwa i SD we Wrocławiu[62] stale pytali, kiedy będą mogły być przyjęte

---

[59] Verwaltungsführer bądź Leiter der Verwaltung — oficer odpowiedzialny za całość spraw administracyjnych w obozie. W 1940 r. w Auschwitz funkcję tę pełnił SS-Untersturmführer Max Meyer, odkomenderowany do nowo zakładanego obozu z Inspektoratu Obozów Koncentracyjnych.

[60] Pisząc o kierowniku budowy w tych pierwszych miesiącach zakładania obozu, Höss ma na myśli SS-Unterscharführera Becka, przysłanego z Dachau 29 maja 1940 r. na czele tzw. Aussenkommando (komanda zewnętrznego) składającego się z 40 więźniów: jednego Niemca pełniącego funkcję kapo i 39 Polaków, głównie gimnazjalistów pochodzących *z* Łodzi. Więźniów zatrudniono przy budowie pierwszego prowizorycznego ogrodzenia obozu. 14 czerwca 1940 r. odesłani zostali do obozu w Dachau.

[61] Friedrich Wilhelm Krüger urodził się 8 maja 1894 r Doszedł do stopnia SS-Obergruppenführera. Od 4 listopada 1939 r. do 18 listopada 1943 r. był Wyższym Dowódca SS i Policji w Generalnym Gubernatorstwie.

[62] Inspektorem Policji Bezpieczeństwa i Służby Bezpieczeństwa we Wrocławiu był wówczas SS-Oberführer Arpad Wiegandt. W listopadzie 1941 r. objął on funkcję Dowódcy SS i Policji w dystrykcie warszawskim. W kwietniu 1950 r. Sad Apelacyjny w Warszawie skazał go na karę 15 lat więzienia.

większe kontyngenty więźniów, a ja przy tym nie wiedziałem, skąd mógłbym dostać 100 m drutu kolczastego. W Gliwicach leżały stosy tego drutu w magazynie saperów. Nie mogłem jednak stamtąd niczego uzyskać, gdyż należało najpierw dostać zezwolenie w sztabie wojsk saperskich w Berlinie. Inspektoratu Obozów Koncentracyjnych nie można było skłonić do interwencji. Byłem więc zmuszony do kradzieży pewnej ilości najpilniej potrzebnego drutu. Demontowano go z wszelkich resztek umocnień polowych, rozbijano bunkry w celu uzyskania żelaza zbrojeniowego. Gdziekolwiek znalazłem magazyn z tego rodzaju potrzebnymi mi pilnie materiałami, kazałem po prostu je zabierać, nie troszcząc się o kompetencje. Miałem przecież sam sobie radzić.

Ponadto dokonywano wysiedleń pierwszej strefy wokół terenu obozu i rozpoczynano prace w drugiej strefie.[63] Musiałem się troszczyć o wykorzystanie uzyskanych terenów rolniczych.

W końcu listopada 1940 roku został złożony pierwszy meldunek u Reichsführera SS i otrzymałem *rozkaz* dalszego rozszerzenia obszaru obozu. Myślałem, iż w związku z budową i rozbudową właściwego obozu mam aż nadto pracy, tymczasem pierwszy raport u Reichsführera zapoczątkował nie kończący się łańcuch wciąż nowych poleceń i planów. Od samego początku byłem całkowicie pochłonięty, nawet opętany moim zadaniem i otrzymanym poleceniem. Wszystkie występujące trudności pobudzały mój zapał. Nie chciałem ulec, nie pozwalała mi na to moja ambicja. Widziałem jedynie moją pracę. Zrozumiałe więc jest, że przy tej masie różnej pracy miałem zbyt mało czasu dla samego obozu, dla więźniów.

Musiałem więźniów całkowicie pozostawić takim pod każdym względem negatywnym typom jak Fritzsch,[64] Meier,[65], Seidler[66] Palitzsch, mimo iż zdawałem, sobie sprawę, że nie urządzą oni obozu zgodnie z moją wolą i zamiarami. Mogłem wykonywać jednak tylko jedno zadanie: albo zająć się

---

[63] Pierwszą strefą obozu nazywano teren leżący bezpośrednio wokół budynków dawnych koszar wojskowych i Polskiego Monopolu Tytoniowego, gdzie osadzano pierwszych więźniów. W czerwcu 1940 r. wysiedlono z pierwszej strefy wszystkich jej mieszkańców. Druga strefa obejmowała część Oświęcimia zwaną Zasolę. W listopadzie 1940 r. usunięto wszystkich mieszkańców z Zasola, a domy i budynki gospodarskie zburzono. Trzecia strefa objęła wsie Babice, Budy, Rajsko, Brzezinka, Broszkowice. Pławy i Harmęże. Tu również mieszkańców wysiedlono, a domy przeznaczono do rozbiórki. Wokół obozu został utworzony obszar dworski SS, zwany również strefą interesów (Interessengebiet), obejmujący około 40 km^2. Utworzenie strefy uzasadniono, względami administracyjnymi, gospodarczymi i bezpieczeństwa obozu. Obszar ten tworzył wydzielony okręg administracyjny (Amtsbezirk) z komisarzem na czele (Amtskommissar). Każdorazowym komisarzem był komendant obozu koncentracyjnego w Oświęcimiu. Kompetencje komisarza okręgu obejmowały wszystkie sprawy administracyjne i policyjne łącznie ze sprawami stanu cywilnego. Z urzędu był też dyrektorem wszystkich przedsiębiorstw tworzonych przez SS w okręgu.

[64] Karl Fritzsch — patrz przypis 196 na s. 178.

[65] Chodzi prawdopodobnie o drugiego kierownika obozu, SS-Untersturmführera Franza Xavera Meiera, odkomenderowanego do Oświęcimia z SS-Totenkopf Division.

[66] Fritz Seidler urodził się 18 lipca 1907 r. Był członkiem NSDAP nr 3693999 i SS nr 135387. Doszedł do stopnia SS-Obersturmführera.

więźniami, albo też całą energię poświęcić budowie i rozbudowie obozu. Każde z tych zadań wymagało całkowitego zaangażowania. Nie można się było podzielić. Moim zadaniem była i pozostała budowa i rozbudowa obozu. Z biegiem lat dochodziły do tego dalsze zadania, ale główne zadanie całkowicie mnie absorbujące nie uległo zmianie. Jemu poświęciłem swoje myśli i działania, jemu wszystko było podporządkowane. Tylko z tego punktu widzenia kierowałem całością spraw i na wszystko patrzyłem pod tym kątem.

Glücks mówił mi często, że moim największym błędem jest to, iż wszystko robię sam zamiast kazać pracować swoim podwładnym. Należy pogodzić się z błędami, które popełnią na skutek swej nieudolności. Nie wszystko może tak przebiegać, jak człowiek sobie życzy. Nie przyjmował on do wiadomości moich zarzutów, że w Auschwitz mam bezsprzecznie najgorszy materiał, jeżeli chodzi o oficerów funkcyjnych i podoficerów, że nie tylko nieudolność, lecz w większym jeszcze stopniu świadome niedbalstwo i zła wola zmuszają mnie do tego, abym najważniejsze i najpilniejsze sprawy załatwiał sam.

Jego zdaniem komendant powinien ze swego gabinetu dyrygować całym obozem i za pomocą rozkazów i telefonu trzymać cały obóz w garści. Wystarczy całkowicie, jeśli od czasu do czasu przejdzie się po obozie. O święta naiwności! Tego rodzaju pogląd był możliwy jedynie dlatego, że Glücks nigdy nie pracował w żadnym obozie. Dlatego też nie był on w stanie zrozumieć i pojąć moich kłopotów.

Ten brak zrozumienia u przełożonych doprowadzał mnie niemal do rozpaczy. W wykonywane przeze mnie zadanie wkładałem wszystkie swoje umiejętności, całą swoją wolę, cały mu się poświęcałem, a on widział w tym jedynie mój kaprys i zabawę. Uważał, iż byłem zbyt uparty w wykonywaniu swego zadania i niczego poza tym nie widziałem.

W wyniku wizyty Reichsführera SS w obozie w marcu 1941 r.,[67] która pociągnęła za sobą nowe, większe zadania, ale nie przyniosła żadnej pomocy w realizacji najpilniejszych zadań, straciłem wszelką nadzieję na otrzymanie lepszych i bardziej godnych zaufania współpracowników. Musiałem zadowolić się dotychczasowymi „wielkościami" i dalej się nimi denerwować. Miałem przy sobie jedynie niewielu dobrych, godnych zaufania współpracowników, jednakże niestety nie piastowali oni ważnych, odpowiedzialnych funkcji. Musiałem ich obarczać i przeciążać pracą, i często zbyt późno przekonywałem się, że było tego zbyt wiele.

Na skutek powszechnego niedbalstwa wokół mnie stałem się w Oświęcimiu innym człowiekiem. Dotychczas widziałem zawsze w ludziach, szczególnie zaś w kolegach, tak długo jedynie dobre strony, aż nie przekonałem się o czymś przeciwnym. Moja prostoduszność płatała mi często złośliwe

[67] Pierwsza wizyta Reichsführera SS Heinricha Himmlera w Oświęcimiu miała miejsce 1 marca 1941 r. Towarzyszyli mu m.in. Gauleiter i nadprezydent Górnego Śląska SS-Brigadeführer Fritz Bracht oraz wysocy przedstawiciele koncernu IG-Farben-Industrie zainteresowanego inwestycjami w Oświęcimiu.

figle. Jednakże w Auschwitz, gdzie na każdym kroku byłem oszukiwany przez swoich tzw. współpracowników, każdego dnia przeżywałem nowe rozczarowania, zmieniałem się. Stałem się podejrzliwy, wszędzie widziałem próby wprowadzenia mnie w błąd, same najgorsze rzeczy. W każdym nowo poznanym dopatrywałem się z góry wszystkiego najgorszego. Na skutek tego dotknąłem i zraziłem sobie wielu dzielnych i porządnych ludzi.

Koleżeństwo, będące dotychczas dla mnie rzeczą świętą, stało się farsą dlatego, że właśnie starzy koledzy tak mnie rozczarowali i oszukali. Nabrałem wstrętu do wszelkich koleżeńskich spotkań. Odraczałem stale tego rodzaju spotkania i byłem zadowolony, gdy pod byle jakim pozorem nie musiałem w nich brać udziału. Koledzy czynili mi zarzuty z powodu takiego zachowania. Także Glücks zwracał mi wielokrotnie uwagę, że w Auschwitz nie ma koleżeńskiej więzi między komendantem a jego oficerami. Nie byłem już do tego zdolny, byłem zbyt rozczarowany.

W coraz większym stopniu zamykałem się w sobie, byłem stale spięty, stawałem się niedostępny i coraz twardszy. Cierpiała na tym moja rodzina, szczególnie zaś żona; często bywałem nieznośny. Widziałem jedynie swoją pracą i zadania, nic poza tym. Przytłumione zostały wszelkie ludzkie odruchy. Moja żona starała się wyrwać mnie z tego zasklepienia się w sobie. Zapraszając wraz z dobrymi znajomymi również moich kolegów starała się doprowadzić do tego, abym się znów do nich zbliżył. Organizowała spotkania poza domem w tym samym celu, mimo iż takie życie towarzyskie równie mało jej odpowiadało jak i mnie. Na jakiś czas pozwalało mi to wyrwać się z mego świadomego osamotnienia, ale nowe rozczarowania szybko zapędzały mnie za moją szklaną ścianę.

Nawet ludzie postronni ubolewali nad mym zachowaniem. Nie chciałem jednak postępować inaczej. Na skutek stałych rozczarowań zacząłem pod pewnym względem stronić od ludzi. Często zdarzało się, że przy spotkaniu z bliskimi znajomymi stawałem się nagle mrukliwy, a nawet odpychający i najchętniej bym uciekł, aby być samemu, ponieważ nagle nie chciałem nikogo widzieć. Przemocą brałem się w karby, próbowałem za pomocą alkoholu usunąć zbliżający się zły nastrój, stawałem się znów rozmowny, wesoły, a nawet rozbawiony.

Alkohol wprowadzał mnie w dobry nastrój i uczucie życzliwości dla całego świata. Nigdy nie pokłóciłem się z nikim, kiedy byłem pod wpływem alkoholu. W tym nastroju wyłudzano ode mnie wiele ustępstw, których nigdy bym nie uczynił po trzeźwemu. Nigdy jednak nie piłem alkoholu, gdy byłem sam i nie odczuwałem takiej potrzeby. Nigdy też się nie upijałem i nie pozwalałem sobie na jakiekolwiek ekscesy pod wpływem alkoholu. Gdy miałem dosyć, znikałem po cichu. Nie zdarzyło mi się też nigdy, abym na skutek nadużycia alkoholu popełnił jakieś zaniedbanie w służbie. Niezależnie od tego, jak późno wróciłem do domu, na służbę przychodziłem znowu całkiem rześki.

Takiego zachowania ze względów dyscyplinarnych wymagałem również od moich oficerów. Nic bowiem nie demoralizuje bardziej podwładnych jak nieobecność zwierzchnika w chwili rozpoczynania służby spowodowana nadużyciem alkoholu. Nie znajdowałem jednak zrozumienia. Zmuszeni moim przybyciem oficerowie zjawiali się również, wyrzekali jednak na „spleen starego". Chcąc sprostać swemu zadaniu, musiałem być motorem, który nieustannie napędza do pracy przy budowie, który ciągle pcha wszystkich naprzód i porywa za sobą, zarówno SS-mana, jak i więźnia. Musiałem walczyć nie tylko z trudnościami spowodowanymi wojną, nie tylko z kłopotami przy budowie, lecz także codziennie, o każdej godzinie z obojętnością, niedbalstwem, niechęcią dotrzymania mi kroku przez moich współpracowników. Czynny opór można zwalczać, występować przeciwko niemu, jednakże bierny opór powoduje, że człowiek jest bezsilny, nie można go bowiem uchwycić, mimo iż się go wszędzie odczuwa. Musiałem również popędzać opornych, jeśli nie dało się inaczej, nawet przymusem.

Przed wojną obozy koncentracyjne były celem samym w sobie, natomiast w czasie wojny — zgodnie z wolą Reichsführera SS — stały się środkiem do celu. Miały obecnie służyć przede wszystkim wojnie i zbrojeniom. Każdy więzień miał stawać się w miarę możliwości robotnikiem przemysłu zbrojeniowego. Każdy komendant był bezwzględnie zobowiązany do przystosowania swego obozu do tego celu. Zgodnie z wolą Reichsführera SS Oświęcim miał się stać gigantyczną centralą zbrojeniową obsługiwaną przez więźniów.[68] Jego wypowiedzi podczas wizyty w marcu 1941 roku nie pozostawiały pod tym względem żadnych wątpliwości. Obóz dla 100 000 jeńców wojennych, rozbudowa starego obozu na 30 000 więźniów, przygotowanie dla Buny[69] 10 000 więźniów — to mówiło samo za siebie. Były to liczby nieznane w dotychczasowej historii obozów koncentracyjnych. Obóz liczący 10 000 więźniów uważany był w tym czasie za wyjątkowo duży.

Nacisk Reichsführera SS na możliwie szybkie i bezwzględne prowadzenie budowy, niezważanie przez niego na występujące trudności i istniejące niedomagania już wówczas zwróciły moją szczególną uwagę. Sposób, w jaki załatwił się z istotnymi zastrzeżeniami Gauleitera i prezydenta rejencji,[70] kazały przypuszczać coś nadzwyczajnego.

Przyzwyczaiłem się do wielu rzeczy w SS i u Reichsführera SS. Jednakże ostrość i nieubłagane zdecydowanie, z którymi dążył do jak najszyb-

---

[68] Koncepcja wykorzystania obozów koncentracyjnych na potrzeby gospodarki wojennej Trzeciej Rzeszy narodziła się po wybuchu wojny w 1939 r. Ostatecznie zwyciężyła w 1942 r. z chwilą utworzenia WVHA SS pod kierunkiem Oswalda Pohla i podporządkowania mu obozów koncentracyjnych.

[69] W 1941 r. przystąpiono w Dworach koło Oświęcimia do budowy fabryki syntetycznego kauczuku i syntetycznej benzyny Buna-Werke, należącej do IG-Farben-Industrie. W październiku 1942 r. utworzono na potrzeby fabryki podobóz w Monowicach, tzw. Nebenlager Buna.

[70] Gauleiterem i nadprezydentem Rejencji Górnośląskiej był Fritz Bracht. Prowincja Górnośląska została utworzona na początku 1941 r. z podziału Śląska: powierzchnia 20293 km^2, ludność 4077000 mieszkańców. Fritz Bracht wstąpił do NSDAP w 1926 r. W 1933 r. został posłem do Reichstagu. Doszedł do stopnia SS-Gruppenführera.

szej realizacji wydanych przez siebie rozkazów, były u niego czymś nowym. Zauważył to nawet Glücks. Za to wszystko jedynie i wyłącznie byłem odpowiedzialny ja. Z niczego i bez niczego budować jak najszybciej — według ówczesnych pojęć — coś niesłychanie wielkiego i to przy pomocy takich „współpracowników", jak to wykazały doświadczenia, bez żadnej istotnej pomocy z góry.

Jak wyglądała sprawa sił roboczych? Co uczyniono tymczasem z obozu? Kierownictwo obozu dokładało wszelkich starań, aby zachować tradycje Eickego w traktowaniu więźniów. Dachau — Fritzsch i Sachsenhausen — Palitzsch, a do tego Buchenwald — Meier starali się wzajemnie prześcigać za pomocą „lepszych metod". Nie wierzyli moim powtarzanym uwagom, iż poglądy Eickego na skutek przeobrażeń w obozach koncentracyjnych stały się już przestarzałe. Z ich ograniczonych mózgów nie byłem w stanie wyplenić zaszczepionych przez Eickego metod. Odpowiadały one zresztą lepiej ich mentalności. Moje rozkazy i zarządzenia, stojące w sprzeczności z tym nastawieniem, były przeinaczane. Nie ja bowiem, lecz oni nadawali ton obozowi. Oni wychowywali więźniów funkcyjnych — od starszego obozu do ostatniego pisarza blokowego. Oni wychowywali Blockführerów i pouczali ich o metodach obchodzenia się z więźniami.

Na ten temat dosyć jednak już powiedziałem i napisałem. Byłem bezsilny w stosunku do tego biernego oporu. Jest to zrozumiałe i wiarygodne tylko dla tego, kto przez wiele lat pełnił służbę w obozie koncentracyjnym.

Powyżej napisałem już, jaki wpływ mieli więźniowie funkcyjni na innych współwięźniów. Szczególnie wyraźnie widać to w obozie koncentracyjnym. W olbrzymich masach więźniów w obozie Oświęcim-Brzezinka był to czynnik o podstawowym znaczeniu. Zdawałoby się, iż jednakowy los i wspólne cierpienia powinny prowadzić do niezniszczalnej, nierozerwalnej wspólnoty i do niezłomnej solidarności. Nic błędniejszego. Nigdzie nie uwidaczniał się bardziej nagi egoizm jak w niewoli. Im twardsze w niej życie, tym bardziej jaskrawy egoizm, wynikający z instynktu samozachowawczego. Nawet natury, które w normalnych warunkach życia na wolności były zawsze chętne do udzielania pomocy i łagodne, w trudnym życiu więziennym potrafią bezlitośnie tyranizować współwięźniów, jeżeli pozwoli im to na znośniejsze ukształtowanie własnego życia. O ileż zaś bardziej bez serca postępują ci, którzy mają egoistyczne, zimne, a nawet zbrodnicze skłonności i bez miłosierdzia przechodzą do porządku dziennego nad nędzą współwięźniów, jeżeli spodziewają się przez to uzyskać jakąkolwiek korzyść dla siebie.

Więźniowie, których wrażliwość nie została jeszcze stępiona przez brutalność życia obozowego, przechodzą w warunkach twardego i ordynarnego traktowania ich i postępowania z nimi niesłychane tortury psychiczne niezależnie od fizycznych skutków. Żadna najgorsza samowola, żadne najgorsze traktowanie przez strażników nie dotyka ich tak boleśnie, nie działa tak na ich psychikę jak tego rodzaju postępowanie ze strony współwięźniów. Właśnie ta konieczność bezradnego przyglądania się, jak więźniowie funkcyjni męczą swoich współtowarzyszy, działa druzgocąco na psychikę więźniów. Biada więźniowi, który próbuje się przed tym bronić, występuje w obronie pokrzywdzonych. Terror wewnętrzny ze strony funkcyjnych więźniów jest zbyt silny, aby ktokolwiek się na to odważył.

Dlaczego więźniowie funkcyjni w ten sposób się zachowują w stosunku do innych więźniów, swoich współtowarzyszy niedoli? Ponieważ w ten sposób chcą w oczach strażników i nadzorców o podobnym nastawieniu przedstawić się w korzystnym świetle i pokazać, jak są przydatni do pełnionej funkcji. Mogą bowiem dzięki temu uzyskać korzyści i przyjemniej ułożyć sobie życie — ale zawsze kosztem współwięźniów. Możliwość tego rodzaju działania i postępowania stwarzają im strażnicy i nadzorcy, którzy albo obojętnie się przyglądają ich postępowaniu, gdyż są zbyt wygodni, aby tego zakazać, lub też sami z niskich pobudek akceptują tego rodzaju postępowanie, a nawet je prowokują, sprawia im bowiem szatańską przyjemność, gdy mogą więźniów na siebie wzajemnie napuszczać.

Wśród więźniów funkcyjnych jest jednak dosyć i tego rodzaju kreatur, które same z siebie, z czystego sadyzmu, z chamskiego, brutalnego, podłego usposobienia i zbrodniczych skłonności dręczą współwięźniów fizycznie i psychicznie, a nawet zaszczuwają ich na śmierć Właśnie w czasie mego obecnego pobytu w więzieniu miałem dotychczas i mam nadal dosyć sposobności, aby z mojego maleńkiego pola widzenia, choć w znacznie mniejszej skali, obserwować, jak wciąż na nowo potwierdza się to, co wyżej powiedziałem.

Prawdziwy „Adam"[71] nie ujawnia nigdzie tak swego oblicza, jak to ma miejsce w niewoli. Wszystko wpojone przez wychowanie, wszystko, co nabyte, wszystko, co nie stanowi jego istoty, opada z niego. Na dłuższą metę więzienie zmusza do zarzucenia wszelkiej gry w chowanego i wszelkiego udawania. Człowiek prezentuje się takim, jakim jest w rzeczywistości: dobrym albo złym.

Jak oddziaływał całokształt życia więziennego w Auschwitz na poszczególne kategorie więźniów? Dla Reichsdeutschów, niezależnie od koloru trójkąta, nie było żadnych problemów Prawie wszyscy bez wyjątku zajmowali wysokie „stanowiska", w wyniku czego mieli wszystko, co było niezbędne do zaspokojenia potrzeb ciała. To, czego nie otrzymywali w zwykły sposób, „organizowali" sobie. Ta możność „zorganizowania" wszystkiego odnosiła się w Auschwitz do wszystkich wysoko postawionych funkcyjnych, niezależnie od koloru trójkąta i narodowości. O sukcesie decydowała jedynie inteligencja, odwaga i brak skrupułów. Okazji nigdy nie brakowało. Po rozpoczęciu akcji żydowskiej nie było praktycznie rzeczy, której nie można byłoby „zorganizować", wysoko zaś postawieni więźniowie funkcyjni mieli poza tym niezbędną swobodę ruchów.

Do początku roku 1942 główny kontyngent obozu stanowili więźniowie polscy. Wszyscy oni wiedzieli o tym, iż muszą pozostać w obozie koncentracyjnym przynajmniej do końca wojny. Większość z nich wierzyła, że

[71] Adam — tu w znaczeniu pierwotny człowiek.

Niemcy przegrają wojnę, po Stalingradzie zaś wierzyli w to wszyscy. Dzięki wrogim wiadomościom byli dokładnie zorientowani w „prawdziwej" sytuacji Niemiec. Słuchanie wrogich audycji radiowych nie było trudne. W Auschwitz była dostateczna liczba radioodbiorników. Nawet w moim domu słuchano wiadomości radiowych. Poza tym było dość okazji do przemycania na szerszą skalę korespondencji przez cywilnych pracowników, a nawet SS-manów. Było więc dosyć źródeł wiadomości. Również nowo przybywający więźniowie przynosili najświeższe nowiny. Ponieważ według nieprzyjacielskiej propagandy klęska mocarstw osi była jedynie kwestią czasu, polscy więźniowie z tego punktu widzenia nie mieli powodu do rozpaczy.

Zapytywano się jedynie o to, kto będzie miał szczęście przetrwać obóz. Ta niepewność była przyczyną tego, iż Polacy tak ciężko znosili psychicznie uwięzienie. Do tego obawa przed przypadkami, które każdemu codziennie mogły się przydarzyć. Mógł paść ofiarą epidemii, której nie był w stanie fizycznie przetrzymać, jako zakładnik mógł zostać nieoczekiwanie rozstrzelany lub też powieszony. Mógł również nieoczekiwanie zostać postawiony przed sąd doraźny w związku z ruchem oporu i skazany na śmierć. Mógł zostać zlikwidowany w wyniku represji. Mógł mu się przydarzyć śmiertelny wypadek przy pracy, spowodowany przez osoby źle mu życzące. Mógł również umrzeć na skutek pobicia czy też innego przypadkowego wydarzenia, na które był stale narażony.

Napawało go lękiem pytanie, czy będzie w stanie przetrzymać fizycznie obóz w warunkach coraz gorszego wyżywienia, w coraz bardziej przepełnionych pomieszczeniach, w coraz gorszych warunkach sanitarnych, przy ciężkiej pracy wykonywanej niezależnie od warunków atmosferycznych. Do tego dochodziła stała troska o rodzinę i najbliższych. Czy są jeszcze na miejscu? Czy nie zostali aresztowani i zesłani gdzieś do pracy? Czy jeszcze w ogóle żyją?

Wielu nęciła ucieczka, aby się wyrwać z tego nędznego wegetowania. W Auschwitz nie było to zbyt trudne, istniały niezliczone możliwości ucieczki. Łatwo można było stworzyć odpowiednie warunki. Nie trudno było obejść lub zmylić czujność strażników. Przy pewnej odwadze i odrobinie szczęścia można było ryzykować. Gdy stawia się wszystko na jedną kartę, należy się również liczyć z możliwością niepowodzenia, z tym, że może się to skończyć śmiercią.

Na przeszkodzie tym myślom o ucieczce stały represje: aresztowanie członków rodziny oraz likwidacja dziesięciu lub więcej towarzyszy niedoli. Wielu uciekających nie myślało jednak o represjach, ryzykowali ucieczkę mimo tego. Jeżeli udało im się przedostać za łańcuch posterunków, mieszkająca w okolicy ludność cywilna udzielała im dalszej pomocy. Potem wszystko szło już gładko Jeżeli mieli pecha, wszystko się kończyło. Tak czy tak zginę — było ich hasłem.[72]

---

[72] Pierwszą udaną ucieczką z Auschwitz była ucieczka więźnia Tadeusza Wiejowskiego w dniu 6 lipca 1940 r. Poszukiwania za nim trwały 3 dni, apel więźniów trwał bez przerwy

Ich towarzysze niedoli, współwięźniowie, musieli przemaszerować obok zwłok więźnia zastrzelonego podczas ucieczki, aby widzieli, czym ucieczka może się skończyć. Widok ten odwiódł wprawdzie wielu od zamiaru ucieczki, jednakże twardzi ważyli się mimo wszystko. Mogli mieć szczęście i należeć do 90% tych, którym ucieczka się udawała.

Co mogli odczuwać maszerujący obok zwłok więźniowie? Jeśli potrafię czytać w twarzach, to widziałem w nich: osłupienie wywołane losem uciekiniera, współczucie dla nieszczęśliwego i zemstę, odwet, gdy tylko nadejdzie ku temu czas. Te same twarze widziałem podczas wieszania w obecności zgromadzonych więźniów, tylko że wówczas było bardziej widoczne przerażenie, obawa przed podobnym losem.

Muszę tutaj wspomnieć jeszcze o sądzie doraźnym i likwidacji zakładników, tym bardziej iż chodziło przy tym wyłącznie o polskich więźniów. Zakładnicy przebywali przeważnie w obozie od dłuższego czasu, ani oni, ani też kierownictwo obozu nie wiedzieli, że byli oni zakładnikami. Nagle przychodził dalekopis z rozkazem BdS [73] lub RSHA: „Następujący więźniowie mają zostać rozstrzelani lub powieszeni jako zakładnicy". W ciągu kilku godzin należało zameldować o wykonaniu rozkazu.

Więźniów tych zabierano z miejsc pracy lub też wyciągano z szeregów podczas apelu i umieszczano w areszcie. Ci, którzy już dłużej przebywali w obozie, wiedzieli, o co chodzi, a przynajmniej przeczuwali. W areszcie odczytywano im rozkaz egzekucji. W pierwszym okresie, w latach 1939/1941, zakładnicy byli rozstrzeliwani przez oddział egzekucyjny. Później byli wieszani lub też zabijani pojedynczo strzałem w potylicę z karabinu małokalibrowego.[74] Obłożnie chorzy znajdujący się w rewirze[75] byli likwidowani za pomocą zastrzyków.

Sąd doraźny z Katowic [76] przyjeżdżał zwykle do Auschwitz co 4 do 6 tygodni i urzędował w bloku aresztu. Znajdujący się w areszcie lub też

20 godzin. Ucieczka ta posłużyła Hössowi za pretekst do uzyskania w lipcu 1940 r. zgody na wysiedlenie ludności polskiej z terenów przyległych do obozu. Każda ucieczka pociągała za sobą represje i akcje odwetowe.

[73] BdS — skrót od Befehlshaber der Sicherheitspolizei und des SD.

[74] Egzekucje odbywały się początkowo w dołach powstałych na terenie obozu macierzystego na skutek wydobycia żwiru. Potem przystosowano do tego celu podwórze między blokiem 11 a 10. Więźniowie oczekujący na śmierć, kobiety i mężczyźni musieli rozebrać się do naga. Do końca 1942 r. krępowano skazańcom ręce drutem, później wobec braku przejawów zbiorowego oporu zaniechano tego zwyczaju. Podwórze zamykała pomalowana na czarno ściana zbudowana z drewna, piasku i supremy. Pod ścianą rozsypywany był piasek, w który wsiąkała krew ofiar. Rozstrzeliwano pojedynczo lub po dwie osoby strzałem w potylicę.

[75] Rewir — skrót od Krankenrevier, czyli szpital obozowy, określany w Oświęcimiu, również jako Krankenbau. W szpitalu byli zatrudniani lekarze i sanitariusze — więźniowie. Brak było podstawowego wyposażenia, stosowano papierowe bandaże i sporadycznie niektóre lekarstwa Do 1943 r. zarówno w obozie męskim, jak i kobiecym funkcję starszego szpitala obozowego — Lagerältesterdes Häftlings-Krankenbau pełnili wyłącznie więźniowie narodowości niemieckiej.

[76] Posiedzenia Sądu Doraźnego — Polizei-Standgericht przy placówce Gestapo w Katowicach odbywały się w bloku.11. Sądzono Polaków ze Śląska, oskarżonych o wrogą dzia-

krótko przed tym doprowadzeni więźniowie, którzy mieli stanąć przed tym sądem, doprowadzani byli przed sąd i pytani przez przewodniczącego za pośrednictwem tłumacza, czy przyznają się do winy. Widziałem, jak więźniowie dobrowolnie, otwarcie i pewnie przyznawali się do popełnionego czynu. Szczególnie odważnie zachowało się kilka kobiet. W większości przypadków orzekany był wyrok śmierci i natychmiast wykonywany. Podobnie jak zakładnicy, wszyscy ci więźniowie z podniesioną głową i opanowani szli na śmierć w przekonaniu, iż oddają życie za ojczyznę. Często widziałem w ich oczach fanatyzm, który przypominał mi badaczy Pisma św. i ich zachowanie się przed śmiercią.

Inaczej jednak umierali kryminaliści, skazani na śmierć przez sąd doraźny za napady rabunkowe, kradzieże dokonane w bandzie itp. Zachowywali się z tępą obojętnością, byli na nic nieczuli lub też jęczeli i skomleli o łaskę. Występowało tutaj takie samo zjawisko jak podczas egzekucji w Sachsenhausen: ci, którzy umierali dla idei, szli na śmierć dzielni, z podniesionym czołem, jednostki aspołeczne zaś — otępiałe lub broniące się przed śmiercią.

Mimo iż ogólne warunki bytowania w Auschwitz były rzeczywiście złe, żaden polski więzień nie chciał, aby go przeniesiono do innego obozu. Gdy tylko więźniowie dowiadywali się, iż mają być przeniesieni do innego obozu, starali się wszelkimi sposobami, aby pozostać na miejscu. W roku 1943 wydano generalny rozkaz, iż wszyscy Polacy mają być przeniesieni do obozów na terenie Rzeszy, i wtedy zostałem zasypany prośbami ze wszystkich przedsiębiorstw. Żadne nie mogło obejść się bez Polaków. Musiano dokonać przymusowej procentowej wymiany. Nigdy nie słyszałem o tym, aby polski więzień zgłosił się dobrowolnie do innego obozu. Nie mogłem się nigdy dowiedzieć, dlaczego tak kurczowo trzymali się Auschwitz.

Polscy więźniowie dzielili się na trzy duże polityczne grupy, których zwolennicy gwałtownie się zwalczali. Najmocniejszą z nich była grupa nacjonalistyczno-szowinistyczna. Walczyły one między sobą o zdobycie wpływowych funkcji. Jeżeli jeden z grupy uzyskał ważną funkcję w obozie, szybko ściągał do siebie tych, którzy należeli do jego grupy i usuwał z zasięgu swej władzy zwolenników innych grup, nierzadko za pomocą nikczemnych intryg. Nie waham się powiedzieć, iż niektóre przypadki tyfusu plamistego lub brzusznego ze skutkiem śmiertelnym można zapisać na konto tych walk o władzę. Często słyszałem od lekarzy, że szczególnie na rewirze zażarcie walczono o przewagę. Podobnie działo się na terenie wydziału zatrudnienia. Rewir i wydział zatrudnienia były najważniejszymi pozycjami w życiu całego obozu. Kto nimi kierował, ten rządził. Rządzono się tam, i to nie najgorzej. Zajmując ważne funkcje, można było kierować

łalność polityczną. Osoby sądzone, mężczyźni, kobiety, a nawet dzieci nie były formalnie więźniami obozu, lecz pozostawały w gestii Gestapo. Tortury stosowane w śledztwie doprowadzały do wymuszenia zeznań. Nikt nie sprawdzał ich wiarygodności. Sama rozprawa sądowa była już tylko formalnością. W większości wypadków sąd doraźny orzekał karę śmierci. Nieliczni byli skazywani na pobyt w obozie koncentracyjnym.

swych przyjaciół tam, gdzie się chciało ich mieć. Można było także usuwać lub nawet całkowicie pozbywać się tych, którzy byli w niełasce. W Auschwitz wszystko było możliwe.[77]

Te polityczne walki o władzę toczyły się w Auschwitz nie tylko między polskimi więźniami. Antagonizmy polityczne istniały we wszystkich obozach wśród wszystkich narodowości. Nawet wśród czerwonych Hiszpanów w Mauthausen[78] istniały dwie gwałtownie się zwalczające grupy.

Także w areszcie i później w zakładzie karnym sam byłem świadkiem, jak przedstawiciele lewicy i prawicy wzajemnie się zwalczali. Kierownictwo obozu koncentracyjnego gorliwie popierało tego rodzaju antagonizmy, a nawet do nich podżegało, aby przeszkodzić zorganizowaniu trwałej jedności więźniów. Nie tylko polityczne, lecz szczególnie „kolorowe" antagonizmy odgrywały tutaj dużą rolę. Żadnemu, nawet najsilniejszemu kierownictwu obozu nie udałoby się utrzymać w ryzach tysięcy więźniów i nimi kierować, gdyby nie pomagały im w tym istniejące wzajemne sprzeczności. Im liczniejsze antagonizmy i im bardziej zażarte walki o władzę, tym łatwiej można kierować obozem *Divide et impera!* — to zasada nie tylko w wielkiej polityce, lecz także w życiu obozu koncentracyjnego, której nie można nie doceniać.

Drugi większy kontyngent stanowili radzieccy jeńcy wojenni, którzy mieli budować obóz dla jeńców wojennych w Brzezince.[79] Przywiezieni oni zostali z podlegającego Wehrmachtowi obozu jeńców wojennych w Łambinowicach[80] na Górnym Śląsku w stanie całkowitego wyczerpania. Do

---

[77] O przejawach ruchu oporu w obozie oświęcimskim możemy mówić właściwie od chwili przybycia pierwszego transportu polskiego. Pierwsza faza powstawania ruchu oporu obejmowała rozwój samopomocy koleżeńskiej i utrzymywanie kontaktów ze światem poza drutami. Druga faza rozwoju wiąże się z powstaniem dróg kurierskich, którymi przekazywano na zewnątrz informacje, co się dzieje w obozie, a do obozu przychodziły żywność i lekarstwa. Jesienią 1940 r. powstała obozowa grupa PPS, a w październiku 1940 r. — Związek Organizacji Wojskowej. Po powstaniu w obozie siatki ZWZ przeprowadzono akcję scaleniową, zakończoną w październiku 1942 r. W 1943 r. Niemcy rozbili kierownictwo wojskowe ruchu oporu, nie zdołali jednak zniszczyć organizacji. Oprócz polskiego ruchu oporu istniały organizacje innych grup narodowych: austriacka, francuska, belgijska, rosyjska, niemiecka, czeska, jugosłowiańska i żydowska.

[78] Mauthausen, obóz koncentracyjny założony przez hitlerowców w sierpniu 1938 r. w okolicach Linzu. Miał być miejscem odosobnienia dla Austriaków wrogo nastawionych do Anschlussu i. narodowego socjalizmu. Największym podobozem było założone w 1940 r. Gusen. Więźniowie pracowali przeważnie w kamieniołomach, a w okresie późniejszym przy budowie podziemnych fabryk zbrojeniowych.

[79] Podczas wizyty w obozie Heinricha Himmlera w marcu 1941 r. zapadła decyzja o rozbudowaniu obozu oświęcimskiego. Od tego czasu w korespondencji związanej z budową obozu w Brzezince pojawia się pojęcie obozu dla jeńców wojennych — Kriegsgefangenenlager. Władze SS dość swoiście rozumiały to pojęcie, uważając za jeńca SS każdą zatrzymaną osobę, bez względu na wiek, płeć i zewnętrzne oznaki przynależności do strony walczącej lub ich brak. Oprócz Oświęcimia obozem jenieckim SS był również Majdanek, używający do 16 lutego 1943 r. nazwy „Kriegsgefangenenlager der Waffen-SS Lublin", mimo że niczym nie różnił się w sensie prawnym, administracyjnym i gospodarczym od pozostałych obozów koncentracyjnych.

[80] Do lata 1942 r. w obozie łambinowickim Stalag VIII B i jego filii w Cieszynie przebywali wyłącznie jeńcy polscy, brytyjscy i państw sprzymierzonych z Europy zachodniej

obozu w Łambinowicach doprowadzono ich po wielotygodniowych marszach. Po drodze nie otrzymywali prawie żadnego pożywienia, podczas przerw w marszu prowadzono ich na położone w pobliżu pola i tam zjadali wszystko, co się tylko nadawało do jedzenia. W obozie w Łambinowicach było podobno 200 000 radzieckich jeńców wojennych. W przeważającej części mieszkali w ziemiankach przez siebie wybudowanych. Wyżywienie było zupełnie niewystarczające i nieregularne. Gotowali sobie sami w dołach ziemnych. Większość z nich „pożerała" — bo jedzeniem tego nie można nazwać — swój przydział natychmiast na surowo. Wehrmacht nie był przygotowany w roku 1941 do przyjęcia takich mas jeńców wojennych. Aparat zajmujący się jeńcami wojennymi był zbyt sztywny i nieruchawy, aby był w stanie szybko coś zaimprowizować. Zresztą po klęsce w maju 1945 r. także niemieckim jeńcom nie powodziło się lepiej. Również alianci nie byli przygotowani na takie masy jeńców. Jeńców po prostu spędzano na odpowiedni kawałek ziemi, otaczano drutem kolczastym i pozostawiano własnemu losowi. Wiodło im się dokładnie tak samo jak Rosjanom.[81]

Przy pomocy tych jeńców, często ledwo trzymających się na nogach, miałem budować obóz koncentracyjny w Brzezince. Według zarządzenia Reichsführera SS do pracy mieli być doprowadzeni jedynie silni i w pełni zdolni do pracy radzieccy jeńcy wojenni. Konwojujący ich oficerowie mówili, że wybrano najlepszych spośród będących do dyspozycji w Łambinowicach.

Byli oni chętni do pracy, jednakże na skutek osłabienia nie byli w stanie niczego zrobić. Wiem dokładnie, iż gdy byli jeszcze w obozie macierzystym, dawaliśmy im stale dodatki żywnościowe, ale nie odniosło to żadnego skutku, wycieńczone organizmy bowiem nie mogły już nic trawić, cały organizm nie był już zdolny do funkcjonowania. Marli jak muchy z ogólnego wycieńczenia lub też na skutek najbłahszej choroby, bo organizm nie był w stanie się bronić. Widziałem, jak wielu z nich umierało w trakcie połykania buraków lub ziemniaków.

Przez pewien czas zatrudniałem codziennie prawie 5000 Rosjan przy wyładowywaniu pociągów z brukwi. Całe podtorze było już zapchane, góry

---

i południowej. W październiku 1942 r. w obozie znajdowało się 20 069 jeńców radzieckich, co stanowiło 43.4% ogółu internowanych. 1 grudnia 1943 r. było już 69 633 jeńców radzieckich, tj. 57.4%. W 1944 r. na skutek wysokiej śmiertelności liczba jeńców radzieckich zaczęła maleć. Jeszcze przed agresją niemiecką na Związek Radziecki podjęto decyzję o budowie odrębnego obozu dla jeńców radzieckich Stalag 318 — VIII F Lamsdorf. Pierwszy transport jeńców radzieckich przybył w połowie lipca 1941 r. Co najmniej do wiosny 1942 r. jeńcy mieszkali w rowach ziemnych długości 200 m i szerokości 3 metrów. 12 maja 1943 r. obóz połączono ze Stalagiem VIII B.Ci właśnie mieszkający w rowach, skazani na głód i zimno jeńcy radzieccy dowożeni byli do prac w Brzezince.

[81] Rzeczywistość była zgoła odmienna, a sytuacja jeńców nieporównywalna. Jeńcy radzieccy w niewoli niemieckiej z góry skazani byli na zagładę. Natomiast jeńcy niemieccy — żołnierze Wehrmachtu i formacji SS przebywali co prawda w bardzo trudnych warunkach panujących w, obozach sowieckich, ale jeśli nie zostali sądownie skazani jako zbrodniarze wojenni i przeżyli mimo warunków wyniszczających zdrowie mogli po odsiedzeniu wyroku powrócić do Niemiec, a ściślej NRD.

brukwi leżały na torach. Nie można było sobie dać z tym rady. Rosjanie nie byli w stanie nic już zrobić. Otępiali chodzili wkoło bez żadnego celu lub też chowali się w jakąś dziurę, aby przełknąć coś, co znaleźli do jedzenia lub też móc gdzieś spokojnie umrzeć.

Najgorzej było w czasie odwilży zimą 1941/1942. Zimno znosili lepiej aniżeli wilgoć, nieustanne moknięcie. Do tego mieszkali w gotowych w połowie, prymitywnych, w pierwszym okresie Brzezinki naprędce postawionych barakach kamiennych. Powodowało to wciąż wzrastającą śmiertelność wśród nich. Z dnia na dzień zmniejszała się liczba tych, którzy wykazywali jeszcze pewną odporność. Nie pomagały żadne dodatki żywnościowe. Pochłaniali wszystko, co tylko mogli zdobyć, jednakże nie byli nigdy syci.

Widziałem kiedyś kolumnę Rosjan liczącą kilkaset osób na drodze między Oświęcimiem a Brzezinką, idącą z drugiej strony toru, która rzuciła się nagle z drogi w kierunku najbliżej położonych kopców kartofli. Biegli wszyscy w zwartej kolumnie tak, że zaskoczeni strażnicy nie wiedzieli, jak sobie z tym poradzić. Na szczęście akurat nadjechałem i zaprowadziłem porządek. Rosjanie rozkopywali kopce i nie można było ich odpędzić. Kilku z nich w czasie tego rozkopywania zmarło, trzymając w rękach pełno ziemniaków. Nie zwracali na siebie wzajemnie żadnej uwagi, instynkt samozachowawczy w najbardziej jaskrawej postaci nie dopuszczał żadnych ludzkich odruchów.

W Brzezince zdarzały się również przypadki kanibalizmu. Sam natknąłem się na Rosjanina leżącego między zwałami cegły, który miał jakimś tępym narzędziem rozpruty brzuch i wyrwaną wątrobę. Zabijali się nawzajem, aby zdobyć coś do jedzenia. Jadąc konno zauważyłem jakiegoś Rosjanina, który drugiego, skulonego za stertą kamieni i żującego kawałek chleba, uderzył cegłą w głowę, aby mu porwać chleb. Zanim jednak dostałem się na miejsce przez bramę, znajdowałem się bowiem poza ogrodzeniem, ten leżący za stertą kamieni był już martwy, miał rozbitą czaszkę. W kłębiącej się masie Rosjan nie mogłem znaleźć sprawcy.

Podczas wyrównywania pierwszego odcinka budowlanego, podczas kopania rowów wielokrotnie znajdowano zwłoki Rosjan, którzy — zabici przez innych i częściowo pożarci — znikali w jakimś błotnistym dole. Wyjaśniło to nam zagadkowe zniknięcie wielu Rosjan.[82]

Z mego mieszkania widziałem, jak jakiś Rosjanin powlókł kocioł po jedzeniu za blok komendantury i łapczywie go wyskrobywał. Nagle zza rogu ukazał się drugi, zaskoczony zatrzymał się na chwilę, następnie rzucił się na wyskrobującego kocioł, pchnął go na ogrodzenie pod napięciem i zniknął z kotłem. Strażnik z wieży również obserwował to wydarzenie, nie zdążył

[82] Opisywane wypadki kanibalizmu i walki o żywność związane były z prowadzoną z całą premedytacją polityką pośredniej eksterminacji jeńców radzieckich w obozie oświęcimskim. W odnalezionej po wojnie księdze zmarłych odnotowano, że w okresie od 7 października 1941 r. do 28 lutego 1942 r. zmarło 8320 jeńców. Przeciętna więc śmiertelność w tej grupie w trudnych warunkach jesienno-zimowych wynosiłaby 58 osób dziennie.

jednak strzelić do uciekającego. Natychmiast wezwałem pełniącego służbę Blockführera, kazałem wyłączyć prąd z ogrodzenia i udałem się sam do obozu poszukiwać sprawcy. Pchnięty na druty już nie żył. Tego drugiego nie udało się odszukać. To nie byli już ludzie, w ciągłym poszukiwaniu pożywienia zupełnie zezwierzęcieli.

Z liczby przeszło 10000 radzieckich jeńców wojennych, którzy mieli stanowić główną siłę roboczą przy budowie obozu jeńców wojennych w Brzezince, do lata 1942 r. pozostało przy życiu jedynie kilkuset. Tę resztę stanowili najbardziej wytrzymali. Pracowali oni bardzo dobrze i jako lotne brygady robocze byli zatrudniani wszędzie tam, gdzie trzeba było coś szybko zrobić. Nie mogłem się jednak pozbyć wrażenia, że ci, którzy przeżyli, przetrwali jedynie kosztem swych współwięźniów, ponieważ byli od nich bardziej bezwzględni i twardzi.

O ile dobrze pamiętam, latem 1942 r., tej reszcie udała się masowa ucieczka. Większość została przy tym zastrzelona, ale wielu uciekło. Schwytani podali jako powód tej masowej ucieczki obawę przed zagazowaniem, która ich ogarnęła, gdy im zakomunikowano, że zostaną przeniesieni na nowy, świeżo wykończony odcinek. Przypuszczali, że to przeniesienie ma być jedynie zwodzeniem. Nie było nigdy żadnego zamiaru, aby ich zagazować. Zapewne wiedzieli o likwidacji radzieckich „politruków" i komisarzy, dlatego też obawiali się, że czeka ich podobny los. W ten sposób może powstać masowa psychoza i pociągnąć za sobą takie skutki.

Następnym głównym kontyngentem byli Cyganie. Już na długo przed wojną w ramach akcji przeciwko aspołecznym powędrowali do obozów koncentracyjnych również Cyganie. W Urzędzie Policji Kryminalnej Rzeszy jedna placówka zajmowała się wyłącznie nadzorowaniem Cyganów. W obozach cygańskich stale poszukiwano osób niecygańskiego pochodzenia, które się przyłączyły do Cyganów, i umieszczano je w obozach koncentracyjnych jako element uchylający się od pracy bądź też aspołeczny. Poza tym w obozach cygańskich systematycznie przeprowadzano badania biologiczne.

Reichsführer SS chciał zachować dwa główne wielkie szczepy cygańskie, nazw tych szczepów nie pamiętam. Jego zdaniem były one w prostej linii potomkami indogermańskich ludów pierwotnych i zarówno typ, jak i zwyczaje zachowali w stosunkowo czystym stanie. W celach badawczych mieli zostać dokładnie zarejestrowani i objęci ochroną. Zamierzano ich zebrać z całej Europy i przydzielić im ograniczone tereny do zamieszkiwania. W latach 1937–1938 wszyscy wędrowni Cyganie zostali zgromadzeni w tzw. obozach mieszkalnych położonych przy większych miastach, aby można było nad nimi sprawować lepszy nadzór.

W roku 1942 wydany został rozkaz, aby wszystkich Cyganów oraz cygańskich mieszkańców mieszkających w Rzeszy aresztować i dostarczyć do Auschwitz, niezależnie od wieku i płci. Wyłączeni z tego zostali jedynie Cyganie uznani za czystych pod względem rasowym, członkowie obu głównych szczepów. Tych miano osiedlić w okręgu Odenburg nad jeziorem

Neusiedler. Przywiezieni do Auschwitz mieli na czas wojny zostać umieszczeni w obozie rodzinnym.

Jednakże wytyczne, na podstawie których dokonano aresztowań, nie były dostatecznie precyzyjne. Poszczególne placówki policji kryminalnej różnie je interpretowały, na skutek czego doszło do aresztowania osób, które w żadnym przypadku nie powinny być zaliczane do kręgu internowanych. Niejednokrotnie aresztowano urlopowanych żołnierzy frontowych, posiadających wysokie odznaczenia, którzy byli wielokrotnie ranni, a których ojciec lub matka czy też dziadek itp. byli Cyganami lub cygańskimi mieszańcami. Był między nimi również jeden stary towarzysz partyjny, którego dziadek przywędrował do Lipska jako Cygan. On sam był właścicielem dużego przedsiębiorstwa w Lipsku, wielokrotnie odznaczonym orderami uczestnikiem wojny światowej. Była również między nimi studentka, przywódczyni Związku Dziewcząt Niemieckich[83] w Berlinie. Przypadków tego rodzaju było znacznie więcej. Złożyłem o tym raport do RKPA, w wyniku czego w obozie cygańskim przeprowadzono badanie i zarządzono wiele zwolnień, jednakże przy tej masie uwięzionych było to ledwo widoczne.

Nie potrafię powiedzieć, ilu Cyganów lub mieszańców znajdowało się w Oświęcimiu. Wiem tylko, iż zapełniali całkowicie odcinek obozu przeznaczony dla 10 000 więźniów.[84] Ogólne warunki panujące w obozie w Brzezince nie nadawały się do urządzenia obozu rodzinnego. Nie było odpowiednich warunków pozwalających na zatrzymanie Cyganów choćby do końca wojny. Nie było możliwości zapewnienia właściwego odżywienia dla dzieci, mimo iż przez pewien czas, powołując się na rozkaz Reichsführera SS, oszukiwałem urzędy wyżywieniowe i otrzymywałem żywność dla małych dzieci. Skończyło się to wkrótce, gdy Ministerstwo Wyżywienia[85] odmówiło obozom koncentracyjnym jakichkolwiek przydziałów żywnościowych dla dzieci.

W lipcu 1942 r. wizytował Auschwitz Reichsführer SS.[86] Pokazałem mu dokładnie obóz cygański. Obejrzał wszystko szczegółowo, widział przepeł-

---

[83] Związek Dziewcząt Niemieckich — Bund Deutscher Mädel (patrz przypis 35).

[84] Obóz cygański mieścił się w Brzezince na odcinku B II e Cyganów przywożono do Auschwitz z niemal całej okupowanej Europy na podstawie zarządzenia Głównego Urzędu Bezpieczeństwa Rzeszy z 29 stycznia 1943 r. Również wcześniej były przypadki umieszczania ich w obozie oświęcimskim. Większość Cyganów izolowana była w wyodrębnionych częściach obozu, gdzie przebywali całymi rodzinami. Gdy Niemcy stwierdzili, że śmierć na skutek chorób i wycieńczenia przychodzi zbyt wolno, 2 sierpnia 1944 r. zagazowali 2800 pozostałych przy życiu Cyganów. Łącznie w obozie oświęcimskim życie straciło co najmniej 20000 Cyganów różnych szczepów z różnych krajów europejskich.

[85] Pełna nazwa „Ministerstwo Rolnictwa i Wyżywienia — Reichsministerium für Ernährung und Landwirtschaft". Pracami resortu kierował Walther Darré, który położył znaczne zasługi dla NSDAP w okresie poprzedzającym objęcie władzy. W połowie 1930 r. stanął on na czele organizacji chłopskiej NSDAP — Reichsnährstand, tj. Stan Żywicieli Rzeszy. Z tej racji używał tytułu Reichsbauerführer

[86] W tym miejscu Hössa zawiodła pamięć. Himmler zwiedził obóz cygański nie w lipcu 1942 r., lecz w lipcu 1943 r.

nione baraki mieszkalne, niezadowalające warunki sanitarne, baraki szpitalne przepełnione chorymi, oddział dla zakaźnie chorych, widział dzieci chore na nomę,[87] chorobę, która przejmowała mnie grozą, gdyż przypominała mi chorych na trąd, których widziałem niegdyś w Palestynie, te wymizerowane ciałka dziecięce z wielkimi dziurami w policzkach, powolny rozkład żywego ciała.

Himmler wysłuchał informacji o śmiertelności, która w porównaniu z całym obozem była stosunkowo niska, śmiertelność wśród dzieci była jednak wyjątkowo wysoka. Nie przypuszczam, aby spośród noworodków wiele przeżyło dłużej niż kilka tygodni. Obejrzał on wszystko dokładnie i dał mi rozkaz ich zlikwidowania po uprzednim wybraniu zdolnych do pracy, podobnie jak to robiono z Żydami. Zwróciłem mu na, to uwagę, iż ludzie ci nie odpowiadają założeniom ustalonym przez niego do Auschwitz. Wówczas Himmler zarządził, aby RKPA przeprowadził jak najszybciej odpowiednią selekcję uwięzionych.

Trwało to dwa lata. Zdolni do pracy Cyganie zostali przeniesieni do innych obozów. Do sierpnia 1944 r. pozostało w Auschwitz około 4000 Cyganów, którzy mieli iść do komór gazowych. Do ostatniej chwili nie wiedzieli, jaki los ich czeka. Zorientowali się dopiero wówczas, gdy poszczególnymi barakami musieli maszerować do I krematorium. Nie było łatwo wprowadzić ich do komór. Ja sam tego nie widziałem, ale Schwarzhuber opowiadał mi, że żadna likwidacja Żydów nie była dotychczas tak ciężka jak tych Cyganów, szczególnie dla niego, ponieważ znał ich wszystkich dokładnie i pozostawał z nimi w dobrych stosunkach, oni zaś byli tak ufni jak dzieci.

Mimo ciężkich warunków większość Cyganów, jak mogłem się zorientować, nie cierpiała specjalnie psychicznie na skutek uwięzienia, jeśli pominąć fakt sparaliżowania ich popędu do wędrowania. Byli przyzwyczajeni do ciasnoty pomieszczeń, złych warunków higienicznych, częściowo również do niedostatecznego wyżywienia w ich dotychczasowym prymitywnym życiu. Nie brali również tragicznie chorób i wysokiej śmiertelności. W istocie swej pozostali nadal dziećmi, lekkomyślni w myśleniu i działaniu, chętnie się bawili, także i przy pracy, której nie traktowali zbyt poważnie. Starali się nawet w najgorszej sytuacji znaleźć dobre strony, byli optymistami.

Nie zauważyłem u Cyganów nigdy ponurych, pełnych nienawiści spojrzeń. Gdy się przychodziło do obozu, wychodzili natychmiast ze swych baraków, grali na instrumentach, kazali dzieciom tańczyć, pokazywali swoje zwykłe sztuczki. Był tam mały plac, na którym dzieci mogły się bawić do woli wszystkimi zabawkami. Gdy się do nich mówiło, odpowiadały swobodnie i ufnie, wypowiadały swoje różne życzenia. Miałem zawsze wrażenie, iż nie w pełni zdawały sobie sprawę ze swego uwięzienia.

---

[87] Noma — inaczej rak wodny *(Cancer aquaticus)*, forma wrzodowego schorzenia błony śluzowej jamy ustnej, najczęściej spotykana u dzieci. Istnieje bezpośredni związek między powstawaniem choroby a niewłaściwym odżywianiem, stąd jego występowanie w warunkach panującego w obozie głodu.

W stosunkach między sobą byli bardzo wojowniczy. Powodowała to różnorodność szczepów i rodów, a poza tym gorąca cygańska krew, skora do kłótni. Wewnątrz poszczególnych rodów trzymali się razem i byli bardzo do siebie przywiązani. Gdy wybierano spośród nich zdolnych do pracy, co powodowało rozdzielanie rodzin, działy się wzruszające sceny, pełne cierpienia i łez. Uspokajali się jednak nieco i pocieszali, gdy im mówiono, że później znów będą wszyscy razem.

Przez pewien czas zdolni do pracy Cyganie przebywali w Auschwitz w obozie macierzystym. Robili oni wszystko, aby od czasu do czasu móc zobaczyć rodziny, choćby tylko z daleka. Często musieliśmy podczas apelu szukać młodszych Cyganów, którzy z tęsknoty za swoimi rodzinami przekradali się chyłkiem do obozu cygańskiego.

Gdy byłem w Oranienburgu, w Inspektoracie Obozów Koncentracyjnych, Cyganie, którzy znali mnie z Auschwitz, często mnie zaczepiali i pytali o swoich krewnych, nawet wówczas, gdy ci byli już dawno zagazowani. Było mi ciężko dawać im wymijające odpowiedzi, dlatego właśnie, że mieli do mnie duże zaufanie. Chociaż w Auschwitz miałem z nimi dużo kłopotu, byli oni jednak moimi ulubionymi więźniami — jeżeli można tak się wyrazić. Nie umieli oni przez dłuższy czas wytrwać przy jednej pracy, chętnie wałęsali się „po cygańsku". Najbardziej odpowiadało im komando transportowe, ponieważ wówczas mogli wszędzie chodzić, zaspokajać swą ciekawość i mieli przy tym okazje do kradzieży. Popęd do kradzieży i włóczęgostwa jest u Cyganów wrodzony i nie można go wykorzenić. Mają także zupełnie inne poglądy na moralność. Kradzież nie jest dla nich niczym złym, nie mogą zrozumieć, że za to się karze.

Mówię to wszystko o większości uwięzionych Cyganów, którzy rzeczywiście stale niespokojnie się włóczyli, także o mieszańcach, którzy stali się Cyganami, a nie o Cyganach osiadłych, zamieszkałych w miastach. Ci przejęli już zbyt dużo z cywilizacji, niestety jednak nie to, co najlepsze.

Byłoby rzeczą interesującą przyglądanie się ich życiu i zachowaniu się, gdybym nie widział za tym przejmującego grozą rozkazu zniszczenia, o którym w Auschwitz do połowy 1944 roku prócz mnie wiedzieli jedynie lekarze. Stosownie do rozkazu Reichsführera SS mieli oni dyskretnie likwidować chorych, szczególnie zaś dzieci. A właśnie dzieci miały tak wielkie zaufanie do lekarzy. Nie ma nic bardziej ciężkiego niż konieczność przechodzenia nad tym do porządku dziennego, zimno, bezlitośnie i bez współczucia.

A jak oddziaływało uwięzienie na Żydów, którzy od 1942 r. stanowili podstawową masę więźniów Auschwitz? Jakie było ich zachowanie się?

Żydzi przebywali w obozach koncentracyjnych od samego początku. Stąd znałem ich dobrze z Dachau. Jednakże wówczas Żydzi mieli jeszcze możliwość emigracji, gdy jakieś państwo udzieliło im pozwolenia na wjazd. Ich pobyt w obozie więc był jedynie problemem czasu lub pieniędzy i kontaktów z zagranicą. Wielu z nich w ciągu niewielu tygodni uzyskiwało niezbędne wizy i mogło wyjść z więzienia. Tylko winni pohańbienia rasy[88] lub też Żydzi, którzy w okresie panowania systemu byli szczególnie aktywni politycznie lub też odgrywali jakąś rolę w skandalicznych procesach, musieli nadal pozostawać w obozie. Wszyscy ci, którzy mieli jakieś szansę emigracji, starali się jedynie o to, aby ich życie w obozie przebiegało możliwie bez problemów. Pracowali pilnie, jeśli byli tylko w stanie — większość z nich nie była przecież przyzwyczajona do jakiejkolwiek pracy fizycznej — zachowywali się możliwie spokojnie i skrupulatnie wykonywali swoje obowiązki.

Żydzi nie mieli w Dachau lekkiego życia. Musieli oni bardzo ciężko pracować w żwirowni. Na skutek działań Eickego, jak i wpływu „Stürmera",[89] który w koszarach i kantynach był wszędzie wywieszany, stosunek strażników do Żydów był zdecydowanie wrogi. Jako „niszczyciele narodu niemieckiego" byli oni prześladowani i przepędzani również przez współwięźniów.

Ponieważ „Stürmer" był również wywieszony w obozie, jego wpływ dawał się odczuć także wśród więźniów, którzy nie byli antysemitami. Żydzi bronili się przed tym w typowo żydowski sposób, przekupując więźniów. Mieli dosyć pieniędzy i dzięki temu mogli kupować w kantynie, co chcieli. Znajdowali wśród więźniów nie mających pieniędzy dostatecznie wielu chętnych, którzy za papierosy, słodycze, kiełbasę itp. byli gotowi do usług. Za pośrednictwem kapo załatwiali sobie lżejszą pracę, a przez zatrudniony tam personel — pobyt w rewirze.

Pewien Żyd dał sobie kiedyś — za paczkę papierosów daną więźniowi — zerwać paznokcie z wielkich palców u nóg, aby w ten sposób dostać się na rewir.

Najczęściej jednak dręczyli Żydów żydowscy współwięźniowie pełniący funkcje brygadzistów lub sztubowych. Wyróżniał się przy tym szczególnie blokowy Eschen, który się później powiesił, obawiając się kary za udział w aferze homoseksualnej. Blokowy ten dręczył ich nie tylko fizycznie wszelkiego rodzaju szykanami, lecz przede wszystkim psychicznie. Wywierał na nich nieustanną presję. Nakłaniał ich do przekraczania regulaminu obozowego, a potem składał meldunki. Podjudzał ich do wzajemnego znieważania się lub też funkcyjnych więźniów, aby mieć podstawy do

---

[88] Pohańbienie rasy — Rassenschande. Ustawy norymberskie z 15 września 1935 r. o ochronie niemieckiej krwi i niemieckiej czci (Reichsgesetzblatt 1935, część I s. 1146) zakazywały osobom narodowości niemieckiej zawierać małżeństwa z osobami „obcej krwi", a także utrzymywać z nimi stosunki intymne (paragraf 1 i 2) Małżeństwo zawarte pomimo zakazu pociągało za sobą karę ciężkiego więzienia. Mężczyzna winny utrzymywania stosunków cielesnych, nawet sporadycznych, z osobami „niższej rasy" podlegał karze więzienia lub ciężkiego więzienia.

[89] „Der Stürmer" — antysemicki tygodnik wydawany w Norymberdze przez Juliusza Streichera. Pierwszy numer ukazał się w listopadzie 1923 r. Pismo odwoływało się do najprymitywniejszych uczuć. Gazeta roiła się od perwersyjnych opisów i pornograficznych rysunków opisujących lubieżnych i demonicznych Żydów, deprawujących niemieckie dziewczęta. Pisano o rzekomych morderstwach rytualnych i światowym spisku żydowskim.

składania meldunków. Meldunków tych jednak nie składał, lecz szantażował groźbą ich złożenia. Był on wcieleniem zła. W stosunku do SS-manów obrzydliwie służalczy, wobec współwięźniów tej samej rasy gotów był do wszelkiej podłości.

Chciałem go kilkakrotnie usunąć z funkcji, ale było to niemożliwe. Eicke osobiście żądał, aby go pozostawić.

Eicke wymyślił dla Żydów specjalną karę zbiorową. Kiedy znów rozpętano na całym świecie propagandę przeciw obozom koncentracyjnym, nakazał Żydom przez miesiąc czy też kwartał leżeć w łóżkach. Wolno im było wstawać jedynie do posiłków i wychodzić z bloku tylko na apele. Nie wolno było wietrzyć pomieszczeń, a okna zaśrubowano. Była to ciężka kara, oddziałująca szczególnie źle na psychikę. Na skutek ciągłego przymusowego leżenia stawali się oni tak nerwowi i pobudliwi, że jeden na drugiego nie mógł patrzeć, nie mogli się wzajemnie ścierpieć. Dochodziło do dzikich bijatyk.

Eicke był zdania, że inicjatorami tej nagonki propagandowej mogli być tylko Żydzi, którzy wyszli z Dachau, wobec czego karę za to powinni ponieść wszyscy Żydzi jako całość.

Muszę tutaj powiedzieć, że byłem przeciwnikiem antysemickiego tygodnika „Der Stürmer", wydawanego przez Streichera,[90] z powodu jego złej formy, obliczonej na oddziaływanie na najniższe instynkty. Poza tym to stałe wysuwanie na pierwszy plan kwestii seksualnej w obrzydliwej, pornograficznej formie. Pismo to wyrządziło wiele szkód, nie pomagało poważnie rozumianemu antysemityzmowi, wręcz przeciwnie — przynosiło mu ujmę. I nic dziwnego, po wojnie okazało się, że pismo redagował Żyd i on też pisał najobrzydliwsze podżegające artykuły.

Jako fanatyczny narodowy socjalista byłem głęboko przekonany, że nasza idea, dostosowana do właściwości narodowych, przyjmie się we wszystkich krajach i zapanuje w nich. Tym samym zlikwidowana byłaby dominacja żydostwa. Antysemityzm nie był przecież na całym świecie niczym nowym. Objawiał się on szczególnie silnie wówczas, gdy Żydzi zbyt mocno pchali się do władzy, gdy ich podłe postępowanie stawało się zbyt widoczne dla opinii publicznej. Moim zdaniem nie służyło się antysemityzmowi przez dzikie podjudzanie w sposób, w jaki to czynił „Der Stürmer". Chcąc ideowo zwalczać Żydów, należało posługiwać się lepszą bronią. Wierzyłem, iż to, co w naszej idei było lepsze i silniejsze, będzie miało większą siłę przebicia.

Nie spodziewałem się, aby kary zbiorowe stosowane przez Eickego miały jakikolwiek wpływ na zwalczanie wrogiej propagandy przeciwko nam. Nagonka trwałaby nadal, nawet gdyby rozstrzelano z tego powodu setki czy tysiące ludzi. Uważałem wówczas za słuszne, iż karano Żydów znajdujących

---

[90] Julius Streicher, wydawca pisma „Der Stürmer", urodził się w 1885 r.; był z zawodu nauczycielem. Po dojściu Hitlera do władzy kierował w latach 1933–1938 akcją bojkotu Żydów. Był również posłem do Reichstagu Trzeciej Rzeszy. Wyrokiem Międzynarodowego Trybunału Wojskowego w Norymberdze z dnia 1 października 1946 r. został skazany na karę śmierci. Wyrok wykonano.

się w naszych rękach za nagonkę prowadzoną przeciwko nam przez ich pobratymców.

W listopadzie 1938 r. miała miejsce zainscenizowana przez Goebbelsa[91] „noc kryształowa",[92] podczas której w odwet za zabicie von Ratha przez Żydów w Paryżu[93] w całej Rzeszy zniszczono sklepy żydowskie lub przynajmniej powybijano w nich szyby, a także podpalono wszystkie synagogi, nie pozwalając straży pożarnej na ich gaszenie. Wszyscy Żydzi, którzy odgrywali jeszcze jakąkolwiek rolę w handlu i przemyśle, „dla zapewnienia im ochrony przed gniewem ludu" zostali aresztowani i umieszczeni prewencyjnie, w obozach koncentracyjnych.

Dopiero wówczas poznałem ich w masie. Dotąd w Sachsenhausen Żydów prawie nie było i nagle nastąpiła żydowska inwazja. Dotychczas przekupstwo w Sachsenhausen prawie nie istniało, a teraz stało się zjawiskiem masowym i przybierało różne formy. Więźniowie kryminalni z radością powitali Żydów jako obiekty eksploatacji. Musiano Żydom zablokować pieniądze, w przeciwnym bowiem razie w obozie nastąpiłoby rozprzężenie niemożliwe do opanowania.

Żydzi szkodzili sobie wzajemnie, jak tylko mogli. Każdy starał się dla siebie znaleźć jakąś „funkcyjkę", w wyniku zaś tolerancji uległych kapo wynajdywali wciąż nowe „funkcyjki", aby móc wykręcić się od pracy. Dla uzyskania „spokojnej funkcji" nie wahali się powodować usuwania z nich współwięźniów przez fałszywe oskarżenia. Gdy stali się już „czymś", bezlitośnie i po chamsku dręczyli swoich pobratymców. Pod każdym względem przewyższali „zielonych". Wielu Żydów, doprowadzonych tymi mękami do rozpaczy, aby uzyskać spokój, szło wtedy na druty, próbowało ucieczek, aby ich zastrzelono, wieszało się. Komendant meldował Eickemu o mnożących się tego rodzaju przypadkach. Eicke odpowiedział: „Nie przeszkadzajcie im, niech się Żydzi nawzajem pożerają".

---

[91] Joseph Paul Goebbels urodził się w 1897 r., u kończył studia ze stopniem doktora filozofii, pracował jako dziennikarz. W 1922 r. rozpoczął redagowanie pisma „Nationalsozialistische Briefe". W lipcu 1927 r. założył berlińskie pismo narodowego socjalizmu „Der Angriff", przekształcone w listopadzie 1930 r. w dziennik. Od 1926 r. pełnił funkcje Gauleitera NSDAP na okręg berliński. Stanowisko to otworzyło mu drogę do dalszej szybkiej kariery: w 1927 r. szef propagandy NSDAP, w 1928 r. Poseł do Reichstagu, w 1933 r. minister informacji i propagandy Trzeciej Rzeszy. Tuż przed śmiercią 30 kwietnia 1945 r. Adolf Hitler mianował go kanclerzem Rzeszy. 1 maja Goebbels popełnił samobójstwo.

[92] „Noc kryształowa" — Kristallnacht, kryptonim akcji antyżydowskiej zorganizowanej w rocznicę puczu monachijskiego w 1923 r. W nocy z 9 na 10 listopada 1938 r. w pogromach zginęło kilkudziesięciu Żydów, a setki poraniono. Zniszczono 7500 sklepów żydowskich, spalono 250 synagog i wiele domów. Wszelkie koszty związane z tą akcją „musieli ponieść sami Żydzi, na których nałożono kontrybucję 100 milionów marek. Policji zakazano interweniowania w obronie Żydów.

[93] 7 listopada 1938 r. w gmachu ambasady niemieckiej w Paryżu, sekretarz ambasady, Ernst von Rath, został postrzelony przez 17-letniego chłopca żydowskiego Herszela Grynszpana i w wyniku odniesionych ran zmarł 9 listopada. Wydarzenie to posłużyło władzom Trzeciej Rzeszy do wprowadzenia dalszych ograniczeń udziału Żydów w życiu gospodarczym i kulturalnym państwa.

Chciałbym jeszcze podkreślić, że ja sam do Żydów nie odczuwałem nienawiści. Byli oni dla mnie wrogami naszego narodu, ale dlatego też traktowałem ich na równi z innymi więźniami. Nigdy nie czyniłem żadnych różnic. Uczucie nienawiści jest mi w ogóle obce, wiem jednak, co to jest nienawiść i jak ona wygląda. Widziałem ją i sam odczułem jej skutki.

Gdy Reichsführer SS zmienił swój pierwotny rozkaz z 1941 r., że wszyscy Żydzi muszą zostać bez wyjątku zniszczeni, i nakazał zdolnych do pracy Żydów zatrudniać w zakładach przemysłu zbrojeniowego, Oświęcim stał się obozem żydowskim, żydowskim obozem zbiorczym o nieznanych dotychczas rozmiarach.

Podczas gdy Żydzi uwięzieni w poprzednich latach mogli jeszcze liczyć na to, iż pewnego dnia zostaną zwolnieni, co powodowało, iż uwięzienie nie stanowiło dla nich tak wielkiego obciążenia psychicznego, dla Żydów oświęcimskich nie było żadnej nadziei. Wszyscy bez wyjątku wiedzieli, że pozostaną przy życiu jedynie tak długo, jak długo będą zdolni do pracy. Większość nie łudziła się najmniejszą nadzieją na jakąkolwiek zmianę swego smutnego losu. Byli fatalistami. Cierpliwie i obojętnie znosili nędzę i męczarnie obozowe. Brak nadziei na uniknięcie przewidywanego końca powodował u nich całkowite zobojętnienie psychiczne wobec otaczającego ich świata. To załamanie psychiczne przyśpieszało koniec fizyczny. Nie mieli już woli życia, wszystko było dla nich obojętne, najmniejszy wstrząs fizyczny powodował całkowite załamanie. Wcześniej czy później czekała ich pewna śmierć.

Na podstawie własnych obserwacji mogę stanowczo stwierdzić, że wysoka śmiertelność Żydów spowodowana była nie tylko zbyt ciężką dla większości z nich pracą, do której nie byli przyzwyczajeni, niedostatecznym wyżywieniem, nadmiernie zagęszczonymi kwaterami i wszelkimi innymi niedomaganiami i trudnościami życia obozowego, lecz głównie i zdecydowanie ich stanem psychicznym. Śmiertelność Żydów bowiem w innych miejscach pracy, w innych obozach o korzystniejszych warunkach bytowania nie była wiele mniejsza. Była ona zawsze stosunkowo wyższa aniżeli śmiertelność innych więźniów. Podczas moich podróży inspekcyjnych z ramienia DI [94] widziałem i słyszałem o tym dostatecznie wiele.

Jeszcze wyraźniej występowało to u kobiet żydowskich. Ginęły one znacznie szybciej aniżeli mężczyźni, pomimo tego, iż według moich obserwacji kobiety na ogół są bardziej odporne i wytrzymałe pod względem psychicznym i fizycznym od mężczyzn. To, co powiedziałem wyżej, odnosi się do większości więźniów żydowskich.

Inaczej zachowywali się Żydzi inteligentniejsi, psychicznie silniejsi i mający więcej woli życia, pochodzący w większości z krajów Zachodu.

[94] Urząd DI wchodzący w skład Amtsgruppe D (obozy koncentracyjne) WVHA SS był urzędem wiodącym w grupie i składał się z czterech komórek: DI-1 więźniowie, DI-2 informacja, ochrona obozu i psy obozowe, DI-3 środki transportu, DI-4 szkolenie oddziałów wartowniczych.

Zwłaszcza oni, szczególnie jeśli byli lekarzami, zdawali sobie dokładnie sprawę z tego, jaki koniec ich czeka. Mimo tego mieli jednak nadzieję i liczyli na szczęśliwy zbieg okoliczności, który może kiedyś nastąpi i uratuje im życie. Należy dodać, iż liczyli oni na klęskę Niemiec, ponieważ wroga propaganda docierała również i do nich.

Najważniejszą rzeczą dla nich było zdobycie jakiejś funkcji, dzięki której mogliby się wydostać z masy więźniów i uzyskać specjalne przywileje, które by ich do pewnego stopnia chroniły przed przypadkową śmiercią oraz poprawiły fizyczne warunki egzystencji. Aby zdobyć taką „pozycję życiową" w najprawdziwszym znaczeniu tego słowa, wysilali wszystkie swoje umiejętności i zdecydowaną wolę. Im większe bezpieczeństwo dawała funkcja, tym bardziej była pożądana, tym gwałtowniej o nią walczono. Nie było żadnych względów, w tej walce chodziło o wszystko. Nie wahano się przed użyciem najbardziej drastycznych środków, by doprowadzić do zwolnienia tego rodzaju funkcji lub też ją utrzymać. Przeważnie zwyciężał ten lub ci, którzy mieli najmniej skrupułów. Nieustannie słyszałem o tego rodzaju walkach.

W różnych obozach dostatecznie poznałem metody walk o władzę, toczonych między poszczególnymi barwami i grupami politycznymi, walk i intryg o wyższe funkcje. Jednakże od Żydów w Auschwitz mogłem się jeszcze pod tym względem wiele nauczyć. „Potrzeba jest matką wynalazku" — a tutaj chodziło naprawdę o nagie życie.

Zdarzało się niejednokrotnie, że liczba więźniów zajmujących bezpieczne funkcje zaczynała się zmniejszać, umierali oni po dowiedzeniu się o śmierci najbliższych członków rodziny, aczkolwiek nie było żadnego fizycznego powodu, nie byli oni chorzy ani też nie mieli złych warunków bytowych. Żydów cechują na ogół silne więzi rodzinne i śmierć najbliższych powodowała, iż życie traciło dla nich wartość i przestawali o nie walczyć.

Widziałem jednak również i wręcz odmienne przypadki — podczas akcji zagłady, o czym opowiem później.

Wszystko, co wyżej powiedziałem, odnosi się odpowiednio również do kobiet-więźniarek poszczególnych kontyngentów, z tą różnicą, iż dla kobiet wszystko było o wiele cięższe, bardziej przytłaczające i dotkliwe, ponieważ ogólne warunki życia w obozie kobiecym były bez porównania gorsze.[95] Kobiety były o wiele bardziej stłoczone, warunki sanitarne i higieniczne były znacznie gorsze. W obozie kobiecym nie można było nigdy zaprowadzić właściwego porządku. Spowodowane to było panującym od samego początku przepełnieniem i jego skutkami. Było tam wszystko bardziej

[95] W marcu 1942 r. wydzielono w obozie macierzystym i odgrodzono murem 10 bloków, tworząc w ten sposób oddział kobiecy (Frauenabteilung). W pierwszym okresie istnienia oddział podporządkowany był komendanturze obozu koncentracyjnego Ravensbrück. Dwoistość podporządkowania zlikwidowano w lipcu 1942 r. Transport „założycielski" więźniarek z Ravensbrück osadzony został w Frauenabteirung 26 marca 1942 r. W połowie sierpnia 1942 r. oddział kobiecy przeniesiono do Brzezinki, przydzielając odcinek BIa (Bauabschnitt Ia na kobiecy obóz koncentracyjny — Frauen-konzentrationslager, będący filią KL Auschwitz.

zmasowane, aniżeli to miało miejsce u mężczyzn. Z chwilą gdy kobiety osiągnęły pewien punkt krytyczny, wówczas szybko następował koniec. Snuły się one po obozie jak bezwolne widma, popychane przez innych do chwili, gdy pewnego dnia cicho umierały. Te żywe trupy stanowiły straszny widok.

„Zielone" więźniarki były szczególnego rodzaju elementem. Przypuszczam, iż Ravensbrück wybrał rzeczywiście „najlepsze" do Auschwitz. Przewyższały one o wiele swoje męskie odpowiedniki w podłości, chamstwie i nikczemności. Były to przeważnie wielokrotnie karane prostytutki, często kobiety budzące wstręt. Było do przewidzenia, że te bestie będą wyładowywały swoje nikczemne instynkty na podległych im więźniarkach, jednak nie można było tego uniknąć. Podczas swego pobytu w Auschwitz w 1942 r. Reichsführer SS uznał je za odpowiednie na kapo dla Żydówek. Poza przypadkami chorób zakaźnych niewiele z nich zmarło. Duchowe przeżycia były dla nich obce.

Do dziś mam przed oczyma rzeź w Budach.[96] Nie przypuszczam, by mężczyźni byli zdolni do takiego bestialstwa, aby móc postąpić w ten sposób jak „zielone" więźniarki, które mordowały francuskie Żydówki; rozrywały je, zabijały siekierami, dusiły. Było to straszne.

Na szczęście jednak nie wszystkie „zielone" i „czarne"[97] więźniarki były takimi wykolejonymi istotami. Znajdowały się wśród nich również i takie, które okazywały serce swoim współwięźniarkom, za co prześladowały je wyżej wspomniane współtowarzyszki. Również większość nadzorczyń nie miała w tej sprawie zrozumienia.

Pozytywnym ich przeciwieństwem były badaczki Pisma św., nazywane „biblijnymi pszczołami" lub „biblijnymi gąsienicami". Było jednak ich zbyt mało. Mimo swej mniej lub bardziej fanatycznej postawy były bardzo pożądanym elementem. Pracowały one przeważnie w gospodarstwach domowych wielodzietnych rodzin SS, w domu SS-manów, a nawet w kasynie oficerskim SS jako personel obsługujący, głównie zaś w rolnictwie, jak np. na fermie drobiu w Harmężach[98] oraz na różnych folwarkach obozowych.

---

[96] W Budach utworzono w czerwcu 1942 r. karną kompanię — Strafkompanie Budy dla kobiet, więźniarek Oświęcimia, Pretekstem do stworzenia tego podobozu była ucieczka jednej z polskich więźniarek. W odwet przywieziono do Bud 200 Polek oraz 200 Żydówek z Francji, Słowacji i Niemiec. O osadzeniu więźniarek w podobozie karnym .każdorazowo decydował komendant obozu na wniosek kierowniczki obozu żeńskiego. Obóz zlokalizowany był w budynku dawnej szkoły. Więźniarki pracowały przy oczyszczaniu i pogłębianiu stawów oraz przy budowie wału ochronnego. W październiku 1942 r. w podobozie wybuchł bunt, zginęło 90 więźniarek, w większości Francuzek. Bunt stłumiony został głównie siłami więźniarek funkcyjnych. 24 października 1942 r. sześć ocalałych uczestniczek buntu w Budach zostało uśmierconych zastrzykami fenolu w serce.

[97] „Czarne" więźniarki to oczywiście tzw. aspołeczne, co jednak niczego nie wyjaśnia, bo w grupie tej były zarówno prostytutki, jak i np. Cyganki.

[98] Ferma drobiu w Harmężach — Geflügelfarm Harmense. podobóz kobiecy utworzony w czerwcu 1942 r. przetrwał do 18 stycznia 1945 r. Przebywały w nim Polki, Żydówki i Niemki. Przeciętny stan fermy — 50 więźniarek. Pracowały w stacji doświadczalno-hodowlanej drobiu i królików.

Nie wymagały nadzoru, niepotrzebne były posterunki Swoją pracę wykonywały pilnie i chętnie, gdyż takie było przykazanie Jehowy. Były to głównie Niemki w starszym wieku, znajdowały się jednak wśród nich również młode Holenderki.

U mnie w domu pracowały dwie starsze kobiety przez trzy lata. Moja żona często mówiła, że nie mogłaby sama lepiej dbać o wszystko niż te dwie kobiety. Szczególnie wzruszająco troszczyły się o dzieci, zarówno duże, jak i małe. Dzieci nasze były do nich przywiązane jak do kogoś należącego do rodziny. W pierwszym okresie obawialiśmy się, aby nie próbowały one pozyskać dzieci dla Jehowy, jednakże tego nie czyniły. Nigdy nie mówiły z dziećmi na tematy religijne. Jeżeli się weźmie pod uwagę ich fanatyzm, było to do pewnego stopnia nawet zaskakujące.

Były jednak wśród nich dziwne stworzenia. Jedna z nich pracowała u pewnego oficera SS i starała się z oczu odczytywać jego życzenia, ale zdecydowanie odmawiała czyszczenia munduru, czapki, butów, wszystkiego tego, co miało jakikolwiek związek z wojskiem. Nie chciała nawet dotknąć tych przedmiotów.

Ogólnie rzecz biorąc, badaczki Pisma św. były ze swego losu zadowolone. Miały one nadzieję, że na skutek cierpień dla Jehowy, jakie znosiły podczas uwięzienia, uzyskają dobre miejsce w jego królestwie, które wkrótce nadejdzie. Ciekawe, że były one wszystkie przekonane, że cierpienie i śmierć Żydów są słuszną karą, ich przodkowie bowiem zdradzili Jehowę. Ja uważałem badaczy Pisma św. za biednych obłąkańców, którzy jednak byli na swój sposób szczęśliwi.

Pozostałe więźniarki narodowości polskiej, czeskiej, ukraińskiej i rosyjskiej, jeśli tylko do tego się nadawały, były zatrudniane w rolnictwie. Dzięki temu nie musiały przebywać w przepełnionym obozie i unikały jego złych skutków. W pomieszczeniach na folwarkach i w Rajsku[99] było im o wiele lepiej. Stale stwierdzałem, iż wszyscy więźniowie pracujący w rolnictwie i oddzielnie zakwaterowani sprawiali zupełnie inne wrażenie. Nie byli pod taką presją psychiczną jak więźniowie w obozach masowych. W przeciwnym przypadku nie mogliby wymaganej od nich pracy tak chętnie wykonywać.

Zatłoczony od samego początku obóz kobiecy oznaczał dla więźniarek w ich masie zagładę psychiczną, po której wcześniej czy później następowało załamanie fizyczne. W obozie kobiecym panowały pod każdym względem najgorsze warunki, i to już od samego początku, gdy był on jeszcze częścią obozu macierzystego. Gdy zaczęły nadchodzić transporty Żydów ze Słowacji,[100]

---

[99] Arbeitslager Rajsko — podobóz kobiecy założony 12 czerwca 1943 r. Przeciętny stan obozu — 350 więźniarek, pracowały w gospodarstwie i stacji doświadczalnej założonej na gruntach wysiedlonej wsi. Praca odbywała się w dwóch grupach: pierwsza pracowała przy inspektowej hodowli jarzyn i kwiatów, druga — przy doświadczalnej hodowli kauczukodajnej rośliny koksagiz. Mieszkały w trzech barakach otoczonych drutem kolczastym.

[100] pierwszy transport kobiecy Żydówek ze Słowacji przybył do Oświęcimia 26 marca 1942 r. Akcję poprzedziło utworzenie w Słowacji czterech obozów przejściowych, w których strażnikami byli członkowie Gwardii Hlinkowej, a instruktorami podoficerowie SS. Łącznie

w ciągu niewielu dni baraki zapełniły się aż po strychy. Umywalnie i ustępy były wystarczające w najlepszym przypadku dla jednej trzeciej ogółu więźniarek.

Aby utrzymać właściwy porządek w tych rojących się mrowiskach, konieczne były inne siły aniżeli znajdujące się w mojej dyspozycji nieliczne nadzorczynie przydzielone przez Ravensbrück. Należy stwierdzić, iż nie przydzielono mi najlepszych spośród tamtejszego personelu. Nadzorczynie w Ravensbrück miały bardzo dobre warunki. Czyniono dla nich wszystko, aby tylko utrzymać je w kobiecym obozie koncentracyjnym i dzięki korzystnym warunkom życiowym móc zdobyć nowe. Były one bardzo dobrze zakwaterowane i otrzymywały wynagrodzenie, jakiego gdzie indziej nigdy by nie dostały. Nie przeciążano ich obowiązkami służbowymi. Krótko mówiąc, Reichsführer SS, zwłaszcza Pohl[101] życzyli sobie, aby mieć dla nadzorczyń maksymalne względy. Warunki obozowe w Ravensbrück były do tego czasu normalne, nie było mowy o nadmiernym zagęszczeniu. Teraz nadzorczynie te przybyły do Auschwitz, przy czym żadna z nich nie przyjechała dobrowolnie, aby budować od nowa obóz, i to w najcięższych warunkach.

Już na samym początku większość z nich chciała uciekać z powrotem do spokojnego i wygodnego życia w Ravensbrück. Ówczesna Oberaufseherin, p. Langefeldt,[102] mimo iż nie była w stanie sprostać sytuacji, uporczywie odrzucała wszelkie wskazówki Schutzhaftlagerführera. Gdy stwierdziłem, iż istniejący bałagan nie może nadal istnieć, na własną rękę podporządkowałem obóz kobiecy Schutzhaftlagerführerowi. Nie było niemal dnia, aby nie występowały niezgodności w stanie więźniarek. W tym rozgardiaszu nadzorczynie biegały jak rozdrażnione kwoki i nie wiedziały, co robić. Trzy lub cztery dobre były ogłupione przez pozostałe. Ponieważ jednak Oberaufseherin uważała się za samodzielną kierowniczkę obozu, złożyła zażalenie przeciwko podporządkowaniu jej komuś, kto był jej równy rangą.

Podczas wizytacji Auschwitz przez Reichsführera SS w lipcu 1942 roku przedstawiłem mu w obecności Oberaufseherin niedomagania i powiedziałem, iż p. Langefeldt nie będzie nigdy w stanie należycie kierować obozem kobiecym w Auschwitz i jego rozbudową, i prosiłem, aby nadal była podporządkowana pierwszemu Schutzhaftlagerführerowi. Odrzucił to zdecydowanie, mimo najbardziej przekonywających dowodów ogólnej nieudolności zarówno Oberaufseherin, jak i poszczególnych nadzorczyń. Wyraził życzenie, aby obóz kobiecy był kierowany przez kobietę i abym jej przydzielił do pomocy oficera SS. Który oficer jednak chciałby się podporządkować

deportowano 70 tys. Żydów słowackich. Wobec oporu umiarkowanego skrzydła partii ludackiej sejm słowacki uchwalił 16 maja 1943 r. ustawę sankcjonującą dotychczasowe deportacje, ale zarazem wyłączającą spod jej działania blisko 20000 Żydów. Mimo nacisków niemieckich deportacje nie zostały wznowione.

[101] Oswald Pohl — patrz przypis 244 na s. 241.

[102] Funkcja Oberaufseherin w obozie kobiecym odpowiada funkcji Schutzhaftlagerführera, czyli kierownika obozu sprawującego nadzór nad więźniami wewnątrz obozu. Pierwszą Oberaufseherin była od 26 marca do 8 października 1942 r. Johanna Langefeldt.

kobiecie? Każdy z nich, którego do tego celu musiałem odkomenderować, prosił mnie, aby go jak najszybciej zmienić. Przy nadejściu większych transportów, jeśli mi tylko pozwalał na to czas, sam kierowałem akcją.

Tak więc od samego początku obóz kobiecy przeszedł w ręce więźniarek. Im bardziej obóz się rozrastał i stawał się mniej dostępny dla kontroli nadzorczyń, tym silniejszy stawał się samorząd więźniarek. Ponieważ w kierownictwie górowały „zielone", bardziej przebiegłe i bezwzględne, one właściwie rządziły obozem kobiecym, mimo iż funkcję „starszej obozu", jak i innych czołowych funkcyjnych, sprawowały „czerwone". Funkcje kapo wykonywały głównie „zielone" i „czarne" więźniarki. Tylko dlatego w obozie kobiecym panowały wciąż najbardziej nędzne stosunki.

Te stare nadzorczynie przewyższały jednak o całe niebo te, które przyszły później. Ponieważ dobrowolnie, mimo gorliwego werbunku dokonywanego przez organizacje kobiece narodowosocjalistyczne, zgłaszało się bardzo niewiele kandydatek do służby w obozie koncentracyjnym, musiano wzrastające z dnia na dzień zapotrzebowanie pokrywać w drodze naboru przymusowego.

Każde przedsiębiorstwo zbrojeniowe, któremu miano przydzielić do pracy więźniarki, musiało postawić do dyspozycji pewien procent swoich pracownic w celu wykorzystania ich jako nadzorczyń. Zrozumiałe było, iż w związku ze spowodowanym przez wojnę brakiem odpowiednich kobiecych sił do pracy firmy te nie oddawały najlepszego materiału ludzkiego. Nadzorczynie te były przez okres kilku tygodni „szkolone" w Ravensbrück i następnie przydzielane do obozów. Ponieważ wybór i przydział dokonywane były w Ravensbrück, Auschwitz był znów na ostatnim miejscu. Było to zupełnie naturalne, że Ravensbrück zatrzymywał najlepsze siły dla siebie w celu wykorzystania ich w mającym powstać tam nowym kobiecym obozie pracy.

Tak więc wyglądała sprawa dozoru w kobiecym obozie koncentracyjnym w Auschwitz. Moralne kwalifikacje tych kobiet były zwykle bardzo niskie. Wiele nadzorczyń stawało przed sądem SS z powodu kradzieży przedmiotów podczas akcji Reinhardt.[103] Były to jedynie niektóre z nich, te, które schwytano na gorącym uczynku. Mimo odstraszających kar kradły dalej, nadal wykorzystując w tym celu więźniów jako pomocników. Dla ilustracji jaskrawy przypadek.

Jedna z nadzorczyń upadła tak nisko, że utrzymywała stosunki płciowe z więźniami, przeważnie „zielonymi" kapo i za te stosunki kazała sobie

---

[103] Aktion Reinhardt zapoczątkowała wiosną 1942 r. zagładę Żydów w Generalnym Gubernatorstwie. Na początku czerwca 1942 r. całość spraw żydowskich przeszła w GG w gestię sekretariatu stanu do spraw bezpieczeństwa. Odtąd kierujący akcją zagłady Odilo Globocnik uzyskał całkowitą swobodę działania. Celem akcji była zorganizowana grabież ruchomego mienia żydowskiego, eksploatacja wyselekcjonowanej siły roboczej i zagłada wszystkich pozostałych Żydów. Akcją objęto przede wszystkim Lubelszczyznę, a następnie pozostałe dystrykty GG. W celu sprawnego przeprowadzenia akcji uruchomiono trzy obozy natychmiastowej zagłady: Bełżec (17 marca 1942 r.), Sobibór (pod koniec kwietnia tego samego roku) i Treblinkę (w czerwcu).

płacić wartościową biżuterią, złotem itp. Dla zamaskowania uprawianego procederu nawiązała stosunek z pewnym Stabsscharführerem z garnizonu, u którego przechowywała zamknięte i zapakowane ciężko zapracowane dochody. Ten głupi człowiek nie miał pojęcia o postępowaniu swojej najdroższej i był bardzo zaskoczony, gdy znaleziono u niego te ładne rzeczy. Nadzorczyni została skazana przez Reichsführera SS na dożywotni pobyt w obozie koncentracyjnym i karę chłosty dwa razy po 25 kijów.

Podobnie jak homoseksualizm w obozach męskich, w obozie kobiecym panowała plaga miłości lesbijskiej. Najsurowsze kary, nawet skierowanie do karnej kompanii, nie były w stanie tego zwalczyć. Wielokrotnie meldowano mi o stosunkach tego rodzaju między nadzorczyniami a więźniarkami. Wszystko to świadczy o poziomie nadzorczyń. Jest rzeczą oczywistą, iż nie przejmowały się one zbytnio służbą i swoimi obowiązkami, że nie można było na nich polegać. Możliwości karania za przewinienia służbowe były niewielkie. Areszt domowy można było uważać raczej za przywilej, ponieważ nie musiały pełnić służby przy złej pogodzie. Wszelkie kary wymagały akceptacji Inspektoratu Obozów Koncentracyjnych lub Pohla. Należało stosować jak najmniej kar. „Niedociągnięcia" te miały być usuwane poprzez dobrotliwe pouczanie i odpowiednie kierowanie nimi. Nadzorczynie naturalnie wiedziały o tym wszystkim i większość z nich odpowiednio się też zachowywała.

Miałem zawsze wielki szacunek dla kobiet. W Auschwitz zrozumiałem jednak, że moje ogólne stanowisko musi ulec ograniczeniu i że kobiecie należy się najpierw dobrze przyjrzeć, zanim obdarzy się ją pełnym szacunkiem.

Powyższe odnosi się do większości żeńskiego personelu nadzorczego. Były jednak wśród nich, aczkolwiek nieliczne, dobre, godne zaufania, przyzwoite kobiety. Nie potrzeba specjalnie podkreślać, iż w takim otoczeniu i w takich warunkach Auschwitz bardzo cierpiały. Nie mogły się jednak z tego wydostać, były bowiem obowiązane do służby wojennej. Niektóre z nich skarżyły mi się, a częściej jeszcze mojej żonie, na swoją niedolę. Można je było pocieszać jedynie tym, że wojna się skończy, jednak było to naprawdę niewielką pociechą.

Do nadzorowania pracujących poza terenem obozu grup więźniarek do obozu kobiecego byli przydzieleni również przewodnicy psów. Już w Ravensbrück przydzielono psy nadzorczyniom grup pracujących zewnątrz obozu w celu zmniejszenia liczby personelu strażniczego. Nadzorczynie były wprawdzie uzbrojone w pistolety, jednakże Reichsführer SS spodziewał się, że użycie psów podziała odstraszająco na więźniarki, kobiety bowiem zwykle bardzo boją się psów, podczas gdy mężczyźni mniej się z nimi liczą.

W Auschwitz, gdzie były wielkie masy więźniów, nadzór nad grupami roboczymi zatrudnionymi poza obozem był zawsze problematyczny. Zbyt mała była załoga. W nadzorowaniu większych terenów, na których pracowano, pomagały łańcuchy posterunków. Ze względu jednak na stale zmieniające się w ciągu dnia miejsca pracy, jak np. w rolnictwie, przy kopaniu rowów i innych pracach tego rodzaju, system ten nie mógł być stosowany. Ponieważ było mało nadzorczyń, konieczne stało się użycie możliwie wielu strażników z psami. Jednakże nawet 150 psów nie wystarczało. Reichsführer SS liczył na to, iż użycie jednego psa pozwoli zaoszczędzić dwóch strażników. Jeśli chodzi o grupy kobiece, było to możliwe, ponieważ kobiety na ogół boją się psów.

Oświęcimska „psia drużyna" była z pewnością, jeżeli chodzi o materiał żołnierski, najbardziej doborowa, ale w sensie negatywnym. Gdy zaczęto poszukiwać ochotników do przeszkolenia na przewodników psów, zgłosiła się połowa batalionu. Kandydaci spodziewali się, iż będą mieli lżejszą i bardziej urozmaiconą służbę. Ponieważ nie można było uwzględnić zgłoszeń wszystkich ochotników, kompanie znalazły sprytne wyjście z sytuacji — zgłosiły wszystkie czarne owce kompanijne, aby się ich pozbyć. Niech się teraz ktoś inny martwi, co z nimi zrobić. Wśród kandydatów jedynie niewielu nie było karanych dyscyplinarnie. Gdyby „dowódca oddziału dokładniej przyjrzał się zgłoszeniom, nie pozwoliłby nigdy przysłać tych ludzi na szkolenie. Już w trakcie, szkolenia w specjalnym zakładzie doświadczalnym w Oranienburgu niektórzy z nich zostali odesłani jako całkowicie nie nadający się.

Gdy po przeszkoleniu wrócili do Auschwitz i utworzono z nich „psią drużynę", widać było do razu, z jaką wspaniałą jednostką ma się do czynienia. A cóż dopiero przy pracy. Albo bawili się z psami, albo leżeli w jakiejś dziurze i spali, pies budził ich przecież przy „zbliżaniu się wroga" lub też zabawiali się rozmową z nadzorczyniami czy też więźniarkami. Wielu z nich miało regularne stosunki z „zielonymi" instruktorkami. Ponieważ byli stale zatrudnieni w obozie kobiecym, nie stanowiło dla nich trudności stałe przychodzenie do „swojej" grupy roboczej.

Z nudów i dla zabawy szczuli również więźniarki psami. Jeżeli ich przy tym schwytano, tłumaczyli się, że pies sam się rzucił na więźniarkę na skutek jej rzucającego się w oczy zachowania, że zgubił smycz itd. Mieli zawsze gotowe wymówki. Zgodnie z regulaminem byli obowiązani do codziennej pracy nad dalszym szkoleniem psa.

Ze względu na to, że szkolenie nowych specjalistów było bardzo uciążliwe, przewodników wolno było zwalniać jedynie z powodu szczególne ciężkich uchybień, jak np. na skutek ukarania przez sąd SS, złego obchodzenia się z psami czy też poważnego zaniedbania obowiązków.

Opiekun psów, stary wachmistrz policji, który od 25 lat miał z nimi do czynienia, wpadał często w rozpacz z powodu zachowania się przewodników. Ci jednak wiedzieli, że nie grozi im nic, że zwolnić ich ze służby nie jest tak łatwo. Inny dowódca nauczyłby tę bandę rozumu, ale ci panowie mieli inne, wiele ważniejsze zadania. Ile miałem kłopotów z tą psią drużyną, jakie starcia z jej powodu z dowódcą załogi. Glücks uważał, iż nie miałem zrozumienia dla istotnych spraw załogi. Dlatego też nigdy nie mogłem u niego uzyskać zgody na zwolnienie oficera, który był nie do zniesienia w obozie. Można byłoby uniknąć wiele zła, gdyby stosunek Glücksa do mnie był inny.

Reichsführer SS dążył do tego, aby w czasie wojny personel nadzorczy w coraz większym stopniu zastępować różnymi mechanicznymi środkami, jak np. łatwo przenośnymi zaporami z drutu, w przypadku stałych miejsc pracy zaporami z drutu pod napięciem elektrycznym, a nawet polami minowymi czy też poprzez posługiwanie się w szerszym zakresie psami. Komendant, który by wynalazł rzeczywiście nadającą się do zastosowania metodę pozwalającą na zmniejszenie personelu nadzorczego, miał otrzymać natychmiast awans. Nic jednak z tego nie wyszło.

Reichsführerowi SS zdawało się, że można tak wyszkolić psy, aby okrążały więźniów, podobnie jak to ma miejsce w przypadku stada owiec, i w ten sposób uniemożliwiały ucieczkę. Jeden strażnik z kilkoma psami byłby wówczas w stanie nadzorować nawet stu więźniów. Przeprowadzone próby nie dawały jednak żadnych wyników. Ludzie to nie bydło. Nawet wówczas, gdy psu wpoi się największe uczulenie na strój i odór więźniów, kiedy wytresuje się go, aby nie dopuszczał do siebie zbyt blisko więźniów, pies zawsze pozostanie zwierzęciem, nad którym człowiek zawsze będzie górował. Jeśli więźniom się uda w jakimś miejscu odwrócić uwagę psów, pozostawią one znaczny odcinek bez ochrony, który można wykorzystać do ucieczki. Psy nie były również w stanie przeszkodzić więźniom w masowej ucieczce. Mogły one wprawdzie uczynić kilku więźniom wiele złego, zostałyby jednak zabite wraz ze swymi „przewodnikami".

Himmler chciał dalej, aby psy zastępowały posterunki na wieżach strażniczych. Psy miały krążyć wokół obozu lub też wokół stałego miejsca pracy swobodnie między dwoma zaporami z drutu i dawać znać o ewentualnym zbliżaniu się więźniów oraz uniemożliwiać przerwanie zapory. Również i to nie dało wyników. Psy albo zasypiały w jakimś miejscu, albo też dawały się wprowadzić w błąd. Przy sprzyjającym wietrze przeciwnym pies w ogóle nie zauważał nic lub też posterunki nasłuchowe nie słyszały szczekania.

Minowanie terenu było bronią obosieczną. Miny należało dokładnie układać i precyzyjnie nanosić na plan pola minowego, ponieważ najpóźniej po upływie kwartału stawały się bezużyteczne i trzeba je było wymieniać. Przez część terenu musiano z różnych względów przechodzić, co powodowało, iż więźniowie mogli zauważyć, które miejsca są wolne od min.

Globocnik[104] zastosował minowanie wokół miejsc masowej zagłady. Mimo gruntownego zaminowania Sobiboru[105] Żydom powiodła się uciecz-

---

[104] Odilo Globocnik — patrz przypis 199 na s. 181.

[105] Sobibór. oficjalna nazwa obozu „SS-Sonderkommando Sobibor". Budowę obozu rozpoczęto w marcu 1942 r. w pobliżu stacji kolejowej. Obszar obozu obejmował początkowo 12 hektarów, potem rozrósł się do blisko 59 ha. Załogę stanowiło 30 SS-manów i 100–150 strażników z ukraińskich formacji pomocniczych. Pierwsze ofiary — robotnicy żydowscy zgładzeni zostali prawdopodobnie 3 maja 1942 r. W okresie swojego funkcjonowania, tj. do października 1943 r., obóz zagłady przyjął 104 lub 106 transportów po 2 do 3 tysięcy ludzi każdy, nie licząc transportów pieszych i samochodowych. 14 października 1943 r. w obozie

ka, przy czym zabity został prawie cały personel strażniczy. Udało im się to dzięki temu, iż znali przejścia wolne od min. Wobec ludzkiej inteligencji technika i zwierzęta są bezradne. Nawet podwójnie zabezpieczoną zaporę z drutu pod napięciem elektrycznym, przy odpowiedniej rozwadze i zimnej krwi, można w okresie suszy pokonać za pomocą najprostszych środków. Tego rodzaju próby wielokrotnie się udawały. Zdarzało się również wielokrotnie, iż strażnicy, którzy od zewnątrz zbyt blisko podeszli do przeszkody, musieli tę nieostrożność przypłacić życiem.

W wielu miejscach mówiłem już o tym, co uważałem za swoje główne zadanie: za pomocą wszelkich możliwych środków kontynuować budowę wszystkich obiektów SS należących do obozu koncentracyjnego w Auschwitz. Jeśli w pierwszym spokojniejszym okresie wydawało mi się, że widzę już zbliżające się zakończenie wykonania nakazanych przez Reichsführera SS działań i robót budowlanych, to przychodziły nowe plany i znów coś nowego było pilnie potrzebne.

To ciągłe poganianie przez samego Reichsführera, przez trudności, wywołane wojną, przez prawie codzienne występowanie nowych niedomagań w samych obozach wskutek nieustannego napływu nowych więźniów powodowały, iż myślałem jedynie o swej pracy i patrzyłem na wszystko pod jej kątem widzenia. Sam popędzany przez wszystkie wspomniane okoliczności, poganiałem również wszystkich moich podwładnych, niezależnie od tego, czy to byli SS-mani, pracownicy cywilni, zainteresowane komórki czy firmy, a także więźniowie, Istniało dla mnie tylko jedno posuwać się naprzód, popędzać, aby stworzyć lepsze warunki do realizacji nakazanych poleceń.

Reichsführer SS żądał wypełnienia obowiązków, dania z siebie wszystkiego aż do pełnego poświęcenia się. Wszyscy w Niemczech powinni dać z siebie wszystko, abyśmy mogli wygrać wojnę. Zgodnie z wolą Reichsführera SS obozy koncentracyjne włączone zostały w proces produkcji zbrojeniowej. Zadaniu temu należało bezwzględnie podporządkować wszystko. Jednoznacznie świadczyło o tym jego świadome przechodzenie do porządku dziennego nad ogólnymi warunkami panującymi w obozie, które były nie do utrzymania. Zbrojenia miały pierwszeństwo, należało usuwać wszystko, co stawało im w drodze.

Nie wolno mi było pozwolić sobie na jakiekolwiek uczucia, które mogłyby temu przeszkodzić. Musiałem być jeszcze bardziej twardy, zimny i bezlitosny wobec niedoli więźniów. Widziałem wszystko zupełnie dokładnie, często zbyt realnie, nie wolno mi było jednak się temu poddawać. Na drodze tej nie wolno mi było zatrzymywać się na skutek czegoś, co ginęło po drodze. Wszystko, co stało na drodze do osiągnięcia ostatecznego celu wygrania wojny, stawało się bez znaczenia.

---

wybuchło powstanie. Przywódcami byli: oficer armii radzieckiej porucznik Aleksander Pieczerski „Sasza" i Żyd pochodzący z Żółkiewki Feldhendler. Ogółem z obozu uciekło 300 osób. Uratowali się głównie Żydzi polscy i jeńcy radzieccy. Żydzi zachodnioeuropejscy nie znający ani terenu, ani języka zostali wyłapani przez żołnierzy 689 batalionu ochronnego Wehrmachtu stacjonującego w Chełmie.

Tak rozumiałem swoje zadanie. Nie mogłem pójść na front, dlatego też w ojczyźnie musiałem dla frontu czynić wszystko, co było w mojej mocy. Dzisiaj widzę, że moje gonienie i popędzanie nie miały żadnego wpływu na wygranie wojny. Wówczas jednak zdecydowanie wierzyłem w nasze ostateczne zwycięstwo, dla którego musiałem pracować i nie wolno mi było niczego zaniedbać.

Zgodnie z wolą Reichsführera SS Auschwitz stał się największym w dziejach zakładem uśmiercania ludzi. Gdy latem 1941 r. wydał on mi osobiście rozkaz przygotowania w Oświęcimiu miejsca dla masowej zagłady ludzi i przeprowadzenie tej zagłady, nie miałem najmniejszego wyobrażenia o rozmiarach i skutkach tej akcji. Rozkaz ten był wprawdzie czymś niezwykłym, czymś niesłychanym, jednakże jego uzasadnienie sprawiło, iż ta akcja zagłady wydała mi się słuszna. Nie zastanawiałem się nad tym, otrzymałem rozkaz i miałem go wykonać. Czy ta masowa zagłada Żydów była konieczna czy też nie, nie zastanawiałem się nad tym; tak daleko nie mogłem patrzeć. Jeżeli sam Führer nakazał „ostateczne rozwiązanie kwestii żydowskiej", stary narodowy socjalista, a tym bardziej oficer SS, nie mógł się nad tym zastanawiać. „Führer rozkazuje, my słuchamy" — hasło to nie było dla nas bynajmniej pustym frazesem. Traktowaliśmy je bardzo poważnie. Od chwili mego uwięzienia wielokrotnie mi mówiono, że mogłem sprzeciwić się temu rozkazowi, że mogłem nawet zastrzelić Himmlera. Nie wierzę, aby wśród tysięcy oficerów SS choć jednemu przyszła taka myśl do głowy. Coś takiego było po prostu niemożliwe. Wprawdzie wielu oficerów SS szemrało, a nawet złościło się z powodu niejednego surowego rozkazu Reichsführera SS, ale wszystkie wykonywali. Na skutek nieubłaganej surowości Reichsführer SS niejednego oficera SS boleśnie dotknął, jednakże żaden z nich nie odważyłby się — jestem o tym głęboko przekonany — targnąć się na niego, choćby w najskrytszych, myślach.

Osoba Reichsführera SS była nietykalna. Jego zasadnicze rozkazy wydawane w imieniu Führera były święte. Nie podlegały one żadnej wykładni czy interpretacji, nie zastanawiano się nad nimi. Wykonywane były aż do ostatecznych konsekwencji, do świadomego oddania życia, jak to uczyniło wielu oficerów SS w czasie wojny. Nie na darmo w czasie szkolenia stawiano za przykład Japończyków jako świetlane przykłady poświęcenia się dla państwa i dla cesarza, który był zarazem ich bogiem. Szkolenie oficerów SS nie przemijało bez śladu jak wykłady uniwersyteckie. Tkwiło ono głęboko i Reichsführer SS wiedział o tym, czego może wymagać od swych sztafet ochronnych.

Osoby postronne nie potrafią tego zrozumieć, że nie było oficera SS, który by odmówił wykonania rozkazu Reichsführera SS lub też mógł go zabić na skutek wydania okrutnego rozkazu. Każdy rozkaz Führera lub najbliżej stojącej osoby Reichsführera SS był zawsze słuszny. Również demokratyczna Anglia ma swoją zasadę w sprawach państwowych „right or wrong — my country!",[106] którą kieruje się każdy Anglik o wyrobionej świadomości narodowej.

---

[106] w tłumaczeniu dosłownym; dobrze czy źle, lecz to mój kraj.

Zanim jednak zaczęła się masowa zagłada Żydów, we wszystkich prawie obozach koncentracyjnych w latach 1941–1942 przeprowadzono likwidację radzieckich „politruków" i komisarzy politycznych. Zgodnie z tajnym rozkazem Führera we wszystkich obozach jenieckich specjalne oddziały Gestapo wyszukiwały wszystkich rosyjskich politruków i politycznych komisarzy.[107] Tych, których znaleziono, kierowano do najbliżej położonego obozu koncentracyjnego w celu likwidacji. Jako powód wydania tego zarządzenia podano, że Rosjanie natychmiast likwidują każdego niemieckiego żołnierza, który jest członkiem partii lub należy do jakiejkolwiek organizacji NSDAP, a w szczególności członków SS, oraz że polityczni funkcjonariusze Czerwonej Armii otrzymali polecenie, aby w przypadku dostania się do niewoli w obozach jeńców wojennych i miejscach pracy siali niepokój lub sabotowali pracę. Tacy wybrani funkcjonariusze polityczni Czerwonej Armii przysłani zostali również w celu ich likwidacji do Auschwitz. Pierwsze niewielkie transporty były rozstrzeliwane przez oddziały egzekucyjne. W czasie mojej podróży służbowej mój zastępca, Schutzhaftlagerführer Fritzsch, zastosował do zabijania tych więźniów gaz, a mianowicie preparat kwasu pruskiego — cyklon B,[108] używany systematycznie w obozie do niszczenia robactwa. Zapas tego preparatu znajdował się na miejscu. Po moim powrocie Fritzsch zameldował mi o tym i przy następnym transporcie ponownie użyto tego gazu. Zagazowanie przeprowadzono w celach aresztu bloku 11. Ja sam, założywszy maskę gazową, przyglądałem się uśmiercaniu. W zatłoczonych celach śmierć następowała natychmiast po wrzuceniu preparatu. Tylko krótki, prawie zdławiony krzyk i było po wszystkim. Ten pierwszy przypadek zagazowania ludzi nie dotarł w pełni do mojej świadomości, byłem prawdopodobnie pod zbyt silnym wrażeniem tego wydarzenia. Bardziej utkwiło mi w pamięci zagazowanie krótko po tym 900 Rosjan w starym krematorium, ponieważ korzystanie z bloku 11 stwarzało zbyt wiele zachodu. Podczas wyładowywania transportu wybito kilka otworów w suficie kostnicy i nasypie ziemnym nad nią. Rosjanie musieli się rozebrać w przedsionku i weszli spokojnie do kostnicy. Powiedziano im, że mają być odwszeni. Cały transport wypełnił akurat kostnicę. Zamknięto drzwi i przez otwory wsypano gaz. Nie wiem, jak długo trwało uśmiercanie, ale przez pewien czas słychać jeszcze było brzęczenie. Przy wrzucaniu gazu kilku jeńców krzyknęło „gaz", po czym rozległ się głośny ryk i zaczęto napierać na obydwoje drzwi, które jednak wytrzymały napór.

Dopiero po kilku godzinach otwarto i przewietrzono pomieszczenie. Po raz pierwszy widziałem taką liczbę zagazowanych ludzi. Mimo iż znacznie

---

[107] 17 lipca 1941 r. Reinhard Heydrich jako szef Policji Bezpieczeństwa i Służby Bezpieczeństwa (RSHA) wydał rozkaz nr 8 o powołaniu przy każdym obozie jeńców radzieckich specjalnych 4–6-osobowych komórek Gestapo, których zadaniem byłoby „oczyszczenie obozów jenieckich z elementów bolszewickich".

[108] Cyklon B — masa chłonna, np. ziemia okrzemkowa lub bibuła nasycona środkiem trującym — cyjanowodorem z dodatkiem stabilizatora w postaci chloromrówczanu metylu.

gorzej wyobrażałem sobie śmierć w wyniku zagazowania, poczułem się jednak nieswojo, odczułem zgrozę. Wyobrażałem sobie tego rodzaju śmierć jako bolesne uduszenie. Zwłoki nie nosiły jednak śladów jakichkolwiek skurczów. Jak mi wyjaśnili lekarze, kwas pruski działa paraliżująco na płuca, działanie jego jednak jest tak szybkie i silne, że nie wywołuje objawów uduszenia, jak to ma miejsce np. przy uduszeniu gazem świetlnym bądź też przy pozbawianiu dopływu tlenu.

Nie zastanawiałem się wówczas nad kwestią zabijania jeńców radzieckich. Taki był rozkaz i musiałem go wykonać. Muszę jednak otwarcie powiedzieć, że zagazowanie to wpłynęło na mnie uspokajająco, wkrótce bowiem miało się rozpocząć masowe uśmiercanie Żydów, a do tej chwili ani Eichmann,[109] ani też ja nie zdawaliśmy sobie sprawy, w jaki sposób te masy będą zabijane. Miało to następować za pomocą gazu, ale jak i jakiego gazu? Teraz znaleźliśmy zarówno gaz, jak i sposób postępowania.

Ogarniała mnie groza, gdy myślałem o rozstrzeliwaniach, masowych egzekucjach dzieci i kobiet. Miałem już dosyć egzekucji zakładników i grupowych rozstrzeliwań dokonywanych na rozkaz Reichsführera SS lub RSHA. Teraz byłem spokojny, że oszczędzone zostaną nam wszystkim te krwawe łaźnie, że ofiarom do ostatniego momentu zaoszczędzi się cierpień. Było to największą moją troską, gdy myślałem o opowiadaniach Eichmanna o masowym rozstrzeliwaniu Żydów za pomocą karabinów i pistoletów maszynowych. Rozgrywały się przy tym podobno straszliwe sceny: ucieczki postrzelonych, dobijanie rannych, przede wszystkim kobiet i dzieci. Następowały częste samobójstwa w szeregach oddziałów operacyjnych,[110] które nie wytrzymywały tego ciągłego nurzania się we krwi. Kilku członków tych oddziałów zwariowało. Większość członków oddziałów operacyjnych podtrzymywała się alkoholem przy wykonywaniu tej straszliwej pracy. Według opowiadań Höflego,[111] również ludzie z Globocnikowych miejsc eksterminacji pochłaniali niesamowite ilości alkoholu.

---

[109] Adolf Eichmann — patrz przypis 187 na s. 168.

[110] Oddziały operacyjne — Einsatzkommandos wchodziły w skład specjalnych formacji Policji Bezpieczeństwa i Służby Bezpieczeństwa, tzw. Einsatzgruppen. Einsatzgruppen działały na tyłach Wehrmachtu podczas aneksji Austrii i Czechosłowacji, a także w wojnie obronnej Polski i w wojnie ze Związkiem Radzieckim. Do zadań tych oddziałów należała fizyczna likwidacja lub izolacja politycznych i ideologicznych przeciwników Rzeszy na tyłach obszaru operacyjnego armii. Eksterminacja w tej formie objęła np. w Polsce uczestników powstań śląskich i powstania wielkopolskiego, a w Związku Radzieckim komisarzy politycznych w wojsku, członków WKP(b) i pracowników aparatu policyjnego. Równocześnie Einsatzkommandos przeprowadziły likwidację fizyczną Żydów napotkanych w strefie przyfrontowej. W wyroku z 10 kwietnia 1948 r. Amerykański Trybunał Wojskowy w Norymberdze uznał Einsatzgruppen za odpowiedzialne za wymordowanie około 2 milionów mężczyzn, kobiet i dzieci. Spośród 22 dowódców Einsatzgruppen i Einsatzkommandos sądzonych przez ATW trybunał na karę śmierci skazał 14 osób.

[111] Hans Höfle urodził się 19 czerwca 1911 r. Był członkiem SS nr 307469, doszedł w 1938 r. do stopnia SS-Hauptsturmführera. W sztabie Globocnika kierował akcją Reinhardt. To właśnie Höfle wspólnie z naczelnikami powiatów ustalał kontyngenty deportowanych do obozów zagłady.

Wiosną 1942 roku przybył pierwszy transport Żydów z Górnego Śląska, którzy mieli być wszyscy zabici. Zaprowadzono ich z rampy przez łąki, na których znajdował się III odcinek budowlany, do zagrody chłopskiej — bunkra I.[112] Aumeier,[113] Palitzsch i jeszcze kilku Blockführerów prowadziło ich i spokojnie rozmawiało, wypytując o zawody i umiejętności, aby ich w ten sposób wprowadzić w błąd. Po przyjściu na miejsce Żydzi musieli się rozebrać. Początkowo wchodzili całkiem spokojnie do pomieszczeń, w których miała się odbywać dezynfekcja. Kilku jednak z nich zaczęło okazywać zaniepokojenie i mówić o duszeniu, o zagładzie. Powstała pewnego rodzaju panika. Szybko jednak wepchnięto znajdujących się jeszcze na zewnątrz Żydów do komór i zaśrubowano za nimi drzwi. Przy następnych transportach z samego początku wyławiano niespokojne elementy i nie spuszczano z nich oka. Jeżeli zauważono zaniepokojenie, szerzących je niepostrzeżenie prowadzono za dom i tam zabijano z małokalibrowego karabinu w taki sposób, aby inni nie mogli tego zauważyć. Również obecność Sonderkommando[114] i jego uspokajające zachowanie zmniejszało zaniepokojenie tych, którzy przeczuwali, co ich czeka. Poza tym uspokajająco działał również fakt, iż niektórzy członkowie Sonderkommando wchodzili do pomieszczeń i pozostawali w nich do ostatniego momentu, podobnie jak i jeden z SS-manów, który stał w drzwiach. Ważne było przede wszystkim, aby przy całym procesie doprowadzania i rozbierania się panował możliwie jak największy spokój. Żadnych krzyków, żadnego popędzania. Jeśli ktoś nie chciał się rozebrać, musieli im pomagać ci, którzy już byli rozebrani lub członkowie Sonderkommando. W drodze łagodnej perswazji uspokajano opornych i skłaniano do rozebrania się.

Więźniowie z Sonderkommando starali się, aby rozbieranie odbywało się szybko i ofiary nie miały czasu na zastanawianie się. W ogóle gorliwa pomoc Sonderkommanda przy rozbieraniu i wprowadzaniu więźniów do komór gazowych była czymś szczególnym. Nigdy się z tym nie spotkałem ani też nie słyszałem, aby kiedykolwiek przeznaczonym do zagazowania powiedzieli cokolwiek na temat tego, co ich czeka. Wręcz przeciwnie, starali się czynić wszystko, aby ich wprowadzić w błąd, przede wszystkim zaś

---

[112] Bunkrem I nazywano w Brzezince pierwszą komorę gazową urządzoną w specjalnie do tego celu przebudowanym budynku mieszkalnym jednego z wysiedlonych mieszkańców wsi Brzezinka. Zamurowano okna, wzmocniono i uszczelniono drzwi. W ścianach zewnętrznych zrobiono otwory wrzutowe na gaz. Rozwieszono napisy informacyjne mające uspokoić transport — „do łaźni", „do dezynfekcji".

[113] Hans Aumeier — patrz przypis 172 na s. 158.

[114] Wszystkie czynności, takie jak usuwanie zwłok z komór gazowych, obcinanie włosów, wyrywanie złotych zębów i palenie trupów, wykonywali więźniowie wchodzący w skład specjalnej grupy roboczej — Sonderkommando. Wybierano ich przeważnie spośród więźniów żydowskich z kraju, z którego aktualnie przychodziły transporty. Byli oni starannie izolowani od reszty więźniów w obozie. W obozie macierzystym umieszczano ich w piwnicach bloku 11, natomiast w Brzezince w wydzielonym bloku, a od czerwca 1944 r. na strychach krematoriów Więźniów pracujących w Sonderkommando po paru miesiącach likwidowano i zastępowano nowymi, z wyjątkiem tzw. fachowców, tj. palaczy, mechaników i funkcyjnych.

uspokoić tych, którzy coś przeczuwali. Jeśli ludzie ci nie wierzyli SS--manom, to mieli jednak zaufanie do więźniów swojej rasy, choćby tylko dlatego, że mogli się z nimi porozumieć. Również dlatego, aby mogli oddziaływać uspokajająco, Sonderkommanda składały się wyłącznie z Żydów pochodzących z tych samych krajów, z których przybywały transporty w ramach danej akcji. Przybyli kazali sobie opowiadać o życiu w obozie i pytali przeważnie o miejsce pobytu znajomych i krewnych z wcześniejszych transportów. Interesujące było, jak członkowie Sonderkommando ich okłamywali, z jaką siłą przekonywania i za pomocą jakich gestów podkreślali swoje opowiadania. Wiele kobiet ukrywało swoje niemowlęta w stosach ubrań. Członkowie Sonderkommando szczególnie zwracali na to uwagę i tak długo przekonywali kobietę, aż ta w końcu zabierała dziecko z sobą. Kobiety były przekonane, że dezynfekcja może być szkodliwa dla dzieci, dlatego też je ukrywały. Mniejsze dzieci przeważnie płakały przy rozbieraniu w tak niezwykłych warunkach, uspokajały się jednak, gdy matki lub też członkowie Sonderkommando do nich przemówili i bawiąc się lub przekomarzając wchodziły do komór z zabawkami w ramionach.

Zauważyłem, że kobiety, które przeczuwały lub też wiedziały, co je czeka, z wyrazem śmiertelnej trwogi w oczach zdobywały się na to, aby żartować z dziećmi lub też je łagodnie przekonywać. Pewnego razu w przejściu podeszła do mnie zupełnie blisko jedna z kobiet i wskazując na czworo swoich dzieci, które grzecznie trzymały się za ręce, aby przeprowadzić najmniejsze przez nierówności terenu, szepnęła mi: „Jak możecie zdobyć się na to, aby zabijać te piękne, miłe dzieci? Czy nie macie serc?". Pewien starzec syknął do mnie, przechodząc „Za ten masowy mord na Żydach Niemcy będą musieli ciężko odpokutować". Oczy jego płonęły przy tym nienawiścią. Mimo to poszedł spokojnie do komory, nie zwracając uwagi na innych. Pewna młoda kobieta zwróciła na siebie moją uwagę, gdy biegając tu i tam, bardzo gorliwie pomagała rozbierać małe dzieci oraz starszym kobietom. Przy selekcji miała przy sobie dwoje małych dzieci. Już wówczas swym wyglądem i podnieceniem zwróciła na siebie moją uwagę. Nie wyglądała wcale na Żydówkę. Teraz nie miała przy sobie żadnych dzieci. Do końca kręciła się wokół kobiet, które miały dużo dzieci i nie były jeszcze rozebrane. Do bunkra weszła jako jedna z ostatnich. W drzwiach zatrzymała się i powiedziała: „Od samego początku wiedziałam, że przywieziono nas do Oświęcimia na zagazowanie. Uniknęłam przy selekcji zaliczenia mnie jako zdolnej do pracy, „biorąc do siebie dzieci. Chciałam to wszystko przeżyć z całą świadomością. Myślę, że nie będzie to trwało długo. Bądźcie zdrowi".

Od czasu do czasu zdarzało się, że przy rozbieraniu się kobiety wydawały nagle wstrząsające krzyki, poczynały sobie wyrywać włosy z głowy i zachowywały się jak szalone. Wówczas szybko wyprowadzano je za dom, gdzie natychmiast zabijano strzałem w potylicę z małokalibrowego karabinu. Zdarzało się również, że w momencie gdy członkowie Sonderkommando opuszczali komorę, kobiety zdając sobie sprawę z tego, co ich czeka, wykrzykiwały pod naszym adresem wszelkie możliwe przekleństwa. Przeżyłem również to, że pewna kobieta przy zamykaniu komory chciała wypchnąć swoje dzieci i wołała z płaczem: „Pozostawcie przynajmniej moje drogie dzieci przy życiu".

Wiele było takich wstrząsających scen, które robiły wrażenie na wszystkich obecnych.

Na wiosnę 1942 r. setki młodych ludzi szło pod kwitnącymi drzewami owocowymi zagrody chłopskiej, w większości nie przeczuwając, że idą na śmierć w komorach gazowych. Ten obraz budzenia się życia i przemijania stoi mi jeszcze dziś dokładnie przed oczyma.

Już sama selekcja na rampie obfitowała w różne wydarzenia. Na skutek rozdzielania rodzin, oddzielania mężczyzn od kobiet i dzieci, w całym transporcie panowało duże poruszenie i niepokój. Następnie oddzielanie zdolnych do pracy zamęt ten jeszcze powiększało. Rodziny chciały koniecznie być razem. Wyselekcjonowani uciekali z powrotem do swoich rodzin lub matki z dziećmi próbowały przedostać się do swoich mężów czy też starszych dzieci wyselekcjonowanych do pracy. Powstawało często takie zamieszanie, że musiano nieraz przeprowadzać ponowna selekcję. Panująca ciasnota nie pozwalała na stosowanie lepszych metod selekcji. Wszystkie próby uspokojenia podnieconych mas ludzkich nie skutkowały i często musiano przywracać porządek siłą.

Jak już wielokrotnie wspominałem, Żydzi mają silnie rozwinięty zmysł rodzinny. Czepiają się siebie wzajemnie jak łopian. Według moich obserwacji brak im jednak poczucia wzajemnej przynależności. Należałoby przypuszczać, iż w takiej sytuacji jeden powinien chronić drugiego. Nie, przeciwnie, często spotykałem się z tym, a także słyszałem, że Żydzi — szczególnie pochodzący z Zachodu — podawali adresy ukrywających się jeszcze współplemieńców. Pewna kobieta już z komory gazowej krzyknęła do podoficera jeszcze jeden adres żydowskiej rodziny. Jakiś mężczyzna, sądząc po ubraniu oraz zachowaniu się, z najlepszych sfer, podał mi przy rozbieraniu się kartkę, na której były zapisane adresy szeregu rodzin holenderskich, u których ukrywali się Żydzi. Nie potrafię sobie wyjaśnić, co skłaniało tych ludzi do doniesień. Czy płynęło to z chęci osobistej zemsty, czy z zawiści, ponieważ zazdrościli im dalszego życia? Równie dziwne było całe zachowanie się członków Sonderkommando. Wiedzieli oni dokładnie, iż po zakończeniu akcji spotka ich ten sam los jak tysiące ich współplemieńców, przy których eksterminacji aktywnie pomagali. Pracowali mimo to z gorliwością, która mnie zawsze dziwiła. Nie tylko nigdy nie mówili ofiarom o tym, co ich czeka, nie tylko troskliwie pomagali im przy rozbieraniu się, lecz także stosowali siłę wobec opierających się, jak np. wyprowadzając ich i trzymając przy rozstrzeliwaniu. Prowadzili oni ofiary w ten sposób, że nie mogły one widzieć podoficera stojącego z karabinem, aby ten mógł niepostrzeżenie przyłożyć karabin do potylicy ofiary. Tak samo postępowali z ułomnymi i chorymi, których nie można było wprowadzić do komory gazowej. Czynili to wszystko tak naturalnie, jak gdyby sami należeli do grona przeprowadzającego akcję zagłady. Następnie wyciągali zwłoki z komór, wyrywali złote zęby, obcinali włosy, wlekli zwłoki do dołów lub też pieców. Podtrzymywali ogień w dołach, polewali zwłoki zebranym tłuszczem, rozgrzebywali palące się zwały zwłok w celu zapewnienia dopływu powietrza. Wszystkie te prace wykonywali z tępą obojętnością, jak gdyby to było czymś powszednim. Wlokąc zwłoki jedli lub palili. Nawet przy takiej okrutnej pracy jak spalanie zwłok leżących już przez dłuższy czas w masowych grobach nie przestawali jeść. Często zdarzało się, iż Żydzi z Sonderkommando napotykali wśród trupów zwłoki swoich najbliższych lub wśród idących do komór gazowych. Dotykało to ich widocznie, jednakże nigdy nie doszło do jakiegokolwiek zajścia. Jeden taki przypadek sam widziałem. Przy wyciąganiu zwłok z komory jeden z członków Sonderkommando stanął jak wryty, następnie jednak wraz z towarzyszem wyciągnął zwłoki. Spytałem kapo, co się stało. Stwierdził on, iż Żyd ten znalazł wśród zwłok własną żonę. Obserwowałem tego Żyda jeszcze przez pewien czas, nie zauważyłem jednak nic szczególnego. Nadal wyciągał zwłoki. Gdy w jakiś czas później ponownie przyszedłem do tego kommanda; siedział on między drugimi i jadł, jak gdyby nic się nie stało. Czy potrafił tak dobrze ukryć swoje wzruszenie, czy już tak otępiał, że to przeżycie nie mogło go poruszyć?

Skąd Żydzi w Sonderkommando czerpali siły do wykonywania tej straszliwej pracy dniem i nocą? Czy liczyli na jakiś szczególny przypadek, który im pozwoli ujść z życiem? Czy przez to wszystko tak stępieli, czy też byli zbyt słabi, aby skończyć z sobą i w ten sposób uciec od takiej „egzystencji”?[115]

Obserwowałem ich bardzo uważnie, nie zdołałem jednak zgłębić naprawdę ich zachowania się. Życie i umieranie Żydów stanowiły dla mnie prawdziwe zagadki, których nie byłem w stanie rozwiązać. Wszystkie te przeżycia, te wydarzenia, które tutaj opisałem, a do których mógłbym dodać jeszcze niezliczoną liczbę innych, stanowią jedynie wycinki i migawki z całego procesu zagłady.

Ta masowa zagłada wraz z towarzyszącymi jej okolicznościami nie przeszła bez śladu wśród uczestniczących w niej. Pozostawiła ona głębokie ślady, nie licząc wyjątków, wśród wszystkich, którzy zostali odkomenderowani do tej niesłychanej „pracy”, do tej „służby”. Również i mnie wydarzenia te dały wiele do myślenia i pozostawiły głębokie wrażenie. Większość uczestniczących w tej akcji podchodziła do mnie podczas mych kontrolnych obchodów miejsc zagłady, aby pozbyć się przygnębienia,

---

[115] Członkowie Sonderkommando czynnie uczestniczyli w obozowym ruchu oporu, dostarczali wiadomości o wydarzeniach, których byli świadkami, wykonali potajemnie trzy zdjęcia z akcji zagłady latem 1944 r., dostarczali środki materialne znalezione przy zabitych na finansowanie ucieczek. Niejednokrotnie namawiali do buntu transporty idące na śmierć, zresztą bez widocznego rezultatu. Już po odejściu Hössa z Auschwitz Żydzi pracujący w Sonderkommando zorganizowali w dniu 7 października 1944 r. bunt i podpalili krematorium IV. Bunt został opanowany, większość członków Sonderkommando zginęła.

podzielić się wrażeniami, abym ich uspokoił. Z ich poufnych rozmów wynikało stale powtarzające się pytanie: czy to, co czynimy, jest konieczne? Czy konieczna jest zagłada setek tysięcy kobiet i dzieci? I ja, który sam sobie w głębi duszy niezliczoną liczbę razy stawiałem takie samo pytanie, musiałem ich zbywać rozkazem Führera, musiałem ich tym pocieszać. Musiałem im mówić, że to zniszczenie żydostwa jest konieczne, aby Niemcy, aby naszych potomków uwolnić po wsze czasy od najzagorzalszych przeciwników.

Wprawdzie rozkaz Führera, jak i to, że wykonać go musiano, było czymś niewzruszonym, ale wszystkich dręczyły tajone wątpliwości. Ja sam również w żadnym przypadku nie mogłem przyznać się do podobnych wątpliwości. Chcąc zmusić innych do psychicznego przetrwania, musiałem okazywać niezłomne przeświadczenie o konieczności wykonania tego okrutnego i twardego rozkazu. Wszyscy patrzyli na mnie, jakie wrażenie robią na mnie tego rodzaju sceny, jak to wyżej przedstawiłem, jak ja na nie reaguję. Byłem dokładnie pod tym względem obserwowany. Komentowano każdą moją wypowiedź. Musiałem bardzo panować nad sobą, aby pod wpływem wzburzenia spowodowanego powyższymi przeżyciami nie dać po sobie poznać wewnętrznych wątpliwości i przygnębienia. Musiałem wydawać się zimnym i bez serca w okolicznościach, w których każdemu czującemu po ludzku kurczyło się serce. Nie wolno mi się było nawet odwrócić, gdy ogarniało mnie naturalne ludzkie wzburzenie. Musiałem chłodno przyglądać się, gdy matki szły do komór gazowych ze śmiejącymi się lub płaczącymi dziećmi. Pewnego razu dwoje małych dzieci tak pogrążyło się w zabawie, że nie chciały matce pozwolić się od niej oderwać. Nawet Żydzi z Sonderkommando nie chcieli zabrać dzieci. Nigdy nie zapomnę błagającego o zmiłowanie spojrzenia matki, która na pewno wiedziała, co się stanie. W komorze poczęto się niepokoić — musiałem działać. Wszyscy patrzyli na mnie. Dałem znak podoficerowi służbowemu, ten wziął opierające się dzieci na ręce i zaniósł je do komory wśród rozdzierającego płaczu matki. Pod wpływem współczucia najchętniej zapadłbym się pod ziemię, nie wolno mi jednak było okazać najmniejszego wzruszenia.

Musiałem na wszystko patrzeć. Dniem i nocą musiałem się przypatrywać wyciąganiu i paleniu zwłok, musiałem godzinami oglądać wyrywanie zębów, obcinanie włosów i inne okropności. Przebywałem godzinami wśród odrażającego odoru rozchodzącego się podczas rozkopywania masowych grobów i spalania zwłok. Na skutek uwagi zwróconej mi przez lekarzy musiałem przez okienko komory gazowej przyglądać się śmierci. Musiałem czynić to wszystko, ponieważ byłem osobą, na którą wszyscy patrzyli, ponieważ musiałem wszystkim okazać, że nie tylko wydaję rozkazy i zarządzenia, lecz także jestem gotów wszędzie być przy ich wykonywaniu, jak tego wymagam od swoich podkomendnych.

Reichsführer SS przysyłał od czasu do czasu różnych dygnitarzy partyjnych i oficerów SS do Auschwitz, aby mogli przyjrzeć się eksterminacji

Żydów. Wszyscy byli pod jej głębokim wrażeniem. Niektórzy z tych, którzy przed tym bardzo gorliwie prawili na temat konieczności tej zagłady, cichli i milkli na widok „ostatecznego rozwiązania kwestii żydowskiej". Pytano mnie zawsze, jak możemy wytrzymać, jak ja i moi ludzie możemy nieustannie na to patrzeć? Odpowiadałem na to, że żelazna konsekwencja, z jaką wykonujemy rozkaz Führera, powoduje, iż muszą zniknąć wszelkie ludzkie odruchy. Każdy z tych panów mówił, że nie chciałby wykonywać takiego zadania. Nawet Mildner [116] i Eichmann, którzy byli dostatecznie gruboskórni, nie mieli ochoty, aby się ze mną zamienić. Nikt mi nie zazdrościł tego zadania. Wielokrotnie i szczegółowo rozmawiałem z Eichmannem o wszystkim, co wiązało się z „ostatecznym rozwiązaniem kwestii żydowskiej", nie ujawniając jednak swoich wewnętrznych rozterek. Próbowałem wszelkimi środkami wydobyć z Eichmanna, jak w głębi duszy zapatruje się na „ostateczne rozwiązanie". Nawet wówczas, gdy byliśmy sami, w stanie oszołomienia alkoholowego, Eichmann był wprost opętany obsesją całkowitego zniszczenia wszystkich możliwych do osiągnięcia Żydów. Bez miłosierdzia i z zimną obojętnością musimy jak najszybciej przeprowadzić zagładę. Jakiekolwiek względy, nawet najmniejsze, gorzko by się później na nas zemściły. W obliczu takiej twardej konsekwencji musiałem głęboko kryć swoje ludzkie „zahamowania". Muszę otwarcie przyznać, że tego rodzaju odruchy po rozmowach z Eichmannem wydawały mi się niemal zdradą Führera. Nie miałem wyjścia z tej rozterki duchowej. Musiałem nadal kontynuować proces masowej zagłady, nadal przeżywać, nadal zimno przyglądać się temu, co mnie wewnętrznie najgłębiej poruszało.

Musiałem być zimny wobec wszelkich wydarzeń. Jednakże nawet mniejsze przeżycia, które niejednokrotnie nie dochodziły do świadomości innych, nie zacierały się szybko w mojej pamięci. A przecież w Auschwitz nie mogłem się naprawdę nigdy skarżyć na nudę. Jeżeli jakieś wydarzenie mnie szczególnie wzburzyło, nie mogłem udać się do domu, do mej rodziny. Dosiadałem konia i w szalonej jeździe starałem się pozbyć straszliwych obrazów albo też nocą chodziłem do stajni i tam, wśród moich ulubieńców znajdowałem uspokojenie. Często zdarzało się, że podczas pobytu w domu wracałem nagle myślami do jakiegoś szczegółu akcji eksterminacyjnej. Musiałem wówczas wychodzić z domu. Nie mogłem wytrzymać w serdecznej atmosferze rodzinnej. Często, gdy widziałem szczęśliwie bawiące się nasze dzieci, jak szczęśliwa jest moja żona ze swoją najmłodszą córeczką, nachodziły mnie myśli, jak długo będzie trwać jeszcze nasze szczęście. Moja

[116] Rudolf Mildner urodził się 10 lipca 1902 r. Był członkiem NSDAP nr 614080 i SS nr 275741. Ukończył studia prawnicze. Był wyróżniony odznaką pierścienia SS. W 1943 r. doszedł do stopnia SS-Standartenführera. W 1932 r. rozpoczął pracę w policji, a następnie bawarskiej policji politycznej i Głównym Urzędzie Bezpieczeństwa — SD-Hauptamt. W 1941 r. przeszedł do Katowic na stanowisko kierownika Gestapo w rejencji katowickiej. Jesienią 1943 r. przeniesiony do Danii, powrócił następnie do pracy w RSHA jako zastępca szefa urzędu IV A, a następnie IV B. W okresie katowickim podlegał mu oddział polityczny w KL Auschwitz. Przewodniczył sesjom sądu doraźnego — Standgericht w bloku 11 w Auschwitz.

żona nigdy nie umiała sobie wytłumaczyć moich posępnych nastrojów i przypisywała je służbowym kłopotom. Stojąc nocą na dworze przy transportach, przy komorach gazowych, przy płomieniach, często myślałem o mojej żonie i dzieciach, nie łącząc jednak ich bliżej z tym, co się wokół mnie działo. Często słyszałem to samo od ludzi żonatych pełniących służbę przy krematoriach czy też otwartych urządzeniach. Gdy widziało się kobiety z dziećmi idące do komór gazowych, mimo woli myślało się o własnej rodzinie. Od chwili rozpoczęcia akcji masowej zagłady nie zaznałem w Auschwitz nigdy szczęścia. Byłem z siebie niezadowolony. Do tego dochodziło główne zadanie, nie kończąca się praca i niesolidność współpracowników. Niezrozumienie i brak posłuchania u przełożonych. Rzeczywiście ani przyjemny, ani też godny pozazdroszczenia stan. A jednak mimo tego wszyscy w Auschwitz sądzili, że komendant dobrze sobie żyje. Prawda, że mojej rodzinie było w Auschwitz dobrze. Każde życzenie mojej żony i dzieci było spełniane. Dzieci mogły swobodnie szaleć do woli. Żona moja żyła wśród kwiatów jak w raju. Więźniowie czynili wszystko, aby wyświadczyć mojej żonie lub dzieciom jakąś przysługę lub zrobić im coś przyjemnego. Żaden były więzień nie mógłby zapewne powiedzieć, że kiedykolwiek w naszym domu został źle potraktowany. Każdemu więźniowi, który u nas pracował, moja żona chciała coś podarować, dzieci zaś stale żebrały u mnie o papierosy dla nich. Szczególnie przywiązane były do ogrodników. Całą naszą rodzinę charakteryzowała miłość do rolnictwa, szczególnie zaś do zwierząt. Co niedziela musiałem z rodziną objeżdżać pola, obchodzić stajnie, nie pomijaliśmy nawet psiarni. Szczególnymi względami cieszyły się oba nasze konie i źrebak. Dzieci miały zawsze w ogrodzie jakieś szczególne zwierzęta, znoszone przez więźniów: żółwie, kuny, koty lub jaszczurki. W ogrodzie było stale coś nowego i interesującego. Latem dzieci pluskały się w basenie w ogrodzie lub kąpały w Sole.

Największą radością była jednak wspólna kąpiel z tatusiem. On jednak miał mało czasu na te wszystkie dziecięce zabawy. Dzisiaj gorzko żałuję, że nie poświęcałem więcej czasu swojej rodzinie. Zawsze uważałem, iż muszę być stale na służbie. Przez to przesadne poczucie obowiązku czyniłem swe życie jeszcze cięższym, aniżeli było ono samo przez się. Moja żona wielokrotnie mnie ostrzegała: nie myśl tak ciągle o służbie, myśl również o swojej rodzinie.

Co jednak mogła wiedzieć moja żona o sprawach, które mnie dręczyły. Nigdy się o tym nie dowiedziała.[117]

*
* *

[117] Kwestię, czy żona Hössa wiedziała o tym, co się działo w obozie, wyjaśnia Höss w zeznaniu złożonym jako świadek 15 kwietnia 1946 r. przed Międzynarodowym Trybunałem Wojskowym w Norymberdze: „W końcu 1942 r. wypowiedzi byłego Gauleitera Górnego Śląska zwróciły uwagę mojej żony na wydarzenia, które zachodziły w naszym kraju. Żona moja zapytała mnie później, czy to jest prawda. Potwierdziłem to mojej żonie".

Gdy na wniosek Pohla Auschwitz został podzielony,[118] Pohl pozwolił mi wybierać między stanowiskiem komendanta w Sachsenhausen a stanowiskiem szefa urzędu D I. U Pohla było czymś nadzwyczajnym, że pozwalał on jednemu ze swych oficerów wybierać stanowisko, przy czym dał mi jeszcze 24 godziny na zastanowienie się. Był to z jego strony życzliwy gest, aby mnie pocieszyć po odejściu z Auschwitz. W pierwszym momencie rozstanie było dla mnie bolesne, szczególnie dlatego, że na skutek wszystkich trudności i braków, wielu trudnych zadań czułem się z Auschwitz zrośnięty. Potem jednak byłem zadowolony, że zostanę od tego wszystkiego uwolniony. W żadnym przypadku nie chciałem być więcej komendantem obozu. Miałem już tego rzeczywiście dosyć po dziewięciu latach pracy w obozach i trzy- i półletniej działalności w Auschwitz. Wybrałem więc stanowisko szefa urzędu D I. Nie pozostawało mi zresztą nic innego. Na front iść mi nie było wolno; Reichsführer odmówił mi tego bezwarunkowo.[119] Praca biurowa zupełnie mi nie odpowiadała, ale Pohl mi powiedział, że mogę urząd tak ukształtować, jak będę uważał za stosowne. Po objęciu urzędu w dniu 1 grudnia 1943 r. Glücks pozostawił mi również całkiem wolną rękę.

Glücks nie był zadowolony z wybrania mnie, jak i z faktu, iż będę się znajdował w jego najbliższym otoczeniu. Pogodził się jednak z tym, ponieważ tak chciał Pohl. Nie chcąc traktować mej funkcji jako przyjemnego i spokojnego zajęcia, za swoje zadanie uważałem przede wszystkim konieczność udzielania pomocy komendantom, jak i określenia zadań stojących przed moim urzędem z punktu widzenia obozu, a więc zupełnie odwrotnie, aniżeli to dotychczas miało miejsce w przypadku D I. Przede wszystkim chciałem utrzymywać systematyczny kontakt z obozami, aby poprzez osobiste zapoznanie się z trudnościami i niedomaganiami wyrobić sobie własny pogląd i tym samym być w stanie wydobyć od wszystkich wyższych instancji to, co tylko było możliwe. Na podstawie znajdujących się w moim urzędzie akt, rozkazów i całej korespondencji mogłem prześledzić

---

[118] Do listopada 1943 r. obóz koncentracyjny w Auschwitz rozrósł się do monstrualnych rozmiarów i składał się z następujących obozów: męski obóz macierzysty w Auschwitz oraz obozy w Brzezince B II d — męski, B II a — kwarantanna dla mężczyzn, B II f — obóz szpitalny dla mężczyzn, B I a i B I b — żeńskie, B II e — familijny dla Cyganów, B II b — familijny dla Żydów z getta w Terezinie. W skład obozu wchodził ponadto ośrodek zagłady oraz obozy filialne przy gospodarstwach rolnych i hodowlanych w Babicach, Budach, Harmężach i Rajsku, a także przy zakładach przemysłowych w Goleszewie, Jawiszowicach, Jaworznie, Libiążu, Łagiszy, Monowicach, Sosnowcu, Świętochłowicach, Wesołej i odległym Brnie. Po odejściu Hossa ze stanowiska komendanta rozkazem garnizonowym nr 53/43 z 22 listopada 1943 r. podzielono obóz na trzy części: Auschwitz I — Stammlager (macierzysty), Auschwitz II — Birkenau (Brzezinka i obozy filialne, gospodarstwo rolno-hodowlane), Auschwitz III — Aussenlager (dziesięć przemysłowych obozów filialnych z siedzibą komendantury w Monowicach).

[119] Höss jako uczestnik i organizator akcji eksterminacyjnej był zaliczony do grona „wtajemniczonych" — Geheimnisträger, tj. osób znających ściśle tajne sprawy państwowe. Osoby takie nie mogły służyć na froncie, gdyż groziłoby to w razie dostania się do niewoli ujawnieniem tajemnic.

rozwój wszystkich obozów od chwili, gdy Eicke został inspektorem, i wyrobić sobie o nich zdanie. W D I rejestrowano całą korespondencję Inspektoratu Obozów Koncentracyjnych z obozami, z wyłączeniem jedynie spraw zatrudnienia, sanitarnych oraz czysto administracyjnych. Można więc było wyrobić sobie pogląd o wszystkich obozach, ale nic ponadto. Co się w obozach działo, jak wyglądały one faktycznie, tego ani z korespondencji, ani z akt dowiedzieć się nie było można. W tym celu należało objechać wszystkie obozy z szeroko otwartymi oczyma. Tego właśnie chciałem. Odbywałem wiele podróży służbowych przeważnie na życzenie Pohla, który we mnie widział specjalistę od wewnętrznych spraw obozowych. Dzięki temu zobaczyłem, jak obozy naprawdę wyglądały. Zobaczyłem ukryte braki i niedomagania. Wspólnie z Maurerem[120] z D II, który był zastępcą Glücksa i właściwym inspektorem, udało mi się wiele braków usunąć. W roku 1944 można jednak było zmienić tylko niewiele. Obozy były coraz bardziej przepełnione, co powodowało występowanie negatywnych zjawisk towarzyszących. Z Auschwitz wycofano wprawdzie dziesiątki tysięcy Żydów w celu użycia ich przy realizacji nowych przedsięwzięć zbrojeniowych, jednakże wpadali oni z deszczu pod rynnę. W największym pośpiechu; wśród trudności wprost nie do wiary, zgodnie z wytycznymi pełnomocnika Rzeszy do spraw budownictwa pozbijane baraki w swej skrajnej prymitywności przedstawiały tragiczny widok. Do tego jeszcze ciężka praca, do której Żydzi nie byli przyzwyczajeni, oraz coraz gorsze wyżywienie. Gdyby więźniów tych posłano od razu do komór gazowych, oszczędzono by im wielu cierpień. Umierali oni w krótkim czasie, bez większej, a często bez żadnej korzyści dla sprawy zbrojeń. W swoich raportach wskazywałem na to wielokrotnie, ale nacisk Reichsführera SS „więcej więźniów dla zbrojeń" był silniejszy. Upajał się on wzrastającymi z tygodnia na tydzień liczbami zatrudnionych więźniów, nie zwracając uwagi na dane dotyczące śmiertelności. W latach ubiegłych był wściekły, gdy rosła śmiertelność, obecnie jednak nic nie mówił. Gdyby zgodnie z zawsze przeze mnie głoszonym poglądem wybierano w Oświęcimiu najzdrowszych i najsilniejszych Żydów, byłoby wówczas mniej więźniów zdolnych do pracy, ale byliby oni zdolni do pracy przez dłuższy czas. A tak były wprawdzie wysokie liczby na papierze, w rzeczywistości zaś można było od nich odliczyć poważny odsetek. Obciążali oni jedynie obozy, zabierali miejsce i pożywienie zdolnym do pracy, niczego nie dokonali, a swoją obecnością powodowali, iż wielu zdolnych do pracy stawało się do niej niezdolnymi. Wyniki tego można było obliczyć bez pomocy suwaka. Na ten temat powiedziałem jednak już dostatecznie dużo i szczegółowo opisałem wszystko w charakterystykach osób.

Za pośrednictwem mego urzędu nawiązałem bliższy i bezpośredni kontakt z Głównym Urzędem Bezpieczeństwa Rzeszy — RSHA. Poznałem wszystkie biura i ich kierowniczy personel, które miały do czynienia

[120] Gerhard Maurer — patrz przypis 238 na s. 230.

z obozami koncentracyjnymi. Poznałem również poglądy panujące w RSHA na temat zadań obozów koncentracyjnych. Różniły się one od siebie w zależności od nastawienia kierownika danego biura. Szczegółowo pisałem o szefie Urzędu IV, jego poglądów nie mogłem jednak dokładnie rozeznać, ponieważ krył się za Reichsführerem SS. Referat Aresztów Ochronnych IV C[121] tkwił jeszcze w starych przedwojennych zasadach. Papierowa biurokracja powodowała, iż nie zwracano uwagi na wymogi wojny, w przeciwnym bowiem przypadku musiano by zwalniać więcej więźniów. Aresztowanie byłych działaczy opozycji na początku wojny było moim zdaniem błędem. Przysporzono przez to państwu więcej wrogów. Elementy niepewne można było wcześniej wyłapać, przed wojną było na to dosyć czasu. Dla Referatu Aresztów Ochronnych miarodajny był jednak raport kierującego organu. Mimo dobrych stosunków koleżeńskich, jakie łączyły mnie z kierownikiem tego referatu, często się z nim wykłócałem. Referat dla obszarów zachodnich i północnych, zajmujący się również więźniami specjalnymi, był bardzo uczulony, ponieważ zarówno zachód, jak i północ były przedmiotem szczególnego zainteresowania Reichsführera SS. Wskazana więc była maksymalna ostrożność. Na więźniów należało zwracać szczególną uwagę, dawać im możliwie nie wyczerpującą pracę itp.

W referacie dla terenów wschodnich nie zwracano na to zbyt dużej uwagi. Więźniowie z tych terenów, pomijając Żydów, stanowili główny kontyngent we wszystkich obozach. Dlatego też masowo ich kierowano do prac zbrojeniowych. Rozkazy egzekucyjne napływały nieprzerwanym strumieniem. Dziś widzę jaśniej. Moje prośby o pomoc w usunięciu niedomagań poprzez wstrzymanie nowych transportów więźniów były odkładane w RSHA do akt, ponieważ Polakom nie potrzeba było okazywać jakichkolwiek względów, a być może i nie chciano ich okazywać.

Najważniejsze było to, aby akcje Policji Bezpieczeństwa mogły być przeprowadzane bez przeszkód. Co później z więźniami się działo, było już obojętne dla RSHA, ponieważ Reichsführer SS nie przywiązywał do tego szczególnej wagi.

Stanowisko Referatu Żydowskiego[122] — Eichmann/Günther[123] było jednoznacznie jasne. Zgodnie z rozkazem Reichsführera SS z lata 1941 r. wszyscy Żydzi mieli zostać zniszczeni. RSHA wysuwał najpoważniejsze zastrzeżenia, gdy Reichsführer SS na propozycję Pohla nakazał wybieranie Żydów zdolnych do pracy. RSHA był zawsze za całkowitym zniszczeniem wszystkich Żydów, w każdym nowym obozie pracy, w każdym tysiącu zdolnych do pracy widział niebezpieczeństwo ich uwolnienia, pozostania

---

[121] Wydział IV C obejmował kartotekę personelu i sprawozdawców. Do jego kompetencji należało stosowanie aresztu ochronnego — Schutzhaft, a także wykonywanie zadań specjalnych w zakresie nadzoru i inwigilacji.

[122] Referat Żydowski IV B 4 zajmował się planowaniem i organizacją eksterminacji ludności żydowskiej w samej Rzeszy oraz w krajach okupowanych i sojuszniczych

[123] SS-Hauptsturmführer Hans Günther byt zastępcą Eichmanna w referacie IV B 4.

przy życiu dzięki jakimkolwiek sprzyjającym okolicznościom. Żaden urząd nie był bardziej zainteresowany w zwiększeniu liczby zgładzonych Żydów niż Referat Żydowski RSHA.

Natomiast Pohl otrzymał od Reichsführera SS polecenie skierowania możliwie dużej liczby więźniów do pracy w przemyśle zbrojeniowym. Dlatego też przywiązywał największą wagę do dostarczania możliwie dużej liczby więźniów, a więc także i wielu zdolnych do pracy Żydów z transportów przeznaczonych do zagłady. Zwracał największą uwagę na utrzymanie tych sił roboczych, aczkolwiek z niewielkim powodzeniem.

Tak więc poglądy RSHA i WVHA[124] były ze sobą sprzeczne. Pohl wydawał się mieć przewagę, ponieważ za nim stał Reichsführer SS i żądał coraz natarczywiej więźniów do pracy w przemyśle zbrojeniowym, zmuszony do tego obietnicami złożonymi Führerowi. Z drugiej strony Reichsführer SS chciał również, aby zniszczono jak najwięcej Żydów. Od roku 1941 — a więc od chwili, gdy Pohl przejął obozy koncentracyjne — zostały one włączone do programu zbrojeniowego Reichsführera SS. Im bardziej zacięta stawała się wojna, tym bezwzględniej Reichsführer SS domagał się zatrudniania więźniów.

Główną masę więźniów stanowili jednak więźniowie ze wschodu, a później Żydzi. Poświęcono ich głównie dla zbrojeń. Obozy koncentracyjne stały między RSHA a WVHA. RSHA dostarczał więźniów w celu ich zniszczenia, albo natychmiast przez egzekucję, albo też w komorach gazowych czy też trochę później w wyniku epidemii wywoływanych nieznośnymi warunkami panującymi w obozach, których celowo nie chciano zmienić.

WVHA chciał więźniów utrzymać dla przemysłu zbrojeniowego. Ponieważ jednak Pohl dał się wprowadzić w błąd na skutek domagania się przez Reichsführera SS coraz większej liczby więźniów do pracy, mimo woli popierał zamiary RSHA. Wobec jego nacisku na spełnienie żądań tysiące więźniów musiało umierać na skutek zmuszania ich do pracy, ponieważ, nie można było zapewnić bezwzględnie koniecznego minimum życiowego tak wielkim masom więźniów. Domyślałem się wówczas tych związków, nie mogłem jednak i nie chciałem dać im wiary. Dzisiaj widzę te rzeczy dokładniej. Takie, a nie inne były kulisy, wielkie cienie stojące za obozami koncen-

[124] SS-Wirtschafts- und Verwaltungshauptamt (WVHA) — Główny Urząd Administracji i Gospodarki SS. Powstał z wyodrębnienia części SS-Hauptamt. W marcu 1942 r. WVHA SS podporządkowano Inspektorat Obozów Koncentracyjnych. WVHA SS dzielił się na pięć grup urzędów, z których każda w jakimś zakresie związana była z działalnością obozów koncentracyjnych. Amtsgruppe A zarządzała sprawami finansowymi i administracyjnymi SS, ustalała preliminarze i przeprowadzała kontrolę rachunkową, Amtsgruppe B miała sprawy zaopatrzenia, umundurowania, zakwaterowania, sprzętu i uzbrojenia, Amtsgruppe C zajmowała się budową i utrzymaniem koszar, umocnień dróg i obozów, a pod koniec wojny przenoszeniem zakładów zbrojeniowych do schronów podziemnych. Do Amtsgruppe D należały sprawy administracji obozów koncentracyjnych, zatrudnienia więźniów, sanitarne w obozie. Amtsgruppe W sprawowała kierownictwo i nadzór nad przedsiębiorstwami gospodarczymi podległymi WVHA, zajmowała się planowaniem i współpracą z innymi podmiotami gospodarczymi.

tracyjnymi. W ten sposób obozy koncentracyjne zostały świadomie, a częściowo nieświadomie, zamienione na miejsca masowej zagłady.

RSHA przekazał komendantom obszerny materiał dotyczący rosyjskich obozów koncentracyjnych. Zawarte w nim były szczegółowe informacje uciekinierów odnośnie do warunków w nich panujących i urządzenia obozów. Szczególnie podkreślano w nim, że na skutek zarządzania wielkich robót przymusowych Rosjanie niszczyli całe narodowości. Jeżeli np. przy budowie kanału użyci zostali mieszkańcy jakiegoś obozu, to wówczas dostarczano tysiące kułaków lub innych niepewnych elementów, które po pewnym czasie również niszczono. Chciano przez to pomału przygotować komendantów do ich nowego zadania lub też uczynić ich niewrażliwymi na warunki, jakie stopniowo zaczynały panować w obozach.[125]

Jako szef urzędu D I byłem zobowiązany do ciągłego przeprowadzania dochodzeń w różnych obozach koncentracyjnych, a jeszcze częściej w obozach pracy. Nie zawsze były one przyjemne dla komendantów. Do moich obowiązków należały również zwolnienia z funkcji i nominacje, np. w Bergen-Belsen.[126] Inspektorat Obozów Koncentracyjnych wcale się nie troszczył dotychczas o ten obóz. Służył on RSHA przeważnie do umieszczania w nim tzw. delikatnych Żydów[127] i uważany był za obóz tymczasowy. Jego komendant Sturmbannführer Haas,[128] ponury, zamknięty w sobie człowiek, rządził się, jak mu się żywnie podobało. W roku 1939 był on wprawdzie przez pewien czas Schutzhaftlagerführerem w Sachsenhausen, przyszedł jednak z Allgemeine SS i miał słabe pojęcie o obozach koncentracyjnych. W Bergen-Belsen nie wprowadził żadnych zmian zarówno w stanie pomieszczeń, jak i w opłakanych warunkach sanitarnych, jakie poprzednio panowały w tym byłym obozie jeńców wojennych. Nie czynił w tym kierunku zresztą żadnych starań. Gdy jesienią 1944 r. musiano go zdjąć z funkcji, ponieważ ze względu na zaniedbania obozu, jak i historie z kobietami stał się nie do zniesienia, musiałem pojechać do tego obozu i wprowadzić w urzędowanie Kramera,[129] dotychczasowego komendanta

---

[125] Höss ma tu na myśli radzieckie obozy pracy pod nadzorem KGB.

[126] Obóz koncentracyjny Bergen-Belsen założony został w 1943 r. w Dolnej Saksoni na terenie wojskowego poligonu Wehrmachtu. Początkowo był to obóz izolowania — Aufenthaltslager, w którym trzymano więźniów żydowskich przeznaczonych do ewentualnej wymiany z aliantami za Niemców, którzy dostali się do niewoli. Z czasem został przekształcony w obóz koncentracyjny. Osadzono w nim więźniów chorych lub niezdolnych do pracy. Latem 1944 r. utworzono obóz kobiecy, w którym znalazły się Żydówki polskie i węgierskie. Podczas marszów ewakuacyjnych spędzono doń dziesiątki tysięcy więźniów, m.in. z Dory. Obóz został wyzwolony przez wojska brytyjskie 15 kwietnia 1945 r.

[127] Delikatni Żydzi — heikle Juden. Pojęciem tym określano Żydów, którzy ze względu na obywatelstwo innego państwa, status materialny lub pozycję społeczną mogli być przedmiotem wymiany za Niemców przebywających w niewoli lub przetargu politycznego.

[128] Adolf Haas urodził się 19 lipca 1912 r. Był członkiem NSDAP nr 1340872 i SS nr 61057. Doszedł do stopnia SS-Sturmbannführera. Był wyróżniony odznaką szpady SS.

[129] Josef Kramer urodził się 10 listopada 1906 r. Był członkiem NSDAP nr 733597 i SS nr 32217. Służbę odbywał kolejno w Dachau, Sachsenhausen i Mauthausen. od czerwca do listopada 1940 r. jako adiutant komendanta obozu w Oświęcimiu, następnie jako kierownik

obozu Auschwitz II. Obóz przedstawiał żałosny widok. Pomieszczenia dla więźniów, baraki gospodarcze, a także pomieszczenia dla załogi były zupełnie zapuszczone. Warunki sanitarne były o wiele gorsze aniżeli w Auschwitz. Pod koniec roku 1944 niewiele jednak można było zrobić, mimo iż udało mi się wyrwać Kammlerowi[130] obrotnego budowniczego. Trzeba było łatać i improwizować, Kramer nie był w stanie naprawić błędów Haasa, mimo iż nie szczędził wysiłków. Kiedy na skutek ewakuacji Oświęcimia znaczna część tamtejszych więźniów przybyła do Bergen--Belsen, obóz został zatłoczony ponad wszelkie granice i wytworzyły się warunki, które nawet ja, przywykły do wielu rzeczy w Auschwitz, musiałem określić jako przejmujące grozą. Kramer był bezsilny. Nawet Pohl był wstrząśnięty, kiedy zobaczył warunki podczas naszej błyskawicznej wizytacji wszystkich obozów koncentracyjnych, przeprowadzonej na rozkaz Reichsführera SS. Pohl zabrał wojsku przyległy obóz, aby uzyskać więcej miejsca, jednakże i ten obóz nie był w lepszym stanie. Wody prawie nie było, w okresie epidemii tyfusu brzusznego i plamistego ścieki spływały na sąsiednie grunty. W celu zmniejszenia przeludnienia baraków przystąpiono do budowy ziemianek. Wszystko to było jednak niewystarczające i nastąpiło zbyt późno. Po kilku tygodniach doszli jeszcze więźniowie z Mittelbau,[131] nie należy się więc dziwić, iż Anglicy po zajęciu obozu zastali w nim tylko trupy, umierających i zakaźnie chorych; zdrowych więźniów było jedynie niewielu. Nie można było sobie wyobrazić gorszego stanu. Wojna, przede wszystkim zaś wojna lotnicza, odbijała się coraz bardziej na wszystkich obozach. Niezbędne ograniczenia pogarszały jeszcze bardziej ogólną sytuację. Najbardziej cierpiały z tego powodu budowane w pośpiechu obozy przy najpoważniejszych zakładach zbrojeniowych. Wojna powietrzna, ataki bombowe na zakłady zbrojeniowe powodowały niezliczone ofiary wśród więźniów. Mimo iż alianci nie atakowali obozów koncentracyjnych, wszędzie w najważniejszych zakładach zbrojeniowych byli zatrudnieni więźniowie, ginęli oni zupełnie tak samo jak ludność cywilna. Od chwili rozpoczęcia

---

obozu w Dachau. W kwietniu 1941 r. objął funkcję kierownika obozu, a następnie komendanta w obozie Natzweiler. Od 8 maja do 25 listopada 1944 r. był komendantem obozu Auschwitz II — Brzezinka. Pod koniec listopada objął funkcję komendanta obozu Bergen-Belsen. Ujęty po wyzwoleniu obozu stanął wraz z członkami załogi przed brytyjskim sądem wojskowym w Luneburgu. Wyrokiem sądu z 17 listopada 1945 r. został skazany na karę śmierci. Wyrok wykonano.

[130] Heinz Kammler urodził się 26 sierpnia 1901 r. Z wykształcenia był inżynierem budownictwa z doktoratem. Doszedł do stopnia SS-Obergruppenführera i generała porucznika Waffen-SS. Do 1939 r. pracował jako dyrektor departamentu budownictwa w Ministerstwie Lotnictwa, a następnie od kwietnia 1939 r. w Głównym Urzędzie Budżetu i Budownictwa SS. Po utworzeniu WVHA był szefem Amtsgruppe C. Zginął prawdopodobnie w Berlinie w 1945 r.

[131] Mittelbau-Dora — obóz koncentracyjny w górach Harzu, utworzony we wrześniu 1943 r. w okolicach Nordhausen. Początkowo byt to podobóz Buchenwaldu. przekształcony w końcu 1944 r. w samodzielny obóz koncentracyjny. Więźniowie obozu zatrudnieni byli przeważnie w podziemnych fabrykach zbrojeniowych, montowanych z obawy przed nalotami alianckimi w sztolniach dawnych kopalni.

wzmożonej ofensywy lotniczej w roku 1944 nie było dnia, aby z obozów nie przychodziły meldunki o stratach spowodowanych nalotami lotniczymi. Nie jestem w stanie podać choćby w przybliżeniu ogólnej liczby strat, szły one jednak w tysiące. Ja sam przeżyłem wiele ataków lotniczych, przeważnie nie w bezpiecznych schronach dla „bohaterów", ataków o niesłychanej gwałtowności na zakłady, w których zatrudnieni byli więźniowie. Widziałem, jak zachowywali się więźniowie, jak strażnicy i więźniowie często ginęli razem, skuleni jeden obok drugiego w jakiejś dziurze, a więźniowie odciągali na bok rannych strażników. Przy tego rodzaju gwałtownych atakach zacierały się wszelkie różnice, nie było strażników ani pilnowanych, byli tylko ludzie, którzy próbowali uciec przed gradem bomb.

Wyszedłem bez szwanku z niezliczonych ataków lotniczych, aczkolwiek często byłem zasypywany. Przeżyłem bombardowanie Hamburga, Drezna i nieustanny grad bomb w Berlinie. W Wiedniu uszedłem śmierci jedynie dzięki przypadkowi. W czasie podróży służbowych przeżywałem ataki nurkowe na pociągi i wagon, w którym jechałem. Jak często obrzucane były bombami RSHA i WVHA, które stale reperowano. Ani Pohl, ani też Müller nie dali się jednak przepędzić.

Cały kraj, a przynajmniej większe miasta stały się linią frontu. Ogólna liczba strat spowodowanych wojną powietrzną nie będzie chyba nigdy dokładnie ustalona. Według mojej oceny wyniosły one kilka milionów. Wysokości strat nie publikowano, liczby te były ściśle tajne.

Stawia mi się stale zarzut, dlaczego nie odmówiłem wykonania rozkazu zagłady, tego potwornego mordu na kobietach i dzieciach. Odpowiedziałem na to już w Norymberdze: co stałoby się z dowódcą eskadry, który odmówiłby dokonania ataku lotniczego na miasto, o którym dokładnie wiedział, iż nie ma w nim żadnych zakładów zbrojeniowych, żadnych ważnych obiektów wojskowych, o którym dokładnie wiedział, iż rzucone bomby będą zabijać głównie kobiety i dzieci? Z pewnością postawiono by go przed sądem wojennym. Porównania tego nie chciano uznać. Jestem jednak zdania, że obie sytuacje można ze sobą porównać. Byłem tak samo żołnierzem, oficerem jak ów lotnik. Nawet dzisiaj Waffen-SS [132] nie chce się uznać za wojsko, lecz uważa się za rodzaj milicji partyjnej. Byliśmy jednak takimi samymi żołnierzami jak trzy pozostałe części składowe Wehrmachtu.

Te nieustanne ataki lotnicze były wielkim ciężarem dla ludności cywilnej, szczególnie dla kobiet. Dzieci ulokowano w odległych okolicach gór-

[132] Waffen-SS, formacje wojskowe SS. Początki Waffen-SS wiążą się z utworzeniem przez Hitlera w 1933 r. niezależnej od armii i policji formacji Leibstandarte SS — Adolf Hitler, tj. Pułku Gwardii Przybocznej Adolf Hitler. Na początku 1936 r. skoszarowane jednostki SS podzielono na: SS-Verfugungstruppe i SS-Totenkopfverbände. Te pierwsze ubrane w 1937 r. w mundury polowe koloru feldgrau daty początek trzem pierwszym pułkom: Leibstandarte — Adolf Hitler, Germania i Deutschland. Waffen-SS dysponowała własnymi szkołami oficerskimi. Pierwszeństwo w przyjęciu do tych formacji mieli członkowie Hitlerjugend. W czasie wojny rozbudowano Waffen-SS do blisko pół miliona żołnierzy narodowości niemieckiej i ochotników innych narodowości o przekonaniach faszystowskich.

skich, gdzie nie były zagrożone atakami z powietrza. Życie w dużych miastach uległo nie tylko fizycznemu zakłóceniu. Istotne były także skutki psychiczne. Kto obserwował twarze i zachowanie się w publicznych schronach przeciwlotniczych, w indywidualnych schronach domowych, mógł wyczytać mniej lub więcej ukryte podniecenie i śmiertelny strach przy zbliżających się wybuchach bomb podczas dywanowych bombardowań. Jak te kobiety cisnęły się do siebie, szukały pomocy u mężczyzn, gdy cały budynek się chwiał, a nawet częściowo walił.

Nawet berlińczycy, którzy się tak łatwo nie poddają, z czasem upadali na duchu. Dzień w dzień, noc w noc w piwnicach stałe wystawianie nerwów na próbę. Tej wojny nerwów, tego psychicznego obciążenia naród niemiecki nie byłby w stanie długo wytrzymać.

Działalność urzędu D — Inspektoratu Obozów Koncentracyjnych przedstawiłem dokładnie w charakterystykach osobowych poszczególnych szefów urzędów i szefów poszczególnych działów. Nie mam tutaj więcej nic do dodania. Czy obozy koncentracyjne pod innym kierownictwem wyglądałyby inaczej? Przypuszczam że nie. Nikt bowiem, choćby nie wiem jak był energiczny i posiadał silną wolę, nie potrafiłby się oprzeć wpływowi wojny ani też sprzeciwić nieugiętej woli Reichsführera SS. Żaden oficer SS nie odważyłby się pokrzyżować czy też obejść zamiarów Reichsführera. Nawet kiedy odznaczający się silną wolą Eicke tworzył i urządzał obozy koncentracyjne, stała za nim twarda wola Reichsführera SS. To, co się stało z obozami koncentracyjnymi w czasie wojny, było wynikiem jedynie woli Reichsführera SS. On bowiem wydawał dyrektywy RSHA i tylko jemu wolno je było wydawać. RSHA był tylko aparatem wykonawczym. Jestem głęboko przekonany, że żadna ważniejsza i większa akcja policyjna nie była rozpoczynana bez zgody Reichsführera SS. W większości przypadków on był ich inicjatorem i sprawcą. Cała SS była narzędziem, za pomocą którego Heinrich Himmler, Reichsführer SS, realizował swoją wolę. Faktycznego stanu rzeczy nie zmienia to, że od roku 1944 wojna wzięła nad nim górę.

Podczas moich podróży służbowych do zakładów zbrojeniowych, w których byli zatrudnieni więźniowie, zapoznałem się z naszymi zbrojeniami. Widziałem i słyszałem od dyrektorów zakładów rzeczy, które mnie zdumiewały. Szczególnie miało to miejsce w przemyśle lotniczym. Od Maurera, który często prowadził rozmowy w Ministerstwie Przemysłu Zbrojeniowego, słyszałem o niemożliwych do naprawienia zaniedbaniach, o wielkich awariach, o błędach w zamówieniach, które powodowały konieczność dokonywania zmian w procesach produkcyjnych, trwających wiele miesięcy. Wiedziałem o aresztowaniach, a nawet egzekucjach znanych kierowników gospodarki wojennej, którzy zawiedli. Dawało mi to dużo do myślenia. Jakkolwiek kierownictwo stale mówiło o nowych wynalazkach i nowej broni, nie odczuwało się tego w wydarzeniach wojennych. Mimo naszych nowych myśliwców odrzutowych coraz bardziej odczuwaliśmy ofensywę lotniczą. Przeciwko falom bombowców, liczącym po dwa do dwóch i pół tysięcy najcięższych maszyn, powinny występować tuziny eskadr myśliwskich. Powstawały wprawdzie nowe bronie i wypróbowywano je na froncie, lecz aby można było wygrać wojnę, produkcja zbrojeniowa musiałaby być znacznie większa. Jeżeli gdzieś jakaś fabryka produkowała pełną parą, równano ją z ziemią w ciągu kilku minut. Przeniesienie decydujących dla zwycięstwa zakładów zbrojeniowych pod ziemię można było przeprowadzić najwcześniej w roku 1946.

Nic by to jednak nie pomogło, zarówno bowiem dowóz materiałów, jak i transport gotowych wyrobów narażone były nieustannie na ataki lotnictwa przeciwnika. Najlepszym przykładem tego była produkcja pocisków V w Mittelbau. Bombowce rozwaliły wszystkie tory kolejowe prowadzące do rozrzuconych w górach warsztatów. Cała żmudna wielomiesięczna praca poszła na marne. Ciężkie pociski V1 i V2 znajdowały się zamknięte w górach. Kiedy tylko położono prowizoryczne tory, były one natychmiast niszczone. W końcu roku 1944 było tak jednak wszędzie.

Front wschodni „ściągano coraz bardziej do tyłu". Niemiecki żołnierz na wschodzie nie stawiał już oporu. Również na zachodzie cofano się. Führer wciąż jednak mówił o przetrzymaniu za wszelką cenę. Goebbels mówił i pisał o wierze w cud. Niemcy zwyciężą!

We mnie budziły się poważne wątpliwości, czy uda się nam wygrać wojnę. Widziałem i słyszałem zbyt wiele czegoś odwrotnego. W tych warunkach nie mogliśmy wygrać wojny. Nie wolno mi było jednak wątpić w ostateczne zwycięstwo, musiałem w nie wierzyć, choć zdrowy rozsądek mówił mi jasno i jednoznacznie, że musimy ją przegrać. Całym sercem byłem przywiązany do Führera, do idei — to wszystko nie mogło zginąć. Moja żona wiosną 1945 roku, gdy każdy już widział, że wszystko zbliża się ku końcowi, często mnie pytała, jak możemy jeszcze wygrać tę wojnę. Czy rzeczywiście w rezerwie mamy jeszcze coś decydującego? Z ciężkim sercem musiałem ją pocieszać nadzieją, nie wolno mi było jej powiedzieć tego, o czym wiedziałem. Nie wolno mi było z nikim o tym mówić, o czym się dowiedziałem, co widziałem i słyszałem. Jestem głęboko przekonany, że również Pohl i Maurer, którzy jeszcze więcej wiedzieli ode mnie, myśleli to samo. Nikt jednak nie ważył się mówić z innymi. Nie z powodu obawy przed pociągnięciem do odpowiedzialności za defetyzm, lecz po prostu dlatego, że nikt nie chciał w to uwierzyć. Świat nasz nie mógł zginąć. Musieliśmy zwyciężyć.

Każdy z nas dalej pracował z całą zaciętością, jakby zwycięstwo zależało od naszej pracy. Nawet wówczas, gdy w kwietniu załamał się front nad Odrą, podejmowaliśmy maksymalne wysiłki, aby pozostałe jeszcze zakłady zbrojeniowe dzięki pracy więźniów mogły jeszcze pracować na pełnych obrotach. Nie wolno było niczego zaniedbywać. Zastanawialiśmy się, czy nie można by w bardziej niż prymitywnych obozach przejściowych kontynuować produkcji zbrojeniowej. Nie wolno było niczego zaniedbać. Każdy z naszego kręgu, kto popełnił jakieś zaniedbanie, mówiąc, iż to wszystko i tak nic nie pomoże, był ostro besztany. Maurer chciał jeszcze z tego powodu postawić przed sądem SS jednego z członków sztabu, i to w chwili, gdy Berlin był już okrążony, a my przygotowywaliśmy się do ewakuacji.

Niejednokrotnie już pisałem o szaleńczej ewakuacji obozów koncentracyjnych, jednakże sceny, które widziałem, a które były skutkiem rozkazu o ewakuacji, wywarły na mnie takie wrażenie, że nigdy ich nie zapomnę.

Gdy w czasie ewakuacji Auschwitz Pohl przestał otrzymywać meldunki od Baera,[133] popędził mnie na Śląsk, abym dopilnował porządku. W Gross-Rosen[134] pierwszego spotkałem Baera, który chciał tam przygotować przyjęcie ewakuowanych: Nie wiedział, gdzie wędrował jego obóz. Na skutek uderzenia Rosjan od południa pierwotny plan został udaremniony. Pojechałem natychmiast dalej, aby dostać się jeszcze do Oświęcimia i osobiście się przekonać, czy wykonany został rozkaz o zniszczeniu wszystkiego, co ważne. Dotarłem jednak tylko do Odry w pobliżu Raciborza, po drugiej stronie krążyły już pancerne czołówki Rosjan. Na wszystkich drogach i szosach Górnego Śląska na zachód od Odry napotykałem kolumny więźniów, z trudem przebijające się przez głęboki śnieg. Nie mieli żadnej żywności. Podoficerowie prowadzący te kolumny żywych trupów przeważnie nie mieli pojęcia, dokąd mają się udać. Znali jedynie etap końcowy — Gross-Rosen. Jak jednak mają się tam dostać, było dla wszystkich zagadką. Na własną rękę rekwirowali żywność po wsiach, przez które przechodzili. Odpoczywali kilka godzin i następnie ciągnęli dalej. O noclegach w stodołach czy szkołach nie można było marzyć, wszystkie były przepełnione uciekinierami. Drogi tego męczeńskiego pochodu były łatwe do prześledzenia, co kilkaset metrów leżał wyczerpany lub zastrzelony więzień. Wszelkie napotkane kolumny kierowałem na zachód w Sudety, aby nie wpadły w zatłoczony ponad wszelką miarę przesmyk w okolicy Nysy. Wszystkim dowódcom kolumn zabroniłem jak najsurowiej zabijania więźniów niezdolnych do marszu. Mieli ich przekazywać w ręce Volkssturmu[135]

[133] Richard Baer urodził się 9 września 1911 r. Był członkiem SS nr 44225. Doszedł do stopnia SS-Sturmbannfiihrera. W latach 1933–1939 służył w oddziale wartowniczym w Dachau, a w latach 1939–1942 w dywizji SS-Totenkopf. Na skutek kontuzji przeniesiony został na stanowisko adiutanta obozu Neuengamme. Od listopada 1943 r. pracował jako szef Urzędu D I w WVHA. 11 maja 1944 r. mianowano go komendantem obozu macierzystego w Auschwitz, a 27 lipca dowódcą garnizonu SS w Auschwitz. Był odpowiedzialny za tragiczny los więźniów obozu oświęcimskiego. Po ewakuacji otrzymał nominację na komendanta obozu Mittelbau-Dora.

[134] Gross-Roser — obecnie Rogoźnica, w latach 1940–1941 — filia obozu koncentracyjnego Sachsenhausen — Arbeitslager Gross-Rosen, od 1 maja 1941 r. samodzielny obóz koncentracyjny. Więźniowie pracowali w tym okresie głównie w pobliskich kamieniołomach granitu. Latem 1943 r. przystąpiono do rozbudowy obozu, tworząc 106 podobozów pracy. Ewakuacja obozu była przeprowadzana w lutym 1945 r. w warunkach ciężkiej zimy. Pociągnęła za sobą hekatombę ofiar. Wielu więźniów wymordowała SS-mańska eskorta. Niektóre podobozy w Górach Sowich zaginęły bez wieści.

[135] Volkssturm — jednostki pospolitego ruszenia wystawiane w ostatnim okresie wojny z młodzieży przedpoborowej i starszych roczników, używane najczęściej do wzmacniania obrony terenu, na którym zostały zmobilizowane.

w mijanych wsiach. Pierwszej nocy na drodze w pobliżu Głubczyc (Leobschütz) napotykałem stale krwawiące zwłoki zastrzelonych więźniów, a więc musieli być niedawno zastrzeleni. Gdy wysiadłem z samochodu przy jednym z zabitych, usłyszałem w pobliżu strzały z pistoletu. Pobiegłem w tym kierunku i ujrzałem, jak jeden z żołnierzy postawił swój motocykl i zastrzelił opartego o drzewo więźnia. Wrzasnąłem na niego, dlaczego to zrobił i co go obchodzą więźniowie. Zaśmiał mi się bezczelnie w twarz i zapytał, jakim prawem zwracam mu uwagę. Wyciągnąłem pistolet i zastrzeliłem go na miejscu. Był to podoficer lotnictwa. Od czasu do czasu spotykałem oficerów z Oświęcimia, którzy nadjeżdżali różnymi okolicznościowymi pojazdami. Rozstawiałem ich na skrzyżowaniach dróg w celu gromadzenia błądzących kolumn więźniów i dostarczenia ich na zachód, ewentualnie drogą kolejową. Widziałem również transporty ludzi załadowanych na otwarte węglarki, całkowicie zamarzniętych, węglarki byle gdzie porzucano. Bez żadnych możliwości zaprowiantowania tkwiły one na jakimś bocznym torze na trasie pod gołym niebem. Napotykałem również oddziały więźniów bez żadnego nadzoru, które wędrowały na własną rękę, porzucone przez strażników. Również i one ciągnęły spokojnie na zachód. Spotykałem także oddziały angielskich jeńców wojennych, bez konwoju, które w żadnym przypadku nie chciały wpaść w ręce Rosjan. Spotykałem SS-manów i więźniów, którzy przysiedli na pojazdach wiozących uciekinierów. Napotykałem oddziały służb budowlanych i rolnych, które również nie wiedziały, dokąd się mają udać. Wszyscy oni znali jedynie miejsce przeznaczenia — Gross-Rosen. W tym czasie leżał głęboki śnieg i panowały wielkie mrozy. Drogi były zatłoczone kolumnami wojsk i tłumem uciekinierów. Na skutek ślizgawicy na szosach masowe były wypadki samochodowe. Na poboczach dróg leżały nie tylko trupy więźniów, lecz także kobiet i dzieci.

Przy wyjeździe z jakiejś wsi widziałem siedzącą na pniu kobietę kołyszącą na ręku dziecko i śpiewającą. Dziecko było już dawno martwe, a kobieta dostała pomieszania zmysłów. Widziało się liczne kobiety brnące przez śnieg i pchające przed sobą wózki dziecinne wypełnione najpotrzebniejszymi rzeczami, byle dalej, byle tylko nie wpaść w ręce Rosjan.

W Gross-Rosen wszystko było przepełnione. Schmauser [136] ogłosił dlatego pogotowie ewakuacyjne. Udałem się do Wrocławia, aby go poinformować o wszystkim, co widziałem, i nakłonić do rezygnacji z ewakuacji Gross-Rosen. Schmauser pokazał mi radiowy rozkaz Reichsführera SS, który czynił go odpowiedzialnym za to, aby na podległym mu terenie nie pozostał w obozie ani jeden zdrowy więzień. Transporty przybywające na dworzec w Gross-Rosen były natychmiast wysyłane dalej. Bardzo niewiele z nich

[136] Heinrich Schmauser urodził się 18 stycznia 1890 r. Był członkiem NSDAP nr 215704 i SS nr 3359. W 1937 r. doszedł do stopnia SS-Obergruppenführera i generała Waffen-SS. Po dojściu Hitlera do władzy w 1933 r. był posłem do Reichstagu. W czasie wojny kierował siatką wywiadowczą SD w nadokręgu SS „Main", a następnie „Sud-Ost" (Wrocław). Od maja 1941 r. do marca 1945 r. był Wyższym Dowódcą SS i Policji na Śląsku.

mogło otrzymać coś do jedzenia. Gross-Rosen samo już nic nie miało. Na otwartych lorach martwi SS-mani leżeli spokojnie między nieżywymi więźniami. Na nich siedzieli żyjący i gryźli swój chleb. Straszne sceny, których można było uniknąć.

Przeżyłem ewakuację Sachsenhausen i Ravensbrück. Te same obrazy. Na szczęście było już cieplej i sucho, tak że kolumny mogły nocować na dworze. Po dwóch, trzech dniach brakowało jednak żywności. Czerwony Krzyż udzielał pomocy, rozdzielając paczki z darami. We wsiach nie można było już nic wycisnąć, ponieważ od kilku tygodni przeciągały przez nie pochody uciekinierów. Do tego dochodziło jeszcze stałe zagrożenie ze strony lotnictwa, które kontrolowało wszystkie drogi. Do ostatniej chwili czyniłem wszystko, aby przywrócić porządek w tym chaosie. Wszystko jednak na nic.

Sami musieliśmy uciekać. Moja rodzina od końca 1944 r. mieszkała w bezpośrednim pobliżu Ravensbrück, mogłem więc ją zabrać, gdy Inspektorat Obozów Koncentracyjnych „odrywał się od nieprzyjaciela". Najpierw na północ do Darss, po dwóch dniach dalej do Szlezwiku-Holsztynu, zgodnie z rozkazem dążąc śladami Reichsführera SS. Nie umieliśmy sobie wyjaśnić, co mamy jeszcze przy nim robić i jaką pełnić służbę. Ja miałem się jeszcze opiekować panią Eicke z córką i dziećmi oraz kilkoma jeszcze innymi rodzinami, aby nie wpadły w ręce wroga. Ucieczka ta była czymś okropnym. W nocy, bez świateł, na przepełnionych drogach, w stałej trosce, aby wszystkie samochody trzymały się razem, byłem bowiem odpowiedzialny za całą kolumnę. Glücks i Maurer jechali inną drogą przez Warnemünde. W Rostocku utkwiły 2 duże samochody ciężarowe ze sprzętem radiowym. Popsuły się w drodze i gdy je naprawiono, zapory przeciwczołgowe zostały już zamknięte, tak że znalazły się w pułapce. W ciągu dnia przemykaliśmy się z jednego lasku do drugiego, ponieważ nurkowce nieustannie ostrzeliwały główne drogi odwrotu. W Wismarze na drodze stał sam Keitel [137] i czatował na dezerterów z frontu. Po drodze w jakiejś zagrodzie chłopskiej usłyszeliśmy, że Führer nie żyje. Usłyszawszy to, zarówno moja żona, jak i ja jednocześnie pomyśleliśmy, teraz kolej na nas. Wraz z Führerem zginął również nasz świat. Czy jest sens dalszego życia? Będziemy ścigani i wszędzie poszukiwani. Chcieliśmy zażyć truciznę. Postarałem się o nią dla żony, aby — w razie niespodziewanego ataku Rosjan — nie wpadła wraz z dziećmi żywcem w ich ręce. Ze względu na nasze dzieci nie uczyniliśmy

---

[137] Feldmarszałek Wilhelm Keitel urodził się 1882 r. Służbę w cesarskiej armii niemieckiej rozpoczął w 1901 r. Był uczestnikiem walk w okresie pierwszej wojny światowej i oficerem Reichswehry w okresie międzywojennym. W 1935 r. powołano go na stanowisko szefa Zarządu Ogólnego Wehrmachtu — Wehrmachtsamt. Wiosną 1938 r., gdy utworzono Naczelne Dowództwo Wehrmachtu — Oberkommando der Wehrmacht, szefem OKW został Wilhelm Keitel i pełnił tę funkcję do 8 maja 1945 r. Naczelnym wodzem armii został sam Hitler. Keitel podpisał akt bezwarunkowej kapitulacji Niemiec w Karlshorst pod Berlinem. Wyrokiem Międzynarodowego Trybunału Wojskowego w Norymberdze z 1 października 1946 r. został skazany na karę śmierci. Wyrok wykonano 16 października 1946 r.

tego. Tylko dla nich chcieliśmy poddać się wszystkiemu, co miała przynieść przyszłość. Powinniśmy się byli jednak otruć. Później niejednokrotnie tego żałowałem. Oszczędziłoby to nam wielu nieszczęść, przede wszystkim żonie i dzieciom. A co jeszcze będą one musiały przejść?

Ze światem tym byliśmy skuci i związani, powinniśmy zginąć razem z nim.

Pani Thomsen, nasza nauczycielka z Oświęcimia, od czasu ucieczki mieszkała u swej matki w St. Michaelisdom w Holsztynie. Tam zawiozłem teraz swoją rodzinę. W tym czasie nie wiedziałem jeszcze, dokąd udamy się my, tzn. Inspektorat Obozów Koncentracyjnych. Mego najstarszego syna zabrałem z sobą, chciał on pozostać przy mnie. Mieliśmy wciąż nadzieję, że dojdzie jeszcze do walki o ostatni, nie zajęty jeszcze kawałek Niemiec.

Do ostatniego raportu stawiliśmy się we Flensburgu, dokąd wycofał się Reichsführer SS wraz z rządem Rzeszy. O walkach nie było już mowy. Ratuj się, kto może — takie było hasło dnia. Nigdy nie zapomnę ostatniego raportu i pożegnania z Reichsführerem SS. Promieniejący, w najlepszym nastroju — a tu ginął świat, nasz świat. Zrozumiałbym, gdyby powiedział: „tak więc, moi panowie, teraz jest koniec, wiecie, co macie robić". Odpowiadałoby to temu, o czym całe lata prawił SS, że dla idei należy poświęcić swe życie. Ostatni jego rozkaz brzmiał: „Ukryjcie się w armii". Było to pożegnanie z człowiekiem, który w moim wyobrażeniu stał tak wysoko, do którego miałem niezłomne zaufanie, którego rozkazy i wypowiedzi były dla mnie ewangelią.

Maurer i ja spojrzeliśmy w milczeniu na siebie, pomyśleliśmy o tym samym, byliśmy obaj starymi nazistami i oficerami SS, którzy wyrośli wraz z ideą. Gdybyśmy byli sami, popełnilibyśmy być może jakiś rozpaczliwy czyn, musieliśmy się jednak troszczyć o szefa naszej grupy oraz oficerów i żołnierzy naszego sztabu, nasze rodziny. Glücks już był na pół martwy, umieściliśmy go pod obcym nazwiskiem w szpitalu marynarki. Kobiety z dziećmi przejął pod swoją opiekę Gebhardt,[138] miały się one udać do Danii. Reszta naszej grupy ukryła się w marynarce pod obcymi nazwiskami. Ja sam jako bosman Franz Lang udałem się na wyspę Sylt z rozkazem wyjazdu do szkoły łączności marynarki. Syna wraz z kierowcą i moim samochodem odesłałem do żony. Ponieważ znałem trochę życie marynarskie, nie zwracałem na siebie uwagi. Zajęć służbowych nie było wiele, miałem więc czas do gruntownego przemyślenia tego, co się stało. Pewnego dnia usłyszałem

[138] Karl Gebhardt urodził się 23 listopada 1897 r. Był członkiem NSDAP nr 1723317 i SS nr 265894. W 1943 r. doszedł do stopnia SS-Gruppenführera. Był profesorem medycyny, naczelnym klinicystą przy szefie służby zdrowia SS i policji, przyboczny lekarz Himmlera. Osobiście odpowiedzialny był za zbrodnicze eksperymenty medyczne w kobiecym obozie koncentracyjnym Ravensbrück, a zwłaszcza przetestowanie środków przeciw zgorzeli gazowej, testy sulfonamidowe i operacje chirurgiczne powiązane z wielkim cierpieniem więźniarek.. Doświadczenia rozpoczyna 20 lipca 1942 roku. Duża część operacji wykonywana była na kobietach chorych psychicznie. Liczne przejawy zbędnego sadyzmu wobec kobiet poddawanych eksperymentom. Wyrokiem Amerykańskiego Trybunału Wojskowego w Norymberdze z 20 sierpnia 1947 r. skazano go na karę śmierci. Wyrok wykonano.

przypadkiem przez radio wiadomość o aresztowaniu Himmlera i jego śmierci przez otrucie się. Ja również zawsze nosiłem przy sobie ampułkę z trucizną. Postanowiłem zaryzykować.

Szkołę łączności marynarki przetransportowano do strefy internowania między kanałem łączącym Morze Północne i Bałtyk oraz zatoką Schlei. W tej szkole na Wyspach Fryzyjskich Anglicy lokowali SS-manów ze swojej strefy okupacyjnej. W ten sposób znalazłem się blisko mej rodziny, z którą mogłem się jeszcze wielokrotnie spotykać. Mój najstarszy syn odwiedzał mnie co kilka dni. Jako zawodowy rolnik zostałem zwolniony przed terminem, przeszedłem bez trudności przez wszelkie angielskie kontrole i przez urząd pracy zostałem skierowany do pracy w gospodarstwie rolnym koło Flensburga jako robotnik. Praca podobała mi się — byłem całkiem samodzielny, ponieważ gospodarz znajdował się jeszcze w amerykańskiej niewoli. Byłem tam przez osiem miesięcy. Z żoną utrzymywałem kontakt za pośrednictwem jej brata pracującego w Flensburgu. Od szwagra wiedziałem, że poszukuje mnie angielska Polowa Policja Bezpieczeństwa oraz że rodzina moja jest pilnie śledzona, a w domu przeprowadzane są stale rewizje.

W dniu 11 marca 1946 r. o godzinie 23,00 zostałem aresztowany. Moja ampułka z trucizną stłukła mi się przed dwoma dniami. Aresztowanie udało się, ponieważ wyrwany gwałtownie ze snu myślałem w pierwszej chwili, że chodzi o napad rabunkowy, a napady wówczas często miały miejsce. Field Security Police[139] dała mi się dobrze we znaki.

Zostałem zawleczony do Heide, do tych samych koszar, z których przed 8 miesiącami zostałem przez Anglików zwolniony. Pierwsze przesłuchanie odbyło się za pomocą „bijących dowodów". Nie wiem, co zawierał protokół, mimo iż go podpisałem. Alkohol i pejcz to było zbyt wiele nawet dla mnie Pejcz był mój własny, który przez przypadek znalazł się w bagażu mej żony. Nie biłem nim prawie nigdy swego konia, a jeszcze rzadziej więźniów. Mimo to jeden z przesłuchujących mnie był prawdopodobnie zdania, że nieustannie tłukłem nim więźniów.

Po kilku dniach przewieziono mnie do Minden nad Wezerą, głównego miejsca dochodzeń prowadzonych w strefie angielskiej. Tam dał mi się jeszcze bardziej we znaki pierwszy prokurator angielski, jakiś major. Więzienie odpowiadało jego zachowaniu. Po trzech tygodniach niespodziewanie ogolono mnie, ostrzyżono i pozwolono się umyć. Od chwili mego aresztowania nie zdejmowano mi kajdan z rąk. Następnego dnia przewieziono mnie samochodem osobowym do Norymbergi wraz z przywiezionym z Londynu świadkiem obrony Fritzschego.[140] Więzienie w Norymberdze

---

[139] Field Security Police — brytyjska Polowa Policja Bezpieczeństwa. Do kompetencji jej należało m.in. ściganie zbrodniarzy wojennych.

[140] Hans Fritzsche urodził się w 1900 r. Był synem pruskiego urzędnika z Bochum Pomimo nieukończenia studiów na uniwersytecie w Greifswaldzie został w 1923 r. redaktorem w „Preussische Jahrbücher". W maju 1933 r. wstąpił do NSDAP. Powołany przez Goebbelsa do pracy w Ministerstwie Propagandy Rzeszy — PROMI zajmował szereg odpowiedzialnych

przy Międzynarodowym Trybunale Wojskowym [141] było wręcz sanatorium w porównaniu z poprzednim. Siedziałem w tym samym budynku co główni oskarżeni i mogłem ich codziennie widzieć, gdy ich prowadzono na rozprawę. Prawie codziennie miały miejsce inspekcje przedstawicieli wszystkich krajów alianckich. Mnie stale pokazywano jak szczególnie interesujące zwierzę. Do Norymbergi przywieziono mnie dlatego, iż obrońca Kaltenbrunnera [142] zażądał przesłuchania mnie w charakterze świadka obrony. Nigdy nie mogłem zrozumieć i do dziś nie potrafię sobie tego wyjaśnić, w jaki sposób ja — właśnie ja — miałem odciążyć Kaltenbrunnera. O ile więzienie było pod każdym względem dobre, czytałem tyle, na ile mi pozwalał na to czas, można było korzystać z bogato zaopatrzonej biblioteki, o tyle same przesłuchania nie były przyjemne, nie pod względem fizycznym, lecz bardziej pod względem psychicznym. Nie mogę tego przesłuchującym mieć za złe, byli to sami Żydzi. Dokonywano na mnie prawie sekcji psychologicznej — także przez Żydów — tak chcieli wszystko dokładnie wiedzieć. Nie pozostawiono mi żadnych wątpliwości co do tego, co mnie czeka.

W dniu 25 maja — akurat w rocznicę mego ślubu — przewieziono mnie wraz z Burgsdorffem [143] i Bühlerem [144] na lotnisko i przekazano polskim oficerom. Amerykańskim samolotem polecieliśmy przez Berlin do Warszawy. Mimo iż w drodze obchodzono się z nami dobrze, to jednak — myśląc o przeżyciach w „angielskiej strefie oraz wzmiankach o traktowaniu

---

stanowisk. W marcu 1942 r. na własną prośbę zrezygnował ze stanowiska dyrektora wydziału prasy niemieckiej. Po kilku miesiącach służby w propagandzie 6 Armii von Paulusa pod koniec 1942 r. objął stanowisko dyrektora radia w PROMI i pełnił tę funkcję do upadku Trzeciej Rzeszy. Był popularnym komentatorem radiowym. Został uniewinniony przez Międzynarodowy Trybunał Wojskowy w Norymberdze.

[141] Międzynarodowy Trybunał Wojskowy w Norymberdze był międzynarodowym organem wymiaru sprawiedliwości, utworzonym przez cztery mocarstwa: Francję; Stany Zjednoczone, Wielką Brytanię i Związek Radziecki na podstawie umowy londyńskiej z 8 sierpnia 1945 r. o ściganiu i karaniu głównych przestępców wojennych europejskich państw „osi". Częścią składową porozumienia był Statut MTW. Zgodnie ze statutem właściwość Trybunału obejmowała: a) zbrodnie przeciwko pokojowi — czyli planowanie, przygotowywanie, wszczynanie lub prowadzenie wojny napastniczej oraz wojny będącej pogwałceniem traktatów, porozumień lub gwarancji międzynarodowych, b) zbrodnie wojenne, tj. pogwałcenie praw i zwyczajów wojennych, c) zbrodnie przeciwko ludzkości, tj. morderstwa, tępienie grup etnicznych lub narodowości, deportacje, niewolnicza praca, czyny przeciwko ludności cywilnej popełnione z przyczyn rasowych, politycznych lub religijnych. MTW przeprowadził po wojnie tylko jeden proces głównych niemieckich zbrodniarzy wojennych w Norymberdze, trwający od 20 listopada 1945 r. do 1 października 1946 r.

[142] Ernst Kaltenbrunner urodził się 4 października 1903 r. w Austrii. Był członkiem NSDAP nr 300179 i SS nr 13039, wyróżnionym odznaką szpady SS. Ukończył studia prawnicze ze stopniem doktora. Brał udział w 1934 r. w nieudanym puczu hitlerowskim w Austrii. W okresie Anschlussu w marcu 1938 r. sekretarz stanu do spraw bezpieczeństwa w narodowosocjalistycznym rządzie Seyss-Inquarta. Od tego czasu pełnił kierownicze funkcje w aparacie SS w Austrii, przemianowanej na Ostmark. W lipcu 1941 r. objął stanowisko Wyższego Dowódcy SS i Policji w Wiedniu. Od 30 stycznia 1943 r. był szefem SIPO i SD oraz RSHA w stopniu SS-Obergruppenführera. Wyrokiem MTW w Norymberdze z 1 października 1946 r. został skazany na karę śmierci. Wyrok wykonano.

na wschodzie — obawiałem się najgorszego. Również miny i gesty widzów na lotnisku po przylocie nie wzbudzały większego zaufania. W więzieniu wpadło zaraz na mnie kilku funkcjonariuszy, pokazując wytatuowane w Auschwitz numery. Nie rozumiałem ich, nie były to jednak na pewno pobożne życzenia, którymi mnie witano. Nie bito mnie jednak. Areszt był bardzo surowy i całkowicie izolowany. Często przeprowadzano u mnie inspekcje. Przebywałem tam dziewięć tygodni. Było mi bardzo ciężko, nie miałem bowiem żadnej rozrywki. Nie miałem nic do czytania i nie wolno mi było pisać. W dniu 30 lipca przewieziono mnie wraz z siedmioma innymi Niemcami do Krakowa. Na dworcu musieliśmy przez dłuższą chwilę czekać na samochód. W tym czasie zebrało się wokół nas sporo ludzi, którzy nas obrzucali wyzwiskami. Götha[145] zaraz rozpoznano. Gdyby wkrótce nie nadjechał samochód, obrzucono by nas kamieniami. W pierwszych tygodniach więzienie było całkiem znośne, nagle jednak kalifaktorzy jakby się odmienili. Z zachowania się i rozmów, których wprawdzie nie rozumiałem, lecz mogłem się domyślać, można było wnioskować, że chcą mnie wykończyć. Otrzymywałem zwykle najmniejszy kawałek chleba i niepełną chochlę cienkiej zupy. Nigdy nie dostałem dolewki, mimo iż prawie codziennie jedzenie zostawało i rozdzielano je po sąsiednich celach. Gdy pewnego razu jakiś funkcjonariusz chciał w tym celu otworzyć moją celę, natychmiast go powstrzymano. Tu mogłem poznać władzę kalifaktorów. Opanowali oni wszystko. Znowu potwierdzili mi w oczywisty sposób moje twierdzenie o niesłychanej i często złowrogiej władzy, jaką więźniowie funkcyjni mogą sprawować nad swymi współtowarzyszami. Także i tutaj poznałem dostatecznie trzy kategorie strażników.

Gdyby nie wkroczyła w to prokuratura, byliby mnie wykończyli — nie tylko fizycznie, lecz przede wszystkim psychicznie. Byłem już całkiem bliski tego. Nie była to żadna histeria — wtedy niewiele już mi brakowało. Potrafię wiele wytrzymać — życie nie obchodziło się ze mną łagodnie, jednakże psychiczne tortury ze strony tych trzech szatanów, to było zbyt

[143] Kurt Ludwig Ehrenreich Burgsdorff urodził się 16 grudnia 1886 r. Do NSDAP wstąpił w 1933 r. Pracował kolejno w hitlerowskim aparacie administracyjnym w Austrii, a następnie Protektoratu Czech i Moraw. Odwołany z Protektoratu w kwietniu 1942 r.. Walczył na froncie, uzyskał wysokie odznaczenia bojowe. W 1943 r. powrócił do pracy w administracji. Od 1 grudnia 1943 r. do stycznia 1945 r. był gubernatorem dystryktu krakowskiego. Wyrokiem Sadu Okręgowego w Krakowie z dnia 6 grudnia 1948 r. został skazany na karę trzech lat więzienia. Po odbyciu kary reekstradowano go do RFN.

[144] Josef Bühler urodził się 16 lutego 1904 r. Był członkiem NSDAP od 1933 r. W okresie międzywojennym współpracował z Hansem Frankiem w jego kancelarii adwokackiej. W marcu 1940 r. mianowany został podsekretarzem stanu, w maju 1940 r. — zastępca generalnego gubernatora i szefem urzędu, później rządu (Regierung) GG. Wyrokiem Najwyższego Trybunału Narodowego z 10 sierpnia 1948 r. Został skazany na karę śmierci. Wyrok wykonano.

[145] Amon Leopold Göth urodził się 11 grudnia 1908 r. Był członkiem NSDAP od 1930 r. i SS od 1932 r. Doszedł w 1944 r. do stopnia SS-Hauptsturmführera. Od 11 lutego 1943 r. do 13 września 1944 r. był komendantem obozu pracy, a następnie obozu koncentracyjnego w Płaszowie. Kierował akcja likwidacji gett w Krakowie i Tarnowie w 1943 r. Wyrokiem NTN z 5 września 1946 r. zosta) skazany na karę śmierci. Wyrok wykonano.

wiele. Ja przy tym nie byłem jedynym, którego tak gnębili. Również wśród polskich więźniów było kilku, którzy mnie dręczyli. Teraz ich od dawna już nie ma na oddziale i pod tym względem panuje przyjemny spokój. Muszę szczerze powiedzieć, że nie spodziewałem się, iż w polskim więzieniu będzie się mnie tak przyzwoicie traktować, jak to miało miejsce od chwili wkroczenia prokuratury.

Jak się zapatruję dzisiaj na Trzecią Rzeszę? Jak widzę Himmlera z SS, obozami koncentracyjnymi, policją bezpieczeństwa? Jak się zapatruję na to wszystko, co wydarzyło się na odcinku, który poznałem? Jeżeli chodzi o pojmowanie życia, pozostałem nadal narodowym socjalistą. Idei i poglądów, które się wyznawało przez 25 lat, z którymi się zrosło ciałem i duszą, nie można po prostu porzucić dlatego, że ucieleśnienie tej idei, państwo narodowosocjalistyczne, jego kierownictwo, postępowali błędnie, a nawet zbrodniczo i że wskutek tych błędów, na skutek takiego działania świat ten się zawalił i cały naród niemiecki na dziesięciolecia wtrącony został w bezprzykładną nędzę. Ja tego nie potrafię. Z opublikowanych dokumentów z procesu w Norymberdze widzę, że kierownictwo Trzeciej Rzeszy na skutek prowadzonej polityki gwałtu jest winne rozpętania tej straszliwej wojny ze wszystkimi jej konsekwencjami, że na skutek nadzwyczaj skutecznej propagandy i bezgranicznego terroru podporządkowało sobie cały naród, który — z nielicznymi wyjątkami — bezkrytycznie i bezwolnie szedł wskazaną mu drogą. Moim zdaniem, niezbędne rozszerzenie niemieckiej przestrzeni życiowej można było uzyskać w drodze pokojowej, choć jestem głęboko przekonany, że wojen nie można uniknąć i że w przyszłości będą one również miały miejsce. Chcąc zatuszować politykę gwałtu, musiano posługiwać się propagandą, aby przez zręczne przekręcanie wszystkich faktów uczynić politykę i działanie kierownictwa państwowego bardziej strawnym. Aby z góry zapobiec wątpliwościom i nie dopuścić do sprzeciwu, musiano zastosować terror. Jestem zdania, że poważnych przeciwników można zwyciężyć siłą lepszego postępowania. Himmler był najbardziej jaskrawym przedstawicielem zasady wodzostwa. Każdy Niemiec powinien był się bezwarunkowo, bezkrytycznie podporządkować kierownictwu państwowemu — tylko ono było zdolne do reprezentowania istotnych interesów narodu, do właściwego kierowania narodem. Wszyscy, którzy nie podporządkowywali się tej zasadzie, musieli być wyłączeni z życia publicznego. W tym duchu wychowywał i kształtował swoją SS, tworzył obozy koncentracyjne, policję niemiecką i RSHA. Dla Himmlera Niemcy były jedynym państwem, które miało prawo przewodzenia w Europie. Wszystkie inne narody były narodami drugiej klasy. Narody o przewadze krwi nordyckiej miały być uprzywilejowane z myślą o późniejszym ich wcieleniu do Niemiec. Narody o krwi wschodniej miały zostać rozczłonkowane, pozbawione jakiegokolwiek znaczenia, miały stać się helotami.

Przed wojną obozy koncentracyjne stały się miejscami internowania wrogów państwa. To, że oprócz tego stały się one również zakładami wychowawczymi wszelkiego rodzaju aspołecznych elementów i dzięki temu wykonywały pożyteczną pracę dla całego narodu, było wynikiem procesu oczyszczania. Stały się one również niezbędne do zapobiegawczego zwalczania przestępczości. Z chwilą wybuchu wojny i na skutek wojny stały się one miejscami zagłady — bezpośredniej lub pośredniej — dla tych części narodów podbitych krajów, które występowały przeciwko zdobywcom i ciemiężycielom, Odnośnie do mojej postawy w stosunku do „wrogów państwa" wypowiadałem się wielokrotnie wcześniej. Błędem było w każdym razie wytępienie szerokich kręgów nieprzyjacielskich narodów. Poprzez dobre i rozsądne traktowanie ludności podbitych krajów można było sprowadzić ruch oporu do nic nie znaczących rozmiarów. W wyniku tego pozostałoby niewielu rzeczywiście poważnych przeciwników. Dzisiaj widzę również, iż zagłada Żydów była błędem, zasadniczym błędem. Właśnie na skutek tej masowej zagłady Niemcy ściągnęły na siebie nienawiść całego świata. Nie przysłużono się tym antysemityzmowi, przeciwnie, żydostwo wskutek tego znacznie zbliżyło się do swego ostatecznego celu.

RSHA był tylko organem wykonawczym, przedłużonym ramieniem policyjnym Himmlera. RSHA i obozy koncentracyjne były jedynie organem wykonawczym woli Himmlera lub zamiarów Adolfa Hitlera. Jak mogło dojść w obozach koncentracyjnych do tych wszystkich okropności, wyjaśniłem dostatecznie w charakterystykach poszczególnych osób. Jeżeli chodzi o mnie, nigdy ich nie akceptowałem. Sam również nigdy nie maltretowałem więźniów ani też żadnego nie zabiłem. Nie tolerowałem również nigdy znęcania się przez moich podwładnych. Gdy obecnie w trakcie śledztwa muszę słuchać, jakie potworne przypadki znęcania zdarzały się w Oświęcimiu i innych obozach, robi mi się zimno. Wiedziałem wprawdzie, że w Oświęcimiu więźniowie maltretowani byli przez SS, przez pracowników cywilnych i w niemałym stopniu przez współwięźniów, jednakże występowałem przeciwko temu, używając wszystkich stojących do mojej dyspozycji środków. Nie mogłem jednak tego wykorzenić. Nie udało się to również komendantom innych obozów koncentracyjnych o podobnych zapatrywaniach do moich, którzy próbowali tego w o wiele, wiele mniejszych i łatwiej dających się nadzorować obozach. Nie można nic zdziałać przeciwko złośliwości, niegodziwości i okrucieństwu poszczególnych strażników, chyba że ma się ich nieustannie na oku. Im gorszy jest cały personel strażniczy i nadzorczy, tym częściej zdarzają się przypadki nadużycia władzy w stosunku do więźniów. Również obecny areszt dostarczył dość dowodów na potwierdzenie mego poglądu.

W angielskiej strefie, znajdując się stale pod najściślejszym nadzorem, mogłem dokładnie przestudiować wszystkie trzy kategorie strażników: W Norymberdze „indywidualne traktowanie" nie było możliwe, ponieważ tam wszyscy więźniowie znajdowali się stale pod nadzorem dyżurnych oficerów. Nawet podczas przejściowego lądowania w Berlinie uniknąłem złego potraktowania w czasie pobytu w ustępie tylko dzięki przypadkowemu zjawieniu się osób trzecich. W więzieniu w Warszawie, które, o ile mogłem zaobserwować i ocenić ze swojej celi, było prowadzone surowo i skrupulatnie, był między dozorcami jeden — jeden jedyny, który gdy tylko miał służbę na naszym oddziale, biegał od celi do celi — wszędzie tam, gdzie byli Niemcy, i bił gdzie popadło. Z wyjątkiem Burgsdorffa, u którego kończyło się na kilku policzkach, każdy Niemiec dostawał od niego baty. Był to młody człowiek w wieku 18–20 lat, mówił, że jest polskim Żydem, jednakże na to nie wyglądał. W jego oczach płonęła zimna nienawiść. Bicie nigdy go nie męczyło. Czynność tę przerywał jedynie po ukazaniu się osób trzecich — na ostrzegawczy znak kolegi pełniącego wspólnie z nim służbę. Jestem przekonany, iż żaden z wyższych funkcjonariuszy czy też naczelnik więzienia nie zezwoliłby na takie postępowanie. Odwiedzający urzędnicy pytali mnie kilka razy, jak jestem traktowany, ja jednak zawsze przemilczałem to postępowanie, ponieważ był to jedyny człowiek, który tak postępował. Wszyscy inni dozorcy zachowywali się mniej lub więcej surowo i nieprzystępnie, żaden z nich jednak nie dotknął mnie.

A więc nawet w małym więzieniu naczelnik nie był w stanie przeszkodzić takiemu postępowaniu, o ileż mniej było to możliwe w obozie koncentracyjnym o rozmiarach Auschwitz. Tak, byłem twardy i surowy — jak to dzisiaj widzę — często zbyt twardy i surowy. Pod wpływem zdenerwowania z powodu napotykanych zaniedbań i niedbalstwa nieraz wypowiadałem prawdopodobnie zwroty lub słowa, których nie powinienem się dopuścić, nigdy jednak nie byłem okrutny, nigdy nie posunąłem się do znęcania się. W Auschwitz wydarzyło się wiele rzeczy — rzekomo w moim imieniu, na moje polecenie, na mój rozkaz — o których nie wiedziałem, których bym nie aprobował ani też tolerował. Wszystko to jednak miało miejsce w Auschwitz i ja jestem za to odpowiedzialny, ponieważ regulamin obozowy mówi: „Komendant obozu jest w pełni odpowiedzialny za wszystko, co się w obozie dzieje".

Stoję teraz u kresu swego życia. Wszystko istotne, co spotkało mnie w życiu, wszystko to, co wywarło na mnie wrażenie, co mnie szczególnie obeszło, ująłem w niniejszych zapiskach. Zgodnie z prawdą i rzeczywistością, tak jak to widziałem i jak to przeżyłem. Wiele rzeczy nieistotnych pominąłem, niektóre zapomniałem, wielu nie przypominam sobie dość dokładnie. Nie jestem także pisarzem, nigdy nie byłem zbyt mocny w piórze. Z pewnością wielekroć się powtarzałem, prawdopodobnie również często wyrażałem się nie dość zrozumiale. Brak mi było wewnętrznego spokoju i równowagi niezbędnej do tego rodzaju pracy. Pisałem tak, jak mi przychodziło do głowy, często chaotycznie, ale bez żadnych upiększeń. Pisałem tak, jakim byłem, jakim jestem. Moje życie było barwne i urozmaicone. Los prowadził mnie przez wszystkie wyżyny i niziny życia. Życie było dla mnie często twarde, jednak zawsze dawałem sobie radę. Nigdy nie załamałem się.

Miałem dwie gwiazdy przewodnie, które nadawały kierunek memu życiu od chwili, gdy wróciłem z wojny jako mężczyzna, na którą poszedłem jako chłopiec z ławy szkolnej: moją ojczyznę, a później moją rodzinę. Moja bezgraniczna miłość do ojczyzny, moja narodowa świadomość zaprowadziły mnie do NSDAP i SS. Światopogląd narodowosocjalistyczny uważałem za jedynie właściwy dla narodu niemieckiego. SS była moim zdaniem najbardziej energicznym szermierzem tej idei pojmowania życia i jedynie ona była zdolna doprowadzić naród niemiecki do życia odpowiadającego jego naturze.

Moja rodzina była moją drugą świętością. Jest ona dla mnie mocnym oparciem. Jej przyszłość była przedmiotem stałej mej troski, zagroda chłopska miała nam być domem. W naszych dzieciach widzieliśmy, moja żona i ja, cel naszego życia. Naszym zadaniem życiowym było zapewnienie im dobrego wychowania na przyszłość, stworzenie im mocnego gniazda rodzinnego. Również i teraz myśli moje obracają się głównie wokół mojej rodziny. Co się z nią stanie?

Ta niepewność o los mej rodziny czyni mój obecny pobyt w więzieniu szczególnie ciężkim. Moją osobę od samego początku wykreśliłem, o to się nie martwię, z tym już skończyłem, ale moja żona, moje dzieci?

Los dziwnie obchodził się ze mną. Jakże często zdarzało się, że o włos uniknąłem śmierci — w poprzedniej wojnie, w walkach korpusu ochotniczego, w wypadkach przy pracy. W wypadku samochodowym w roku 1941 na autostradzie najechałem na nieoświetloną ciężarówkę, a zorientowawszy się w ułamku sekundy, zdołałem samochodem skręcić w bok. Zderzenie nastąpiło z boku tak, że przednia część wozu została zgnieciona jak harmonijka, ale my wszyscy trzej wyszliśmy z wypadku ze skaleczeniami i potłuczeniami. W czasie wypadku podczas jazdy konnej w roku 1942 upadłem obok kamienia, który ocalił mnie, gdy zwalił się na mnie ciężki ogier. Dzięki temu skończyło się tylko na złamaniu kilku żeber. Przy nalotach lotniczych nie dawałem złamanego grosza za swoje życie, a jednak zawsze udawało mi się wyjść cało. Również po wypadku samochodowym, który miał miejsce na krótko przed ewakuacją Ravensbrück, wszyscy uważali mnie za zabitego; w zaistniałym stanie rzeczy nie powinienem był pozostać przy życiu, a jednak nie sądzone mi było wówczas umrzeć. A stłuczenie się ampułki z trucizną przed aresztowaniem. Los chronił mnie wszędzie przed śmiercią, abym teraz musiał zginąć w tak haniebny sposób. Jakże zazdroszczę tym kolegom, którym dane było umrzeć honorową śmiercią żołnierską.

Nieświadomie stałem się kółkiem w wielkiej maszynie zagłady Trzeciej Rzeszy. Maszyna została rozbita, motor zniszczony i ja muszę zginąć wraz z nimi. Świat tego żąda.

Nigdy nie zdobyłbym się na te wynurzenia, na to obnażanie mego najskrytszego ja, gdyby nie to, iż spotkałem się tu z ludzkim stosunkiem, ze zrozumieniem, które mnie rozbrajają, których nigdy nie mogłem się spodziewać. To ludzkie zrozumienie zobowiązuje mnie do dołożenia wszelkich starań, aby w miarę możności oświetlić nie wyjaśnione dotychczas okoliczności.

Proszę jednak, aby przy wykorzystywaniu tych notatek nie podawać do publicznej wiadomości tego, co wiąże się z moją żoną, moją rodziną, moimi odruchami miękkości i najskrytszymi wątpliwościami.

Niechaj opinia publiczna widzi nadal we mnie krwiożerczą bestię, okrutnego sadystę, mordercę milionów, inaczej bowiem szerokie masy nie mogą sobie wyobrazić komendanta Auschwitz. Nie rozumieją one, że także i on miał serce, że nie był zły.

Niniejsze notatki obejmują 114 kart. Spisałem to wszystko dobrowolnie i bez przymusu.

Rudolf Höss

Kraków, w lutym 1947 r.

Pożegnalne listy do rodziny

LIST DO ŻONY

Dnia 11 kwietnia 1947 r.

Moja kochana, dobra Mutz!

Droga mego życia zbliża się ku końcowi. Przeznaczony mi został naprawdę smutny los. Jak szczęśliwi są ci koledzy, którzy mogli zginąć uczciwą śmiercią żołnierską.

Spokojny i opanowany oczekuję końca.

Było dla mnie z góry jasne, iż po rozgromieniu i zniszczeniu świata, któremu się ciałem i duszą zaprzedałem, muszę zginąć razem z nim. Nieświadomie stałem się kółkiem monstrualnej niemieckiej maszynerii zagłady i działałem na eksponowanym stanowisku. Jako komendant obozu zagłady w Oświęcimiu byłem w pełni odpowiedzialny za wszystko, co się tam stało, niezależnie od tego, czy o tym wiedziałem czy też nie. O większości okropności i potworności, jakie się tam działy, dowiedziałem się dopiero podczas śledztwa i procesu. Nie da się opisać, jak mnie oszukiwano, jak wypaczano moje zarządzenia i jak wszystko to, co się tam działo, wykonywano rzekomo na mój rozkaz. Mam nadzieję, iż winni nie ujdą sprawiedliwości.

Tragiczne jest, iż ja, z natury łagodny, dobroduszny i zawsze chętny do udzielania pomocy drugiemu, stałem się największym ludobójcą, który na zimno i z całkowitą konsekwencją wykonywał każdy rozkaz zagłady. Przez długoletnie żelazne szkolenie w SS, które miało na celu uczynienie z każdego SS-mana bezwolnego narzędzia do realizacji wszystkich planów Reichsführera SS, również i ja stałem się automatem, ślepo słuchającym każdego rozkazu.

Moja fanatyczna miłość do ojczyzny oraz moje przesadne poczucie obowiązku stwarzały dobre warunki do tego szkolenia.

Ciężko jest, gdy człowiek musi u kresu przyznać się do tego, że szedł błędną drogą i sam zgotował dla siebie taki koniec. Co pomogą jednak wszelkie rozważania — fałszywe czy słuszne. Moim zdaniem wszystkie nasze drogi życiowe są zaprogramowane przez los, przez mądrą Opatrzność i są niezmienne.

Bolesne, gorzkie i trudne będzie dla mnie tylko rozstanie się z Wami, z Tobą, najukochańsza i najlepsza Mutz, i z Wami, moje kochane, dobre dzieci. Że Was, moi biedni, nieszczęśliwi, muszę pozostawić w potrzebie i w nędzy. Na Ciebie, moja biedna, nieszczęśliwa żono, nałożone zostało najtrudniejsze zadanie w naszym smutnym losie: prócz bezgranicznego bólu naszej rozłąki ciężka troska o Wasze dalsze życie, troska o nasze dzieci. Najdroższa, bądź jednak dzielna i nie trać ducha!

Czas leczy także najcięższe i najgłębsze rany, które w pierwszym bólu uważa się za nie do zniesienia. Miliony rodzin w wyniku tej nieszczęsnej wojny zostało rozbitych bądź też uległo zagładzie. Życie jednak toczy się dalej. Dzieci dorastają. Obyś miała dosyć sił i zdrowia, najukochańsza, najlepsza Mutz, byś mogła się o nie troszczyć, dopóki wszystkie nie staną na własnych nogach.

Moje chybione życie nakłada na Ciebie, Najukochańsza, święty obowiązek wychowania naszych dzieci w duchu prawdziwego, płynącego z serca człowieczeństwa. Wszystkie nasze dzieci są z natury dobre. Staraj się wszelkimi sposobami rozwijać te dobre odruchy serca, uczyń je wrażliwymi na wszelkie ludzkie nieszczęścia. Czym jest człowieczeństwo, dowiedziałem się dopiero tutaj, w polskich więzieniach. Mnie, który jako komendant Oświęcimia wyrządziłem polskiemu narodowi tyle szkód i bólu, choć nie osobiście oraz nie z własnej inicjatywy, okazywano ludzkie zrozumienie, co mnie bardzo często głęboko zawstydzało. Nie tylko ze strony wyższych funkcjonariuszy, ale również ze strony najprostszych strażników. Wielu z nich to byli więźniowie Oświęcimia lub innych obozów. Właśnie teraz, w moich ostatnich dniach życia doznaję ludzkiego traktowania, jakiego się nigdy nie spodziewałem.

Mimo wszystkiego, co się stało, widzi się jeszcze we mnie zawsze człowieka.

Moja kochana, dobra Mutz, nie stań się zbyt surowa na skutek tych ciężkich ciosów losu, zachowaj swoje dobre serce. Nie daj się sprowadzić z właściwej drogi przez niesprzyjające okoliczności, przez biedę i nędzę, przez które musisz przejść. Nie trać nigdy wiary w ludzi. Postaraj się, jak tylko to będzie możliwe, wydostać się z tamtego ponurego środowiska. Staraj się o zmianę nazwiska. Przybierz swoje nazwisko panieńskie. Teraz nie będzie z tym na pewno żadnych trudności. Moje nazwisko jest znienawidzone w całym świecie i Wy, moi biedacy, będziecie mieć z moim nazwiskiem zawsze coraz to nowe niepotrzebne trudności, szczególnie zaś dzieci w swej dalszej karierze. Klaus miałby już na pewno możliwość nauki zawodu, gdyby nie nazywał się Hoss. Najlepiej będzie, jeżeli wraz ze mną zniknie również i moje nazwisko.

Zezwolono mi, abym wraz z tym listem przesłał Ci również moją ślubną obrączkę. Z boleścią i jednocześnie, z radością wspominam okres naszej wiosny życia, kiedy wkładaliśmy sobie obrączki. Kto przeczuwał, że nasze wspólne życie tak się zakończy? Poznaliśmy się w tym czasie przed 18 laty. Przed nami była trudna droga. Jednakże odważnie i radośnie rozpoczęliśmy nasze wspólne życie. Nie mieliśmy wielu „słonecznych dni", więcej natomiast twardego trudu, wiele, wiele zmartwień i kłopotów. Krok za krokiem posuwaliśmy się naprzód. Jak szczęśliwi byliśmy dzięki naszym dzieciom, którymi Ty, najukochańsza, najlepsza Mutz, obdarzałaś nas zawsze pogodnie i radośnie. W naszych dzieciach widzieliśmy zadanie naszego życia. Naszą stałą troską było stworzenie im domu jako mocnego punktu oparcia i wychowania ich na pożytecznych ludzi. Teraz podczas mego uwięzienia wiele razy przemierzyłem w myślach naszą wspólną drogę, przypominając sobie na nowo wszystkie zdarzenia i wypadki. Jak szczęśliwe godziny dane nam było przeżyć, ale przez ile biedy, chorób, kłopotów i zmartwień musieliśmy również przejść.

Tobie, mój Kochany i dobry towarzyszu, która dzielnie i wiernie dzieliłaś ze mną przez cały czas radość i smutek, dziękuję gorącym sercem za wszystko dobre i piękne, za Twoją bezustanną miłość i troskę o mnie. Przebacz mi, Dobra, jeśli kiedykolwiek wyrządziłem Ci przykrość lub sprawiłem ból. Jakże głęboko i boleśnie żałuję dzisiaj każdej godziny, której nie spędziłem razem z Tobą, najukochańsza, najlepsza Mutz, i z dziećmi, sądząc, iż służba czy też inne obowiązki, które uważałem za ważniejsze, na to mi nie pozwalają.

Łaskawy los pozwolił mi jeszcze usłyszeć o Was, moi kochani. Otrzymałem wszystkie 11 listów od 31.12. do 16.2. Jakże się cieszyłem, że właśnie w dniach mego procesu mogłem czytać Twoje kochane listy. Wasza troska o mnie i miłość, kochane gawędzenie dzieci, dodały mi nowej odwagi i siły do przetrzymania wszystkiego.

Szczególnie jestem Ci wdzięczny, Najukochańsza, za ostatni list, który pisałaś w niedzielę we wczesnych godzinach rannych. Tak, jakbyś przeczuwała, najbiedniejsza, że będą to ostatnie słowa, które do mnie dojdą. Jak dzielnie i jasno piszesz o wszystkim. Jak jednak wiele gorzkiego żalu i głębokiego bólu zawarte jest między wierszami. Wiem przecież, jak serdecznie związane jest życie nas obojga. Jak trudna jest konieczność rozstania się.

Pisałem do Ciebie, moja kochana, dobra Mutz, na Boże Narodzenie, dnia 26.1, dnia 3 i 16.3 i mam nadzieję, iż otrzymałaś te listy. Jak niewiele jednak można listownie i w tych warunkach powiedzieć. Jak wiele musi pozostać niewypowiedziane, czego się nie da napisać. Musimy jednak się z tym pogodzić.

Jestem tak wdzięczny, że mogłem choć trochę o Was słyszeć i że mogłem Tobie, Najukochańsza, w zasadzie napisać o tym, co mi leżało na sercu.

Przez całe moje życie byłem, zamkniętym w sobie człowiekiem, nigdy nie zgadzałem się, aby ktoś miał wgląd w to, co mnie wewnętrznie najbardziej poruszało, załatwiałem to zawsze ze sobą samym. Jak często, Najukochańsza, żałowałaś i odczuwałaś boleśnie, że Ty, która byłaś najbliższą mi osobą, tak mało mogłaś uczestniczyć w moim wewnętrznym życiu.

Przez wiele lat męczyłem się z moimi wątpliwościami i przygnębieniem co do słuszności mego działania i konieczności wydawanych mi twardych rozkazów. Nie wolno mi było i nie mogłem nikomu się z tego zwierzyć. Teraz dopiero będzie dla Ciebie zrozumiałe, najukochańsza, dobra Mutz, dlaczego stawałem się coraz bardziej zamknięty w sobie i coraz bardziej nieprzystępny, i Ty, najlepsza Mutz, Wy wszyscy, moi kochani, którzy wbrew mej woli musieliście cierpieć z tego powodu, nie znajdowaliście wytłumaczenia mego niezadowolenia, mego roztargnienia i mego często szorstkiego postępowania. Wszystko to minęło, boleśnie jednak tego żałuję.

Podczas mego długiego, samotnego pobytu w więzieniu miałem dosyć czasu na najgruntowniejsze przemyślenie mego całego życia. Całe moje dotychczasowe działanie poddałem zasadniczej analizie.

W świetle obecnych przekonań widzę dzisiaj jasno, co jest dla mnie nader ciężkie i gorzkie, że cała ideologia, cały świat, w które tak mocno i święcie wierzyłem, opierały się na zupełnie fałszywych założeniach i musiały pewnego dnia runąć.

Również moje postępowanie w służbie tej ideologii było zupełnie fałszywe, mimo iż działałem w dobrej wierze o słuszności tej idei. Było więc zupełnie logiczne, że wyrosły we mnie duże wątpliwości, czy również i moje odwrócenie się od Boga nie wychodziło z fałszywych przesłanek. Było to ciężkie zmaganie się. Odnalazłem jednak swoją wiarę w Boga. Nie mogę Ci, Najukochańsza, pisać więcej o tych sprawach, prowadziłoby to bowiem zbyt daleko. Gdybyś Ty, moja kochana, dobra Mutz, miała znaleźć w wierze chrześcijańskiej siłę i pociechę w Twojej biedzie, idź za popędem swego serca. Nie pozwól się niczym wprowadzić w błąd. Nie powinnaś się również w żadnym przypadku wzorować na mnie. W tej sprawie powinnaś sama decydować o sobie. Dzieci pod wpływem szkoły pójdą inną drogą od tej, którą my dotychczas szliśmy. Klaus później, gdy będzie bardziej dojrzały, powinien sam decydować i wybrać sobie drogę.

I tak z naszego świata pozostała tylko kupa gruzów, z których ci, co pozostali, muszą mozolnie wybudować nowy, lepszy świat.

Mój czas upływa. Teraz trzeba się ostatecznie z Wami pożegnać, moi kochani, którzy byliście dla mnie czymś najdroższym na świecie. Jakże ciężkie i bolesne jest to rozstanie. Tobie, najukochańsza, najlepsza Mutz, dziękuję jeszcze raz za całą Twoją miłość i troskę i wszystko to, co wniosłaś w moje życie. W naszych kochanych, dobrych dzieciach pozostaję przy Tobie na zawsze i w ten sposób będę przy Tobie, moja biedna, nieszczęśliwa żono.

Odchodzę z niewzruszoną nadzieją, że po tych wszystkich troskach i smutkach znajdzie się jeszcze dla Was, moi kochani, miejsce po słonecznej stronie życia, że znajdziecie skromne możliwości bytu i że Tobie, moja kochana, dobra Mutz, w naszych kochanych, dobrych dzieciach, dane będzie ciche, dające zadowolenie szczęście. W Waszej dalszej drodze życia towarzyszyć Wam będą, moi kochani, moje najgłębsze dobre życzenia.

Wszystkim kochanym, dobrym ludziom, którzy Wam pomagają w Waszej biedzie, najserdeczniej dziękuję i pozdrawiam ich. Ostatnie miłe pozdrowienia dla rodziców, dla Fritza i dla wszystkich starych, miłych znajomych.

Po raz ostatni pozdrawiam Was, moi kochani, Was wszystkich, moje kochane dobre dzieci, moją Annemausl, mego Burlinga, moją Puppi, moją Kindi i mego Klausa i Ciebie, moja najukochańsza, najlepsza Mutz, Ty moja biedna, nieszczęśliwa żono. Zachowajcie mnie z miłością w pamięci. Do ostatniego tchnienia jestem przy Was, wszyscy moi kochani

Wasz Tatuś

LIST DO DZIECI

Moje kochane, dobre dzieci!

Wasz tatuś musi Was teraz opuścić. Zostaje Wam, biednym, jeszcze tylko Wasza kochana, dobra mamusia. Niechaj zostanie ona Wam jeszcze długo, długo. Nie rozumiecie jeszcze, co Wasza dobra mamusia dla Was znaczy, jak cennym skarbem jest ona dla Was. Miłość matki i jej troska są czymś najpiękniejszym i najcenniejszym ze wszystkiego, co istnieje na ziemi. Ja sam poznałem to dopiero wtedy, gdy było już za późno i żałowałem tego przez całe moje życie.

Dlatego też do Was, moje kochane, dobre dzieci, kieruję swoją ostatnią błagalną prośbę: nie zapominajcie nigdy Waszej dobrej, kochanej mateczki! Z jaką pełną poświęcenia i miłości troskliwą opieką zawsze Was otaczała. Jej życie poświęcone było jedynie Wam. Z ilu pięknych chwil w życiu zrezygnowała dla Was. Jak martwiła się o Was, gdy byliście chorzy, jak cierpliwie i niezmordowanie Was pielęgnowała. Nie była nigdy spokojna, gdy nie miała Was wszystkich obok siebie. Teraz tylko dla Was musi znosić cały ten gorzki żal i biedę. Nie zapominajcie tego nigdy w życiu!

Pomagajcie jej teraz znieść bolesny los. Bądźcie kochani i dobrzy dla niej. Pomagajcie jej tak, jak na to pozwalają Wasze słabe jeszcze siły. Odwdzięczacie się w ten sposób częściowo za jej otaczającą Was dzień i noc troskliwą miłość.

Klaus, mój kochany, dobry chłopcze! Ty jesteś najstarszy. Idziesz teraz w świat. Musisz teraz własnymi siłami układać swoje życie. Masz dobre zadatki, wykorzystaj je. Zachowaj zawsze swoje dobre serce. Bądź człowiekiem kierującym się przede wszystkim głębokim uczuciem człowieczeństwa. Naucz się samodzielnie myśleć i mieć własne poglądy; nie przejmuj wszystkiego bezkrytycznie jako bezwzględną prawdę. Ucz się z mego życia. Największym błędem mego życia było to, że wszystkiemu, co przychodziło „z góry", wierzyłem i nie odważyłem się mieć najmniejszych wątpliwości odnośnie do prawdziwości tego, co głoszono.

Idź przez życie z otwartymi oczyma. Nie bądź jednostronny, we wszystkich sprawach rozważaj za i przeciw. We wszystkim, co będziesz czynił, nie kieruj się wyłącznie rozumem, lecz zważaj zwłaszcza na głos swego serca. Wiele rzeczy będzie dla Ciebie, kochany chłopcze, teraz jeszcze nie w pełni zrozumiałych. Pamiętaj jednak zawsze te moje ostatnie napomnienia.

Życzę Ci, kochany mój Klausie, wiele szczęścia w życiu. Bądź pilnym, prawym człowiekiem, który ma serce na właściwym miejscu.

Kindi i Puppi, moje kochane duże dziewczynki! Jesteście jeszcze za młode, aby zrozumieć całą powagę naszego ciężkiego losu. Właśnie Wy, moje kochane, dobre dziewczynki, macie szczególny obowiązek w każdej chwili stać z miłością i pomocą u boku biednej, nieszczęśliwej mamusi, otaczać ją Waszą dziecięcą serdeczną miłością, aby jej pokazać, jak ją kochacie i jak chcecie jej pomagać w jej biedzie. Mogę Was, moje kochane, dobre dziewczynki, tylko jak najusilniej prosić, słuchajcie Waszej kochanej, dobrej mamusi! Swoją pełną poświęcenia miłością i troską o Was wskaże ona Wam prawdziwą drogę i da Wam nauki, które Wam będą w życiu potrzebne, aby móc zostać odważnymi i dzielnymi ludźmi.

Mimo iż macie zupełnie odmienne charaktery, jednak obie, Ty, mój kochany urwisie, i Ty, moja kochana gosposiu, macie miękkie, czułe serca. Zachowajcie je w Waszym późniejszym życiu. To jest najważniejsze. Dopiero później to zrozumiecie i będziecie wspominać moje słowa.

Mój Burlingu, kochany mały chłopcze! Zachowaj Twoje kochane, wesołe dziecinne usposobienie. Twarde życie wyrwie Cię o wiele za wcześnie, mój kochany chłopcze, z Twojej dziecięcej krainy. Ucieszyłem się, słysząc od kochanej mamusi, że czynisz dobre postępy w szkole.

Twój kochany Tatuś nie może Ci teraz nic powiedzieć. Biedny chłopcze, masz teraz już tylko swoją kochaną, dobrą mamusię, która się o Ciebie troszczy. Słuchaj jej grzecznie i pozostań nadal „tatusia kochanym Burlingiem".

Moja kochana mała Annemausl! Jak mało mogłem zaznać Twego kochanego, małego istnienia. Kochana, dobra mamusia ma Ciebie, moja myszko, wziąć mocno za mnie w ramiona i opowiadać o Twoim kochanym ojczulku, jak bardzo on ciebie kochał.

Obyś bardzo, bardzo długo była dla mamusi małym promyczkiem słońca i sprawiała jej nadal dużo radości. Żeby Twoje kochane, słoneczne usposobienie pomogło biednej, kochanej mamusi przetrwać wszystkie smutne godziny.

Jeszcze raz proszę serdecznie Was wszystkich, kochane, dobre moje dzieci, weźcie moje ostatnie słowa do serca. Myślcie zawsze o nich.

Zachowajcie w miłości Waszego tatusia

„Ostateczne rozwiązanie kwestii żydowskiej" w obozie koncentracyjnym w Auschwitz

Latem 1941 r., dokładnej daty obecnie nie pamiętam, zostałem nagle wezwany do Reichsführera SS do Berlina bezpośrednio przez jego adiutanturę. Wbrew swemu zwyczajowi, bez asysty adiutanta, Himmler powiedział mi, co następuje: Führer nakazał ostateczne rozwiązanie kwestii żydowskiej, my zaś, SS, mamy ten rozkaz wykonać. Istniejące na wschodzie miejsca zagłady nie są w stanie zrealizować zakrojonych na wielką skalę akcji. Wobec tego wyznaczyłem na ten cel Oświęcim, z jednej strony z powodu jego korzystnego położenia pod względem komunikacyjnym, jak również dlatego, że przeznaczony na ten cel teren będzie łatwo odizolować i zamaskować. Zamierzałem początkowo zadanie to powierzyć jednemu z wyższych dowódców SS, aby jednak wykluczyć możliwe trudności w zakresie podziału kompetencji, zrezygnowałem z tego i polecam panu przeprowadzenie tego zadania. Jest to trudna i ciężka praca, wymagająca całkowitego poświęcenia się, bez względu na trudności, jakie mogą się wyłonić. Bliższych szczegółów dowie się pan od Sturmbannführera Eichmanna z RSHA, który w najbliższym czasie zgłosi się do pana. Zainteresowane urzędy zostaną przeze mnie powiadomione we właściwym czasie. Rozkaz ten ma pan zachować w najściślejszej tajemnicy, również w stosunku do swoich przełożonych. Po rozmowie z Eichmannem prześle mi pan natychmiast plany zamierzonego urządzenia. Żydzi są odwiecznymi wrogami narodu niemieckiego i muszą zostać wytępieni. Wszyscy Żydzi, których dostaniemy w nasze ręce, muszą zostać zniszczeni bez wyjątku, jeszcze w czasie wojny. Jeżeli nie uda się nam teraz zniszczyć biologicznych sił żydostwa, to Żydzi zniszczą kiedyś naród niemiecki.

Po otrzymaniu tego ważnego rozkazu wróciłem natychmiast do Oświęcimia, nie meldując się u swej władzy przełożonej w Oranienburgu. Krótko po tym przyjechał do mnie do Oświęcimia Eichmann i wtajemniczył mnie w plany akcji w poszczególnych krajach. Nie jestem obecnie w stanie dokładnie podać kolejności.

Najpierw wchodziła w grę wschodnia część Górnego Śląska oraz graniczące z nią części Generalnego Gubernatorstwa, a następnie w zależności od sytuacji jednocześnie Żydzi z Rzeszy i Czechosłowacji, wreszcie z zachodu: z Francji, Belgii, Holandii. Podał mi on przewidywane dane liczbowe odnośnie do oczekiwanych transportów, nie potrafię ich jednak podać. Następnie omawialiśmy zagadnienie przeprowadzenia zagłady. W grę wchodził jedynie gaz, ponieważ likwidacja takich mas ludzkich, jakich oczekiwaliśmy, za pomocą rozstrzeliwania była absolutnie niemożliwa, a ze względu na kobiety i dzieci byłaby zbyt dużym obciążeniem dla SS-manów, którzy by musieli ją wykonać.

Eichmann zapoznał mnie z zabijaniem za pomocą gazów spalinowych w samochodach ciężarowych, jak to dotychczas robiono na wschodzie.[146] Tego rodzaju procedura wobec oczekiwanych masowych transportów nie wchodziła jednak w grę. Zabijanie tlenkiem węgla przez natryski w łaźni, jak to robiono w niektórych miejscowościach w Rzeszy przy likwidacji umysłowo chorych, wymagało zbyt wielu budynków. Problematyczne byłoby również dostarczenie wielkich ilości gazu, niezbędnych do likwidacji wielkiej liczby ludzi. Nie podjęliśmy w tej sprawie żadnej decyzji. Eichmann chciał się rozejrzeć za jakimś gazem, który można by łatwo zdobyć i którego stosowanie nie wymagałoby specjalnych urządzeń. Pojechaliśmy w teren, aby ustalić odpowiednie miejsce. Uznaliśmy, iż do tego celu nadaje się zagroda chłopska położona w północno-zachodnim rogu późniejszego odcinka budowlanego III w Brzezince. Znajdowała się ona na uboczu, zasłonięta przez znajdujące się w pobliżu laski i zarośla i nie była zbyt odległa od kolei. Zwłoki miały być grzebane na przyległej łące w głębokich, długich dołach. Obliczyliśmy, że w istniejących pomieszczeniach po ich uszczelnieniu będzie można na raz zabijać około 800 osób przy użyciu odpowiedniego gazu. Obliczenie to okazało się później właściwe. Eichmann nie mógł mi jeszcze podać daty rozpoczęcia akcji, ponieważ wszystko znajdowało się dopiero w stadium przygotowania i Reichsführer SS nie wydał jeszcze rozkazu jej rozpoczęcia.

Eichmann powrócił do Berlina, aby złożyć raport Reichsführerowi SS o naszej rozmowie. Kilka dni później przesłałem Reichsführerowi SS przez kuriera dokładny plan sytuacyjny wraz ze szczegółowym opisem urządzenia. Nigdy nie otrzymałem odpowiedzi ani decyzji w tej sprawie. Później kiedyś powiedział mi Eichmann, że Reichsführer SS projekt akceptował.

W końcu listopada odbyła się w biurze Eichmanna w Berlinie konferencja całego referatu żydowskiego, na którą wezwano również i mnie. Pełnomocnicy Eichmanna w poszczególnych krajach informowali o stanie akcji i trudnościach, jakie występowały przy ich realizacji, jak zakwaterowanie aresztowanych, podstawianie pociągów do transportu, ustalenie rozkładu jazdy itp. Nie mogłem się dowiedzieć o terminie rozpoczęcia akcji. Eichmann nie znalazł również odpowiedniego gazu.

Jesienią 1941 roku, na podstawie specjalnego tajnego rozkazu Gestapo wyławiało w obozach jenieckich rosyjskich politruków, komisarzy i ważniejszych funkcjonariuszy politycznych, aby ich dostarczyć do najbliższego

[146] Pierwsze doświadczenia zdobyły Einsatzgruppen na terenach Związku Radzieckiego. Wzrost terroru wobec ludności zamieszkującej okupowane tereny doprowadził do zastąpienia egzekucji mordowaniem ludzi w ruchomych komorach gazowych. Wykorzystywano do tego celu specjalnie przystosowane 3- i 5-tonowe samochody ciężarowe. Do szczelnie zamykanych kabin dla przewozu ludzi był doprowadzany wylot rury wydechowej silnika. Po uruchomieniu pojazdu spaliny wypełniały kabinę i ofiary się dusiły. Kierowcy samochodów — komór gazowych byli specjalnie wybierani i szkoleni.

obozu koncentracyjnego w celu likwidacji. Do Auschwitz przybywały stale mniejsze tego rodzaju transporty, które rozstrzeliwano w żwirowni koło budynków Monopolu lub na podwórzu bloku 11. W czasie jednej z moich podróży służbowych mój zastępca Hauptsturmführer Fritzsch zastosował z własnej inicjatywy gaz do zabijania jeńców radzieckich.

Wypełnił jeńcami cele znajdujące się w piwnicy i włożywszy maskę gazową wrzucał do cel gaz cyklon B, który powodował natychmiastową śmierć. Gaz cyklon B używany był w Auschwitz przez firmę Tesch und Stabenow[147] do tępienia robactwa i dlatego też administracja obozu dysponowała zawsze pewną liczbą puszek z tym gazem. W pierwszym okresie gaz trujący, preparat kwasu pruskiego, stosowany był jedynie przez pracowników firmy Tesch und Stabenow przy zachowaniu jak najdalej idącej ostrożności. Później jednak przeszkolono w firmie kilku sanitariuszy jako dezynfektorów, którzy stosowali gaz przy odkażaniu i tępieniu robactwa.

Podczas następnej wizyty Eichmanna poinformowałem go o zastosowaniu cyklonu B i postanowiliśmy, aby przy przyszłej akcji masowej zagłady stosować ten gaz. Kontynuowano zabijanie wspomnianych radzieckich jeńców wojennych za pomocą cyklonu B, jednak już nie w bloku 11, ponieważ po gazowaniu musiano wietrzyć budynek przynajmniej przez dwa dni. Na komorę gazową adaptowano kostnicę krematorium przy rewirze, uszczelniając jej drzwi oraz wybijając w suficie kilka dziur do wrzucania gazu.

Przypominam sobie jednak jeszcze tylko jeden transport 900 radzieckich jeńców wojennych, którzy tam zostali zagazowani i których palenie trwało kilka dni. W zagrodzie chłopskiej, urządzonej specjalnie do niszczenia w niej Żydów, Rosjan nie gazowano. Nie potrafię podać, kiedy rozpoczęto zagładę Żydów, prawdopodobnie było to w grudniu 1941 r., a być może w styczniu 1942 r. Najpierw byli to Żydzi ze wschodniej części Górnego Śląska, aresztowani przez Stapo w Katowicach i przywiezieni transportem kolejowym na bocznicę położoną po zachodniej stronie linii kolejowej Oświęcim-Dziedzice, gdzie ich wyładowano. O ile sobie przypominam, transporty te nie liczyły nigdy więcej niż tysiąc osób.

Przy rampie kolejowej przejmowało Żydów od Stapo pogotowie obozowe, po czym Schutzhaftlagerführer prowadził ich w dwóch oddziałach do bunkra, jak nazywano miejsce zagłady. Bagaż pozostawał na rampie, skąd transportowano go do sortowni zwanej Kanada,[148] położonej między za-

[147] Firma „Tesch und Stabenow", znana również jako „Testa". pośredniczyła w dostarczaniu cyklonu B do obozów koncentracyjnych, natomiast producentem była firma „Degesch — Deutsche Gesellschaft fur Schädlings-Bekämpfung" (Niemieckie Towarzystwo Zwalczania Szkodników), należąca do koncernu IG Farben-Industrie. W 1942 r. obóz koncentracyjny Auschwitz otrzymał 7500 kg cyklonu B, a w 1943 r. przeszło 12 tyś. kilogramów. Obie firmy miały świadomość, do czego środek ma być użyty, gdyż wbrew niemieckim przepisom sanitarnym cyklon B dla Oświęcimia pozbawiony był komponentu ostrzegającego zapachem o zatruciu atmosfery.

[148] Kanadą nazywano w Oświęcimiu-Brzezince obóz, gdzie gromadzono rzeczy po pomordowanych, tzw. Effektenlager, oznaczony B II g. rozbudowywany do końca 1943 r. Dobytek więźniów sortowało przeszło 2000 więźniów i więźniarek.

kładami DAW[149] a składem materiałów budowlanych. Żydzi musieli się przy bunkrze rozbierać, przy czym mówiono im, iż mają udać się do odwszalni. Wszystkie pomieszczenia, a było ich pięć, jednocześnie zapełniano ludźmi, zaśrubowywano gazoszczelne drzwi i następnie wsypywano zawartość puszek z gazem przez specjalne otwory.

Po upływie pół godziny drzwi otwierano, w każdym pomieszczeniu było dwoje drzwi, wyciągano zmarłych i przewożono zwłoki wagonikami kolejki polowej do dołów. Ubrania przewożono samochodami ciężarowymi do sortowni. Całą tę pracę — pomoc przy rozbieraniu, wypełnianie bunkra ludźmi, opróżnianie bunkra, usuwanie zwłok, jak również wykopywanie i zasypywanie masowych grobów — wykonywało Sonderkommando składające się z Żydów, którzy byli zakwaterowani w wydzielonych pomieszczeniach i stosownie do zarządzenia Eichmanna po każdej większej akcji mieli być również likwidowani. Podczas pierwszych transportów Eichmann przywiózł rozkaz Reichsführera SS, według którego zwłokom należało wyrywać złote zęby,[150] a kobietom obcinać włosy. Praca ta była również wykonywana przez Sonderkommando. Nadzór nad akcją zagłady sprawował w tym czasie każdorazowo Schutzhaftlagerführer lub Rapportführer. Chorzy, których nie można było zaprowadzić do komory gazowej, zabijani byli strzałem w potylicę z karabinu małokalibrowego. Przy akcji musiał być również obecny lekarz SS. Gaz wrzucany był przez przeszkolonych dezynfektorów służby sanitarnej.

Podczas gdy wiosną 1942 r. chodziło jeszcze o mniejsze akcje, w lecie transporty tak się zwiększyły, że byliśmy zmuszeni do urządzenia dalszego miejsca zagłady. Na ten cel wybrano i odpowiednio urządzono zagrodę chłopską położoną na zachód od późniejszych krematoriów III i IV. Dla rozbierania się postawiono przy bunkrze i dwa baraki i przy bunkrze II trzy baraki. Bunkier II był większy, mieścił około 1200 osób.

Jeszcze w lecie 1942 r. chowano zwłoki w masowych grobach. Dopiero pod koniec lata zaczęliśmy palić zwłoki — początkowo na stosach drewnianych, na których mieściło się około 2000 zwłok, później w dołach wraz ze zwłokami z wcześniejszego okresu. Zwłoki oblewano początkowo odpadami ropy naftowej, później zaś metanolem. W dołach palono zwłoki bez przerwy, dniem i nocą. W końcu listopada 1942 r. wszystkie masowe groby zostały opróżnione. W masowych grobach było pochowanych 107 000

[149] Firma „DAW — Deutsche Ausrüstungswerke" (Niemieckie Zakłady Wyposażenia) została założona w maju 1939 r. w celu przebudowy architektonicznej Berlina i Norymbergi, przy użyciu do pracy więźniów obozów koncentracyjnych. Po wybuchu wojny DAW przekształciła się w wielki koncern przemysłowy SS. W Oświęcimiu DAW prowadziła m.in. roboty naprawcze dla armii.

[150] Usunięte przez Sonderkommando złote zęby były przetapiane w sztabki na terenie obozu Czynność tę wykonywali początkowo lekarze dentyści pracujący w szpitalu SS. Później utworzono przy III krematorium specjalną pracownię dla przetapiania złota. Dzienny wytop złota w niektóre dni sięgał 12 kg. W pierwszym okresie złoto przekazywano na potrzeby Głównego Urzędu Sanitarnego SS. Od 1942 r. złoto było przekazywane do Banku Rzeszy.

zwłok. Liczba ta obejmuje nie tylko zagazowanych Żydów z transportów od samego początku akcji aż do chwili rozpoczęcia palenia zwłok, lecz również zwłoki więźniów zmarłych w obozie w Auschwitz zimą 1941/1942 w okresie, gdy przez dłuższy czas nieczynne było krematorium przy rewirze. Liczba ta obejmuje również zmarłych więźniów obozu w Brzezince.

Podczas wizyty w Auschwitz latem 1942 r. Reichsführer SS obejrzał dokładnie cały przebieg akcji zagłady, począwszy od wyładunku aż do opróżnienia bunkra II. W okresie tym zwłok jeszcze nie palono. Nie kwestionował niczego, nie wypowiadał się również na ten temat. Obecni byli przy tym Gauleiter Bracht[151] i Obergruppenführer Schmauser. Wkrótce po wizycie Himmlera przyjechał Standartenführer Blobel[152] z biura Eichmanna i przywiózł rozkaz opróżnienia masowych grobów oraz spalenia zwłok. Należało również usunąć popioły, aby w późniejszym okresie nie można było obliczyć, ile spalono zwłok. Blobel przeprowadzał już w Chełmnie[153] próby różnych sposobów spalania zwłok. Eichmann polecił mu, aby pokazał mi te urządzenia. W tym celu udałem się wraz z Hösslerem[154] do Chełmna.[155] Blobel kazał tam wybudować różne prowizoryczne piece, w których palono drewnem i odpadami benzyny. Próbował również niszczyć zwłoki za pomocą środków wybuchowych, co nie-dało jednak zadowalających rezultatów. Popioły rozsypywano na rozegłym terenie leśnym, przy czym uprzednio mielono je na proszek. Standartenführer Blobel otrzymał polece-

---

[151] Fritz Bracht u rodził się 18 stycznia 1899 r. Był członkiem SA. Wstąpił do NSDAP w 1927 r., a po przejęciu władzy przez hitlerowców został posłem do Reichstagu. W 1935 r. objął funkcję zastępcy nadprezydenta Śląska. W 1941 r. objął stanowisko Gauleitera i nadprezydenta Górnego Śląska. Doszedł do stopnia SS-Gruppenführera Po zakończeniu drugiej wojny światowej zniknął bez śladu.

[152] Paul Blobel urodził się 13 sierpnia 1894 r. Był członkiem NSDAP nr 844662 i SS nr 29100, wyróżnionym odznakami pierścienia SS i szpady SS. W 1941 r. Doszedł do stopnia SS-Standartenführera. Od czerwca 1941 r. do stycznia 1942 r. był dowódcą Sonderkommando 4a działającego w ramach Einsatzgruppe C na Ukrainie w obszarze Kijów — Połtawa. W czerwcu 1942 r. objął kierownictwo akcji zacierania śladów masowych zbrodni popełnionych na wschodzie, polegającą na rozkopywaniu grobów i paleniu wydobytych zwłok. Wyrokiem Amerykańskiego Trybunału Wojskowego w Norymberdze z 8 kwietnia 1948 r. został skazany na karę śmierci.

[153] Chełmno nad Nerem — hitlerowski ośrodek zagłady, czynny z przerwami od 1941 do 1945 r. pod nazwami: SS-Sonderkommando Schultze, SS-Sonderkommando Kulmhof, SS--Sonderkommando Bothmann. 8 grudnia 1941 r. zostały tu przyjęte pierwsze transporty Żydów z okolic Łodzi i Kraju Warty. Obóz zagłady po raz pierwszy uległ likwidacji 7 kwietnia 1943 r. Wiosna 1944 r. wznowiono jego działalność i ponownie przerwano w połowie lipca 1944 r. Nieliczna grupa więźniów pozostała na terenie obozu do ostatniej likwidacji w nocy z 17 na 18 stycznia 1945 r. Ogółem w Chełmnie nad Nerem zginęło 310000 osób.

[154] Członek załogi oświęcimskiej, SS-Untersturmführer Franz Hössler, po podziale obozu 22 listopada 1943 r. objął stanowisko Schutzhaftlagerführera w obozie żeńskim Auschwitz II (Brzezinka).

[155] W tomie XII akt procesu Hössa, zachowało się zezwolenie na odbycie tej podróży nadane telegraficznie do Oświęcimia. Telegram brzmiał: „Niniejszym udziela się zezwolenia na jazdę samochodem osobowym z Oświęcimia do Łodzi w dniu 16.9.1942 r. w celu zwiedzenia stacji doświadczalnej pieców polowych Akcji Reinhardt. Podp. Glucks".

nie wyszukania i zlikwidowania wszystkich masowych grobów na terenach wschodnich. Jego sztab roboczy otrzymał kryptonim „1005". Prace wykonywane były przez komanda żydowskie, które rozstrzeliwano po ukończeniu każdego odcinka. Obóz koncentracyjny Auschwitz miał dostarczać stale Żydów do pracy w komandzie „1005".

Podczas pobytu w Chełmnie widziałem również tamtejsze urządzenia do zagłady ludzi — auta ciężarowe przystosowane do zabijania za pomocą gazów spalinowych. Tamtejszy Kommandoführer określił jednak ten sposób zabijania jako bardzo zawodny; ponieważ gaz wytwarza się nieregularnie i często nie wystarcza do spowodowania śmierci.

Nie mogłem się dowiedzieć, jaka liczba zwłok znajdowała się w masowych grobach w Chełmnie i ile zostało już spalonych. Standartenführer znał dość dokładnie liczby masowych grobów na terenach wschodnich, zobowiązany był jednak do zachowania najściślejszej tajemnicy.

Początkowo, zgodnie z rozkazem Reichsführera SS, wszyscy Żydzi dostarczani do Auschwitz za pośrednictwem placówki Eichmanna mieli być bez wyjątku niszczeni. Miało to miejsce również w przypadku Żydów z terenu Górnego Śląska, jednakże już przy pierwszych transportach Żydów niemieckich nadszedł rozkaz, aby wszystkich zdolnych do pracy mężczyzn i kobiety wydzielać i kierować do pracy ,w zakładach zbrojeniowych. Było to jeszcze przed urządzeniem obozu kobiecego; konieczność urządzenia w Oświęcimiu obozu kobiecego powstała dopiero na skutek tego rozkazu.

Na skutek utworzenia przy obozach koncentracyjnych zakładów zbrojeniowych oraz rozpoczęcia zatrudniania więźniów w fabrykach zbrojeniowych położonych poza obozami wystąpił nagle duży brak więźniów, podczas gdy dawniej komendanci obozów w starych obozach na terenie Rzeszy musieli szukać możliwości zapewnienia pracy dla wszystkich więźniów. Żydzi mieli pracować tylko w obozie w Auschwitz. Oświęcim-Brzezinka miał być obozem czysto żydowskim, więźniowie zaś wszystkich innych narodowości mieli zostać przeniesieni do innych obozów. Rozkaz ten nigdy nie został całkowicie wykonany, w późniejszym okresie ze względu na brak siły roboczej zatrudniano Żydów również w zakładach zbrojeniowych poza terenem obozu.

Wyszukiwaniem zdolnych do pracy Żydów mieli zajmować się lekarze SS. Zdarzało się jednak wielokrotnie, że dokonywał tego Schutzhaftlagerführer lub kierownik Wydziału Zatrudnienia[156] bez mej wiedzy i aprobaty. Na tym tle dochodziło do tarć między lekarzem SS a kierownikami Wydziału Zatrudnienia. Powstały różnice poglądów między oficerami w Oświęcimiu, podsycane przez rozbieżności w interpretacji rozkazu Reichsführera SS przez najwyższe władze w Berlinie.

RSHA w osobach Müllera i Eichmanna był jak najbardziej zainteresowany w zgładzeniu możliwie maksymalnej liczby Żydów. Naczelny lekarz

---

[156] Kierownikiem Wydziału Zatrudnienia w Auschwitz był od 1941 r. Heinrich Schwarz. Patrz przypis 248 na s. 248.

SS,[157] który dawał lekarzom SS wytyczne odnośnie do selekcji, był zdania, że do pracy kwalifikują się jedynie Żydzi całkowicie zdolni do jej wykonywania, ponieważ słabowici, starsi i częściowo zdolni staną się w krótkim czasie do niej niezdolni, wskutek czego spowodują dalsze pogorszenie się już wówczas niezadowalającego ogólnego poziom u zdrowotnego, konieczność niepotrzebnego zwiększenia liczby rewirów, lekarzy i lekarstw, a w końcu i tak będą musieli być zabici. WVHA w osobach Pohla i Maurera był zainteresowany tym, aby uzyskać dla przemysłu zbrojeniowego jak najwięcej sił roboczych, nawet wówczas, gdy w przyszłości miały się one stać niezdolne do pracy. Tę sprzeczność interesów zaostrzały jeszcze nieograniczone wręcz żądania ze strony Ministerstwa Uzbrojenia[158] lub Organizacji Todt[159] dostarczania więźniarskich sił roboczych. Obu tym urzędom Reichsführer SS ciągle obiecywał takie liczby więźniów, iż nie było możliwości ich realizacji. Standartenführer Maurer, szef urzędu D II, miał trudne zadanie choćby częściowego uwzględniania stałych nacisków tych placówek. Nakazał on kierownikom Wydziałów Zatrudnienia, aby starali się uzyskać jak największą liczbę sił roboczych. Nie można było uzyskać jasnej decyzji Reichsführera SS. Ja osobiście byłem zdania, że do pracy należało wybierać jedynie takich Żydów, którzy byli całkowicie zdrowi i silni.

Selekcje miały następujący przebieg: wagony wyładowywano kolejno, jedne po drugich. Po odłożeniu bagażu Żydzi musieli pojedynczo przechodzić przed lekarzem SS, który w trakcie przechodzenia przed nim decydował o ich przydatności do pracy. Zdolnych do pracy odprowadzano natychmiast do obozu w małych oddziałach. Przeciętna liczba zdolnych do pracy wszystkich transportów wynosiła średnio 25 do 30%, ulegała jednak dużym wahaniom w poszczególnych transportach. Tak więc średnia zdolnych do pracy w transportach Żydów greckich wynosiła jedynie 15%, podczas gdy bywały transporty ze Słowacji, które były w 100% zdolne do pracy. Żydowscy lekarze i personel pielęgniarski kierowani byli bez wyjątku do obozu.

Już przy pierwszych próbach palenia zwłok na wolnym powietrzu okazało się, że nie będzie tego można stale robić. Przy złej pogodzie lub

---

[157] Naczelnym lekarzem SS byt dr Ernst Grawitz. Patrz przypis 211 na s. 192.

[158] Urząd Ministra Uzbrojenia i Amunicji — Reichsminister für Bewaffnung und Munition utworzony został 14 lutego 1942 r Na czele nowego ministerstwa stanął 36-letni architekt Albert Speer. W ciągu trzech miesięcy od lutego do maja 1942 r. Albert Speer podporządkował sobie wszystkie związane z produkcją zbrojeniową instytucje Trzeciej Rzeszy, uzyskując decydujący wpływ na kształtowanie polityki ekonomicznej państwa. Miał prawo wydawania dyspozycji wszystkim centralnym organom zarządzania gospodarką Rzeszy i ich egzekwowanie. 2 września 1943 r. Ministerstwo przekształcono w Ministerstwo do Spraw Zbrojeń i Produkcji Wojennej — Reichsministerium für Rüstung und Kriegsproduktion.

[159] Organisation Todt — zmilitaryzowana organizacja budowlana powołana w Trzeciej Rzeszy w 1938 r. do budowy obiektów wojskowych. Nazwa jej pochodzi od nazwiska jej szefa, inż. Fritza Todta. Obowiązkowi pracy w OT podlegali Niemcy niezdolni do służby wojskowej i przedpoborowi. W czasie wojny zatrudniano również inżynierów i robotników innych narodowości, w wielu wypadkach ofiary przymusu zastosowanego przez okupanta. OT wykorzystywała w charakterze sił pomocniczych około 1 mln jeńców wojennych i więźniów obozów hitlerowskich.

silnym wietrze odór spalenizny rozchodził się na wiele kilometrów i powodował, iż cała ludność mieszkająca w okolicy mówiła o paleniu Żydów, mimo kontrpropagandy prowadzonej przez partię i administrację. Wszyscy funkcjonariusze SS uczestniczący w akcji zagłady otrzymali wprawdzie szczególnie surowy nakaz zachowania całej sprawy w tajemnicy, jednakże późniejsze procesy przed sądem SS wykazały, że instrukcje te i nakazy nie były przestrzegane. Nawet wysokie kary nie były w stanie zapobiec gadulstwu.[160]

Przy tym obrona przeciwlotnicza protestowała przeciwko ogniom widocznym w nocy z daleka. Musiano jednak zwłoki spalać również i w nocy, jeżeli nie chciało się zahamować przyjmowania nadchodzących transportów. Rozkład jazdy związany z poszczególnymi akcjami, ustalony ściśle w trakcie konferencji przez Ministerstwo Komunikacji Rzeszy,[161] musiał być bezwarunkowo przestrzegany, aby uniknąć zablokowania i zamętu na liniach kolejowych, co było istotne szczególnie ze względów wojskowych.

Powyższe względy doprowadziły do szybkiego zaplanowania i następnie wybudowania obu wielkich krematoriów, a w roku 1943 do budowy dalszych dwóch mniejszych obiektów. Budowa później zaplanowanego, znacznie większego krematorium nie została zrealizowana, ponieważ jesienią 1944 r. Reichsführer SS wydał rozkaz natychmiastowego wstrzymania zagłady Żydów.

Oba wielkie krematoria I i II zostały wybudowane w zimie 1942/1943 r. i oddane do użytku wiosną 1943 r. Każde z nich miało pięć pieców trzyretortowych, w których można było spalić w ciągu 24 godzin po 2000 zwłok. Ze względów technicznych nie było możliwości zwiększenia liczby spalanych zwłok. Dokonywane próby prowadziły do ciężkich uszkodzeń pieców, które kilkakrotnie powodowały całkowite ich unieruchomienie. Oba krematoria I i II miały podziemne rozbieralnie i komory gazowe, zaopatrzone w instalację nawiewną i wietrzenia. Zwłoki przewożono windą do wyżej położonych pieców. Komory gazowe mieściły po 3000 osób, jednakże liczby tej nigdy nie osiągnięto, ponieważ poszczególne transporty nie były tak liczne.

Oba mniejsze krematoria III i IV, według obliczeń erfurckiej firmy budowlanej Topf,[162] miały spalać po 1500 zwłok w ciągu 24 godzin. Na skutek spowodowanych wojną braków materiałowych kierownictwo budowy

---

[160] w tomie XII akt dochodzenia w sprawie Hössa zachował się tekst oświadczenia składanego przez funkcjonariuszy SS uczestniczących w akcji zagłady Żydów. „1. Jest mi wiadomo i zostałem o tym dzisiaj pouczony, że zostanę ukarany śmiercią, jeżeli targnę się na mienie żydowskie. 2. O wszystkich czynnościach, które należy przeprowadzić przy ewakuacji Żydów, mam zachować bezwzględne milczenie, także wobec innych kolegów 3. Zobowiązuję się całą moja osobą i ze wszystkich sił współdziałać przy sprawnym wykonywaniu tych czynności”.

[161] Ministerstwo Komunikacji Rzeszy — Reichsverkehrsministerium. Ministrem komunikacji był Julius Hemrich Dorpmüller.

[162] Firma J. A. Topf und Söhne z Erfurtu prowadziła w Auschwitz budowę pieców krematoryjnych oraz prace instalacyjno-montażowe przy budowie komór gazowych.

było zmuszone do oszczędnościowej ich budowy, na skutek czego rozbieralnie i komory gazowe zbudowano na powierzchni ziemi piece zaś były lżejszego typu. Wkrótce jednak się okazało, że zbudowane w ten sposób piece, po dwa czteroretortowe, nie mogły sprostać zadaniom. Krematorium III po krótkim okresie eksploatacji nie nadawało się do dalszego użytkowania i później już z niego zupełnie nie korzystano. Krematorium IV musiano wielokrotnie wyłączać z eksploatacji, ponieważ po krótkim okresie palenia zwłok przez cztery do sześciu tygodni przepalały się piece lub komin. Zagazowanych palono najczęściej w dołach za IV krematorium.

Prowizoryczne urządzenie i rozebrano z chwilą rozpoczęcia zabudowy III odcinka obozu w Brzezince. Urządzenie II, zwane później krematorium na wolnym powietrzu lub bunkrem V, było czynne do samego końca jako obiekt zastępczy w przypadkach awarii w krematoriach I do IV. Przy akcjach, podczas których pociągi przyjeżdżały częściej, dokonywano gazowania w ciągu dnia w bunkrze V, w nocy zaś transporty likwidowano w krematoriach I do IV. Możliwości spalania zwłok w bunkrze V były praktycznie nieograniczone do chwili, dopóki można było je palić dniem i nocą. Na skutek działalności nieprzyjacielskiego lotnictwa od roku 1944 nocą nie wolno było palić.

Największa liczba zagazowanych i spalonych osiągnięta w ciągu 24 godzin wyniosła nieco powyżej 9000 we wszystkich urządzeniach z wyłączeniem III. Miało to miejsce latem 1944 roku podczas akcji węgierskiej,[163] kiedy to w wyniku opóźnień pociągów zamiast przewidzianych trzech nadeszło w ciągu 24 godzin pięć pociągów, i to w dodatku przeładowanych.

Krematoria wybudowano na końcu obu wielkich arterii obozu w Brzezince, aby po pierwsze nie powiększać jeszcze bardziej obszaru obozu i tym samym stwarzać problemu jego zabezpieczenia, po drugie zaś nie powinny one być zbyt oddalone od obozu, ponieważ po zakończeniu akcji zagłady komory gazowe i rozbieralnie miały służyć jako zakłady kąpielowe.

Budynki miały być zasłonięte murem lub żywopłotem, ale z powodu braku materiału zamiaru tego zaniechano. Wszystkie miejsca zagłady zamaskowano prowizorycznie płotami. Trzy tory kolejowe między odcinkami budowlanymi I i II obozu w Brzezince miały zostać przebudowane na dworzec kolejowy i przykryte dachem oraz doprowadzone aż do krematoriów III i IV tak, aby chronić wyładowanie przed okiem osób niepowołanych. Brak materiału spowodował również zaniechanie i tego planu.

Na skutek coraz mocniejszego forsowania przez Reichsführera SS zatrudniania więźniów w przemyśle zbrojeniowym Obergruppenführer Pohl był zmuszony do sięgnięcia po Żydów, którzy utracili zdolność do pracy.

---

163 Akcja węgierska nosiła wówczas kryptonim „Aktion Höss" i była osobiście przezeń kierowana. Sprawę deportacji Żydów węgierskich przygotowali w warunkach okupacji wojskowej tego kraju przez Niemców Adolf Eichmann i dwóch sekretarzy stanu w węgierskim ministerstwie spraw wewnętrznych, generałów policji. L. Baky i L. Endre. Akcja deportacji Żydów rozpoczęła się 7 kwietnia 1944 r. i trwała do końca czerwca. Została przerwana na wyraźne żądanie Regenta Węgier Miklosa Horthy'ego 26 czerwca 1944 r.

Nadszedł rozkaz, aby wszystkich niezdolnych do pracy Żydów którzy w ciągu 6 tygodni mogli zostać wyleczeni i odzyskać zdolność do pracy, szczególnie starannie pielęgnować i dobrze odżywiać. Dotychczas wszyscy niezdolni do pracy Żydzi byli zagazowywani z najbliższymi transportami lub też uśmiercani za pomocą zastrzyków, jeśli jako chorzy znajdowali się na rewirze. Dla Oświęcimia-Brzezinki rozkaz ten był czystą kpiną. Brak było wszystkiego. Nie było lekarstw, miejsca zaś tak niewiele, że mogli leżeć tylko najciężej chorzy. Wyżywienie było całkiem niewystarczające i z miesiąca na miesiąc coraz bardziej ograniczane przez Ministerstwo Wyżywienia. Wszystkie krytyczne uwagi nie odnosiły żadnego skutku, należało próbować. Na skutek tego powstał w obozie brak pomieszczeń dla zdrowych więźniów, którego nie udało się już nigdy usunąć. Spowodowało to pogorszenie się ogólnego stanu zdrowotnego i rozprzestrzenianie się chorób zakaźnych. Rozkaz spowodował prawie natychmiastowy wzrost śmiertelności i bezgraniczne pogorszenie się ogólnego stanu; nie przypuszczam, aby choć jeden z Żydów, którzy utracili zdolność do pracy, wrócił ponownie do pracy w przemyśle zbrojeniowym.

Transport-Juden — tak nazywano wszystkich Żydów przywożonych do obozu na polecenie urzędu Eichmanna — RSHA IV B4. Zawiadomienia o ich przybyciu opatrzone były uwagą: „Transport odpowiada podanym dyrektywom i powinien być włączony do SB (akcji specjalnej)".

Wszyscy inni Żydzi z wcześniejszego okresu, a więc przed wydaniem rozkazu zagłady, byli „Żydami w areszcie ochronnym" lub też Żydami należącymi do innych kategorii więźniów.

W poprzednich przesłuchaniach podałem, iż liczba Żydów przywiezionych na zagładę wynosiła dwa i pół miliona. Liczba ta pochodzi od Eichmanna, który ją podał memu przełożonemu Glücksowi przed okrążeniem Berlina, gdy został wezwany do raportu przez Reichsführera SS. Eichmann lub jego stały zastępca Günther byli jedynymi osobami, które dysponowały materiałami dotyczącymi ogólnej liczby zgładzonych. Po każdej większej akcji musiano w Auschwitz, zgodnie z rozkazem Reichsführera SS, palić wszystkie dokumenty, które mogły stanowić źródło informacji o liczbie zamordowanych. Jako szef Urzędu D I zniszczyłem osobiście wszystkie dokumenty, jakie znajdowały się w moim biurze. W innych urzędach zrobiono to samo. Według relacji Eichmanna również u Reichsführera SS i w RSHA zniszczono wszelkie dokumenty. Jedynie jego podręczne notatki mogły stanowić źródło jakichś informacji. W tym lub innym urzędzie na skutek niedbalstwa mogły pozostać pojedyncze pisma, dalekopisy czy też radiogramy, nie mogły jednak one zawierać informacji odnośnie do ogólnej liczby ofiar.

Ja sam nie znałem również ogólnej liczby i nie rozporządzam żadnymi danymi, na podstawie których mógłbym je podać. Pozostały mi w pamięci jedynie liczby odnoszące się do większych akcji, które wielokrotnie podawał mi Eichmann czy też jego pełnomocnik.

Z Górnego Śląska i Generalnego	
Gubernatorstwa	250 000
Niemcy i Terezin[164]	100 000
Holandia	95 000
Belgia	20 000
Francja	110 000
Grecja	65 000
Węgry	400 000
Słowacja	90 000

Nie pamiętam liczb odnoszących się do mniejszych akcji, ale w porównaniu z powyższymi były one nieznaczne. Uważam, że liczba dwa i pół miliona jest za wysoka. Możliwości zagłady miały i w Auschwitz swoje granice. Liczby podawane przez byłych więźniów są wytworami fantazji i nie są oparte na żadnych podstawach.

„Akcja Reinhardt" — określenie to było kryptonimem, którym oznaczano zabieranie, sortowanie i wykorzystywanie wszystkich rzeczy uzyskiwanych z przybywających transportów Żydów po ich zniszczeniu. Każdy członek SS, który przywłaszczył sobie własność żydowską, zgodnie z rozkazem Reichsführera SS podlegał karze śmierci. Przejęte rzeczy sięgały niewyobrażalnej wartości setek milionów. Ogromne bogactwa były kradzione przez członków SS i policjantów, więźniów, pracowników cywilnych i robotników, personel kolejowy. Wiele z tego leży jeszcze dzisiaj schowane i zakopane na terenie obozu Oświęcim-Brzezinka.

Po wyładowaniu przybyłych transportów żydowskich cały bagaż pozostawał na rampie aż do chwili, gdy wszyscy Żydzi zostali zaprowadzeni na miejsce zagłady bądź też do obozu. Potem specjalna drużyna transportowa przewoziła wszystkie bagaże, początkowo do sortowni Kanada I, gdzie je sortowano lub dezynfekowano. Również ubrania ludzi zagazowanych w bunkrach I i II lub krematoriach I do IV przewożono do sortowni. Już w roku 1942 Kanada I nie była w stanie nadążyć z bieżącym sortowaniem rzeczy. Mimo iż wciąż wznoszono nowe baraki, sortujący zaś więźniowie pracowali dniem i nocą, mimo zwiększenia liczby pracujących, wciąż piętrzyły się góry nie posortowanego bagażu, niezależnie od tego, iż codziennie załadowywano wiele wagonów, nawet do 20, wysortowanym materiałem. W roku 1942 przystąpiono do budowy magazynu Kanada II, graniczącego od zachodu z odcinkiem budowlanym II w Brzezince, jak również odwszalni i łaźni dla nowo przybyłych więźniów. Ledwo zdążono postawić 30 bara-

[164] Na terenie Protektoratu Czech i Moraw ludność żydowska zamknięto w gettach w listopadzie 1941 r. Największym gettem — obozem przejściowym dla Żydów stał się Terezin (Theresienstadt). Począwszy od 1942 r. rozpoczęty się deportacje Żydów czeskich do obozów hitlerowskich. W Auschwitz w obozie B II b utworzono obóz rodzinny dla Żydów z Terezina. zwany też Familienlager Theresienstadt Pierwszy transport 5006 osób przybył 9 września 1943 r. 9 marca 1944 r, z tego transportu pozostało już tylko 3791 kobiet, mężczyzn i dzieci, reszta zmarła na skutek głodu i chorób. Prawie wszyscy zginęli tego dnia w komorach gazowych, przy życiu pozostali tylko lekarze-więźniowie i bliźnięta zdatne do eksperymentów pseudomedycznych.

ków, były one już całkowicie zapełnione. Góry nie posortowanego bagażu piętrzyły się między barakami. Mimo zwiększenia liczebności drużyn roboczych nie było mowy, aby w czasie poszczególnych akcji, trwających 4 do 6 tygodni, podołać zadaniu. Dopiero w okresie dłuższych przerw można było zaprowadzić jakiś porządek. Zarówno odzież, jak i obuwie przeglądane w poszukiwaniu ukrytych przedmiotów wartościowych — co przy takiej masie można było czynić jedynie pobieżnie — i następnie posortowane składano w magazynie lub też przekazywano do obozu w celu uzupełnienia odzieży więźniów, później zaś przesyłano również do innych obozów. Dużą część odzieży przekazywano opiece społecznej dla przesiedleńców, a później dla ofiar bombardowań lotniczych. Wiele rzeczy otrzymały również zakłady zbrojeniowe dla zaopatrzenia robotników cudzoziemskich.[165] Koce, pościel itp. przekazywano ponadto opiece społecznej. Jeżeli w obozie powstawało zapotrzebowanie na tego rodzaju rzeczy, było ono pokrywane z tych zapasów, również do innych obozów przekazywano większe przesyłki.

Przedmioty wartościowe przejmował specjalny wydział zarządu obozu, po czym fachowcy segregowali je według wartości. Podobnie działo się ze znalezionymi pieniędzmi.

Wśród znalezionych przedmiotów wartościowych — szczególnie jeśli chodzi o transporty Żydów z zachodu — znajdowano nadzwyczaj cenne rzeczy: kamienie szlachetne milionowej wartości, zegarki wysadzane brylantami, złote i platynowe zegarki o bezcennej wartości, pierścienie, kolczyki, naszyjniki o szczególnej wartości ze względu na swą osobliwość, milionowe sumy w banknotach wszystkich krajów. Często znajdowano przy jednej osobie setki tysięcy, przeważnie w banknotach tysiącdolarowych. Nie było schowka w ubraniu, bagażu czy też w ludzkim ciele, z którego by nie korzystano.

Po zakończeniu sortowania po większych akcjach pakowano przedmioty wartościowe i pieniądze w kufry i przewożono samochodami ciężarowymi do Berlina do WVHA, a stamtąd do Banku Rzeszy. W Banku Rzeszy był specjalny wydział, który zajmował się wyłącznie przedmiotami uzyskanymi podczas akcji żydowskich. Pewnego razu Eichmann mi powiedział, iż kosztowności i dewizy sprzedawano w Szwajcarii, opanowano w tym zakresie cały szwajcarski rynek kosztowności. Zwykłe zegarki wysyłano tysiącami do Sachsenhausen. Znajdował się tam wielki warsztat zegarmistrzowski, zatrudniający setki więźniów. Funkcjonował on pod bezpośrednim kierownictwem D II (Maurera). W warsztacie tym sortowano i reperowano te zegarki. Najwięcej zegarków przekazano do dyspozycji oddziałów frontowych do celów służbowych Waffen-SS i armii.

Złoto dentystyczne lekarze dentyści w rewirze SS przetapiali w sztaby i co miesiąc przekazywali do Głównego Urzędu Sanitarnego. Również w plombowanych zębach znajdowano szlachetne kamienie olbrzymiej wartości.

---

[165] Dokument Norymberski NO-1257 zawiera zestawienie, z którego wynika, że największy koncern inwestujący w Oświęcimiu IG-Farbenindustrie. zatrudniający w 1944 r na budowie 11 000 więźniów, otrzymał z tego źródła 4000 ubrań męskich.

Obcięte włosy kobiece przesyłano do pewnej fabryki w Bawarii dla celów zbrojeniowych.

Nie nadającą się do użytku odzież przekazywano do przeróbki w zakładach przemysłu włókienniczego, nie nadające się zaś do użytku obuwie cięto na kawałki, wykorzystując to, co było możliwe, resztę zaś przerabiano na mączkę skórzaną.

W związku z żydowskimi kosztownościami w obozie powstała niesłychanie trudna sytuacja, której nie dało się opanować. Wpływała ona demoralizująco na członków SS, którzy nie zawsze byli na tyle odporni, aby zwalczyć pokusę wzbogacenia się łatwymi do zdobycia żydowskimi kosztownościami. Zarówno kara śmierci, jak i najcięższe kary pozbawienia wolności nie działały dostatecznie odstraszająco. Dzięki kosztownościom Żydów otworzyły się również niespodziewane możliwości dla więźniów.[166] Można z tym powiązać większość ucieczek. Za łatwo zdobyte pieniądze lub zegarki, pierścionki itp. więźniowie kupowali wszystko od członków SS lub też cywilnych robotników. Transakcje, których przedmiotem był alkohol, wyroby tytoniowe, żywność, fałszywe dokumenty, broń i amunicja, były na porządku dziennym. W Brzezince więźniowie uzyskali nocą dostęp do obozu kobiecego, kupili sobie nawet niektóre dozorczynie. Na skutek tego cierpiała oczywiście również ogólna dyscyplina obozowa. Ci, którzy posiadali kosztowności, mogli sobie kupić lepszą pracę, życzliwość kapo i blokowych, a nawet stały pobyt w rewirze z najlepszym zaopatrzeniem. Mimo najsurowszej kontroli nie udało się tego zmienić. Żydowskie złoto stało się przekleństwem dla obozu.

O ile mi wiadomo, oprócz Oświęcimia istniały następujące miejsca zagłady Żydów:

Chełmno koło Łodzi	— gazy spalinowe
Treblinka nad Bugiem	— gazy spalinowe
Sobibór koło Lublina	— gazy spalinowe
Borżec koło Lwowa[167]	— gazy spalinowe
Lublin (Majdanek)	— cyklon B

Poza tym wiele miejsc zagłady znajdowało się na terenach Komisariatu Rzeszy Wschód, np. koło Rygi. W tych miejscowościach Żydów rozstrzeliwano, a zwłoki palono na stosach drewna;

Ja sam widziałem jedynie Chełmno i Treblinkę. Chełmno było już nieczynne. W Treblince obejrzałem całą procedurę. Znajdowało się tam kilka komór mogących pomieścić kilkaset osób. Położone one były bezpośrednio

[166] Ze źródła tego mogli korzystać więźniowie Sonderkommando i więźniowie zatrudnieni przy sortowaniu rzeczy.

[167] Borżec koło Lwowa to Bełżec. Obóz zagłady powstał tu 1 listopada 1941 r i istniał do 30 czerwca 1943 r. Oficjalne nazwy: Sonderkommando Bełżec lub Dienststelle Bełżec der Waffen-SS. Załoga składała się z 33 SS-manów i 200 strażników. Ogółem w Bełżu zginęło 600 000 Żydów oraz Polaków udzielających im pomocy.

przy torze kolejowym. Po rampie położonej na wysokości wagonów Żydzi — jeszcze ubrani — szli bezpośrednio do komór. W wybudowanym w pobliżu pomieszczeniu znajdowały się różne silniki spalinowe dużych samochodów ciężarowych i czołgów, które następnie zapuszczano. Gazy spalinowe z pracujących silników doprowadzano rurociągami do komór, powodując śmierć znajdujących się w nich ludzi. Upływało ponad pół godziny, zanim w komorach się uciszyło. Po godzinie otwierano komory i wyciągano zwłoki, rozbierano je i następnie palono na podkładzie z szyn. Ogień podtrzymywano za pomocą drewna, zwłoki zaś od czasu do czasu polewano benzyną. W czasie zwiedzania przeze mnie Treblinki wszyscy zagazowani zmarli. Powiedziano mi jednak, że silniki nie zawsze pracują równomiernie, dlatego też spaliny często nie wystarczają do zabicia wszystkich osób znajdujących się w komorach. Wiele z nich traciło tylko przytomność i musiano ich jeszcze rozstrzeliwać. To samo słyszałem również w Chełmnie. Mówił mi także Eichmann, że w innych miejscach występowały podobne usterki. W Chełmnie zdarzyło się również, iż znajdujący się w samochodzie ciężarowym Żydzi wyłamali ściany i usiłowali uciec.

Doświadczenie wykazało, iż preparat kwasu pruskiego, cyklon B z niezawodną pewnością i szybko powoduje śmierć, szczególnie w całkowicie wypełnionych, suchych i szczelnych pomieszczeniach z możliwie licznymi otworami do w rzucania gaz u. Nigdy nie widziałem ani też nie słyszałem, aby choć jeden człowiek zagazowany w Auschwitz żył jeszcze po otwarciu komór, pół godziny po wrzuceniu gazu.

Zagłada w Auschwitz wyglądała następująco.

Przeznaczonych na zagładę Żydów, mężczyzn i kobiety oddzielnie, prowadzono możliwie spokojnie do krematoriów. W rozbieralni zatrudnieni tam więźniowie z Sonderkommando mówili Żydom w ich ojczystym języku, że przyszli tylko do kąpieli i odwszenia, że mają porządnie poukładać swoje rzeczy, a przede wszystkim zapamiętać miejsce, aby po odwszeniu mogli je szybko znaleźć. Więźniowie z Sonderkommando byli sami jak najbardziej zainteresowani w tym, aby wszystko przebiegało szybko, spokojnie i sprawnie.

Po rozebraniu się Żydzi wchodzili do komory gazowej, zaopatrzonej w natryski i rury wodociągowe, sprawiającej wrażenie łaźni. Najpierw wchodziły kobiety z dziećmi, a następnie mężczyźni, których zawsze było mniej. Odbywało się to prawie zawsze spokojnie, ponieważ trwożliwych lub też przeczuwających nieszczęście uspokajali więźniowie z Sonderkommando. Poza tym zarówno ci więźniowie, jak i jeden z SS-manów pozostawali do ostatniej chwili w komorze.

Następnie szybko zaśrubowywano drzwi, a oczekujący dezynfektorzy natychmiast wrzucali przez otwory w suficie gaz, który specjalnymi przewodami opadał aż do podłogi. To powodowało natychmiastowe rozchodzenie się gazu. Przez wziernik w drzwiach można było widzieć, że osoby stojące najbliżej przewodów wrzutowych natychmiast padały martwe. Można powiedzieć, iż około jednej trzeciej ofiar umierało natychmiast. Pozostali zaczynali się zataczać, krzyczeć i chwytać powietrze. Krzyk jednak przechodził wkrótce w rzężenie, a po kilku minutach leżeli wszyscy. Najdalej po upływie 20 minut nikt już się nie poruszał. W zależności od pogody, czy było mokro czy też sucho, zimno czy ciepło, poza tym zależnie od jakości gazu, który nie zawsze był jednakowy, wreszcie zależnie od składu transportu, czy było w nim dużo zdrowych, starych czy chorych lub też dzieci, skutek działania gazu występował po 5–10 minutach. Utrata przytomności następowała już po kilku minutach, w zależności od odległości od szybów wrzutowych. Krzyczący, starsi, chorzy, słabi i dzieci padali szybciej niż zdrowi i młodzi. W pół godziny po wrzuceniu gazu otwierano drzwi i włączano wentylatory.

Natychmiast przystępowano do wyciągania zwłok Nie wykazywały one żadnych zmian cielesnych, nie było widać ani skurczów, ani też zmian zabarwienia. Dopiero po dłuższym leżeniu, a więc po kilku godzinach, występowały zwykłe pośmiertne plamy opadowe. Także zanieczyszczenie kałem należało do rzadkości. Nie stwierdzano żadnych okaleczeń. Twarze nie były wykrzywione.

Sonderkommando wyrywało zwłokom złote zęby. kobietom zaś obcinało włosy. Następnie przewożono zwłoki windami na górę do już rozpalonych pieców. W zależności od budowy ciała do jednej komory piecowej wchodziło do trzech zwłok. Od właściwości zwłok zależny był również czas spalania, który wynosił przeciętnie 20 minut.

Jak już wyżej wspomniałem, krematorium I i II mogły łącznie w ciągu 24 godzin spalić około 2000 zwłok. Spalenie większej liczby nie było możliwe bez powodowania uszkodzeń. Krematoria III i IV miały spalać 1500 zwłok w ciągu 24 godzin, o ile mi jednak wiadomo, liczby tej nigdy tam nie osiągnięto. W czasie trwającego bez przerwy spalania, popioły spadały przez ruszty i były bieżąco usuwane oraz rozdrabniane. Rozdrobnione popioły wywożono samochodami ciężarowymi do Wisły i tam wrzucano łopatami do wody, z którą natychmiast odpływały i rozpuszczały się. Podobnie postępowano z popiołami z dołów przy bunkrze II i krematorium IV, w których spalano zwłoki. Proces zagłady w bunkrze I i II przebiegał tak samo jak w krematoriach, bardziej odczuwało się tam jednak wpływy warunków atmosferycznych.

Wszelkie prace związane z zagładą wykonywane były przez Żydów pracujących w Sonderkommando. Tę straszną pracę wykonywali oni z tępą obojętnością. Jedynym ich dążeniem było, aby się z tą pracą jak najszybciej uporać, by móc mieć dłuższą przerwę i poszukać tytoniu oraz jedzenia w ubraniach zagazowanych. Mimo iż byli dobrze odżywiani i dostawali obfite dodatki, często widziało się, jak jedną ręką ciągnęli zwłoki, a w drugiej trzymali jedzenie i żuli. Nawet najbardziej okropna praca, jaką było wykopywanie i palenie zwłok zakopanych w masowych grobach, nie przeszkadzała im w jedzeniu. Z równowagi nie wytrącało ich nawet palenie najbliższych krewnych.

Latem 1943 roku, w czasie służbowej podróży do Budapesztu na spotkanie z Eichmannem, dowiedziałem się od niego o planowaniu dalszych akcji przeciwko Żydom. W okresie tym na Węgrzech było aresztowanych 200 000 Żydów z Ukrainy Zakarpackiej. Umieszczeni byli w cegielniach i oczekiwali na transport do Auschwitz. Eichmann spodziewał się, że z Węgier przybędzie około 3 milionów Żydów.[168] Taką liczbę otrzymał od żandarmerii węgierskiej, która przeprowadzała aresztowania.

Aresztowania i wywiezienie miały być przeprowadzone jeszcze w roku 1943. Na skutek politycznych trudności w rządzie węgierskim termin ten był stale przesuwany. Szczególnie armia węgierska, tzn. wyżsi oficerowie, była przeciwna wydaniu Żydów i ułatwiła większości mężczyzn schronienie w oddziałach roboczych przy dywizjach frontowych, uniemożliwiając tym samym żandarmerii ich aresztowanie. Jesienią 1944 roku, gdy akcją został objęty Budapeszt, znajdowali się tam jeszcze tylko starzy i chorzy Żydzi. Ogółem wywieziono z Węgier prawdopodobnie nie więcej aniżeli pół miliona Żydów.

Jako następny kraj przewidziana była Rumunia. Stamtąd Eichmann spodziewał się — na podstawie danych swego pełnomocnika w Bukareszcie[169] — około czterech milionów Żydów. Rokowania z rządem rumuńskim były jednak bardzo trudne. Wrogie Żydom koła chciały przeprowadzić akcję zagłady Żydów we własnym kraju. Miały już miejsce poważne wystąpienia antyżydowskie, porwanych Żydów mordowano, zrzucając ich w Karpatach w głębokie przepaście. Część rządu była jednak za wywiezieniem Żydów do Niemiec.

Jednocześnie miała przyjść kolej na Bułgarię z przypuszczalną liczbą 2,5 milionów Żydów. Kompetentne tamtejsze władze zgadzały się na wywiezienie, chciały jednak zaczekać na zakończenie rokowań z Rumunią.

Dalej Mussolini miał jakoby obiecać wydanie włoskich Żydów, jak również Żydów z okupowanej przez Włochy części Grecji. Nie można jednak było otrzymać żadnych przybliżonych danych liczbowych. Watykan i dom królewski, a tym samym wszyscy przeciwnicy Mussoliniego, chcieli jednak temu za wszelką cenę przeszkodzić. Eichmann z tego względu na wydanie wcale nie liczył.

Wreszcie Hiszpania. Wpływowe koła zwróciły się do przedstawicielstwa Niemiec, aby się pozbyć Żydów, jednakże Franco i kręgi będące pod jego wpływem byli temu przeciwni Eichmann nie przypuszczał, aby wydanie doszło do skutku. Przebieg wojny udaremnił te plany i milionom Żydów uratował życie.

Rudolf Höss

Kraków, w listopadzie 1946 r.

[168] Dane dotyczące liczby Żydów w państwach sprzymierzonych z Niemcami, podawane przez Hössa na tej stronie i następnej, są całkowicie fikcyjne. Podczas konferencji w Wansee 20 stycznia 1942 r. oceniano liczbę Żydów europejskich na 11 milionów, w tym: Bułgaria 48000. Rumunia 342000 i Węgry 742800. Nawet jeżeli założyć, że miejscowe policje mogły później skorygować te liczby w górę, to różnica nie mogła przekroczyć kilku procent.

[169] Pełnomocnikiem do spraw żydowskich przy poselstwie niemieckim w Bukareszcie był Weillinghaus.

Organizacja Schmelt

SS-Brigadeführer Schmelt,[170] późniejszy prezydent rejencji w Opolu, po włączeniu wschodniej części Górnego Śląska do Rzeszy, otrzymał od Reichsführera SS polecenie, aby robotników cudzoziemskich, szczególnie Żydów, którzy nie mieli żadnej pracy, wciągnąć do pracy poprzez stworzenie miejsc pracy w przemyśle zbrojeniowym lub też roboty remontowe dla armii.

Schmelt założył więc na całym terenie Śląska małe obozy pracy lub warsztaty w nieczynnych fabrykach w miastach Górnego Śląska. Zatrudnieni w tych warsztatach robotnicy po zakończeniu codziennej pracy udawali się do swych domów lub też gett.

Powyższe ośrodki pracy i warsztaty zbrojeniowe pracowały pod kierownictwem Schmelta, który również dostarczał personelu nadzorczego. Z reguły byli to policjanci i członkowie SA.[171] Robotnicy, jeśli nie byli umieszczeni w jakimś obozie, otrzymywali niewielkie wynagrodzenie. Dochód z tej pracy wpływał na specjalny fundusz, będący w dyspozycji gauleitera Górnego Śląska. Na co środki te były przeznaczone, nie jest mi wiadome.

O ile sobie jeszcze przypominam, Schmelt zatrudniał przeszło 50 tysięcy Żydów. Ilu było Polaków i Czechów, nie jest mi wiadome. Po wydaniu latem 1941 roku przez Reichsführera SS rozkazu zagłady, organizacja Schmelt była zmuszona rozwiązać te obozy pracy i warsztaty, w których byli zatrudnieni Żydzi, Żydów tych zaś przetransportować do Auschwitz. Na skutek stałych poważnych interwencji Wehrmachtu i komend uzbrojenia w RSHA lub u samego Reichsführera SS likwidację tych obozów stale odwlekano. Dopiero w 1943 roku wydany został rozkaz Reichsführera SS, aby warsztaty te zamknąć, Żydów zaś wraz z produkcją przenieść do obozu koncentracyjnego w Auschwitz. Ważniejsze obozy przy zakładach zbrojeniowych o zasadniczym dla zwycięstwa znaczeniu miały być prowadzone nadal pod zarządem obozu koncentracyjnego Auschwitz lub Gross-Rosen. Obozy nie należące do tej kategorii należało rozwiązać, a ich mieszkańców przekazać do Auschwitz. Akcję tę przeprowadzono ostatecznie wiosną 1943 r.

---

[170] Albrech Schmelt urodził się 19 sierpnia 1899 r. Był członkiem NSDAP nr 369853 i SS nr 340792, wyróżnionym odznakami pierścienia SS i szpady SS. W 1942 r. doszedł do stopnia SS-Brigadeführera. Byt posłem do Reichstagu w Trzeciej Rzeszy W 1940 r. stanął na czele urzędu określanego mianem „Organizacja Schmelt". Urząd zajmował się przymusowym poborem do pracy w fabrykach i przedsiębiorstwach w Niemczech. Posiadał odrębny referat żydowski. Pod koniec 1942 r. pod kontrola Organizacji Schmelt pracowało w systemie niewolniczym 50570 Żydów.

[171] Sturm-Abteilungen — SA (Oddziały Szturmowe) powstały w 1921 r. w Monachium dla ochrony publicznych zgromadzeń partii. W 1934 r. oddziały SA skupiały 3 200 000 członków. SA odegrały ważną rolę w umacnianiu pozycji ruchu narodowo-socjalistycznego. Zwalczały przeciwników ruchu, przeprowadzały aresztowania, organizowały pogromy Żydów, zakładały pierwsze obozy koncentracyjne. Oddziały te były organizowane na zasadzie wojskowo-terytorialnej. Naczelnym Dowódca SA był Adolf Hitler. Znaczenie organizacji zmalało po wymordowaniu w czasie tzw. nocy długich noży 30 czerwca 1934 r. kilkudziesięciu osób z kierownictwa organizacji. Rolę wiodącą przejęło SS, a oddziały SA stały się rezerwą mobilizacyjna sił zbrojnych i policji.

Obozy pracy Schmelta znajdowały się w zaniedbanym stanie, nie przestrzegano w nich dyscypliny, miały wysoką śmiertelność. Zwłoki zmarłych grzebano w pobliżu obozu, opieka lekarska prawie nie istniała. Latem 1942 r. na skutek interwencji Ministerstwa Uzbrojenia u Reichsführera SS Schmelt uzyskał zezwolenie na zabranie z nadchodzących z zachodu transportów 10 000 Żydów dla uzupełnienia załóg obozów pracy, zatrudnionych przy realizacji najważniejszych zadań zbrojeniowych. Selekcja odbywała się w Koźlu na Górnym Śląsku z udziałem oficera Wydziału Zatrudnienia Urzędu D II i pełnomocnika Schmelta. W okresie późniejszym pełnomocnicy Schemlta samowolnie, bez mojej wiedzy i bez zezwolenia RSHA stale zatrzymywali transporty na Górnym Śląsku i niezdolnych do pracy, a nawet martwych Żydów wymieniali na zdrowych i zdolnych do pracy. Powodowało to duże trudności i opóźnienia pociągów, ucieczki itp. do chwili, gdy na skutek megazażalenia wyższy dowódca SS i policji Gruppenführer Schmauser położył w końcu kres tym praktykom.

Rudolf Höss

Kraków, w listopadzie 1946 r.

Hans Aumeier

SS-Hauptsturmführer Hans Aumeier[172] był następcą Fritzscha na stanowisku pierwszego Lagerführera obozu koncentracyjnego w Auschwitz.

Aumeier pochodził z Monachium i wcześnie wstąpił do partii i SS. Jeszcze na długo przed przewrotem był on etatowym pracownikiem w Brunatnym Domu. Gdy powstało Dachau, był on jednym z pierwszych SS-manów, którzy zostali tam odkomenderowani. Ponieważ miał w SS numer poniżej 5000, został wkrótce oficerem i kierownikiem wyszkolenia specjalnego, otrzymawszy uprzednio wyszkolenie wojskowe w policji krajowej. Byłem pod jego kierownictwem w tym oddziale przez pół roku. W roku 1935 Aumeier został przeniesiony jako dowódca kompanii do Esterwegen, następnie do Lichtenburga, a później do Buchenwaldu.[173]

---

[172] Hans Aumeier urodził się 20 sierpnia 1906 r. Był członkiem NSDAP nr 164 755 i SS nr 2700 od roku 1930. wyróżnionym odznakami pierścienia SS i szpady SS Doszedł do stopnia SS-Hauptsturmführera. Po przeszkoleniu w Dachau w 1934 r. pełnił kolejno służbę w obozach Esterwegen. Lichtenburg i Buchenwald. Od maja 1939 r był komendantem obozu koncentracyjnego Flossenbürg W lutym 1942 r mianowano go pierwszym Schutzhaftlagerführerem w Oświęcimiu. 16 sierpnia 1943 r. został przeniesiony do obozu Vaivara w Estonii. Po likwidacji tego obozu był Lagerführerem w Kautering (podobóz KL Dachau). W styczniu 1945 r. organizował obóz w Mysen w Norwegii. Wyrokiem Najwyższego Trybunału Narodowego z 22 grudnia 1947 r. skazano go na karę śmierci Wyrok wykonano.

[173] Obozy w Esterwegen i Lichtenburg powstały w 1933 r jako miejsca odosobnienia dla przeciwników politycznych Hitlera, skierowanych tam przez lokalne władze SA, SS lub policji. Inny charakter miał Buchenwald, klasyczny obóz koncentracyjny, założony w 1937 r. niedaleko Weimaru. Początkowa jego nazwa to Ettersberg. W latach 1937–1945 w obozie tym zginęło 55 000 osób. Wyzwolony został przez wojska amerykańskie 11 kwietnia 1945 r.

W 1937 r. wydawało się Eickemu, iż Aumeier nie nadaje się do służby w oddziałach Trupich Główek i miano go przenieść do Allgemeine SS na dowódcę batalionu. Eicke okazał się jednak łaskawy i przeniósł go do Flossenburga[174] jako Schutzhaftlagerführera, skąd w styczniu 1942 r. przybył do Oświęcimia na miejsce Fritzscha.

Pod wieloma względami Aumeier był przeciwieństwem Fritzscha. Był ruchliwy jak żywe srebro, łatwo ulegał wpływom, był dobroduszny, gorliwy w służbie i chętnie wykonywał wydane mu rozkazy. Obawiał się jednak, czego nie mogłem zrozumieć, upomnień z mojej strony. Miał on jednak zasadniczą wadę — był zbyt koleżeński, brak mu było siły woli. Miał poza tym ciasny horyzont myślowy, łatwo się gubił. Nie potrafił przewidywać na dłuższą metę; często działał szybko i bez zastanowienia, nie myśląc o skutkach i dalszych następstwach tego działania. Brak mu było samodzielności i inicjatywy. Trzeba go było wciąż popychać. „On ma zbyt mały mózg" — powiedział Reichsführer SS, który go znał od 1928 r., podczas inspekcji obozu w roku 1942.

W obozie Aumeier przejął po Fritzschu złe dziedzictwo. Na samym początku zwróciłem mu uwagę na wszystkie niedomagania i zachowanie się Fritzscha i prosiłem go, powołując się na koleżeństwo, aby był mi pomocny w usunięciu stworzonego przez Fritzscha stanu i szczerze ze mną współpracował. Jestem głęboko przekonany, iż Aumeier starał się o to, nie miał jednak dość siły, aby wystąpić przeciwko utartym zwyczajom, nie chciał od samego początku zbyt ostro występować przeciwko Rapportführerom i Blockführerom. Wkrótce też uległ podszeptom „dobrych kolegów", aby niczego w ustalonym porządku nie zmieniać. Jego fałszywie pojęta koleżeńskość doprowadziła go wkrótce do tego, że zachował maksymę Fritzscha: „żeby się stary nie dowiedział o niczym!". Pochodziło to po części z obawy, abym go nie skarcił w razie ujawnienia jego uchybień, a po części z niechęci do meldowania o uchybieniach podwładnych, aby ci nie zostali ukarani. W ten sposób wstępował stopniowo w ślady Fritzscha, choć być może z innych powodów. Nadal tuszowano wszystko, nawet największe uchybienia. Na skutek swej mentalności nie był on w stanie zejść z raz obranej drogi. A droga ta w coraz większym Stopniu wiodła na manowce. Coraz bardziej oddalał się ode mnie — z obawy i nieczystego sumienia, a także ze względów koleżeństwa w stosunku do innych kolegów.

Aumeierowi nie można było zarzucić samowoli, jakiej dopuszczał się Fritzsch. W późniejszym jednak okresie robił on również wiele za moimi plecami, bez mojej wiedzy i mego zezwolenia. Także Aumeier wyznawał stare poglądy Eickego o traktowaniu więźniów. Dla niego wszyscy byli Rusami (Russen) — tak nazywano więźniów w Buchenwaldzie. Aumeier był

[174] Obóz koncentracyjny Flossenbürg powstał w maju 1938 r. w Bawarii w pobliżu granicy państwowej z Czechosłowacją. W kwietniu 1940 r. przybyły do obozu pierwsze transporty z Polski i Czech. W styczniu 1943 r. utworzono obóz kobiecy. W latach 1938–1945 zginęło w tym obozie 73000 osób. Wyzwolony został 23 kwietnia 1945 r. przez wojska amerykańskie.

sprytniejszy od Fritzscha i nie dawał się tak łatwo oszukać, a jednak dał kapo i blokowym jeszcze większą władzę.

Tymczasem obóz szybko się rozrastał. Powstał obóz kobiecy, Brzezinka, oraz doszła akcja zagłady Żydów. Było to zbyt wiele jak na możliwości Aumeiera. Stał się nerwowy, niespokojny, coraz więcej palił i pił, stał się lekkomyślny, był coraz bardziej przytłoczony różnorodną pracą, którą nie potrafił już kierować. Pływał i dawał się nieść wydarzeniom. Nie potrafił zapanować nad sytuacją ani też usunąć niedomagań. „Jakoś to wszystko będzie. Niech komendant troszczy się o to, jak sobie da radę z tymi wszystkimi sprawami".

Wybryki kapo i blokowych przeszły wszelkie wyobrażenie. Szybkie rozrastanie się obozu powodowało niesłychany chaos. Rosnąca z każdym dniem liczba więźniów powodowała konieczność powoływania nowych kapo i blokowych. Wybierano na te funkcje najgorsze kreatury, na dodatek bowiem Aumeier nie znał się w najmniejszym stopniu na ludziach. Energicznym wystąpieniem każdy mógł sobie zaskarbić jego względy. Musiano powoływać wciąż nowych Blockführerów i dowódców drużyn roboczych, byli to ludzie usunięci z wojska, „akurat dobrzy do służby w obozie". Temu bałaganowi Aumeier nie był w stanie zaradzić. Również przydzieleni mu oficerowie, jak Schottl, Schwarzhuber, Hössler i inni, nie byli w stanie objąć całości. Każdy więc odwalał robotę tak i o tyle, na ile potrafił. Tylko ja musiałem się orientować we wszystkim i panować nad tym. Większość oficerów miała dość pracy z tym, aby ukrywać przede mną swoje błędy i zaniedbania. Kapo byli również tak wyćwiczeni, żebym nie był w stanie wykryć czegoś „niewłaściwego".

W spokojnej chwili często rozmawiałem z Aumeierem w starym, koleżeńskim tonie. Mówiłem mu otwarcie, że on i jego koledzy mnie oszukują. Aumeier temu przeważnie zaprzeczał i mówił, że jestem czarnowidzem, że nikomu nie ufam, że wszystko nie jest tak źle itd. Nic nie pomagało. Nie pomogło również i to, że ostrzej zabrałem się do oficerów i zacząłem od nich więcej wymagać. Tuszowanie jeszcze się wzmogło.

Wielokrotne próby u Glücksa, aby pozbyć się po dobremu Aumeiera, nie dały żadnego efektu, podobnie jak późniejsze prośby o jego przeniesienie, z bezwzględnym podaniem przyczyn zmuszających mnie do takiego kroku. Pod naciskiem Maurera Glücks musiał wreszcie ustąpić. Nie usunął jednak Aumeiera ze służby w obozach koncentracyjnych, lecz przeniósł go na komendanta do Vaivara w Estonii. Tam, zdaniem Glücksa, nie był w stanie niczego popsuć, obóz bowiem jest daleko, Reichsführer SS na pewno tam nie pojedzie, a więźniami są tam tylko Żydzi.

Po rozwiązaniu obozów w krajach nadbałtyckich Aumeier dostał się do Oranienburga i na początku powierzono mu obozy pracy koło Gorzowa (Landsberg). W styczniu 1945 r. mianowany został znów komendantem obozu koncentracyjnego Grini koło Oslo w Norwegii.

Na podrzędnym stanowisku służbowym, w warunkach, w których można się było dobrze orientować, oraz pod surowym nadzorem Aumeier byłby użyteczny, nie nadawał się jednak na Schutzhaflagerführera w obozie koncentracyjnym, w żadnym zaś razie w obozie tych rozmiarów jak Auschwitz.

H.

W listopadzie 1946 r.

Richard Baer

SS-Sturmbannführer Richard Baer[175] pochodził z Bawarii i w roku 1933 przybył do oddziału wartowniczego obozu koncentracyjnego w Dachau. Później pełnił również służbę w innych obozach.

W roku 1939 przeszedł do dywizji Trupich Główek,[176] w której służył aż do chwili odniesienia ran. Ponieważ nie nadawał się już do służby frontowej, przeniesiono go w roku 1942 do obozu koncentracyjnego Neuengamme,[177] gdzie został adiutantem. W roku 1943 w wyniku starań Maurera przeniesiono go na adiutanta do mnie do Oświęcimia. W trzy dni jednak został odwołany, gdyż Pohl chciał go na swego adiutanta. Po raz któryś Pohl nie mógł patrzeć na swego adiutanta i zażądał najlepszego adiutanta, jaki jest możliwy do uzyskania w zasięgu całego WVHA. Zdaniem Glücksa i Maurera był nim Baer i dzięki temu dostał się on do Pohla.

Baer potrafił wkrótce zaskarbić sobie łaski i pełne zaufanie szefa Głównego Urzędu i zdobyć taką pozycję, jakiej nie miał dotychczas żaden adiutant Pohla. Miał on Pohla tuż pod ręką i potrafił po mistrzowsku na niego wpływać i wmawiać mu swoje życzenia i poglądy dopóty, dopóki ten nie uznał ich za swoje.

Baer był obrotny, umiał dobrze mówić i potrafił postawić na swoim. Z szefami grup urzędów i urzędów obchodził się tak, jak gdyby byli jego podwładnymi, czynił to jednak zawsze tak zręcznie, aby im się nie narazić. Ponieważ wiadomość o pozycji Baera u Pohla szybko się rozeszła, przeto każdy, kto chciał cokolwiek uzyskać u Pohla, starał się — niezależnie od zajmowanego stanowiska — przypodobać Baerowi. W wyniku tego stał się on ponad miarę zepsuty powodzeniem, żądny władzy oraz przesądny. Zaczął nawet działać na własną rękę. Pohl miał jednak do niego pełne zaufanie

---

[175] Patrz przypis 133 na s. 123.

[176] W miarę rozwoju obozów koncentracyjnych Theodor Eicke doprowadził do wyodrębnienia ich załóg w osobna formację SS-Totenkopfverbande. W 1937 r. formacja liczyła 4500 SS-manów zorganizowanych w 3 pułkach (Standarten). Na bazie tych jednostek jesienią 1939 r. powstała 3 Dywizja Zmotoryzowana SS „Totęnkopf" (Trupich Główek). Dowódca jej został awansowany do stopnia SS-Obergruppenführera Theodor Eicke. Dwukrotnie reorganizowana w 1942 r. została przekształcona w dywizję grenadierów pancernych, a pod koniec 1943 r. w dywizję pancerna.

[177] Obóz koncentracyjny Neuengamme powstał w grudniu 1938 r. w pobliżu Hamburga jako filia KL Sachsenhausen. 4 czerwca 1940 r. został przekształcony w samodzielny obóz koncentracyjny. W obozie straciło życie 82 000 więźniów, głównie Polaków. Wyzwolony został 4 maja 1945 r.

i nazywał go swoim przyjacielem. Próby zwrócenia uwagi Pohla na machinacje Baera nie udawały się, a nawet uderzały rykoszetem w działającego w dobrej wierze doradcę. Również Glücks i Maurer później żałowali, że zaproponowali Baera na stanowisko adiutanta, a następnie nawet na następcę Liebehenschla.[178]

Kiedy Liebehenschel musiał odejść z Auschwitz, jego następcą mianowano Baera. Baer zdawał sobie z tego sprawę, iż jeśli będzie nadal tak postępował, pewnego dnia będzie musiało dojść do poróżnienia. Dlatego też wolał się w odpowiednim momencie wycofać na bezpieczną pozycję, która jednocześnie oznaczała awans i możliwości dalszego wybicia się. Jednocześnie został awansowany na Sturmbannführera, czego Pohl komuś innemu z uwagi na krótki staż oraz młody wiek na pewno by odmówił.

Baer zachował się bardzo nietaktownie w stosunku do Liebehenschla oraz jego drugiej żony przy przeniesieniu. Kto inny na miejscu Liebehenschla na pewno pociągnąłby Baera do odpowiedzialności.

W czerwcu 1944 r. Baer objął służbę jako dowódca garnizonu i komendant obozu Auschwitz I. Ja sam miałem zaszczyt wprowadzić go na to stanowisko i przyuczyć. Jego zdaniem było to jednak zbędne, ponieważ miał dosyć doświadczenia w sprawach dotyczących obozów koncentracyjnych. Ja zaś miałem niewiele sposobności, aby zapoznać go z nieprawdopodobnymi wprost stosunkami. On sam już wszystko widział i da sobie z tym radę. Podczas prawie trzymiesięcznego pobytu w Auschwitz w 1944 r. nie ulepszył niczego, nie zadał sobie nawet w tym kierunku najmniejszego trudu. Miał inne zainteresowania, wiele polował, łowił ryby, jeździł na spacery. Baer uważał, iż jako adiutant dość się już napracował, a teraz potrzebny mu jest odpoczynek. Stał się bardzo butny i niekoleżeński.

Nie troszczył się w ogóle o akcję żydowską i pozostawiał to mnie. Nie troszczył się również o odtransportowanie „zdolnych do pracy", chyba że Pohl bardziej natarczywie dawał znać o sobie. Ja sam musiałem kilkakrotnie interweniować w dyrekcji kolei w Opolu, aby usunąć przeszkody w podstawianiu wagonów. W każdym razie była to niezbyt przyjazna „współpraca". Swoich dwóch innych komendantów obozów — Kramera i Schwarza prawie nie widywał. Słyszeli oni o nim przeważnie tylko za pośrednictwem rozkazów garnizonowych.

O więźniów troszczył się niewiele, nie miał zresztą na to czasu. Ponieważ był bardzo kapryśny, zmieniał stale swoje poglądy na sprawy.

---

[178] Arthur Liebehenschel urodził się 25 listopada 1901 r. w Poznaniu. Od 1932 r. był członkiem NSDAP nr 932760 i SS nr 39254. Wyróżniony był odznakami pierścienia SS i szpady SS. Doszedł do stopnia SS-Obersturmbannführera. W 1934 r. rozpoczął służbę w obozie koncentracyjnym Lichtenburg na stanowisku adiutanta. W 1936 r przeszedł do pracy w Inspektoracie Obozów Koncentracyjnych. W listopadzie 1943 r objął stanowisko komendanta KL Auschwitz I i zarazem dowódcy garnizonu SS. 8 maja 1944 r. przeniesiono go na stanowisko komendanta obozu na Majdanku. Po ewakuacji obozu w lipcu 1944 r. przeszedł do służby w Urzędzie Wyższego Dowódcy SS i Policji w Trieście. Wyrokiem Najwyższego Trybunału Narodowego z 22 grudnia 1947 r. został skazany na karę śmierci. Wyrok wykonano.

Sprawami więźniów miał się zajmować Schutzhaftlagerführer i Rapportführer. Rozkazy i zarządzenia Urzędu D uznawał jedynie o tyle, o ile mu one odpowiadały. Wszak mógł pozwolić sobie na zaniedbania. Glücks przeciwko niemu nie występował, również i Maurer dał spokój, gdy kilkakrotnie spotkał się z tego powodu z przykrą odprawą ze strony Pohla.

„Ewakuacja" Auschwitz zgodnie z rozkazem Pohla powinna być gruntownie przygotowana. Ja sam musiałem Pohlowi dokładnie spisać te punkty, których bezwzględnie należało przy tym przestrzegać. Baer miał przeszło 2 miesiące, aby poczynić niezbędne przygotowania. Nie uczynił niczego. W znalezionych materiałach znajdują się na to najlepsze dowody. Gdy od Schmausera nadszedł rozkaz ewakuacji, Baer wsiadł w porę w najlepszy i największy samochód i pojechał do Gross-Rosen, aby tam przygotować przyjęcie! Ewakuację i transport pozostawił Krausowi [179] i Hosslerowi. Niech się oni martwią, jak sobie dadzą radę. Przy planowej i dobrze przygotowanej ewakuacji nie powstałyby sytuacje, jakie napotkałem 4 dni później na drogach i kolejach Śląska i Sudetów.

Pohl rozkazał mi się tam udać, aby ewentualnie włączyć się, gdyby Baer nie mógł uporać się z trudnościami, a także i dlatego, że nie otrzymywał od Baera żadnych meldunków. Nie mogłem się włączyć, mogłem tylko stwierdzić istniejący stan rzeczy.

Po powrocie złożyłem raport Pohlowi, przedstawiając sytuację bezwzględnie i zgodnie z rzeczywistością. Napiętnowałem również ostro zachowanie się samego Baera. Pohl zamyślił się, nie powiedział jednak ani słowa.

Kilka dni później Baer został mianowany komendantem Mittelbau, a Schwarza, który miał się tam udać, zaszczycono nędznymi resztkami Natzweiler.[180] Gdy w Mittelbau sytuacja stała się krytyczna i ataki lotnicze przybrały na intensywności, Baer zwichnął nogę i wyjechał na kurację do Styrii, pozostawiając znów samego Hösslera, który zgodnie z rozkazem miał się przebijać do Bergen-Belsen.

Tak w krótkim zarysie przedstawiała się działalność Baera jako komendanta Auschwitz i Mittelbau.

H.

W listopadzie 1946 r.

---

[179] Franz Xaver Kraus urodził się 27 września 1903 r. Był członkiem NSDAP nr 405816 i SS nr 16299, wyróżnionym odznakami pierścienia SS i szpady SS. W 1938 r. doszedł do stopnia SS-Sturmbannführera. Od 1935 r. pełnił kolejno służbę w obozach koncentracyjnych Esterwegen, Lichtenburg, Oranienburg, a następnie w Inspektoracie Obozów Koncentracyjnych. W końcu 1944 r. przeszedł do służby w Auschwitz. Wyrokiem Najwyższego Trybunału Narodowego został skazany na karę śmierci Wyrok wykonano.

[180] Obóz Natzweiler — Struthof został utworzony w Alzacji w 1941 r. Przez obóz ten w latach 1941–1944 przeszło nie mniej niż 50 000 więźniów, z czego 6000 zginęło. W Natzweiler niemiecki Instytut Naukowych Badań Obronności — Institut fur Wehrwissenschaftliche Zweckforschung prowadził pseudonaukowe badania, kierowane przez prof. A. Hirta z Uniwersytetu Rzeszy w Strasburgu nad budowa ciała więźniów i ich szkieletów.

Willi Burger

Szefem Urzędu D IV w WVHA był SS-Sturmbannführer Willi Burger.[181] Burger pochodził z Bawarii i był starym członkiem partii i SS. Podobnie jak Maurer wcześnie przeszedł do administracji SS, a jednocześnie pracował jako kontroler rachunkowości w Urzędzie Kontroli. Do końca 1939 roku pracował w różnych komórkach WVHA. Z chwilą utworzenia dywizji Trupich Główek został do niej przeniesiony. Początkowo pełnił funkcję oficera administracyjnego batalionu, a następnie działał jako IVa pułku.[182] Później wymieniono go z Hauptsturmführerem Wagnerem, który został wysłany na front, na stanowisko Burgera. W ten sposób Burger trafił do Auschwitz i przyniósł ze sobą różne nawyki frontowe, m.in. także zwyczaj używania dużych ilości alkoholu.

Burger był dobrym pracownikiem i wszystko, do czego się zabrał, miało ręce i nogi. Brakowało mu jednak doświadczenia obozowego i musiał się dopiero uczyć. Nie było to korzystne dla Auschwitz, w tym bowiem właśnie czasie gwałtownie rosła liczba więźniów. Burger czynił wszystko, co mógł, aby sprostać zadaniom. Dzięki uprzedniej wieloletniej pracy w WVHA miał tam wielu dobrych znajomych i uzyskiwał różne przydziały i zezwolenia, jednakże i on nie mógł dać rady w związku ze wzrostem liczby więźniów. Do tego doszły jeszcze coraz dotkliwsze ograniczenia wojenne. Zarówno w zakresie odzieży, jak i wyżywienia wszędzie występowały braki lub obniżki przydziałów. Burger wiele improwizował, nauczył się tego na froncie, był także spostrzegawczy. Nie mógł jednak być wszędzie, a jego cały personel administracyjny nie był wiele lepszy od personelu obozowego czy komendantury. Było tam wielu nieudaczników, co powodowało nieporządki, które by nie występowały, gdyby pracowali tam uczciwi i odpowiedni podoficerowie.

Głównym polem działania Burgera była „Kanada". Gwałtem chciał on nadążyć za akcjami i być na bieżąco. Nigdy mu się jednak to nie udało, podobnie jak nie potrafił zapobiec kradzieżom, mimo wprowadzonych najbardziej wyrafinowanych kontroli, jak i osobistego czuwania nad nimi. Burger miał predyspozycje do samodzielnego działania i dzięki temu wiele mi pomagał, chociaż wielokrotnie dochodziło między nami do nieporozumień. Burger był twardy, zacięty i uparty, typowy Bawarczyk.

---

[181] Willi (Wilhelm) Burger urodził się 19 maja 1904 r. w Monachium. Był członkiem NSDAP nr 1316366 i SS nr 47285, wyróżnionym odznaka pierścienia SS i szpady SS. Doszedł do stopnia SS-Sturmbannführera. W 1936 r. rozpoczął służbę w administracji obozów koncentracyjnych Dachau i Oranienburg. Po utworzeniu WVHA SS mianowano go szefem Urzędu D IV — Administracja Obozów Koncentracyjnych. Wyrokiem Sadu Wojewódzkiego w Krakowie z 9 kwietnia 1952 r., zmienionym przez Sąd Najwyższy w części dotyczącej wymiaru kary, został skazany na 8 lat więzienia. Taki sam wyrok otrzymał sądzony ponownie przez Sąd Przysięgłych we Frankfurcie nad Menem 17 września 1966 r.

[182] Oficer I a w pułku SS (pierwszy oficer operacyjny) pełnił funkcję szefa sztabu pułku. Oficer IV a był zastępcą I a.

Na początku 1943 r. został przeniesiony przez Pohla jako D IV do Amtsgruppe D.[183] Urząd ten przez długi czas był nie obsadzony, jego zadania były wykonywane przez odpowiednie urzędy lub D I. Na skutek gwałtownego rozrostu obozów Urząd D IV stał się znów niezbędny. Burger szybko się tam zorientował. Dzięki nabytym wiadomościom o obozach koncentracyjnych i doświadczeniu wiele pomagał obozom koncentracyjnym, tzn. na ile to było jeszcze możliwe.

Podczas podróży służbowych dostrzegał zawsze szybko i trafnie istniejące potrzeby i jeśli to tylko było możliwe, zaradzał im. Dużo uczynił również i dla Auschwitz, wiedział bowiem, iż tam potrzeba było wszystkiego i że każda pomoc była jak najbardziej pilna. Nie było dnia, aby nie naprzykrzał się wyższym urzędom sprawami Auschwitz.

Gdy ja i Burger spotykaliśmy się w domu, przedmiotem rozmowy była zawsze pomoc dla Auschwitz. Wszystko jednak było za późno i nadaremnie.

Z uwagi na nadmierną konsumpcję alkoholu i przesadną koleżeńskość, jak i dobroduszność nie cieszył się u Pohla dużym poważaniem i z tego względu też nie był awansowany. Był on od roku 1941 Sturmbannführerem.

H.

W listopadzie 1946 r.

Joachim Caesar

SS-Obersturmbannführer dr Caesar[184] był kierownikiem gospodarstw rolnych przy obozie koncentracyjnym w Auschwitz.

Dr Caesar studiował rolnictwo, był dyplomowanym rolnikiem. Pracował wiele lat w Państwowym Zakładzie Uprawy Roślin i był w tej dziedzinie fachowcem. Po przejęciu władzy był najpierw burmistrzem w Holsztynie. W 1934 r. podjął pracę w Urzędzie Szkoleniowym SS i objął tam kierownicze stanowisko.

Był on odpowiedzialnym redaktorem zeszytów szkoleniowych SS, a później wszystkich publikacji wydawanych przez Urząd Szkoleniowy. Na początku wojny założył pierwsze biblioteki polowe formacji Waffen-SS. W tym celu w warsztatach obozu koncentracyjnego w Sachsenhausen przebudowano duże autobusy na ruchome księgarnie polowe. Przy tej okazji poznałem bliżej Caesara Miał on bardzo wysokie mniemanie o swej wiedzy

---

[183] Urząd D IV w Amtsgruppe D składał się z czterech wydziałów: D IV 1 — Księgowość i kasa. D IV 2 — Aprowizacja, D IV 3 — Umundurowanie. D IV 4 — Zaopatrzenie i opieka.

[184] Dr Joachim Caesar urodził się 30 maja 1901 r. Był członkiem NSDAP nr 626589 i SS nr 74704, wyróżnionym odznakami pierścienia SS i szpady SS. Doszedł do stopnia SS-Obersturmbannführera,. Od 12 marca 1942 r. był kierownikiem gospodarstw rolnych w Oświęcimiu. Pozostawił po sobie dobrą sławę wśród więźniów. Wszyscy zatrudnieni w jego zakładach i laboratoriach otrzymywali lepszą odzież i wyżywienie, jak również korzystali z ochrony przed Wydziałem Politycznym. Utrzymywał koleżeńskie stosunki z więźniami.

i niechętnie uznawał cudze zdanie. Miał bardzo wybujałą ambicję i chciał zawsze odgrywać decydującą rolę. Caesar był typem władczego człowieka, stojącego ponad wszystkim. Tak też traktował swoich podwładnych. Mimo tego był jednak dobroduszny i bywał niekiedy dobrym kolegą.

Niechaj pewien przypadek naświetli jego postawę. W związku z pracą przy zmotoryzowanych bibliotekach polowych miał on często coś do załatwienia w Sachsenhausen i któregoś wieczoru siedzieliśmy razem w kasynie oficerskim obozu w Sachsenhausen. Było tam wówczas obecnych wielu wyższych oficerów Allgemeine SS powołanych do odbycia służby, którzy jednak pracowali na poważnych stanowiskach w życiu państwowym i gospodarczym. Caesar skierował rozmowę na temat planów osiedleńczych Reichsführera SS na wschodzie. Poglądy na tę sprawę były bardzo sprzeczne. Caesar uważał, iż w wysokim stopniu i dokładnie zna plany Reichsführera SS. Był on zdania, iż terenów wschodnich nie będzie można opanować przez osiedlanie chłopów, jak tego chciał Reichsführer SS, lecz jedynie przez nadawanie wielkich latyfundiów ludziom energicznym, przewidującym i o dużym rozmachu. Tylko także władcze natury, mając zaplecze w rozległych posiadłościach ziemskich, byłyby w stanie trwale opanować narody słowiańskie na wschodzie. Prawie nikt z obecnych nie mógł mu przyznać racji, większość widziała w zdrowym stanie chłopskim gwarancję lepszego istnienia i rozprzestrzeniania się narodu niemieckiego.

W roku 1941 Caesar zorientował się, że ani w swoim Urzędzie Szkoleniowym, ani Głównym Urzędzie nie ma szans awansu. Miał również kilkakrotnie sprzeczki z szefem Głównego Urzędu i dlatego rozglądał się za innym terenem działania. Za pośrednictwem Obersturmbannführera Vogla, szefa Urzędu W V,[185] którego znał z okresu swej pracy w rolnictwie, dostał się Caesar do Pohla. Jego ujmująca powierzchowność i sposób bycia spowodowały, iż Pohl był nim zachwycony. Pohl ujrzał w nim od razu — na propozycję Vogla — właściwego człowieka dla szeroko zakrojonych planów Reichsführera SS w zakresie doświadczeń rolnych w Oświęcimiu. Tak więc Caesar przybył do Oświęcimia jako kierownik gospodarstw rolnych, zaopatrzony w szerokie pełnomocnictwa, jego stosunek podległości mnie również później nie został jednoznacznie wyjaśniony. Jego zdaniem, wszystko, co dotychcazs robiono w Oświęcimiu w sprawach rolnych, było robione źle. Chciał wszystko zmieniać. Poza zasadniczymi sprawami odpowiadającymi planom Reichsführera SS pozostawiłem mu swobodę działania. Nasze poglądy na zagadnienia rolne bardzo się od siebie różniły, najczęściej były całkowicie sprzeczne. On był teoretykiem, a ja praktykiem, on namiętnym hodowcą roślin z dużą wiedzą i praktyką laboratoryjną, ja rolnikiem i hodowcą bydła według starych tradycji i praktycznych doświadczeń. Do tego dochodziły nasze odmienne poglądy w prawie wszystkich dziedzinach życia. Nie mogliśmy się nigdy dogadać, mimo iż z mej strony nie brakowało dobrej woli.

---

[185] Urząd W5 wchodził w skład Amtsgruppe W WVHA SS i sprawował nadzór nad należącymi do SS gospodarstwami rolnymi, leśnymi i rybnymi.

Jak już wspomniałem, Caesar nie był lubianym zwierzchnikiem, nie dlatego, aby był zbyt surowy lub zbyt wiele wymagał w pracy, lecz ze względu na swój sposób bycia. Uważał on wszystkich za głupców, on jeden wiedział wszystko najlepiej.

Osobliwe, iż jego stosunek do więźniów był zupełnie odmienny. Na skutek swej dobroduszności miał dla nich wiele pobłażania i pozwalał im robić, co chcieli, szczególnie zaś więźniarkom. Kapo darzył pełnym zaufaniem. Do tego walczył stale o całkowite podporządkowanie mu więźniów pracujących w rolnictwie. W dużej mierze przeforsował też u Pohla, że więźniowie ci byli oddzielnie zakwaterowani, w miarę możliwości w folwarkach oraz w Rajsku. Jego więźniowie zatrudnieni przy uprawie roślin znajdowali się pod specjalną ochroną i zgodnie z rozkazem Pohla mieli być szczególnie łagodnie traktowani, aby nie narażać na szwank naukowych prac Caesara. Wśród tych więźniów było wiele osób z wykształceniem akademickim, głównie Żydówek francuskich, które traktował prawie jak koleżanki. Było jasne, iż doprowadziło to do całkowitego zaniku dyscypliny. W razie konieczności ukarania więźniarek Caesar czuł się osobiście dotknięty. Dla „swoich" więźniów potrafił postarać się również o najlepszą odzież. W laboratoriach z trudem można było odróżnić więźniów od pracowników cywilnych, szczególnie wówczas, gdy przy badaniach nad kok-sagizem[186] było tam zatrudnionych wielu rosyjskich agronomów i naukowców.

U Pohla Caesar osiągał wszystko, szczególnie dzięki temu, iż potrafił go przekonać o ogromnym znaczeniu prowadzonych w Oświęcimiu prac badawczych dla wszystkich dziedzin uprawy roślin. Na skutek ciągłego ulepszania produktów Buny, a szczególnie ich elastyczności, nie zachodziła już potrzeba uzyskiwania naturalnego kauczuku z roślin należących do rodziny brodawnika mieczowatego. Poza tym nie było możliwe, aby i tak niewystarczający obszar niemiecki przeznaczony do produkcji żywności jeszcze okrawać w celu zakładania większych plantacji roślin kauczukowych.

Caesar tego nie widział, był on teoretykiem przejętym swymi ideami i nie dostrzegał faktycznych potrzeb dnia codziennego. Nie mógł pojąć, że sprawy budownictwa dla rolnictwa musiały ustępować pilniejszym ogólnym interesom obozu.

Caesar żył szczęśliwie w swoim drugim związku małżeńskim i dziećmi. Ze swoją pierwszą żoną rozwiódł się, ponieważ nie chciała mieć dzieci. Jego druga żona ubóstwiała go i umacniała jego postawę i nastawienie do życia. Tragiczny los zabrał mu ją, zmarła w 1942 r. w Oświęcimiu na tyfus. W 1943 r. ożenił się ze swoją pierwszą laborantką, która mu najwięcej chyba pomagała w pracach badawczych w Rajsku. Była to kontynuacja drugiego małżeństwa. Również i ta żona patrzyła w niego jak w Boga.

---

[186] Kok-sagiz, Taraxatum Kok Saghiz to gatunek mniszka, bylina występująca w górach Tien-szan. Sok mleczny znajdujący się w korzeniu zawiera 6–8% kauczuku wysokiej jakości. Roślina ta przywieziona przez Niemców ze Związku Radzieckiego poddana została próbom aklimatyzacji, m.in. w Oświęcimiu. Opracowane' w 1942 r. plany zakładały objęcie w 1944 r. uprawą kok-sagizu 250000 hektarów w Europie Wschodniej.

Caesar nie miał zrozumienia dla ogólnych interesów całego obozu. Widział jedynie swoje specjalne uprawy rolnicze i upierał się przy rozkazie Reichsführera SS, według którego należało kłaść główny nacisk na badawcze prace rolnicze, a w związku z tym na prace budowlane.

Widział on wprawdzie skandaliczne warunki w obozach, słyszał też o tym od swoich ludzi i od więźniów, nie pojmował jednak, że usunięcie tych warunków jest ważniejsze aniżeli najpilniejsze prace budowlane w rolnictwie.

H.

W listopadzie 1946 r.

Adolf Eichmann

Kierownikiem Referatu Żydowskiego IV B A w RSHA był SS-Obersturmbannführer Adolf Eichmann.[187]

Eichmann pochodził z Linzu, dlatego też znał dobrze Kaltnbrunnera i był z nim zaprzyjaźniony od czasu nielegalnej działalności w SS w Austrii. Po wkroczeniu Niemców do Austrii przyjęty został do służby w SD, następnie do Gestapo i wreszcie do Müllera w Urzędzie IV RSHA.

Eichmann od młodych lat zajmował się kwestią żydowską i miał szerokie wiadomości w zakresie literatury, zarówno przychylnej, jak i wrogiej Żydom. Eichmann przebywał przez dłuższy czas w Palestynie, aby na miejscu poznać syjonistów i tworzące się państwo żydowskie. Znał on zasięg terenów zamieszkałych przez Żydów, i przybliżone ich liczby, trzymane w tajemnicy nawet przed Żydami. Znał również obyczaje ortodoksyjnych Żydów i poglądy zasymilowanych Żydów z zachodu. Dzięki takiej znajomości zagadnień został mianowany kierownikiem Referatu Żydowskiego.

Ja poznałem go dopiero wówczas, gdy po wydaniu mi przez Reichsführera SS rozkazu zagłady Żydów przybył do Auschwitz, aby omówić ze mną bliższe szczegóły akcji eksterminacyjnej.

Eichmann był człowiekiem o żywym usposobieniu, czynnym i pełnym energii, w wieku lat 30. Miał nieustannie nowe plany i stale poszukiwał innowacji i ulepszeń. Nie znał odpoczynku. Był opętany na punkcie kwestii żydowskiej i jej „ostatecznego rozwiązania". Eichmann był zobowiązany do stałego bezpośredniego składania Reichsführerowi SS ustnych raportów odnośnie do przygotowań i realizacji poszczególnych akcji. Prawie wszystko miał zanotowane w pamięci. Jego akta stanowiło kilka kartek z notatkami

---

[187] Adolf Eichmann urodził się 19 marca 1906 r. w Solingen. Był członkiem NSDAP nr 899895 i SS nr 45326. Doszedł do stopnia SS-Obersturmführera. Był kierownikiem Wydziału Żydowskiego IV B 4 w Amt IV (Gestapo) w Głównym Urzędzie Bezpieczeństwa Rzeszy — RSHA. 11 maja 1960 r. został ujęty w Argentynie przez policje izraelską i przewieziony do Izraela. Rozprawa przed sądem w Jerozolimie toczyła się od 10 kwietnia do 15 grudnia 1961 r. Wyrok śmierci wykonano 1 czerwca 1962 r.

zapisanymi niezrozumiałymi dla innych znakami, które nosił zawsze przy sobie. Nawet jego stały zastępca w Berlinie Günther nie zawsze był w stanie podać wyczerpującej informacji.

Dla przygotowania akcji przeciwko Żydom Eichmann miał w różnych krajach współpracowników swego sztabu, którzy znając w pewnym stopniu kraj, musieli dostarczać mu niezbędnych danych. Tak np. Wisliceny[188] działał na terenie Słowacji, w Grecji, Rumunii, Bułgarii i na Węgrzech. Rokowania z rządami poszczególnych krajów prowadzili dyplomatyczni przedstawiciele Niemiec, przeważnie za pośrednictwem specjalnych pełnomocników Ministerstwa Spraw Zagranicznych. Jeżeli rządy zgadzały się na wydanie Żydów, wyznaczały jakiś urząd, który miał się zająć ujęciem i wydaniem Żydów. Z tym urzędem Eichmann omawiał następnie bliższe szczegóły transportu i korzystając z doświadczenia dawał praktyczne wskazówki w sprawie aresztowania. Na Węgrzech np. akcję przeprowadzał minister spraw wewnętrznych i żandarmeria. Eichmann i sztab jego współpracowników nadzorowali przebieg akcji oraz interweniowali, jeżeli pracowano zbyt opieszale lub też działano na zwłokę. Sztab Eichmanna utrzymywał w pogotowiu pociągi dla transportów i ustalał rozkłady jazdy w Ministerstwie Komunikacji Rzeszy.

Na polecenie Pohla byłem trzy razy w Budapeszcie, aby w przybliżeniu ustalić spodziewaną liczbę Żydów zdolnych do pracy. Miałem wówczas okazję obserwować Eichmanna podczas jego rozmów z przedstawicielami rządu węgierskiego i armii węgierskiej. Występował bardzo zdecydowanie i poprawnie, zarazem jednak w sposób ujmująco uprzejmy, był powszechnie lubiany i mile widziany. Potwierdzeniem tego były liczne zaproszenia prywatne ze strony szefów rozmaitych urzędów. Jedynie w armii węgierskiej Eichmann nie był mile widziany. Gdzie tylko było to możliwe, armia sabotowała wydanie Żydów, czyniła to jednak w taki sposób, aby nie było powodu do interwencji ze strony rządu. Większość ludności węgierskiej, szczególnie we wschodniej części kraju,[189] oraz żandarmeria były nastawione wrogo do Żydów. Na terenach tych w roku 1943 jedynie niewielu Żydom udało się ujść przed aresztowaniem, chyba że mieli szczęście i zdążyli przez Karpaty uciec do Rumunii.

Eichmann był głęboko przekonany, iż gdyby się udało zniszczyć biologiczne podstawy żydostwa przez zgładzenie wszystkich Żydów na wschodzie, wówczas żydostwo nie mogłoby się po tym ciosie nigdy podnieść,

---

[188] Dieter Wisliceny urodził się 19 stycznia 1911 r. Był członkiem NSDAP nr 672774 i SS nr 107216. Doszedł do stopnia SS-Hauptsturmführera. Był pracownikiem Służby Bezpieczeństwa — SD. Uczestniczył w wysiedleniach Polaków z okręgu Rzeszy Gdańsk — Prusy Zachodnie. Z ramienia Eichmanna prowadził rokowania z rządami Słowacji, Bułgarii i Węgier w sprawie deportacji Żydów z tych krajów. Był współodpowiedzialny za zagładę Żydów czeskich i greckich. Został skazany przez sad w Bratysławie na karę śmierci. Wyrok wykonano w 1948 r.

[189] Wschodnią częścią kraju nazywa Höss przyłączone do Węgier w sierpniu 1940 r. tereny północnego Siedmiogrodu.

ponieważ zasymilowani Żydzi z zachodu i Ameryki nie byliby w stanie, a nawet nie chcieliby nadrobić tak olbrzymiego ubytku krwi; nie można się po nich spodziewać znaczniejszego przyrostu ludności. W przekonaniu tym utwierdzał Eichmanna przywódca Żydów węgierskich, fanatyczny syjonista, który stale podejmował próby ratowania rodzin wielodzietnych. Z tym syjonistycznym przywódcą Eichmann prowadził długie rozmowy na temat wszystkich problemów żydowskich.[190] Zresztą Żyd ten posiadał dokładne informacje odnośnie do Oświęcimia, liczby transportów, selekcji i zagłady. Obserwowano również podróże Eichmanna i jego kontakty z urzędami poszczególnych krajów. Przywódca Żydów w Budapeszcie był w stanie powiedzieć Eichmannowi, gdzie ten ostatnio przebywał i z kim prowadził rozmowy.

Eichmann był pochłonięty swoim zadaniem i przekonany, że akcja zagłady jest konieczna, aby uchronić na przyszłość naród niemiecki przed żądzą zniszczenia go przez Żydów. Tak rozumiał swoje zadanie i całą energię wkładał w realizację planów zagłady ustalonych przez Reichsführera SS.

Eichmann był również zdecydowanym przeciwnikiem wybierania z transportów Żydów zdolnych do pracy. Widział on w tym stałe zagrożenie realizacji swych planów „ostatecznego rozwiązania" wskutek możliwości masowych ucieczek czy też innych wydarzeń. Był on zdania, iż wszelkie akcje przeciwko Żydom, których się uda pochwycić, należy jak najszybciej przeprowadzić, ponieważ wynik wojny nie jest wiadomy. Już w roku 1943 miał on wątpliwości co do zwycięstwa Niemiec i przypuszczał, iż wojna będzie nie rozstrzygnięta.

Na skutek takiego stanowiska Eichmanna nie mogłem od niego uzyskać żadnej pomocy dla Auschwitz. Ani namowy, ani przekonywanie czy też wstrząsające dowody na miejscu nie miały wpływu na zmianę jego stanowiska. Zasłaniał się zawsze rozkazem Reichsführera SS, aby jak najprędzej przeprowadzić akcje i nie dopuścić do ich wstrzymania z jakichkolwiek powodów. Na tym tle często dochodziło między nami do ostrej wymiany zdań, choć poza tym traktowałem Eichmanna jako gościa i kolegę. Musiałem wielokrotnie z nim walczyć o przesunięcie w czasie transportów, przeważnie jednak bez pozytywnych rezultatów. Często zaskakiwał mnie niespodziewanymi transportami, nie objętymi planem. Czynił wszystko, aby możliwie jak najszybciej doprowadzić do „ostatecznego rozwiązania" kwestii żydowskiej. Ważnym był dla niego każdy dzień, który przybliżał go do celu. Nie zważał na żadne trudności, nauczył się tego od Reichsführera SS. Rozwiązanie kwestii żydowskiej było życiowym celem Eichmanna.

H.

W listopadzie 1946 r.

---

[190] Łącznikiem Eichmanna z tym przywódcą byt SS-Standartenführer Kurt Becher. urodzony 12 września 1909 r. Był pełnomocnikiem Eichmanna w okresie tzw. akcji węgierskiej i zwolennikiem wymiany Żydów z aliantami w 1944 r. w zamian za niezbędne dla Trzeciej Rzeszy surowce. Po wojnie nie stanął przed sądem.

Theodor Eicke

Pierwszym inspektorem obozów koncentracyjnych był SS-Gruppenführer Theodor Eicke.[191] Jego należy uważać za właściwego twórcę obozów koncentracyjnych z wyjątkiem Dachau. On był też tym, który nadał formę i kształt obozom koncentracyjnym.

Eicke pochodził z Palatynatu Reńskiego. Podczas pierwszej wojny światowej walczył na wszystkich frontach, był wielokrotnie ranny i odznaczany. Podczas okupacji Nadrenii był czołowym działaczem ruchu oporu przeciwko Francuzom, został przez francuski sąd wojenny zaocznie skazany na karę śmierci i do roku 1928 przebywał we Włoszech. Po powrocie wstąpił do NSDAP i został SS-manem.

W roku 1933 Reichsführer SS przeniósł go z Allgemeine SS i mianował komendantem obozu w Dachau w stopniu Standartenführera, kiedy dwaj uprzedni komendanci musieli odejść jako nie nadający się do tej funkcji.

Eicke przystąpił natychmiast do przekształcania obozu zgodnie ze swymi poglądami. Eicke był starym, twardym nazista z okresu walki. Całe jego działanie wywodzi się z rozumowania: narodowy socjalizm przejął władzę w swe ręce po okresie długiej walki i ciężkich ofiarach, teraz należy wykorzystać tę władzę do walki ze wszystkimi wrogami nowego państwa. Więźniowie byli dla niego zawsze wrogami państwa, których należało dobrze pilnować, surowo traktować i w przypadku oporu niszczyć.

Tak pouczał i wychowywał oficerów i żołnierzy SS. W pierwszym okresie pełnienia przezeń funkcji komendanta większość załogi obozu stanowiła bawarska policja krajowa, która również obsadziła większość kluczowych stanowisk. Dla Eickego policja sama przez się była czerwoną płachtą, tym bardziej zaś policja krajowa, która tak utrudniała życie nazistom w okresie ich walki. W krótkim czasie Eicke zastąpił policjantów SS-manami z wyjątkiem dwóch, których przyjął do SS, „laponezów" zaś, jak nazywano w obozowym żargonie policjantów, wypędził z obozu.

Więźniowie byli traktowani surowo i twardo; przy najmniejszym uchybieniu karał ich chłostą. Karę tę kazał wykonywać w obecności zebranej załogi (przynajmniej 2 kompanii), aby — jak mówił — zahartować ludzi. Szczególnie rekruci musieli się regularnie przyglądać chłoście.

W owym czasie więźniowie składali się prawie wyłącznie z politycznych: bawarskich komunistów, socjaldemokratów i członków Bawarskiej Partii Ludowej.[192]

---

[191] Theodor Eicke urodził się 17 października 1892 r. Był członkiem NSDAP nr 114901 i SS nr 2921, wyróżnionym odznakami pierścienia SS i szpady SS Był posłem do Reichstagu w Trzeciej Rzeszy. W 1939 r doszedł do stopnia SS-Obergruppenführera. W 1933 r. objął stanowisko dowódcy SS-Totenkopfverbande und Konzentrationslager. Od 1934 r. kierował utworzonym wówczas Inspektoratem Obozów Koncentracyjnych. W 1939 r. objął dowództwo dywizji SS — Totenkopf (patrz przypis 176) Zginął w 1942 r. w czasie walk na froncie wschodnim

[192] Bawarska Partia Ludowa powstała w Niemczech po klęsce 1918 r. Początkowo związana z katolickim Centrum, w 1920 r. usamodzielniła się. Bawarska Partia Ludowa

Alfą i omegą wszystkich pouczeń Eickego było: tam za drutami czyha wróg i przygląda się wszelkim waszym poczynaniom, aby wykorzystać dla siebie waszą słabość. Nie okazujcie swoich słabych stron, pokazujcie kły wrogom państwa. Każdy, kto okaże choćby najmniejszy ślad współczucia tym wrogom państwa, musi zniknąć z naszych szeregów. Ja potrzebuję wyłącznie twardych, na wszystko zdecydowanych SS-manów, dla mięczaków nie ma u nas miejsca!

Eicke nie tolerował żadnej samowoli. Więźniów należy traktować surowo, lecz sprawiedliwie. On tylko wymierza kary, on organizuje nadzór w obozie koncentracyjnym i w ten sposób trzyma go w ręku.

Stopniowo wprowadził wewnętrzny podział obozu i nadał mu postać wprowadzoną później we wszystkich obozach koncentracyjnych. Z oddziału wartowniczego stworzył surowych, twardych żołnierzy, którzy naprawdę pilnowali, a poza tym byli gotowi niezwłocznie chwycić za broń, gdy jakiś „wróg państwa" próbował ucieczki. Również wszelkie wykroczenia w służbie wartowniczej Eicke karał bardzo surowo. Jego ludzie kochali jednak „papę Eickego", jak go nazywano. Wieczorem siadywał między nimi w kantynie lub też w ich pomieszczeniach. Rozmawiał ich językiem, wnikał we wszystkie ich potrzeby i dzielił ich troski. Pouczał i wychowywał na takich ludzi, jakich potrzebował: surowych i twardych, którzy się przed niczym nie cofną, jeśli wyda im rozkaz. „Każdy rozkaz, choćby najsurowszy, musi być wykonany" — żądał i nauczał przy każdej okazji, i te pouczenia trafiały, wchodziły w ciało i krew. Wartownicy z okresu sprawowania przez Eickego funkcji komendanta obozu w Dachau byli przyszłymi Schutzhaftlagerführerami, Rapportführerami i innymi funkcyjnymi dowódcami późniejszych obozów. Nie zapomnieli oni nigdy pouczeń Eickego. Więźniowie byli i pozostali dla nich zawsze wrogami państwa. Eicke zna swoich ludzi, wie, jak z nimi trzeba postępować. Wychowuje na daleką metę.

W 1934 r. został on pierwszym inspektorem obozów koncentracyjnych. Początkowo dyryguje nimi z Dachau, później przenosi się do Berlina, aby być w pobliżu Reichsführera SS.

Z wielkim zapałem zabiera się do przekształcania na „modłę Dachau" istniejących obozów w Esterwegen, Sachsenburg, Lichtenburg i Columbia. Oficerowie i żołnierze z Dachau przenoszeni są stale do innych obozów, aby tam zaszczepiali „ducha Dachau" i nabierali sami pruskiego ducha wojskowego.

Reichsführer SS pozostawia mu całkiem wolną rękę, wie bowiem, że nie mógłby obozów koncentracyjnych powierzyć bardziej odpowiedniemu człowiekowi. Himmler podkreślał to często z naciskiem, tym samym podzielał całkowicie poglądy Eickego odnośnie do obozów koncentracyjnych i „wrogów państwa".

---

w wyborach powszechnych w latach 1919–1932 uzyskiwała od 16 do 22 mandatów. Po przejęciu władzy przez Hitlera Bawarska Partia Ludowa podjęła 4 lipca 1933 r. uchwałę o samorozwiązaniu.

W Berlinie Eicke doszedł do wniosku, że jowialny i patriarchalny sposób „tresowania", który między innymi polegał na organizowaniu częstych wieczorów koleżeńskich z dużą ilością bawarskiego piwa, nie wystarcza, aby wychować prawdziwego żołnierza, nadającego się do użycia w każdych warunkach. Dlatego też szukał „pruskiego tresera" i znalazł go w osobie kapitana policji Schulzego, któremu polecił, aby do bawarskiej dobroduszności wprowadził nieco pruskiego ducha i wychował zarówno oficerów, jak i żołnierzy według dawnej pruskiej modły wojskowej. W Dachau powstało wielkie wzburzenie, gdy „pruska świnia" Schulze zaczął sobie dość ostro poczynać przy wychowywaniu na swój sposób. Starzy dachauowcy nie mogli tego przeboleć i występowali przeciwko Schulzemu dopóty, dopóki po roku wreszcie się go nie pozbyli. Jako powód tego nagłego odwołania podano Schulzemu, iż jest wprawdzie doskonałym oficerem i miał duże osiągnięcia w dziedzinie wyszkolenia, nie jest jednak narodowym socjalistą i SS-manem, wskutek czego nie potrafi właściwie postępować z żołnierzami.

Również w późniejszym okresie, jako inspektor, Eicke pozostał wierny swemu zwyczajowi rozmawiania ze strażnikami i niższymi szarżami ze sztabów komendantur podczas nieobecności ich przełożonych. Dzięki temu cieszył się tak wielką popularnością i przywiązaniem wśród żołnierzy, iż zwracało to uwagę nawet w SS, gdzie kładziono szczególnie duży nacisk na koleżeństwo, Reichsführer SS zaś bardzo to cenił. Dla przełożonych tego rodzaju postępowanie Eickego nie było przyjemne. Dzięki temu bowiem dowiadywał się o wszystkim, co się działo w obozie. Nic istotnego nie mogło się przed nim ukryć. Z drugiej strony był stale informowany o służbowym i pozasłużbowym zachowaniu się wszystkich oficerów SS. Naturalnie przy tej okazji SS-mani uprawiali zwykłe donosicielstwo. Niejeden oficer SS musiał odpowiadać przed Eickem za rzeczy, które zaistniały jedynie w fantazji donoszącego SS-mana.

Eicke osiągnął jednak swój cel — trzymał w garści wszystkie obozy. W późniejszym okresie kazał pozakładać we wszystkich obozach skrzynki pocztowe, które on tylko mógł otwierać. W ten sposób każdy SS-man mógł się bezpośrednio do niego zwracać z prośbami i zażaleniami oraz donosami. Miał on również donosicieli wśród więźniów każdego obozu, którzy sami będąc nieznani, donosili mu o wszystkim, o czym warto było wiedzieć.

Od chwili rozpoczęcia działalności w charakterze inspektora obozów koncentracyjnych Eicke kładzie nacisk na wzmocnienie oddziałów wartowniczych we wszystkich obozach. Do końca roku 1935 finansowanie obozów koncentracyjnych należało do poszczególnych krajów. Nie dotyczyło to jednak finansowania oddziałów wartowniczych. Eicke opłacał swoich ludzi częściowo z dotacji sfer gospodarczych, częściowo z subwencji partyjnych i SS, kredytów bankowych i dochodów z kantyn. Wreszcie osiągnął zgodę Reichsführera SS na przedstawienie sprawy Führerowi. Führer wyraził zgodę na sformowanie i finansowanie ze środków państwowych 25 kompanii. Finansowanie obozów koncentracyjnych pozostało sprawą poszczególnych krajów. W ten sposób Eicke zrobił pierwszy decydujący krok w kierunku dalszej rozbudowy oddziałów wartowniczych, nazywanych później oddziałami Trupich Główek.

W tym czasie trwa praca nad planowaniem i przygotowaniami do utworzenia nowych obozów koncentracyjnych. Zdobywanie odpowiednich miejsc i finansowanie prac budowlanych sprawia wiele trudności. Dzięki uporowi Eickego i jego wytrwałości udaje się jednak te plany urzeczywistnić.

Powstaje Sachsenhausen i Buchenwald, budowane od samego początku rękami więźniów pod kierownictwem Eickego, który sam wydawał rozkazy, co i jak ma być budowane. Wskutek tego popadł on w ostry spór z Pohlem, któremu w tym czasie podporządkowano całe budownictwo SS i jego finansowanie.

Zlikwidowano obóz w Esterwegen, więźniów zaś przeniesiono do Sachsenhausen; podobnie Berlin-Columbia, Sachsenburg, Lichtenburg i Bad Suiza, a więźniów przeniesiono do Buchenwaldu. W Lichtenburgu zorganizowano obóz kobiecy. Pod kierownictwem Eickego powstały jeszcze przed wojną Flossenburg, Mauthausen i Gross-Rosen. Utworzone początkowo jako obozy pracy przy kamieniołomach nabytych przez Pohla dla SS, szybko przekształciły się w samodzielne obozy koncentracyjne.

We wszystkich tych obozach Eicke buduje samowolnie, wykorzystując swoje doświadczenia i zgodnie ze swoimi poglądami, w stałej wojnie z Pohlem. Już wówczas Pohl domagał się większych pomieszczeń dla więźniów i przewidywał rozwój wydarzeń lepiej aniżeli Eicke, który z uporem nie chciał tego widzieć. Eicke był za stłoczeniem więźniów, ułatwiało to bowiem nadzór. Nie wierzył w poważniejsze rozszerzenie obozów. Przytoczę przykład z własnego doświadczenia, gdy byłem adiutantem w Sachsenhausen w roku 1938. Planowano założenie nowego obozu kobiecego, Lichtenburg bowiem nie nadawał się na obóz koncentracyjny i był o wiele za mały. Po wielu poszukiwaniach Pohl i Eicke zdecydowali się na teren położony nad jeziorem Ravensbrück. Reichsführer SS wyraził na to zgodę. Pohl i Eicke omawiali na miejscu plany budowy. Komendant Sachsenhausen, który miał dać więźniów do budowy i zapewnić im tam zakwaterowanie, i ja zostaliśmy włączeni do rozmów. Decyzja o wielkości obozu nie była jeszcze podjęta. Eicke proponował pomieszczenie najwyżej dla 2000 więźniarek, Pohl chciał budować dla 10 000, Eicke twierdził, iż Pohl zwariował, takiej liczby bowiem nigdy się nie osiągnie. Pohl żądał bezwzględnie, aby zachowano możliwość dalszej rozbudowy, jeśli nawet obóz nie zostanie zbudowany od razu dla 10 000 kobiet. Eicke upierał się jednak zdecydowanie przy swoich 2000, a nawet i tę liczbę uważał za przesadnie wysoką.

Zwyciężył Eicke ze swoimi dwoma tysiącami! Powstał kobiecy obóz koncentracyjny w Ravensbrück zamknięty w kotlinie, który później wśród wielkich trudności musiał być rozbudowywany. Ravensbrück musiał później pomieścić do 25 000 kobiet, stłoczonych na bardzo ciasnej przestrzeni, ze wszystkimi wynikającymi z tego negatywnymi skutkami.

Pohl patrzył dalej i przewidywał słuszniej, Eicke był w sprawach obozów koncentracyjnych zawsze ciasny i małostkowy. Na skutek braku umiejętności przewidywania ponosi on winę za to, iż starych obozów nie można było rozbudować, choć wojna spowodowała powiększenie obozów ponad wszelkie granice. Kontynuowana dalsza rozbudowa odbywała się kosztem więźniów, których coraz bardziej stłaczano. Skutki tego przedstawiałem już dostatecznie wiele razy. Nie tylko nie można było należycie powiększyć pomieszczeń dla więźniów, ale także dostatecznie rozbudować w istotny sposób urządzeń wodociągowych i kanalizacyjnych, które i tak stanowiły zawsze słabą stronę wszystkich obozów. Na skutek tego od samego początku powstawały zaniedbania, których później nie dało się już usunąć.

W przeciwieństwie do jego małostkowości we wszystkich sprawach obozów koncentracyjnych, Eicke był niesłychanie wspaniałomyślny, gdy w grę wchodziły interesy załogi. Jego głównym zadaniem stało się powiększenie oddziałów Trupich Główek. Obozy koncentracyjne z „wrogami państwa" były dla niego tylko środkiem do celu. W trakcie późniejszych konferencji budżetowych za pomocą przerażających argumentów wykazywał niebezpieczeństwo „wrogów państwa", aby w ten sposób uzyskać zgodę na zwiększenie stanu liczebnego oddziałów wartowniczych.

Nowo budowane koszary nie były dla niego nigdy dostatecznie duże i przestronne, a wyposażenie dostatecznie wygodne. To, co oszczędzał na powierzchni mieszkalnej dla obozów koncentracyjnych, z dziesięciokrotną nadwyżką otrzymywała do dyspozycji załoga. Aby otrzymać środki finansowe niezbędne na wyposażenie dla załogi, godził się nawet z Pohlem.

Eicke nie znał się na ludziach, bardzo często dawał się wprowadzać w błąd przez osoby umiejące mydlić oczy, ładnie mówić i zręcznie załatwiać sprawy i miał zbyt duże zaufanie do tego rodzaju typów. Również i jego oceny ludzi zależały od przypadku i humorów. Jeżeli jakiś oficer SS mu się naraził lub też Eicke nie mógł go ścierpieć, to dla tego oficera najlepiej było, aby postarał się o jak najszybsze przeniesienie tam, gdzie nie sięgała władza Eickego.

Oficerów i podoficerów, którzy jego zdaniem nie nadawali się do służby w oddziałach wartowniczych — szeregowców miał nadzieję wychować po swojemu — Eicke usuwał albo poza podległy mu zakres służby, albo też przenosił do innych obozów koncentracyjnych po tym, gdy w roku 1937 na skutek jego inicjatywy wydzielono oddziały wartownicze z załogi obozów koncentracyjnych. Na skutek tego sztaby komendantur zapełniły się stopniowo nie nadającymi się do niczego oficerami i podoficerami, których Eicke nie chciał jednak całkowicie usunąć ze względu na ich dawną przynależność do partii lub też SS. Mieli się z nimi męczyć komendanci obozów. Stale ich przenoszono, aby wreszcie znaleźć dla nich odpowiednie stanowisko. Większość z nich z biegiem czasu wylądowała w Oświęcimiu, który stopniowo stawał się dla Inspektoratu Obozów Koncentracyjnych miejscem lokowania nieużytków ludzkich.

Gdyby Eicke z podległych mu jednostek usunął wszystkich ludzi nie nadających się do służby, oszczędziłby obozom koncentracyjnym wielu późniejszych nieprzyjemności i okropności. Skutki poglądów Eickego dawały się odczuć jeszcze po wielu latach.

Brakowi znajomości ludzi przez Eickego należy również przypisać to, że tacy komendanci obozu, jak Koch i Loritz, cieszyli się jego pełnym zaufaniem, którego nie mogły podważyć nawet najbardziej przykre wydarzenia. Mogli oni w podległych im obozach robić, co tylko chcieli. Eicke tolerował wszystko, nigdy przeciwko nim nie wystąpił, mimo iż o wszystkim był jak najdokładniej poinformowany.

Po przeprowadzeniu rozdziału między formacjami wartowniczymi a załogą obozu koncentracyjnego Eicke nie zajmował się już obozami z takim zainteresowaniem jak przedtem. Główna jego uwaga nakierowana była na formacje wartownicze. Mimo iż nadal posiadał kompetencje w zakresie rozbudowy obozów, odnosiło się to jedynie do rzeczy zewnętrznych. O wewnętrzne kształtowanie obozów już się więcej nie troszczył. Utknął na „wrogach państwa". Jego poglądy były już niemodne. W obozach koncentracyjnych było jeszcze tylko 10% więźniów politycznych, reszta to byli przestępcy zawodowi, jednostki aspołeczne itd. Zarządzenia i rozkazy Eickego w sprawach więźniów stały się z biegiem czasu zarządzeniami zza biurka i opierały się na doświadczeniach i poglądach z okresu w Dachau. Nie wnosił już nic nowego, żadnych zasadniczych zmian. Mimo swej niezmordowanej pracowitości i elastyczności oraz ciągłego parcia do udoskonaleń i ulepszeń, nie zdziałał już niczego więcej dla obozów koncentracyjnych. Cały zapał skierował ku formacjom wojskowym. Jego urząd — Inspektorat Obozów Koncentracyjnych był już jedynie szyldem.

Wraz z oddziałem Trupich Główek z Górnej Bawarii, jak się później nazywał pułk wartowniczy z Dachau, Eicke uczestniczył w zajmowaniu Sudetów. 4 pułk Trupich Główek uczestniczył również w zajmowaniu Gdańska, poszczególne zaś jego oddziały brały udział w kampanii polskiej.[193] Po zakończeniu kampanii polskiej Eicke otrzymał od Führera rozkaz szybkiego sformowania dywizji Trupich Główek, a następnie został awansowany na Generaileutnanta.

Na początku wojny wszystkie kadrowe oddziały Trupich Główek zastąpiono rezerwistami Allgemeine SS. Próby takiej zamiany przećwiczono już przejściowo przy zajmowaniu Czechosłowacji. Spowodowało to wiele trudności, starzy rezerwiści bowiem nie mieli pojęcia o dozorowaniu więźniów. Wielu również fizycznie nie nadawało się do pełnienia tej ciężkiej służby. Część z nich została w krótkim czasie wykorzystana przez zawodowych przestępców do swoich celów, różnych intryg, ułatwiania ucieczek i podobnych wykroczeń.

[193] W czerwcu 1939 r. Niemcy przerzucili nielegalnie do Gdańska w cywilnych ubraniach 3 batalion „Goetze" 4 pułku SS Totenkopf, który stał się trzonem gdańskiej SS-Heimwehr. SS-mani z tego batalionu wzięli udział w walkach o Pocztę Polska. Westerplatte, a następnie w walkach o polskie Wybrzeże.

W celu sformowania dywizji Trupich Główek opróżniono obóz koncentracyjny w Dachau, więźniów zaś przeniesiono do Flossenburga oraz Mauthausen. Po sformowaniu dywizji i jej odmarszu na poligon przywieziono więźniów z powrotem.

Jeszcze w okresie formowania dywizji inspektorem obozów koncentracyjnych mianowany został dotychczasowy oficer sztabowy Inspektoratu — Brigadeführer Glücks.

Dywizja Trupich Główek uczestniczyła najpierw w kampanii francuskiej,[194] następnie przez dłuższy czas jako oddziały okupacyjne przebywała nad granicą hiszpańską aż do chwili wybuchu wojny ze Związkiem Radzieckim, na terenie którego uczestniczyła w walkach na najtrudniejszych odcinkach.[195] Niejednokrotnie była otaczana, jak np. w Demiańsku, i poniosła olbrzymie straty.

Typowe dla Eickego było jego zachowanie się w okresie formowania Trupich Główek. Władze wojskowe starały się za pomocą wszelkich możliwych środków odwlec i utrudnić jej organizację. Raz miała to być dywizja zmotoryzowana, innym razem konna, to znów w połowie zmotoryzowana. Eicke przypatrywał się tym działaniom z żelaznym spokojem i kradł jak tylko mógł niezbędne uzbrojenie i sprzęt. Całą swoją ciężką artylerię zabrał z transportów kierowanych do Rumunii.

Wychowanie aktywnych wartowników na twardych żołnierzy dokonało się w pełni dopiero w tej dywizji. Wyniki osiągnięte przez dywizję Trupich Główek możliwe były tylko dzięki żelaznemu szkoleniu prowadzonemu przez Eickego i jego ścisłemu kontaktowi z żołnierzami.

Wiosną 1942 r. Eicke został zestrzelony w czasie lotu wywiadowczego koło Charkowa, gdy szukał oddziału pancernego dowodzonego przez jego zięcia. Znaleziono po nim jedynie część munduru z krzyżem rycerskim z liśćmi dębowymi i mieczami. Tak znalazł honorową śmierć żołnierską, której szukał od chwili, gdy krótko przed tym poległ jego syn.

Po jego śmierci dywizja Trupich Główek nigdy już nie odzyskała uprzedniego znaczenia, mimo iż do końca bez przerwy walczyła na wschodnim froncie. Była ona ściśle związana z osobą Eickego.

Jako dowódca dywizji Eicke nie miał prawie żadnego kontaktu z obozami koncentracyjnymi. W okresie pobytu na urlopie — a mieszkał w Oranien-

---

[194] W kampanii 1940 r. na zachodzie dywizja SS Totenkopf pozostawała w odwodzie niemieckiego dowództwa wojsk lądowych na zachód od Essen. 16 maja podporządkowana została XV Korpusowi Pancernemu. 21 maja podczas bitwy flandryjskiej dywizja poniosła na południe od Arras ciężkie straty w sprzęcie i wykazała swą znikomą przydatność bojową. Natomiast 26 maja 2 pułk dywizji SS Totenkopf wsławił się wymordowaniem jeńców brytyjskich w miejscowości Paradis. 5 czerwca dywizja weszła w skład Grupy Pancernej Kleista. Szlak bojowy zakończyła 19 czerwca pod Le Crousot.

[195] W agresji na Związek Radziecki dywizja SS Totenkopf uczestniczyła w składzie Grupy Armii „Północ". Dywizja nacierała w czerwcu 1941 r. z Prus Wschodnich na Kowno, Dyneburg. a następnie w kierunku Jeziora Pąkowskiego. Jesienią i zimą 1941/1942 dywizja SS Totenkopf uczestniczyła w obronie ufortyfikowanego rejonu Demiańska. W czerwcu 1942 r. dywizję wycofano z frontu, przeformowano w dywizję grenadierów pancernych i przeniesiono do Francji.

burgu — kazał Glücksowi i Loritzowi składać sobie meldunki. Nadal jednak „uszczęśliwiał" obozy koncentracyjne oficerami, którzy nie nadawali się do służby w dywizji. Glücks przyjmował ich bez sprzeciwu. Również większość u nich wylądowała następnie w Auschwitz.

Eicke prowadził bardzo skromny i izolowany tryb życia, był szczęśliwie żonaty z dobrą kobietą. Mieli syna i córkę. W swojej willi w Oranienburgu wybudowanej z rozmachem przez Pohla nie czuł się nigdy dobrze. Wolałby pozostać w swoim skromnym mieszkaniu we Frohnau pod Berlinem.

Eicke był surowy — okrutnie surowy — w swoich rozkazach i w przypadkach, gdy ich nie wykonywano. Niektórzy z SS-manów, również i kilku oficerów, zostali przed frontem zdegradowani, przebrani w strój więźniarski, następnie otrzymali po 25 kijów. W taki sam sposób potraktował nawet własnego kuzyna.

Dla ogółu więźniów nie miał ludzkiego zrozumienia. Byli oni wrogami państwa, jakkolwiek ujmował się niekiedy za tymi, których bliżej poznał.

Dla swoich SS-manów czynił wszystko — trudno mi powiedzieć, czy było to wynikiem koleżeństwa, czy też kierował się w tym zakresie względami celowości.

Osobiście był czysty i nie można mu było nic zarzucić.

H.

W listopadzie 1946 r.

Karl Fritzsch

SS-Hauptsturmführer Karl Fritzsch[196] był pierwszym w kolejności 1. Schutzhaftlagerführerem obozu koncentracyjnego w Auschwitz.

Fritzsch pochodził z Regensburga w Bawarii i przez długie lata pracował w żegludze na Dunaju. Wcześnie wstąpił do partii i SS. W czasie zakładania obozu koncentracyjnego w Dachau zgłosił się do tamtejszego oddziału wartowniczego. Ze względu na niski numer w SS został awansowany na oficera. Do roku 1935 był dowódcą plutonu w kompanii karabinów maszynowych oddziału wartowniczego, następnie zaś jako zbyt stary do służby wojskowej przeniesiony został na stanowisko kierownika cenzury w obozie w Dachau. W roku 1940 przybył do Auschwitz jako 1. Schutzhaftlagerführer.

Chociaż już od siedmiu lat miał do czynienia z obozami koncentracyjnymi, Fritzsch nie orientował się w najistotniejszych zagadnieniach. Mimo iż sam uważał siebie za dostatecznie doświadczonego w sprawach dotyczących obozów koncentracyjnych, starzy przestępcy zawodowi opanowali go

[196] Karl Fritzsch urodził się 27 października 1908 r. Był członkiem NSDAP nr 636850 i SS nr 19339. Doszedł do stopnia SS-Hauptsturmführera. W czerwcu 1940 r. został przeniesiony z KL Dachau do Auschwitz, gdzie objął funkcję kierownika obozu. W 1941 r. przeniesiono go do służby w innych obozach koncentracyjnych. Był współodpowiedzialny za wprowadzenie cyklonu B w Auschwitz.

po ośmiu dniach. Fritzsch był ograniczony, ale przy tym bardzo uparty i skłonny do kłótni. Musiał mieć we wszystkim rację. Szczególnie lubił odgrywać rolę zwierzchnika. To, iż w Auschwitz był zastępcą komendanta, napawało go szczególną dumą. Z miejsca zaprotestowałem w Inspektoracie Obozów Koncentracyjnych przeciwko nominacji Fritzscha, znałem go bowiem dostatecznie dobrze z Dachau. Jego ograniczoność, ciasnota umysłu i upór nie pozwalały mi spodziewać się po nim niczego dobrego. Glücks odrzucił mój sprzeciw oświadczając, iż muszę najpierw popróbować. Późniejsze ciężkie zarzuty z mej strony nie odniosły również skutku. Dla Oświęcimia Fritzsch był dostatecznie dobry.

Fritzsch z zasady robił wszystko tak, jak chciał. Moje rozkazy i zarządzenia wykonywał jedynie wówczas i o tyle, o ile pokrywały się z jego poglądami. Z obawy przed następstwami nie pozwalał sobie wprawdzie na jawne nieposłuchanie rozkazu. Potrafił jednak sprytnie ukryć lub zatuszować swoje polecenia sprzeczne z moimi zarządzeniami. Jeśli jego postępowanie zostało ujawnione, nazywało się to, iż nie zrozumiał właściwie rozkazu lub też że podeszli go podwładni. Tym ostatnim argumentem posługiwał się bardzo często i zrzucał własne przewinienia na barki podwładnych. Ponieważ w pierwszym okresie nie było mnie bardzo często w obozie, Fritzsch mógł przeprowadzić wszystko to, na co nie wyraziłem zgody lub też czego wręcz zakazałem. Także cały obóz wychowywał w ten sposób, aby „stary tylko nie dowiedział się o niczym!".

Fritzsch w ogóle nie potrafił postępować z więźniami. Miał zawsze w głowie pouczenia i poglądy Eickego: „wrogów państwa należy traktować surowo". Tak też postępował oraz wychowywał w tym duchu Blockführerów. Więźniowie, których lubił, mogli robić, co chcieli, gdyż ich ochraniał. Biada jednak temu więźniowi, który mu podpadł. Fritzsch chronił również kapo i blokowych trzymających się jego „kierunku". Im było wszystko wolno, natomiast ci, którzy nie postępowali w taki sposób, jak on tego chciał, lub też pozostawali w bliższym kontakcie z komendantem, za „popełnione przestępstwa" wędrowali do karnej kompanii lub też dostawali się do szpitala, gdzie umierali na tyfus plamisty lub brzuszny.

W przypadku podejrzeń żądałem od Fritzscha wytłumaczenia, jednak on wszystkiemu zaprzeczał, czuł się obrażony, winy zaś nie można mu było udowodnić. Był na tyle sprytny, że potrafił sobie stworzyć alibi. Jeśli faktycznie doszło do meldunku o jakimś wydarzeniu, musiał za nie odpowiadać któryś z jego podwładnych.

Poprzez tego rodzaju postępowanie uczył swoich SS-manów nielojalności, szczególnie w stosunku do mnie. Więźniowie wiedzieli, iż pominięcie jego osoby pociągało za sobą fatalne skutki. Z tego też względu żaden więzień nie odważył się do mnie zwracać. Również wówczas, gdy próbowałem się dowiedzieć czegoś od więźniów, napotykałem opór i wymijające odpowiedzi. Terroru, który Fritzsch świadomie zaprowadził i stosował, Oświęcim nie pozbył się do końca. Przejmowany on był w spadku przez jednego Rapportführera od drugiego, przechodził z Blockführera na Blockführera, z kapo na kapo itd. Było to złe dziedzictwo i miało okropne skutki. Fritzsch nie przewidywał jednak następstw, chciał jedynie sam panować. Uważał on Auschwitz za „swój obóz". Wszystko, co zrobiono i zbudowano, to była „jego praca", to były „jego pomysły".

Współpraca z Fritzschem była ciężka. Stale usiłowałem mu po dobremu zwracać uwagę na jego niedopuszczalne postępowanie. Nic jednak nie pomagało. Próbowałem surowego postępowania służbowego i beształem go. To nie pomagało również, wręcz przeciwnie, stawał się jeszcze bardziej uparty i zacięty.

Podczas mojej nieobecności pozwalał sobie na taką samowolę, której nigdy nie mogłem akceptować. W moim imieniu wydawał zarządzenia i rozkazy sprzeczne z moimi zapatrywaniami. Nie mogłem go jednak chwycić na gorącym uczynku, nie miałem również czasu na zajmowanie się tymi wstrętnymi sprawami.

Kilkakrotnie szczegółowo informowałem Inspektorat Obozów Koncentracyjnych o postępowaniu Fritzscha i wskazywałem na niemożliwość kontynuowania pracy w tych warunkach, nie odnosiło to jednak skutku. Fritzsch pozostał nadal w Auschwitz i pracował tak, jak chciał. Obóz koncentracyjny i wszystko, co znajdowało się w bezpośrednim związku z nim, traktował on jako pole swego działania, do którego nikomu nie pozwalał się wtrącać. Nawet ode mnie nie chciał przyjmować żadnych uwag. Z zarządem budowlanym, z administracją, z lekarzami, szczególnie zaś z Wydziałem Politycznym[197] był prawie stale na stopie wojennej. Przy całej mojej pracy i innych kłopotach musiałem jeszcze wciąż łagodzić te tarcia.

Kierownicy biur stale się skarżyli na podstępne i złośliwe zachowanie się Fritzscha. Mimo iż poza służbą starał się uchodzić za najlepszego kolegę i dużo mówił o koleżeństwie, postępowanie jego niewiele miało z tym wspólnego. Dzisiaj nie jestem w stanie przypomnieć sobie szczegółów jego „pracy". Były to w zasadzie tylko „drobiazgi", które jednak w sumie stwarzały linię oporu.

Nie wiem już dzisiaj, co było powodem jego przeniesienia. W każdym razie w końcu 1941 r. nasza „współpraca" wyglądała tak, iż Glücks musiał się wreszcie zgodzić z tym, iż Fritzsch nie może pozostać w Auschwitz. Zamiast go jednak całkowicie usunąć ze służby w obozach koncentracyj-

[197] Politische Abteilung — Wydział Polityczny, przedstawicielstwo RSHA w obozie o szerokich uprawnieniach. Decyzje PA dotyczące losu więźniów podejmowane były całkowicie niezależnie od komendanta obozu. PA składał się z następujących referatów: 1) registratura, 2) oddział przyjęć, 3) urząd stanu cywilnego, 4) oddział przesłuchań, 5) oddział prawny, 6) oddział służby rozpoznawczej. PA miał swe komórki w każdym obozie oświęcimskim. Kompetencje PA obejmowały: prowadzenie akt personalnych więźniów, korespondencję z instytucjami kierującymi więźniów do obozu, przyjmowanie transportów, czuwanie nad bezpieczeństwem obozu i walka z więźniarskim ruchem oporu, przesłuchiwanie więźniów, prowadzenie akt stanu cywilnego oraz zarząd krematoriów.

nych, jak to proponowałem w mojej opinii, został on przeniesiony do Flossenburga i na jego miejsce dano Aumeiera.

We Flossenburgu Fritzsch nadal postępował tak samo, ale tam można było nad nim łatwiej roztoczyć kontrolę. Flossenburg był małym obozem, w którym łatwo było sprawować nadzór. Również i tam nie pozostał długo. Był następnie komendantem obozu pracy przy obozie koncentracyjnym w Mittelbau i musiał w końcu i stamtąd ustąpić, gdyż nikt nie mógł z nim współpracować. W roku 1944 doszło do tego, iż Glücks oddał go do dyspozycji dowództwa, ostatecznie wylądował w Muzułmańskiej Dywizji SS.[198]

Ilu różnym wydarzeniom można by było zapobiec, gdyby Eicke usunął go jeszcze z Dachau, jako nie nadającego się do służby.

H.

W listopadzie 1946 r.

Odilo Globocnik

Dowódca SS i policji w Lublinie, SS-Gruppenführer Globocnik.[199] Wkrótce po rozpoczęciu wojny z Rosją na rozkaz Reichsführera SS założono obóz koncentracyjny w Lublinie. Inspektor obozów koncentracyjnych Glücks przejął od Globocnika wybrany na ten cel teren wraz z rozpoczętą budową obozu, a jako komendanta obozu osadził Kocha, dotychczasowego komendanta Buchenwaldu. Przy tej okazji Globocnik obiecał Glücksowi ogromnie dużo koców, bielizny i obuwia, jak również naczyń kuchennych, instrumentów medycznych oraz lekarstw dla obozów koncentracyjnych. Zaraz po tym Glücks przyjechał do Auschwitz i polecił mi obejrzeć wszystkie te obiecane rzeczy w Lublinie pod kątem widzenia ich przydatności dla Auschwitz. Natychmiast udałem się do Lublina z moim ówczesnym oficerem administracyjnym Wagnerem do Globocnika. Po wielokrotnym odsyłaniu nas z miejsca na miejsce udało się nam zdobyć dla Auschwitz trochę rzeczy zdatnych do użytku. Nie jestem w stanie dzisiaj podać ilości ani rodzaju tych rzeczy, znajdował się jednak wśród nich sprzęt i instrumenty medyczne, a także lekarstwa. W każdym razie w porównaniu z obiet-

---

[198] Istniały dwie dywizje SS złożone z muzułmanów — 13 Ochotnicza Dywizja Górska SS Handschar, utworzona w 1943 r. z muzułmanów pochodzących głównie z Bośni i Hercegowiny (rozbita została podczas walk o wyzwolenie Jugosławii w kwietniu 1945 r.) oraz 23 Dywizja Górska SS Karna, również formowana w Bośni i Hercegowinie (istniała od sierpnia do października 1944 r. Udziału w walkach nie brała).

[199] Odilo Globocnik urodził się 21 kwietnia 1904 r. Był członkiem NSDAP nr 429939 i SS nr 292776. wyróżnionym odznaką pierścienia SS i szpady SS. W 1942 r. doszedł do stopnia SS-Gruppenführera W 1938 r. został Gauleiterem Wiednia. Od jesieni 1939 r. do września 1943 r. był Dowódca SS i Policji w dystrykcie lubelskim. Kierował akcja zagłady ludności żydowskiej w GG (kryptonim „Aktion Reinhardt") oraz akcja wysiedleń ludności polskiej na Zamojszczyżnie. Po opuszczeniu Polski objął stanowisko Wyższego Dowódcy SS i Policji w Trieście

nicami Globocnika plon był mizerny. Były to rzeczy skonfiskowane w okręgu lubelskim, które bez segregowania zwieziono do jakiejś fabryki.

Przy tej okazji poznałem Globocnika. Uważał się on za niesłychanie ważnego w związku z udzieleniem mu przez Reichsführera SS zlecenia założenia baz policyjnych na nowo zdobytych terenach. Rozwijał fantastyczne plany o bazach sięgających po Ural. Nie istniały przy tym dla niego żadne trudności. Uwagi zbywał machnięciem ręki. Chciał on, aby Żydów, którzy nie byli. potrzebni do prac przy „jego" bazach policyjnych, zabijano na miejscu. Ich mienie chciał gromadzić w wielkich zbiorczych magazynach i wykorzystać dla SS. Wszystko to opowiadał w formie dobrodusznej pogawędki, swoim wiedeńskim dialektem, jakby chodziło przy tym o najniewinniejsze sprawy. Byłem w pewnym stopniu wstrząśnięty Globocnikiem, którego Glücks opisywał jako niesłychanie pilnego i cieszącego się dużym uznaniem u Reichsführera SS.

Moje pierwsze wrażenie było właściwe. Globocnik był zarozumialcem, który potrafił na pierwszy plan wysuwać swoją osobę, a swoje fantastyczne plany przedstawiać w taki sposób, jakby w przeważającej mierze były już urzeczywistnione. On i tylko on sam chciał wszystko zrobić, i to najlepiej, czy chodziło o zagładę Żydów, przesiedlenia Polaków czy też wykorzystanie skonfiskowanych dóbr. Nawet wobec Reichsführera SS potrafił budować swoje zamki na lodzie. Himmler mu wierzył i trzymał go jeszcze przez dłuższy czas, choć atakowano go ze wszystkich stron: SD, generalnego gubernatorstwa, gubernatora dystryktu, on sam zaś był nie do zniesienia. Nie wiem, co spowodowało jego odwołanie. Z Lublina pojechał do Triestu jako Wyższy Dowódca SS i Policji. O jego tamtejszej działalności nic mi nie wiadomo.

Drugi raz zetknąłem się z nim na wiosnę 1943 r. w Lublinie. Musiałem się z nim rozprawić z powodu maszyn i narzędzi z tamtejszych Niemieckich Zakładów Zbrojeniowych, jeszcze mu podległych, które to maszyny i urządzenia dostarczył do Niemieckich Zakładów Zbrojeniowych w Oświęcimiu. Określił wówczas najstarsze klamoty jako najbardziej nowoczesne maszyny i tak też podał w raporcie do Pohla. Ponieważ machinacje te miały miejsce na jego osobiste polecenie, nie było mu to bardzo przyjemne. Krótko się jednak z tym załatwił, gdyż nie wdając się w dyskusję, „podarował" mi dla Niemieckich Zakładów Zbrojeniowych 5 naprawdę nowoczesnych, pilnie potrzebnych maszyn. Mój oficer administracyjny Mockel[200] miał „rozliczyć się" z jego administracją, która składała Pohlowi raporty o dostawach do Oświęcimia — albo w ogóle nie wykonanych, albo też wykonanych w nieznacznym stopniu. Jak najbardziej wspaniałomyślnie przyrzeczono uzupełnić te dostawy, nigdy jednak tego nie uczyniono.

---

[200] SS-Obersturmbannführer Karl Mockel petnił funkcję kierownika administracji garnizonu SS-Standartenverwaltung w Oświęcimiu od 1 lipca 1943 r. Podlegał bezpośrednio WVHA SS. We wrześniu 1944 r. zmieniono nazwę tej placówki na Centralna Administrację Formacji Wojskowych (SS-Zentralverwaltung der Waffen-SS).

W tym samym czasie przebywał w Lublinie Szef Głównego Urzędu Kadr SS, SS-Obergruppenführer von Herff,[201] aby poznać oficerów pracujących w aparacie Globocnika. Przy tej okazji Globocnik pokazał wszystkie założone przez siebie wzorcowe urządzenia, począwszy od wielkiej sortowni rzeczy żydowskich w byłej fabryce samolotów, i „jego" warsztaty żydowskie, w których produkowano najróżniejsze przedmioty codziennego użytku, od szczotek do mat do wycierania nóg, jednakże wszystko w takim gatunku, że można to było określić jako tandetę. Żydzi, którzy w rzeczywistości to wszystko zorganizowali, nabrali brzydko Globocnika i jego oficerów. Stworzyli wiele stanowisk nadzorczych i robili własne interesy. Hofle, jego sztabowy oficer, później mi to potwierdził.

Następnie Globocnik stworzył organizację, której nazwy obecnie nie pamiętam, a która miała za zadanie skupić pod jego zarządem wszystkie polskie i byłe żydowskie przedsiębiorstwa z jego okręgu i przemienić je w kwitnące przedsiębiorstwo na wielką skalę, przewyższające wszystko, co dotychczas stworzono na terenie Generalnego Gubernatorstwa. Podczas zwiedzania okazało się jednak, iż było to tylko biuro z wieloma tablicami i planami oraz wyliczeniami spodziewanych zysków.[202]

Zgodnie ze swymi zwyczajami uważał również lubelski obóz koncentracyjny za „swój" obóz. Wydawał on komendanturze rozkazy i zarządzenia całkowicie sprzeczne z zaleceniami Inspektoratu Obozów Koncentracyjnych czy też Pohla. Powodowało to stałe zatargi. Globocnik potrafił jednak przekonać Reichsführera SS, powołując się na szczególną sytuację w Lublinie. Równie mało troszczył się o wytyczne RSHA. Organizował „swoje" akcje policyjne wówczas, gdy mu to było dogodne. Przeprowadzał egzekucje na własną rękę według własnego widzimisię. Zakładał obozy pracy dla więźniów, gdzie uważał to za stosowne, nie troszcząc się w najmniejszym stopniu o Pohla czy też DII, chodziło przecież o „jego" obóz, o „jego" więźniów. Tak traktował również „swoje" miejsca zagłady w Sobiborze, Bełżcu i Treblince.

Eichmann, który znał Globocnika jeszcze z okresu nielegalne działalności w SS przed wkroczeniem do Austrii, miał z nim niemało kłopotu. Podczas gdy ja stale walczyłem z Eichmannem, aby zahamować dopływ transportów Żydów do Oświęcimia, Globocnik nie miał ich nigdy dosyć. Chciał koniecznie, aby „jego" akcje zagłady i „jego" zdobyte przez to bogactwa znajdowały się na pierwszym miejscu.

Jego doradcą w sprawach zagłady był SS-Oberführer Oldenburg z kancelarii Führera, który przed wojną opracował urządzenia do likwidacji umysłowo chorych.

[201] Maximilian von Herff objął stanowisko kierownika Głównego Urzędu Kadr SS — SS-Personalhauptamt w 1942 r.

[202] W marcu 1943 r. powstała z siedzibą w Berlinie spółka z o.o. „Ostindustrie", której celem miała być eksploatacja żydowskiej siły roboczej. Inicjatorem utworzenia firmy był Odilo Globocnik. „Osti" przejęła pożydowski majątek przemysłowy w Generalnym Gubernatorstwie — fabryki, zakłady i warsztaty rzemieślnicze, tworzyła również nowe przedsiębiorstwa. Robotnikami w zakładach, „Osti" mogli być wyłącznie Żydzi. Spółka była własnością SS. W marcu 1944 r. spółka została rozwiązana.

Spośród miejsc zagłady Globocnika widziałem Treblinkę podczas tej samej podróż służbowej. Przebieg akcji zagłady w tym obozie przedstawiłem już w innym miejscu.

Tworem Globocnika był również obóz szkoleniowy w Trawnikach. Z rosyjskich strażników chciał tam stworzyć swoje wojsko, na co uzyskał zgodę Reichsführera SS.[203] Jak się można było spodziewać, ci strażnicy, zwani załogą ochronną, całkowicie zawiedli. Również do Auschwitz przysłano mi ich jedną kompanię. Po upływie krótkiego czasu 15 z nich uciekło, zabierając ze sobą broń i amunicję, ile się dało. W czasie pościgu otworzyli gwałtowny ogień, którego ofiarą padło trzech podoficerów. Z wyjątkiem trzech, którym ucieczka się powiodła, zostali wszyscy złapani. Kompanię natychmiast rozwiązano, a jej członków rozdzielono na wszystkie obozy koncentracyjne.

Hofle, jego oficer sztabowy, przyjechał w 1944 roku do Oranienburga i jako Schutzhaftlagerführer miał ewentualnie objąć jakiś obóz koncentracyjny. Mimo braku personelu Glücks sam jednak odrzucił jego kandydaturę, był on bowiem zbyt długo w szkole Globocnika. Od Hoflego dowiedziałem się niejednego o Globocniku i jego praktykach.

Globocnik chciał utworzyć na „swoim terenie" wielką kolonię niemiecką. Do tego celu wybrał tereny Zamojszczyzny. Obiecał Reichsführerowi SS, że w ciągu roku osiedli tam 50 000 niemieckich przesiedleńców. Kolonia ta miała być wzorem dla późniejszych wielkich kolonii niemieckich dalej na wschodzie. Niezbędne do tego celu środki, bydło i maszyny chciał dostarczyć w jak najszybszym terminie. Wybrany przez niego teren był jednak jeszcze zamieszkały przez polskich chłopów. Zaczął ich więc po prostu wysiedlać, przy czym było mu obojętne, dokąd.[204] Miała się o to troszczyć Centrala Przesiedleń,[205] RSHA lub też BdS w Krakowie. Dla niego najważniejszym było uzyskanie miejsca dla 50 000 przesiedleńców. Według relacji Hoflego to Globocnikowe przesiedlenie było katastrofalne, a osiedleni tam Volksdeutsche nie byli bynajmniej zadowoleni. Nie spełniono żadnych wielkich obietnic, bytowali oni nędznie w niezwyczajnych dla nich warunkach, wciąż oczekując na pomoc od Globocnika.

Latem 1943 roku Globocnik był również w Auschwitz, aby na rozkaz Reichsführera SS obejrzeć krematoria i akcję zagłady. Nie widział jednak w tym nic nadzwyczajnego. Jego urządzenia pracowały o wiele szybciej.

---

[203] W potocznym języku Niemcy nazywali strażników tej formacji Trawniki-männer lub Askari.

[204] Z zachowanego raportu SS-Untersturmführera Heinricha Kinny z 16 grudnia 1942 r. wynika, że znaczną część wysiedleńców skierowano bezpośrednio do Auschwitz i tam zgładzono.

[205] SS Rasse- und Siedlungshauptamt (RuSHA) — Główny Urząd do spraw Rasy i Osadnictwa. Urzędem kolejno kierowali: Walter Darre, Günther Pancke, Otto Hoffmann i Richard Hildebrandt. W skład RuSHA wchodził zajmujący się osadnictwem — Siedlungsamt. Na mocy ustawy z 29 września 1933 r. tworzono w Niemczech zagrody Siedlungsamtu, na których osadzano wytypowane przez SS rodziny. W okresie wojny Siedlungsamt koordynował kolonizację niemiecką na obszarach okupowanych.

Począł rzucać liczbami odnośnie do dziennych wyników akcji zagłady, np. do chwili obecnej pamiętam, że podawał dla Sobiboru pięć pociągów dziennie, jak również co do wartości odstawionych rzeczy idących w miliardy. Przesadzał bez miary przy każdej nadarzającej się okazji. Miałem jednak zawsze wrażenie, że sam wierzył głęboko w to, co mówił. Od Eichmanna wiedziałem, że ze względów techniczno-kolejowych do Sobiboru mogły przyjeżdżać najwyżej dwa pociągi dziennie.

Po przyłączeniu Austrii Globocnik był Gauleiterem Wiednia. Narobił przy tym tyle szkód, że musiano go szybko odwołać.

Był on rzeczywiście dobrodusznym człowiekiem. Wyrządzone przez niego zło wypływało moim zdaniem z manii wielkości, chęci popisywania się i wywyższania się. Czy w wielkim zamieszaniu, w jakim przebiegała lubelska Akcja Reinhardt, sam się wzbogacił, nie wiem, nic o tym nie słyszałem. Nie przypuszczam, żeby to miało miejsce. Jednakże wielu oficerów i żołnierzy „jego aparatu" robiło to na dużą skalę. Sąd specjalny SS miał stale zajęcie, a wyroki śmierci nie należały do rzadkości.

U Globocnika stało się manią, aby wszystko, co tylko można było zdobyć, konfiskować i spieniężać. Chciał on w ten sposób postawić do dyspozycji Reichsführera SS olbrzymie bogactwa. Poprzez tworzenie wszystkich „swoich" przedsiębiorstw gospodarczych chciał w dostarczaniu pieniędzy przewyższyć nawet Pohla. Postępował przy tym bez żadnych skrupułów. Nie zastanawiał się nad tym, czy „rekwizycje" opierają się na podstawie prawnej czy też są jej pozbawione. To udzielało się również jego podwładnym. Ponieważ nie było prawie żadnej kontroli, wielu zaczęło zabierać i spieniężać na własną rękę; w nierzadkich przypadkach prowadzili oni ożywiony handel lub też kradli, co się dało.

Sztab Globocnika był wręcz zbiorowiskiem wykolejeńców. Potrafili oni jednak stać się dla Globocnika niezbędni i pozyskać jego sympatię, co przy jego słabej znajomości ludzi nie było wcale trudne. Jeśli trzeba było kryć jakieś przewinienie, Globocnik krył je zarówno z dobroduszności, jak i dlatego, aby jego praktyki nie wyszły na jaw. Reichsführer SS zaś wierzył jego zapewnieniom, że jego okręg służbowy jest we wzorowym „porządku" i że dokonuje „niezwykłych" rzeczy.

Höss

Kraków, w styczniu 1947 r.

Richard Glücks

Drugim inspektorem obozów koncentracyjnych był SS-Gruppenführer Richard Glücks.[206]

---

[206] Richard Glücks alias Sonnenmann urodził się 22 kwietnia 1889 r. Był członkiem NSDAP nr 214855 i SS nr 58706, wyróżnionym odznakami pierścienia SS i szpady SS. W 1943 r. doszedł do stopnia SS-Gruppenführera. W latach 1934–1939 był zastępcą gene-

Glücks pochodził z Düsseldorfu, przed wojną światową był przez kilka laty w Argentynie. Po wybuchu wojny przemycił się na statku norweskim przez angielską kontrolę i zgłosił się do służby wojskowej. Przez cały okres wojny służył jako oficer artylerii. Po wojnie był oficerem łącznikowym przy Komisji Zawieszenia Broni, a następnie w jednym z Korpusów Ochotniczych na terenie Ruhry. Do chwili przejęcia władzy był kupcem.

Glücks wstąpił wcześnie do partii i SS. Jako członek SS był najpierw przez wiele lat sztabowym oficerem odcinka Zachód, a następnie dowodził pułkiem Allgemeine SS w Pile. W roku 1936 objął u Eickego funkcję oficera sztabowego w Inspektoracie Obozów Koncentracyjnych.

Glücks był typowym urzędnikiem, bez żadnego zrozumienia dla praktycznych zagadnień. Był on przekonany, iż można wszystkim kierować zza biurka. Pracując pod kierownictwem Eickego, był on w obozach prawie niezauważalny, mimo iż od czasu do czasu przyjeżdżał w towarzystwie Eickego do poszczególnych obozów. Nie miało to jednak praktycznego znaczenia, nie widział on niczego i nie nauczył się widzieć.

Jako oficer sztabowy Glücks nie miał u Eickego prawie żadnego wpływu, ponieważ ten wszystkie sprawy załatwiał sam, przeważnie z komendantami podczas przeprowadzanych inspekcji obozów. Mimo to Eicke liczył się z nim i w sprawach personalnych Glücks był czynnikiem decydującym, ze szkodą dla obsady sztabów komendantur. Różni komendanci kilkakrotnie próbowali unieszkodliwić Glücksa, jednakże jego pozycja u Eickego była nie do podważenia.

Na początku wojny, jak już wielokrotnie wspomniałem, czynni wartownicy zostali przeniesieni na front i zastąpieni przez rezerwistów z Allgemeine SS. Poza tym z młodszych roczników utworzono nowe oddziały Trupich Główek, które początkowo przewidziane były jako posiłki policji oraz wojska okupacyjne. Eicke został generalnym inspektorem oddziałów Trupich Główek i obozów koncentracyjnych, a Glücks oficerem sztabowym. Po zleceniu Eickemu organizacji dywizji Trupich Główek generalną inspekcję formacji Trupich Główek przejęło dowództwo Waffen-SS w osobie Jüttnera,[207] Glücks został inspektorem obozów koncentracyjnych, podporządkowanym urzędowi dowództwa Waffen-SS, a później Führungshauptamtowi. W 1941 r. Inspektorat Obozów Koncentracyjnych został włączony do WVHA jako urząd D.

Reichsführer SS nigdy nie miał szczególnego zaufania do Glücksa i miał kilkakrotnie zamiar przenieść go na inne stanowisko. Jednakże Eicke i Pohl

ralnego inspektora obozów koncentracyjnych, a od 1940 r. szefem Inspektoratu Obozów Koncentracyjnych. Po utworzeniu WVHA w 1942 r. stanął na czele Amtsgruppe D. Prawdopodobnie popełnił samobójstwo 10 maja 1945 r. w szpitalu marynarki wojennej w Murvig.

[207] Hans Jüttner kierował Głównym Urzędem Dowodzenia (SS-Führungshauptamt), czyli kwaterą główną naczelnego dowództwa Waffen-SS. FHA dowodził bezpośrednio formacjami SS nie podporządkowanymi dowództwu operacyjnemu, zajmował się wyszkoleniem bojowym członków Allgemeine SS. Ponadto FHA podporządkowano służby administracyjne Waffen-SS i formacje Totenkopf.

zawsze jak najgoręcej się za nim wstawiali, na skutek czego pozostał on na stanowisku inspektora obozów koncentracyjnych.

Mianowanie Glücksa inspektorem nie przyniosło żadnej zmiany dla obozów koncentracyjnych. Glücks był stale zdania, iż nie można nic zmienić w strukturach stworzonych przez Eickego, w jego rozkazach i zarządzeniach, nawet jeśli były oczywiście przestarzałe, z jednej strony ze względu na tradycje, z drugiej zaś dlatego, aby nie musiał występować do Reichsführera SS z wnioskami o dokonanie zmian. Poza tym był on przeświadczony, iż inspektorem został jedynie na okres przejściowy. Sam nie uważał się za uprawnionego do przeprowadzania bez zgody Reichsführera SS choćby najmniejszej zmiany w istniejącej organizacji obozów koncentracyjnych. Wszystkie wnioski komendantów odnośnie do wprowadzenia jakichkolwiek zmian odrzucał lub też dawał wymijające odpowiedzi Podczas całego okresu urzędowania niewiarygodnie wprost bał się Reichsführera SS. Jeden telefon tego ostatniego zbijał go z pantałyku. Jeśli zaś miał się udać do Reichsführera SS osobiście, na wiele dni przed tym był do niczego. Żądanie przez Reichsführera SS sprawozdania lub też zajęcia stanowiska wyprowadzało go całkiem z jego poza tym niewzruszonego spokoju. Unikał on wszystkiego, co mogłoby prowadzić do rozmów z Reichsführerem SS czy też do odmowy a tym bardziej do napomnień.

Wydarzeń w obozie nie brał poważnie poty, póki nie musiały one być meldowane Reichsführerowi SS. Ucieczki więźniów, które podlegały obowiązkowi meldowania, nie dawały mu spokoju zarówno w dzień, jak i w nocy. Pierwszym pytaniem przy rozpoczynaniu rano służby było: „Ilu zwiało?". Z tego względu Oświęcim przysparzał mu, poza innymi, najwięcej trosk. Jest zupełnie zrozumiałe, iż stała obawa przed Reichsführerem SS określała jego cały stosunek do obozów koncentracyjnych. Mniej więcej było tak: „Róbcie co chcecie, aby tylko nie dowiedział się o tym Reichsführer SS". Odetchnął, gdy został podporządkowany Pohlowi. Na szczebel pośredni postawiono kogoś silniejszego i ten parował ciosy.

Jednakże strach przed Reichsführerem SS nigdy go nie opuścił, ponieważ ten kierował nadal do niego zapytania albo też do siebie wzywał. Pohl jednak pomagał mu nieraz wyjść z kłopotów.

Obozy odwiedzał Glücks jedynie wówczas, gdy było to z ważnych względów konieczne, lub też wówczas, gdy Reichsführer SS lub też Pohl na to z jakichś względów nalegali.

Podczas wizytacji niczego nie widział, jak to sam mówił, i był zadowolony, jeśli komendant nie włóczył go zbyt długo po obozie „Przecież w każdym obozie jest to samo, tego, czego nie powinienem widzieć, i tak mi nie pokażą, inne zaś rzeczy widziałem tak często, że mnie to już nie interesuje". Znacznie chętniej przesiadywał w kasynie oficerskim obozu, aby rozmawiać na wszystkie możliwe tematy, tylko nie o tym, co dolegało komendantom.

Glücks miał niespożyty reński humor i brał wszystko od pogodnej strony. Nawet poważne sprawy obracał w żart, dowcipkował, na nic nie zwracał uwagi i nie podejmował decyzji. Nie można się było przy tym na niego gniewać. Taką już miał naturę.

Również i mnie nie brał on poważnie. Moje stałe troski i kłopoty oświęcimskie uważał za przesadzone i był zdumiony, gdy ze strony Pohla lub Kammlera spotkał się z potwierdzeniem moich poglądów. Nie udzielił mi nigdy żadnej pomocy. A przecież mógł mi istotnie pomóc, np. w sprawach personalnych przez przeniesienie oficerów i podoficerów, którzy byli nie do zniesienia w Auschwitz. Ze względu jednak na innych komendantów nie chciał tego zrobić. Tylko żadnego niepokoju! A Auschwitz wnosił tylko niepokój w uświęcony spokój Inspektoratu Obozów Koncentracyjnych.

Inspekcje Glücksa w Auschwitz były praktycznie nic nie warte i nie dawały żadnego wyniku. Jemu nie podobał się również Oświęcim, wszystko było dla niego zbyt rozległe, zbyt nieprzejrzyste i sprawiało mu wiele nieprzyjemności. A ponadto komendant miał zbyt dużo życzeń i zażaleń. Glücks dwukrotnie chciał mnie zmienić lub też podporządkować wyższemu rangą zwierzchnikowi, jednakże ze względu na Reichsführera SS nie odważył się tego uczynić. Przyczyną tego była zbyt wysoka i dotychczas w obozach koncentracyjnych nie spotykana liczba ucieczek, które przysparzały mu wiele trudności ze strony Reichsführera SS. Oświęcim był dla Glücksa zawsze cierniem w oku, był dla niego niewygodny, Reichsführer SS bowiem zbyt wiele się nim zajmował.

Nie chciał on mieć nic do czynienia ze sprawą zagłady Żydów i niechętnie też o niej słuchał. Nie potrafił zrozumieć, iż mogło to pozostawać w związku z późniejszą katastrofalną sytuacją.

Podobnie zresztą bezradny był on w obliczu wszelkich ciężkich sytuacji we wszystkich obozach i szukanie wyjścia pozostawiał komendantom obozów. Na odprawach komendantów odpowiadał najczęściej: „Nie pytajcie mnie zbyt wiele. Sami wiecie przecież lepiej ode mnie”. Na krótko przed zwoływanymi odprawami komendantów często pytał Liebehenschla: „Co właściwie mam znów im powiedzieć? Nic nie wiem!”. Takim był inspektor obozów koncentracyjnych, przełożony wszystkich komendantów obozów, który miał udzielać rad i wskazówek we wszystkich trudnościach spowodowanych samą wojną. W okresie późniejszym komendanci zwracali się do Pohla, mimo że Glücks miał im to często za złe.

Glücks był zbyt miękki i nie chciał żadnemu podwładnemu zrobić przykrości. Zbyt ustępliwy był on szczególnie w stosunku do starych komendantów oraz oficerów SS, do których odczuwał słabość. Na skutek swej łagodności tolerował oficerów, którzy powinni byli stanąć przed sądem SS lub przynajmniej być usunięci z obozów koncentracyjnych. Powodowany łagodnością patrzył również przez palce na wiele wykroczeń członków sztabu Inspektoratu Obozów Koncentracyjnych.

Gdy po odejściu Liebehenschla do Auschwitz zastępcą Glücksa został Maurer, ja zaś w tym samym czasie — kierownikiem urzędu D I, wspólnie z Maurerem oczyściliśmy trochę sztab z nadmiernej liczby dotychczas nieodzownych podoficerów i członków sztabu. Spowodowało to dość dużo starć z Glücksem. Maurer zagroził w końcu Pohlem i Glücks z ciężkim sercem ustąpił. Stopniowo oddał cugle Maurerowi, których zresztą nigdy zbyt mocno w ręku nie trzymał. Jego troską był w dalszym ciągu Reichsführer SS oraz hamowanie Maurera, jeśli ten jego zdaniem zbyt ostro postępował.

Glücks od wielu lat nie był w pełni zdrowy. Często musiał na wiele tygodni opuszczać służbę, źle sypiał i rujnował sobie zdrowie zażywaniem nadmiernej ilości lekarstw. Kiedy w roku 1944 rozpoczęły się systematyczne naloty na okręg Berlina, wykończył się zupełnie. Późniejsze wydarzenia wojenne i ciągłe przybliżanie się frontu wykończyły go całkowicie. Ulgę znajdował wówczas jedynie w alkoholu.

Osobiście żył bardzo skromnie i w odosobnieniu w Oranienburgu. Nie zapraszał również nigdy nikogo do siebie. Żona jego zachowywała się podobnie, dzieci nie mieli. Więźniów, z którymi bliżej się stykał, jak np. fryzjerów, ogrodników, rzemieślników itp., traktował bardzo łagodnie i był dla nich szczodry. Nie widział nigdy egzekucji czy też wymierzania kary chłosty. Udzielanie zezwoleń na wymierzanie kary chłosty pozostawiał przeważnie swemu zastępcy. Glücks był we wszystkim przeciwieństwem Eickego. Były to dwie skrajnie odmienne natury, które doprowadziły rozwój obozów koncentracyjnych do tragedii.

H.

Maximilian Grabner

SS-Untersturmführer i sekretarz policji kryminalnej Maximilian Grabner[208] był kierownikiem Wydziału Politycznego obozu koncentracyjnego w Auschwitz od roku 1940 do listopada 1943 r.

Grabner jest Austriakiem i pochodzi z Wiednia. Z zawodu był pierwotnie leśnikiem. Jeszcze przed wcieleniem Austrii działał już nielegalnie w SS i następnie przez Służbę Bezpieczeństwa przeszedł do Stapo. Przy organizowaniu obozu koncentracyjnego w Auschwitz Grabner został przydzielony przez jego władzę, Stapoleitstelle w Katowicach, do Wydziału Politycznego jako jego kierownik.

Grabner nie miał pojęcia o obozie koncentracyjnym, a jeszcze mniej o zadaniach Wydziału Politycznego. W pierwszym okresie miałem z nim dużo kłopotu. Grabner był bardzo nerwowy i wrażliwy, dlatego też gdy mu

[208] Maximilian Grabner urodził się 2 października 1905 r. Wstąpił do NSDAP w 1932 r. (nr 1214137) i w 1938 r. do SS. Doszedł do stopnia SS-Untersturmführera. Służbę policyjną rozpoczął w żandarmerii austriackiej, a następnie po marcu 1938 r. w policji niemieckiej! W listopadzie 1939 r. został sekretarzem kryminalnym w placówce Gestapo w Katowicach, a następnie w Królewskiej Hucie i Rybniku. Od czerwca 1940 r. do grudnia 1943 r. był kierownikiem Politische Abteilung w Oświęcimiu. Usunięty ze stanowiska wyrokiem sądu specjalnego SS, skazany został na 12 lat więzienia. Po wojnie wyrokiem Najwyższego Trybunału Narodowego z 22 grudnia 1947 r. skazano go na karę śmierci. Wyrok wykonano.

zwracano uwagę na jakiś błąd, czuł się tym zawsze dotknięty. Początkowo popełniał on w Auschwitz wiele, i to rażących błędów, tak że kilkakrotnie prosiłem kierownictwo Stapo o zmianę. Ówczesny kierownik tego urzędu, Standartenführer dr Schäfer,[209] nie mógł mi jednak przydzielić lepszego funkcjonariusza. Tak więc pozostał. Stopniowo wciągał się do pracy, tym bardziej że przydzielałem mu wciąż podoficerów, którzy już pracowali w innych obozach w Wydziale Politycznym.

Grabner był pilnym pracownikiem, był jednak roztargniony i niestały. Jego największym błędem była jego dobroduszność w stosunku do kolegów. Ze źle pojętego koleżeństwa nie meldował on skandalicznych niezliczonych, często skandalicznych wykroczeniach i ekscesach oficerów i żołnierzy SS, aby ich uchronić przed karą. Tym krótkowzrocznym zachowaniem Grabner przyczynił się w znacznej mierze do tego, iż wykroczenia te tak się rozprzestrzeniły. On miał właśnie zadanie bezwzględnego meldowania komendantowi obozu wszelkich wykroczeń przeciwko obowiązującym przepisom i regulaminowi obozowemu. Czynił to jednak tylko wówczas, gdy wiedział, iż jestem na tropie jakiegoś świństwa, i obawiał się zdemaskowania. Jako funkcjonariusz kryminalny był on dostatecznie kuty, aby nie dać się nakryć, i codziennie biegał do mnie z bagatelnymi sprawami, aby okazać swoją gorliwość służbową. Także wówczas, gdy wskazałem mu ślad, pracował sumiennie i przebiegle, aż osiągnął wyniki.

Grabner dużo wiedział i był poinformowany o wszystkim, co się działo w obozie, na kolegów jednak nie składał meldunków, chyba że nie można było tego uniknąć. Wprawdzie z oficerami obozowymi miał stałe utarczki, ponieważ uporczywie podkreślał znaczenie Wydziału Politycznego i często się mieszał w czysto obozowe sprawy. Przeważnie jednak sprawy te były wyjaśniane w zaufanym gronie przy odpowiedniej porcji alkoholu, co na nowo umacniało koleżeństwo ze szkodą dla komendanta obozu.

Chociaż Grabner chciał odgrywać ważną rolę, nie przypuszczam jednak, aby dał się ponieść samowoli na większą skalę. Był on za bardzo funkcjonariuszem policji i do tego zbyt sprytny. Bez osoby wtajemniczonej nie mógł sam nic uczynić, a każdy wtajemniczony stwarzał ryzyko wykrycia. Również wyrafinowane metody śledcze specjalnej komisji sądu SS, która chciała koniecznie utrącić Grabnera, mimo wielomiesięcznej pracy nie dały żadnego wyniku. Możliwe, iż miały miejsce zaniedbania, nie wierzę jednak, aby z premedytacją, z własnej woli i mocy skazywał więźniów na śmierć. Nie przypuszczam, aby był do tego zdolny.

---

[209] Emmanuel Schäfer urodził się 20 kwietnia 1900 r. Był członkiem SS od 1931 r. nr 280018 i NSDAP od 1932 r. nr 1941042. Doszedł do stopnia SS-Brigadeführera. Ukończył studia prawnicze ze stopniem doktora. Był uczestnikiem walk z polskimi powstańcami podczas III Powstania Śląskiego, szefem Staatspolizeistelle w latach 1934–1939 w rejencji opolskiej, a następnie w latach 1939–1940 w Katowicach. W 1941 r. objął stanowisko Dowódcy Policji Bezpieczeństwa i SS w Belgradzie. Sąd Przysięgłych w Kolonii skazał go w 1953 r. na 6 lat i 6 miesięcy więzienia.

Na skutek jego podwójnej zależności służbowej — od kierownictwa Stapo i komendantury obozu jego uprawnienia i zadania nie były w pełni jasne, a tym samym trudne do dokładnej kontroli. Mógł on zawsze wycofać się na jedno lub też drugie stanowisko. Ja w zasadzie nie wtrącałem się do spraw Stapo, szczególnie zaś do śledztw i przesłuchań Wydziału Politycznego, prowadzonych na polecenie Stapo lub komisji śledczych różnych placówek Stapo czy też Policji Bezpieczeństwa w Krakowie, które stale działały w Oświęcimiu. Grabner często mnie o tym informował, również komisje śledcze meldowały się zawsze u mnie.

Gdy Grabner otrzymywał szczególne polecenia od swojej placówki Stapo, również mi o nich meldował, jeśli można było mnie osiągnąć. Polecenia te były tak różnorodne i liczne, że Grabner pracował właściwie więcej dla Stapo aniżeli na rzecz obozu, szczególnie jeśli chodzi o zwalczanie ruchu oporu. Najczęściej interesy obozu i Stapo splatały się ze sobą. Nie można było ustalić jasnej linii podziału kompetencji Grabnera. Również jego sposób wysławiania się w raportach był tak mętny i tajemniczy, że często ledwo można było zrozumieć, o co mu chodzi. Był także bardzo tajemniczy, jeżeli chodziło o zadania otrzymywane od Stapo — w stosunku do mnie, aby podkreślić swoją gorliwość i obciążenie pracą, a w stosunku do kolegów — aby podkreślić ważność swojej osoby.

Wraz z szybkim wzrostem liczby więźniów wzrastały również zadania Wydziału Politycznego na terenie obozu. Także Grabner, podobnie jak wszystkie placówki służbowe obozu koncentracyjnego w Auschwitz, miał niewielu pilnych i godnych zaufania współpracowników. Do realizacji stale rosnących zadań przydzielano mu po prostu SS-manów z załogi, tych, których chciano się tam pozbyć. Większość z nich nie nadawała się do tych prac. Pozostawiali oni nazbyt chętnie pracę do wykonania więźniom, którzy w coraz większej liczbie byli zatrudniani przy mniej ważnych pracach. Roiło się tam od więźniarek Żydówek. Grabner mnie wprawdzie zapewniał, iż opracowują one jedynie podrzędne sprawy, w rzeczywistości jednak wpływowe środowisko więźniów w obozie było dokładnie poinformowane o wszystkich ważniejszych wydarzeniach w Wydziale Politycznym. Ponieważ między tymi kołami a ruchem oporu istniały ożywione kontakty, wiele akcji policyjnych trafiało w próżnię. Żydowskie „współpracownice" zaopatrywały się w potrzebny materiał, a gdy jakiś SS-man zbyt uporczywie stał na drodze, czarowały go tak długo pięknymi oczyma, aż osiągnęły swój cel.

Wydział Polityczny stał się dla Grabnera zbyt nieprzejrzysty, zakres zadań zaś zbyt wielki i wielostronny. Do samej akcji zagłady Żydów potrzebny byłby osobny funkcjonariusz policji. Dla Oświęcimia-Brzezinki potrzeba było przynajmniej jednego komisarza i trzech sekretarzy. Było trudno dostać nawet zastępcę Grabnera. W policji odczuwano brak kadr jeszcze w większym stopniu aniżeli w obozie koncentracyjnym.

Grabner był również odpowiedzialny za krematoria i dokładne wykonywanie rozkazów dla nich wydawanych.[210] Zatrudnieni tam jednak podoficerowie pozostawiali wszystko kapom i więźniom, sami zaś otępieni tą okropną codzienną służbą rozpijali się i zaniedbywali w coraz większym stopniu. Ze względu na konieczność zachowania tajemnicy nie można było ich zmieniać. Grabner był również odpowiedzialny za wykonywanie egzekucji nakazanych przez RSHA albo dowódcę Policji Bezpieczeństwa, jak i za egzekucję skazanych na śmierć przez sądy doraźne.

To przeciążenie odpowiedzialną pracą, to codzienne obcowanie ze śmiercią, które powoduje otępienie, wykończyłoby człowieka silniejszego nawet od Grabnera. Już latem 1943 roku Grabner był całkowicie wykończony, nie chciał się jednak do tego przyznać, dopóki nie powaliła go choroba i sąd SS.

H.

W listopadzie 1946 r.

Ernst Grawitz

SS-Obergruppenführer dr von Grawitz[211] był naczelnym lekarzem SS i szefem Głównego Urzędu Sanitarnego SS.

Naczelnego lekarza SS znam od roku 1938. W okresie mej służby w Sachsenhausen był on tam wielokrotnie na wizytacji obozu. Ponieważ szpital obozowy był wyposażony w najbardziej nowoczesny sprzęt, całe zaś urządzenie rewiru wzorowe, naczelny lekarz SS pokazywał go chętnie komisjom lekarskim oraz uczestnikom kursów przy akademii medycznej sił zbrojnych.

Naczelny lekarz SS był żywym, czerstwym mężczyzną o szerokiej wiedzy praktycznej. Interesował się wszystkim. Według moich obserwacji dokonanych w Oranienburgu i następnie w Auschwitz był on również spostrzegawczy. Potrafił właściwie oceniać lekarzy i nie dawał się zwieść. W Auschwitz był dwukrotnie, nie potrafię jednak podać, w jakim czasie.[212]

---

[210] Zgodnie z przepisami obowiązującymi w Trzeciej Rzeszy spalenie zwłok w krematoriach cywilnych wymagało każdorazowo pisemnego zezwolenia właściwego dla danego miejsca organu policji, który miał również obowiązek kontroli krematoriów. W Oświęcimiu formalną odpowiedzialność ponosił Grabner jako szef PA.

[211] Ernst Robert Grawitz urodził się 8 czerwca 1899 r. Był członkiem NSDAP nr 1102844 i SS nr 27483, wyróżnionym odznakami pierścienia SS i szpady SS. W 1944 r. doszedł do stopnia SS-Obergruppenführera. Był lekarzem i profesorem medycyny w Berlinie, prezesem Niemieckiego Czerwonego Krzyża. Kierował urzędem sanitarnym SS z tytułem Reichsarzt SS und Połizei. Był koordynatorem wszystkich typów zbrodniczych eksperymentów medycznych przeprowadzanych na więźniach obozów koncentracyjnych. Osobiście interesował się poszczególnymi programami jak np. zastosowania środków biochemicznych w leczeniu posocznicy, badania nad granicami tolerancji fenolu u ludzi. Pod koniec wojny popełnił w kwietniu 1945 r. samobójstwo.

[212] W pamiętniku dra Johanna Kremera wizyta Grawitza w Auschwitz odnotowana jest pod datą 25 września 1942 r.

Chciał wszystko widzieć i pokazywano mu również wszystko. Pokazywałem mu wszelkie najgorsze braki, przepełnione szpitale, kostnice, aż do najprymitywniejszych urządzeń do oczyszczania ścieków w Brzezince. Widział on cały przebieg niszczenia Żydów aż do spalania w dołach lub krematoriach. Widział dokładnie niedostatek opieki lekarskiej ze strony lekarzy SS, jak i niedostateczne zaopatrzenie chorych i ogólny stan zdrowia wszystkich więźniów. Podczas obu wizytacji obiecał uczynić wszystko, co będzie możliwe, aby udzielić pomocy, jednak bez żadnego skutku. Również i on nie mógł nic pomóc.

Oprócz wielu honorowych funkcji v. Grawitz pełnił również funkcję prezesa Niemieckiego Czerwonego Krzyża. O ile mi wiadomo, również i w tej organizacji działał on bardzo aktywnie.

W podległym mu Głównym Urzędzie Sanitarnym, którego był także twórcą, skupiały się wszelkie sprawy sanitarne SS, m.in. podlegał mu również szef higieny Waffen-SS, Oberführer dr Mrugowski,[213] ze swoimi instytutami higieny. Był on odpowiedzialny za wszystkie urządzenia higieniczne i działania zapobiegawcze w tej dziedzinie, stosowane we wszystkich jednostkach Waffen-SS. Głównym polem jego działania w czasie wojny były obozy koncentracyjne, oczkiem w głowie zaś był i pozostał Auschwitz. Począwszy od roku 1940, bywał on często w Auschwitz. Obserwował od początku cały jego rozwój, pisał ostre raporty do naczelnego lekarza SS i Reichsführera SS i odrzucał wszelką odpowiedzialność, jeżeli obóz nie zostanie rozgęszczony i nie powstrzyma się dopływu nowych więźniów. Nic to nie pomogło i wszystko pozostało po staremu.

Wprawdzie Mrugowski udzielił kierownictwu budowy kilku dobrych rad i przeprowadził kilka praktycznych improwizacji, nie mogło to jednak spowodować zasadniczych zmian. Jego Instytut Higieny w Rajsku dużo pomagał przy zwalczaniu epidemii chorób zakaźnych i bieżącej kontroli wszystkich urządzeń higienicznych.

O ile dobrze pamiętam, do roku 1942 gaz cyklon B, używany do celów dezynfekcji oraz zagłady Żydów, sprowadzany był przez administrację obozu w Auschwitz z firmy Tesch und Stabenow w Hamburgu. Od roku 1942 zaopatrzenie w gaz trujący na potrzeby całej Waffen-SS regulowane było centralnie przez naczelnego szefa higieny Waffen-SS, ponieważ kontyngenty były stawiane do jego dyspozycji. Z tego względu musiał stale dostarczać gaz do zagłady Żydów. Do roku 1943 firma Tesch und Stabenow

---

[213] Joachim Mrugowski urodził się 15 sierpnia 1905 r. Był członkiem NSDAP nr 210049 i SS nr 25811, wyróżnionym odznakami pierścienia SS i szpady SS. W 1943 r. doszedł do stopnia SS-Oberführera. Był lekarzem i profesorem medycyny, naczelnym higienistą SS. W 1943 r. objął dyrektorstwo Instytutu Higieny Waffen-SS w Berlinie. Uczestniczy w badaniach nad toksyczną amunicją z wykorzystaniem sowieckich więźniów z Sachsenhausen i nad błekitem metylowyn (methylenblau), nitroakridin 3582 i innymi jako środkiem przeciwko durowi plamistemu. Amerykański Trybunał Wojskowy w Norymberdze skazał go 20 sierpnia 1947 r. na karę śmierci. W oryginale Höss błędnie podaje brzmienie jego nazwiska („Mugrowski").

była w stanie dostarczać terminowo żądane ilości gazu za pośrednictwem transportu kolejowego. Na skutek jednak przybierającej na sile ofensywy lotniczej było to coraz częściej niemożliwe. Dlatego też Auschwitz był zmuszony kilkakrotnie do odbioru gazu w zakładzie produkcyjnym w Dessau własnymi samochodami. Jak mi powiedział prokurator angielski w Minden, który postawił w stan oskarżenia właścicieli Firmy Tesch und Stabenow za dostarczanie gazu dla Auschwitz, na podstawie ksiąg tej firmy stwierdzono, iż do Auschwitz dostarczono ogółem 19000 kg gazu cyklon B.

Poza tym w Głównym Urzędzie Sanitarnym SS istniał Główny Magazyn Sanitarny (HSL). Jego szefem był Sanitätsfeldzeugmeister, SS-Gruppenführer dr Blumenreuther. Placówce tej przekazywano na bieżąco co miesiąc złoto pochodzące z zębów zgładzonych Żydów. Co tam się ze złotem działo, nigdy nie mogłem się dowiedzieć.

Do placówki tej przesyłano również najbardziej wartościowe leki pochodzące z przybywających transportów żydowskich. Moim zdaniem naczelny lekarz SS oraz Prezes Czerwonego Krzyża był dokładnie poinformowany o tych sprawach. Widział on również w Auschwitz wyrywanie z zagazowanych zwłok złotych zębów i przetapianie ich przez dentystę.

Karetki sanitarne znajdowały się w dyspozycji lekarza garnizonowego i on również był uprawniony do wystawiania nakazów jazdy. Ponieważ w Oświęcimiu zawsze brakowało pojazdów, nie można było najczęściej dostarczyć lekarzowi garnizonowemu innych środków lokomocji do jazdy do poszczególnych obozów w celach zaopatrzeniowych. Stopniowo utarł się zwyczaj, że wszelkie wyjazdy do placówek służbowych lekarza garnizonowego odbywały się samochodami sanitarnymi. Przewożono nie tylko chorych z obozu do obozu, lecz często również zmarłych. Tymi pojazdami transportowano środki opatrunkowe, sprzęt i lekarstwa. Jeździli nimi lekarze i sanitariusze do poszczególnych obozów na służbę na rampie oraz do miejsc zagłady. Niezdolnych do poruszania się o własnych siłach Żydów przewożono z rampy do krematoriów. Jeśli nie było do dyspozycji żadnego samochodu ciężarowego, posługiwano się stojącym w pogotowiu samochodem sanitarnym. Ponieważ sanitariusze, których zadaniem było wrzucanie gazu, przeważnie nie mieli innych możliwości transportowych, aby dojechać do miejsca zagłady z puszkami z gazem, korzystali również z karetek sanitarnych, które i tak jechały tam z lekarzem.

Ze względu na to, iż z biegiem czasu zaczęto używać samochodów sanitarnych do wszelkiego rodzaju przejazdów, gdyż przeważnie nie było do dyspozycji innych pojazdów, nikt się nad tym nie zastanawiał, że tymi jazdami do miejsc zagłady z ludźmi przeznaczonymi na zagładę i gazem profanowano znak Czerwonego Krzyża. Nie raziło to nigdy żadnego lekarza. Nawet bardzo wrażliwy na te sprawy dr Wirths nigdy na ten temat ze mną nie rozmawiał. Ja sam również nigdy na ten temat nie myślałem.

HÖSS

Kraków w styczniu 1947 r.

Fritz Hartjenstein

SS-Obersturmbannführer Hartjenstein[214] służył najpierw w Wehrmachcie, a w roku 1938 przeszedł do formacji Waffen-SS. Znam go od tego czasu. Był on najpierw dowódcą plutonu, a następnie dowódcą kompanii w jednostce wartowniczej obozu w Sachsenhausen.

W 1939 roku był on przez pewien czas kierownikiem obozu pracy Niedernhagen-Wewelsburg. W 1940 roku przeszedł do dywizji Trupich Główek, w której służył do roku 1942 na różnych stanowiskach. Eicke go nie potrzebował, jako dowódca jednostki bowiem wielokrotnie zawiódł, na skutek czego, jak to było w zwyczaju w podobnych przypadkach, skierowany został do pracy w obozie koncentracyjnym.

Glücks skierował go jako wybitnego oficera oddziałów wartowniczych do Auschwitz, skąd jego poprzednik Sturmbannführer Gebhardt zmuszony był odejść.

Hartjenstein od samego początku rozpoczął wpajanie swego frontowego doświadczenia załodze oświęcimskiej jednostki wartowniczej, która stanowiła dziką zbieraninę. Chciał on zorganizować wszystko na modłę wojskową, szczególnie zaś chciał wyszkolić i wychować oficerów. Główne zadanie polegające na pilnowaniu więźniów oraz ochronie obozu traktował jako drugorzędne, które chciał śpiewająco wykonywać. Jak chełpliwie i w nadęty sposób rozpoczął pracę, takim też pozostał. Wszystkie piękne frazesy okazały się niczym w konfrontacji z surową rzeczywistością oświęcimskie nędzy. Liczba wartowników była stale zbyt mała, nigdy nie wystarczała do zapewnienia uporządkowanego, systematycznego zatrudniania więźniów przy pracach na zewnątrz obozu. Hartjenstein zaś chciał uzyskać zwolnienie całych kompanii od służby wartowniczej, aby przeprowadzać z nimi ćwiczenia i szkolenie. Nie potrafił zrozumieć, iż ochrona obozu i pilnowanie więźniów były ważniejsze od wyszkolenia wojskowego. Czynił mi stale wymówki, iż nie mam zrozumienia dla spraw wojskowych jednostki wartowniczej.

Dalszym stałym kamieniem obrazy było zagadnienie uprawnień dyscyplinarnych. Jeżeli przyłapano jakiegoś oficera czy SS-mana na uchybieniach w obowiązkach wartowniczych czy też na innych wykroczeniach przeciwko bezpieczeństwu lub regulaminowi obozowemu, to wtedy, gdy byłem zdania, iż przekraczały one kompetencje Hartjensteina, karałem go sam lub też oddawałem pod sąd SS. Hartjenstein zawsze przeciwko temu występował i informował zainteresowanych SS-manów, że kara jest zbyt surowa i on by ją anulował. Komendant nie ma serca dla żołnierzy. W ten sposób systematycznie pogłębiał dystans między mną a oddziałem wartowniczym.

---

[214] Fritz Hartjenstein urodził się 3 lipca 1906 r. Był członkiem SS nr 327350. Doszedł do stopnia SS-Sturmbannführera. Jako funkcjonariusz WVHA zajmował się sprawami zatrudnienia więźniów. W listopadzie 1943 r. mianowano go komendantem Auschwitz II — Brzezinka. W maju 1944 r. został przeniesiony do obozu koncentracyjnego Natzweiler. Skazany na karę śmierci, zmarł w 1945 r. w więzieniu w Metz.

Wszystkie moje uwagi, aby tego nie czynił, pozostawały bezskuteczne. Chciał on odgrywać rolę samodzielnego dowódcy pułku. Ja dążyłem do stworzenia mniejszej liczby, ale silnych kompanii, aby w ten sposób oszczędzić personel funkcyjny, który jest w każdej kompanii jednakowy, bez względu na to, czy liczy ona 150 czy też 250 ludzi, i w ten sposób zwolnić do służby wartowniczej. On chciał stanowczo mieć 12 kompanii, aby w ten sposób podkreślić konieczność istnienia pułku i podziału na bataliony. Mimo mego sprzeciwu i powyższego uzasadnienia przepchnął tę sprawę u Glücksa i uzyskał również od niego kilku oficerów, których Glücks mi dla obozu stale odmawiał.

Swych oficerów Hartjenstein wychowywał w ten sposób, że są oni przede wszystkim dla pułku. Obóz znajduje się na drugim planie. Oficerów z jednostki wartowniczej potrzebowałem do pilnowania drużyn roboczych rozrzuconych na dużej przestrzeni, do linii posterunków oraz innych specjalnych drużyn. Uzyskiwałem ich jak na lekarstwo, gdyż byli bardziej potrzebni do pełnienia służby w jednostce. Z Schutzhaftlagerführerami uzgodnił on w sposób „jak najbardziej koleżeński", że wszystkie meldunki o uchybieniach oficerów i żołnierzy zgłaszane były najpierw do niego, on zaś meldował mi o nich jedynie w przypadkach, gdy uważał to za stosowne. Odwrotnie miano postępować w przypadku uchybień pracowników komendantury, rozumie się samo przez się, że przy tego rodzaju nastawieniu większość spraw była tuszowana.

Hartjenstein lubił bardzo często bawić się z oficerami. Ponieważ ja nie miałem na to czasu ani też zbyt wiele ochoty, korzystał on przy takich okazjach, aby ustawiać większość oficerów ze wszystkich komórek służbowych według swoich zapatrywań i nastawiać ich przeciwko mnie, wszystko w atmosferze „najlepszego koleżeństwa".

Zrozumiałe jest aż nadto, iż cierpiała na tym służba. Do ciągłych nieporozumień dochodziło na odcinku spraw budowlanych. Widział on jedynie sprawy i potrzeby jednostki wartowniczej. Faktu, iż o wiele ważniejsze było poprawienie stanu obozu od strony budowlanej, w szczególności warunków higienicznych obozu, nie chciał widzieć. Nie mógł pojąć, że rzeczą konieczną było zlikwidowanie katastrofalnego stanu w obozach dla więźniów przez przyspieszone i uprzywilejowane prowadzenie robót budowlanych. W okresie późniejszym jako komendant Brzezinki odczuł, jakie były skutki takiego jego stanowiska.

Hartjenstein był zbyt krótkowzroczny i ograniczony, maniacko uparty i nieszczery. Za moimi plecami występował przeciwko moim rozkazom i zarządzeniom. Dostatecznie często wyjaśniałem te sprawy Glücksowi, popierając to dowodami, ale bez skutku. Glücks uważał, iż to była moja wina, że nie mogę się zgodzić z żadnym oficerem. Nie spełniał on również moich stałych życzeń, aby pouczać załogę wartowniczą o sposobie obchodzenia się z więźniami. Dowódców kompanii usprawiedliwiał tym, że nie są w stanie zebrać razem wszystkich ludzi, a poza tym po 14–16-godzinnej służbie nie można żądać od ludzi jeszcze jakiegoś uczenia się.

Oficerom nie podobało się, iż codziennie przed udaniem się do służby kilka minut należy poświęcić na udzielenie najważniejszych wskazówek, ponieważ musieliby wówczas zbyt wcześnie wstawać. Oni zaś byli nocami często zajęci zabawami pułkowymi czy batalionowymi, trzeba bowiem było pogłębiać koleżeństwo.

Ze strony jednostki wartowniczej nie było żadnego zrozumienia potrzeb i spraw ogólnoobozowych, jakkolwiek na naradach z oficerami dostatecznie jasno przedstawiałem istniejące warunki. Niewielu było oficerów, którzy poważnie traktowali swoje zadania i obowiązki, jak również pouczali żołnierzy oraz podejmowali próby wychowania ich. Hartjenstein jednak niechętnie na nich patrzył i pozbywał się ich przy najbliższej nadarzającej się sposobności.

Na temat jego działalności w roli komendanta Brzezinki nie chcę się wypowiadać, ponieważ nie miałem w tym czasie z nim osobistych kontaktów. O sam obóz prawie wcale się nie troszczył. W okresie tego półrocza miał dosyć pracy, aby utworzyć dostatecznie duży sztab komendantury. Z Brzezinki przeszedł jako komendant do obozu w Natzweiler, który tak ewakuował, iż Francuzom wpadły w ręce wszystkie ważne materiały, także tajne dokumenty. Po zapoznaniu się z jego „pracą" w Natzweiler w lutym 1945 roku Pohl przekazał go do służby frontowej.

Hartjenstein nadawał się na oficera do pracy w obozie koncentracyjnym.

H.

W listopadzie 1946 r.

Heinrich Himmler

Reichsführera SS Heinricha Himmlera[215] znałem już przelotnie z lat 1921–1922, gdy jako kurier mego korpusu ochotniczego miałem do czynienia z Ludendorffem.[216] Generał Ludendorff był protektorem i tajnym

[215] Heinrich Himmler urodził się 7 października 1900 r. w Monachium. Byt członkiem NSDAP nr 14303 i SS nr 168. W 1923 r. uczestniczył w puczu monachijskim. W styczniu 1929 r. został mianowany Reichsführerem SS, tj. naczelnym dowódcą wszystkich formacji SS. W latach 1933–1936 podporządkował sobie cały aparat policyjny Rzeszy, pełniąc obowiązki wiceministra spraw wewnętrznych. Był twórcą organizacji Lebensborn, odpowiedzialnym m.in. za rabunki i germanizację dzieci polskich, od 1939 r. Komisarzem Rzeszy do Spraw Umacniania Niemczyzny. W 1943 r. został mianowany ministrem spraw wewnętrznych Rzeszy i generalnym pełnomocnikiem administracji Rzeszy. W 1944 r. był dowódcą Armii Rezerwowej i członkiem ścisłego kierownictwa NSDAP. Testamentem politycznym Hitlera z 29 kwietnia 1945 r. został usunięty z NSDAP pod zarzutem zdrady i pozbawiony wszystkich stanowisk. Został ujęty w maju 1945 r. przez wojskowe władze brytyjskie w Bremenwoerde. Rozpoznano go 23 maja 1945 r. Popełnił samobójstwo.

[216] Erich von Ludendorff (1865–1937). W latach 1908–1914 był szefem Oddziału Operacyjnego Sztabu Generalnego. Na początku pierwszej wojny światowej był w sztabach 2 i 8 Armii. Od 3 września 1914 r. był szefem sztabu wojsk niemieckich na froncie wschodnim. 29 sierpnia 1916 r. powołano go na stanowisko Kwatermistrza Generalnego, ustąpił

przywódcą wszystkich nacjonalistyczno-narodowych, wojskowych lub też półwojskowych tajnych organizacji, zakazanych przez traktat pokojowy. Himmler był również członkiem korpusu ochotniczego w Bawarii; w ten sposób poznałem go w mieszkaniu Ludendorffów.

Później w roku 1930 poznałem go bliżej z okazji zjazdu Związku Artamanów w Saksonii; Himmler należał do związku i pełnił funkcję komendanta okręgu bawarskiego. Związek Artamanów miał na celu ściągnięcie z powrotem na wieś młodych, ideowych Niemców z różnych partii i orientacji politycznych, którzy wskutek panującego bezrobocia byli bez pracy, oraz dopomożenie im w osiedleniu się r powrocie do osiadłego trybu życia. Jedną z dróg do tego był podział wielkich zadłużonych majątków, drugą zaś. stopniowe przenikanie na polskie w owym czasie tereny Prus Zachodnich i Poznańskiego. Na zjeździe Himmler mówił o zawładnięciu siłą wielkich terenów na wschodzie. Ta idea i myśl były dla nas wszystkich czymś nowym i na podstawie ogólnej sytuacji nie wydawały się nam możliwe do realizacji w najbliższej przyszłości. Himmler jednak był głęboko przekonany, iż nastąpi to wkrótce. Rozmawiałem z nim długo na ten temat, nie podzielałem jednak jego poglądów, cele te były dla mnie zbyt odległe. Himmler był rolnikiem z zamiłowania. Przez kilką lat studiował rolnictwo, był dyplomowanym rolnikiem, a później przewodniczącym związku dyplomowanych rolników.

SS była początkowo pomyślana jako wyłącznie ochronna organizacja w ramach SA dla ochrony Führera lub wysokich przywódców partyjnych.[217] Liczebność jej nie miała przekraczać 10% stanu SA w większych miastach; składała się ona w pierwszych latach tylko ze starych wysłużonych żołnierzy i starych członków partii. Dalszy rozwój, wzrost, idee i wreszcie potęgę, jaką później SS reprezentowała, zawdzięcza ona niezłomnej woli Heinricha Himmlera, dążącego do stworzenia Führerowi Adolfowi Hitlerowi potężnego narzędzia władzy, które byłoby zdolne do realizacji idei narodowego socjalizmu we wszystkich dziedzinach życia i dostatecznie silne, aby złamać wszelkie opory. Tylko tak można rozumieć jego osobisty awans i wzrost potęgi SS. Himmler był zapewne najwierniejszym, najbardziej bezinteresownym zwolennikiem Adolfa Hitlera. Nigdy i nigdzie, nawet od najbardziej zaciętych jego wrogów nie słyszałem, aby zarzucano mu osiągnięcie osobistych korzyści lub też wykorzystywanie posiadanej władzy do celów osobistych. On sam był uczciwy, żył prosto i skromnie, był zawsze aktywny, pełen nowych pomysłów i ulepszeń w służbie dla idei narodowego socjalizmu. Każdą inną ideę lub światopogląd odrzucał jako szkodliwe

25 października 1918 r. na skutek niepowodzeń armii niemieckiej na froncie zachodnim. Był uczestnikiem puczu monachijskiego w 1923 r. W latach 1924–1928 był posłem do Reichstagu z ramienia NSDAP.

[217] Pierwszym Reichsführerem SS był Julius Schreck, któremu w kwietniu 1925 r. Hitler powierzył sformowanie sztafet ochronnych — SS. 21 września 1925 r. Schreck wydał pismo okólne, w którym polecał wszystkim terenowym organizacjom NSDAP utworzenie SS, składającej się w każdej miejscowości z 10 osób, a w Berlinie z 20. W 1927 r. powołał na swojego zastępcę Himmlera, który w styczniu 1929 r. przejął dowództwo.

i zgubne dla narodu niemieckiego. Wyznając takie zasady, chciał również w nich wychowywać SS, będącą jego tworem. Wszelkie jego rozkazy i polecenia wypływały z tych założeń. Wierność Führerowi, a tym samym idei narodowego socjalizmu, była jego naczelną zasadą W tym nie uznawał on żadnych kompromisów czy też różnic interpretacyjnych.

Pierwsze poruszenie opinii publicznej spowodował wydany przez niego „rozkaz o zaręczynach", jeszcze przed przejęciem władzy. W myśl tego rozkazu żaden członek SS nie mógł w przyszłości zawrzeć związku małżeńskiego bez osobistego pozwolenia Himmlera. Już żonaci musieli dodatkowo prosić o takie zezwolenie. W obu przypadkach należało przedstawić pełny wykaz przodków, zarówno mężczyzn, jak i kobiet, sięgający roku 1800, a w przypadku oficerów SS nawet 1700 roku Poza tym świadectwa lekarskie dotyczące chorób dziedzicznych, zdolności płodzenia czy też rodzenia dzieci. Wymagane było również policyjne świadectwo moralności. Uzupełnienie akt stanowiły duże, wyraźne fotografie oraz życiorys. Kto mimo braku zgody chciał się jednak żenić, musiał wystąpić z SS.

Himmler uważał zdrową rodzinę z wieloma dziećmi za podstawową komórkę nowego państwa i mającego się odrodzić narodu. Wartościowe pod względem rasowym rodziny miały być wszechstronnie popierane. Utworzenie Głównego Urzędu do spraw Rasy i Osadnictwa, Lebensbornu,[218] domów matki i przedszkoli było kontynuacją rozkazu o zaręczynach. W okresie późniejszym awanse — zależnie od wieku rodziców — uzależnione były od liczby dzieci. Starsi, nieżonaci oficerowie SS otrzymywali rozkaz zawarcia związku małżeńskiego w określonym terminie. Bezdzietne małżeństwa korzystały z ułatwień przy rozwodach lub też musiały adoptować dzieci z Lebensbornu. Apel Himmlera, skierowany na początku wojny do wszystkich członków SS i policji, szczególnie do nieżonatych, pod hasłem: „Płódźcie dzieci, aby upust krwi nie wyczerpał narodu niemieckiego", wywołał wówczas duże wrażenie i dowodził, że raz przedstawione idee konsekwentnie realizował, nawet jeżeli nie były one popularne.

Tragedią dla niego było to, iż nie miał dzieci ze swego małżeństwa. Adoptował wprawdzie kilkoro dzieci, jednakże było to dla niego tylko namiastką. Przywiązywał dużą wagę do doboru rasowego, szczególnie w korpusie oficerskim SS, oraz później w policji. Dobór kandydatów do szkół junkierskich musiał być przeprowadzany bardzo starannie. Gorzkie doświadczenia wykazały jednak, że określenie „wartościowy rasowo" długo jeszcze nie będzie równoznaczne z określeniem „wartościowy człowiek".

---

[218] Lebensborn — Źródło Życia — stowarzyszenie utworzone w grudniu 1935 r., którego celem była biologiczna ekspansja rasy nordyckiej. W 1936 r. założono 6 ośrodków Lebensbornu dla przyszłych matek i dzieci, gdzie młode niezamężne Niemki miały rodzić dzieci członków SS, przyszłą kadrę organizacji. Ośrodki chętnie przyjmowały brzemienne kobiety pod warunkiem, że rodzice spełniali hitlerowskie kryteria rasowe. W latach 1936–1945 w ośrodkach Lebensbornu urodziło się 11 000 dzieci. Funkcjonariusze SS mieli obowiązek przynależności do Lebensbornu i opłacali składki, których wysokość zależała od liczby posiadanych dzieci.

Starym przyjacielem Himmlera i jego najbliższym pomocnikiem w wielu sprawach, a także inspiratorem w realizacji jego idei, szczególnie później w okresie dalszego wzrostu potęgi SS, był kierownik kancelarii partyjnej Martin Bormann.[219] Znali się oni od roku 1924, obaj byli zamiłowanymi rolnikami i mieli wiele wspólnych zainteresowań. Bormann, który głównie działał bezimiennie z ukrycia, znalazł w Himmlerze odpowiedniego człowieka do realizacji swoich planów. Obaj uzupełniali się wzajemnie, jednakże Bormann był tym, który przewodził, a poza tym miał największy wpływ na Führera. W okresie gdy Bormann był szefem sztabu Hessa, przebywał więcej przy Führerze aniżeli przy Hessie. Od roku 1938 był wyłącznie przy Führerze. W późniejszym okresie żaden, choćby najwyższy dygnitarz partyjny, nie mógł dostać się do Führera bez zgody Bormanna. Znałem Bormanna od roku 1922 i wprowadziłem go do partii.

Następujące zdarzenie ilustruje moje twierdzenie, iż w wielu przypadkach Bormann był inspiratorem.

Wiosną 1935 roku wraz z kilkoma kolegami z czasów korpusu ochotniczego w Meklemburgii gościliśmy u Bormanna. Bormann mieszkał wówczas w Pullach koło Monachium. Z posiadłością jego graniczyła nowo wybudowana szkoła jezuitów. Według informacji, jakie posiadał Bormann, i pogłosek szkoła te była nowocześnie urządzona i wzorowo prowadzona. Podczas naszego pobytu u Bormanna przebiegał właśnie jeden z oddziałów wychowanków szkoły na boisko sportowe — wszyscy wysocy, dobrze zbudowani, w jednym typie. Mogliby być wcieleni od razu do pierwszej kompanii gwardii przybocznej. Bormann skierował rozmowę na jezuitów i ich zasady wychowawcze. Podstawowa ich zasada: „własną wolę należy bezwzględnie podporządkować idei" powinna być również podstawową zasadą w SS, jeżeli ma ona być zbrojnym ramieniem ruchu narodowosocjalistycznego.

Wkrótce po tym zdarzeniu ukazał się w piśmie SS „Das Schwarze Korps"[220] artykuł podpisany pseudonimem, poruszający ten problem. Od tego czasu w wydawanych zeszytach szkoleniowych oraz w pouczeniach oficerów szkoleniowych była coraz częściej mowa o konieczności stosowania tej zasady. W późniejszych podstawowych rozkazach Himmler wypowiadał to zupełnie otwarcie i żądał od każdego SS-mana bezwzględnego podporządkowania własnej woli narodowosocjalistycznemu światopoglądowi. „Wódz rozkazuje — my słuchamy" — nie było dla SS jedynie frazesem. Himmler wychowywał SS, zwłaszcza zaś kadrę oficerską w taki sposób, że była ona gotowa tę zasadę realizować z bezwzględną konsekwencją.

[219] Martin Bormann urodził się 17 czerwca 1900 r. Był członkiem NSDAP nr 60508 i SS nr 555. W 1940 r. doszedł do stopnia SS-Gruppenführera. Był posłem do Reichstagu Trzeciej Rzeszy i członkiem Rady Obrony Rzeszy. Od 1941 r. szef Kancelarii NSDAP, a od 1943 r. był sekretarzem Hitlera. Wyrokiem MTW w Norymberdze z 1 października 1946 r. został skazany zaocznie na karę śmierci.

[220] „Das Schwarze Korps" pod redakcją Gunthera d'Alquen zaczął wychodzić w marcu 1935 r. jako oficjalny organ SS. Tygodnik był obowiązkową lekturą każdego SS-mana. Redakcja stworzyła pozory pisma niezależnego, walczącego z korupcją i bezideowością.

Wieloletnie szkolenie SS i szkolenie partyjne stworzyły w końcu typ członka SS, szczególnie zaś oficera SS, wykonywającego bezwzględnie i z zaciętością, bez udziału własnej woli i bez własnego zdania każdy rozkaz, którego spełnienia żądał jego przełożony, Reichsführer SS czy wreszcie sam Führer. Wyrafinowana propaganda Josefa Goebbelsa uzupełniała ostatecznie „wychowanie na prawdziwego narodowego socjalistę". Nie na próżno Hitler, Himmler i Goebbels przeszli szkołę jezuicką.

Już wkrótce po przejęciu władzy w roku 1933 powstały pierwsze uzbrojone jednostki SS. W Berlinie gwardia przyboczna SS, w Hamburgu, Erlangen w Wirtembergii, Monachium i Dreźnie tzw. pogotowia polityczne, składające się z ochotników z Allgemeine SS. Bataliony te były poprzednikami dyspozycyjnych oddziałów SS, późniejszych oddziałów Waffen-SS. W zakładanych obozach koncentracyjnych powstawały oddziały wartownicze SS.

Himmler stworzył podwaliny późniejszej ogromnej potęgi SS. Następnie przeszedł on do możliwie nie rzucającej się w oczy rozbudowy i rozszerzenia tego narzędzia władzy.

30 czerwca 1934 r. SS rozbija „planowany bunt SA". Röhm i inni wyżsi oficerowie SA zostają zlikwidowani. SS usamodzielnia się. Himmler znów posunął się krok do przodu. Po tym ciosie SA nigdy się już nie dźwignęła. Jej drugi szef sztabu Lutze nie był człowiekiem, który mógłby się mierzyć z Himmlerem. Po uprzednim stworzeniu i zorganizowaniu policji politycznej w poszczególnych krajach Rzeszy Himmler został szefem niemieckiej policji. Z Gestapo stworzył on narzędzie władzy w polityce wewnętrznej. Urząd ten pod kierownictwem Heydricha wraz z organizacją wywiadowczą SD niepostrzeżenie kontrolował cały naród niemiecki. W dalszej perspektywie czekają ukryte obozy koncentracyjne.

Po rozbiciu w dniu 1 maja 1933 roku wszystkich komunistycznych i socjalistycznych związków robotniczych nie można było więcej w Niemczech stworzyć poważniejszych organizacji opozycyjnych, niszczono je bowiem w zarodku. Brakowało im również przywódców, którzy siedzieli w obozach koncentracyjnych.

Himmler przystąpił do reorganizacji policji. Policja niemiecka, zarówno krajowa, jak i komunalna czy też kryminalna, miała przeważnie orientację socjaldemokratyczną w przeciwieństwie do wojska, które było całkiem apolityczne. Himmler usuwa wszystkie politycznie podejrzane lub niepewne elementy, szczególnie spośród oficerów policji, i niepostrzeżenie zastępuje ich oficerami SS. Pierwszy rocznik szkoły junkierskiej w Tölz przechodzi w połowie do policji. Zapoczątkowano stapianie się SS z policją. Późniejsze utworzenie RSHA stanowiło początek Ministerstwa Bezpieczeństwa.

Minister spraw wewnętrznych Frick[221] jest starym człowiekiem bez jakiejkolwiek własnej inicjatywy. Zarówno nim, jak i całym ministerstwem

[221] Wilhelm Frick urodził się w 1877 r. Ukończył studia prawnicze i w 1900 r. rozpoczął pracę w administracji państwowej Bawarii. W latach 1917–1923 był wyższym urzędnikiem w dyrekcji policji w Monachium. Uczestniczył w puczu monachijskim w 1923 r. W latach

kierują sekretarze stanu i wyżsi urzędnicy, którzy byli wszystkim innym, lecz nie narodowymi socjalistami. Całe Ministerstwo Spraw Wewnętrznych nastawione było przeciwko „szefowi niemieckiej policji w Ministerstwie Spraw Wewnętrznych". Frick musi odejść. Himmler zostaje ministrem spraw wewnętrznych i nie robiąc gwałtu czyni porządki. Po cichu i niepostrzeżenie znika to prezydent rejencji, to znów starosta. W krótkim czasie sprawy wewnętrzne przechodzą do szefa. SD[222] miała w tym czasie bardzo wiele pracy. Wroga szeptana propaganda powodowała, iż stawał się on coraz bardziej nielubiany przez szerokie masy społeczeństwa i określany jako szef Czeki i szef tajemniczych, osławionych obozów koncentracyjnych.

Hitler łamie postanowienia traktatu wersalskiego — przywrócono niezawisłość sił zbrojnych Rzeszy. Ze stutysięcznej Reichswehry powstają jedna za drugą dywizje Wehrmachtu. W najdrobniejszych szczegółach przemyślane wychowanie i szkolenie w okresie 12 lat służby przyczyniło się do tego, iż prawie każdy podoficer nadawał się później na „dobrego dowódcę kompanii".

Gwardia przyboczna SS wzrosła do siły wzmocnionego pułku, „pogotowia polityczne" zaś stały się doskonale wyszkolonymi jednostkami. Jednostki wartownicze w obozach koncentracyjnych stawały się regularnymi pułkami. Powstała pierwsza dywizja ze wszystkimi jednostkami technicznymi, początek późniejszej Waffen-SS. Wehrmacht próbuje bezskutecznie hamować i przeciwdziałać temu rozwojowi. Führer nakazał dalszą rozbudowę zbrojnych formacji SS w stosunku do Wehrmachtu jak 1:6. Wynikają duże trudności z Wehrmachtem. Himmler nie może dać sobie z nimi rady, nie chce też zadzierać z wyższa generalicją. W sprawę włącza się Bormann i wymusza spokój.

Generałowie przeczuwali, iż w SS rodzi się ich wróg, który zniweczy ich piany późniejszego zagarnięcia władzy. Jednakże ukryta walka mająca na celu pognębienie toczy się nadal za pomocą taktyki przewlekania. Starzy, reaktywowani oficerowie dawnej armii cesarskiej są reakcyjni i konserwatywni, marzą o władzy i przywilejach z okresu cesarstwa. Ideologia partii narodowosocjalistycznej jest im zupełnie obca, przede wszystkim zaś odrzucają zdecydowanie wszelkie socjalistyczne poglądy. Podległych im młodszych oficerów próbują oni przeciągać na swoją stronę przeciwko

---

1930–1931 był ministrem spraw wewnętrznych Turyngii, pierwszym hitlerowcem na takim stanowisku. Od 30 stycznia 1933 r. pełnił funkcję ministra spraw wewnętrznych Rzeszy, w latach 1939–1943 — Pełnomocnika Administracji Rzeszy. Po zwolnieniu z tej funkcji 20 sierpnia 1943 r. objął kierownictwo Protektoratu Czech i Moraw. Wyrokiem MTW w Norymberdze z 1 października 1946 r. został skazany na karę śmierci. Wyrok wykonano.

[222] W sierpniu 1931 r. funkcjonariusze partyjnych organów służby bezpieczeństwa „IC" zostali podporządkowani sztabowi Reichsführera SS w Monachium. Wydział IC pod kierunkiem Reinharda Heydricha przekształcił się w Służbę Bezpieczeństwa — Sicherheitsdienst (SD). Pierwotnym zadaniem SD było oczyszczenie NSDAP z osób o radykalnych poglądach społecznych. Inwigilacja SD objęła w tych latach NSDAP i organizacje z nią związane, nie wyłączając SS i różnych organizacji społecznych działających w Republice Weimarskiej. 26 czerwca 1936 r. SD podporządkowano placówki Gestapo i policji kryminalnej. Wraz z utworzeniem RSHA służba bezpieczeństwa państwowego SIPO została połączona ze służbą bezpieczeństwa NSDAP SD. Na czele nowego urzędu stanął szef SD Reinhard Heydrich.

narodowemu socjalizmowi. Himmlerowi sprawki te są znane w najdrobniejszych szczegółach. Wielokrotnie stara się u Führera doprowadzić do usunięcia z Wehrmachtu tych niebezpiecznych dla państwa elementów. Nie pomaga tu jednak i Bormann. Führer wierzy, iż sukcesy osiągane przez nowe państwo we wszystkich dziedzinach przekonają większość Wehrmachtu o słuszności ideologii narodowosocjalistycznej i dzięki temu zniweczone zostaną wrogie państwu plany niewielkiej, reakcyjnej mniejszości. Zamach na Führera w roku 1944 był możliwy jedynie dlatego, iż nie wierzył on w istnienie rzeczywistej opozycji w szeregach Wehrmachtu, mimo stale przedstawianych mu dowodów przez Himmlera i Bormanna. Hitler nie chciał, aby przeszkadzano w budowie nowego Wehrmachtu i zakazał Himmlerowi jakiegokolwiek mieszania się Policji Bezpieczeństwa w jego sprawy. RSHA był zawsze jak najdokładniej informowany o wywrotowych planach reakcyjnych kół oficerskich. W późniejszych latach wojny wyrazem tego były prawie jawne sabotaże tych kół w gospodarce wojennej, zbrojeniach, a nawet w prowadzeniu wojny. Hitler nie chciał w to wierzyć.

Zakazanie Himmlerowi wkraczania w te sprawy wzmagało jeszcze aktywność tych kół. Czy wojna nie potoczyłaby się inaczej, gdyby tym intrygom położono kres wcześniej? Gdy po zamachu w 1944 roku Himmler został mianowany dowódcą oddziałów zapasowych, było już zbyt późno.

Ze szczególnym naciskiem i zainteresowaniem Himmler prowadził przyśpieszoną rozbudowę i powiększenie formacji Waffen-SS. W chwili rozpoczęcia wojny gotowe były dwie dywizje bojowe. Jednostki Waffen-SS uczestniczyły w zajmowaniu Austrii, a następnie Czechosłowacji. Oddziały Trupich Główek brały udział w zajmowaniu Gdańska oraz Sudetów. Oddziały wojskowe SS składały się jedynie z ochotników ze wszystkich warstw narodu niemieckiego. Himmler przywiązuje specjalną wagę do właściwego doboru. Dokonuje on częstych inspekcji oddziałów, usuwa bezwzględnie nieodpowiednich dowódców i przez przyciąganie z wojska i policji najlepszych sił fachowych stara się o gruntowne wyszkolenie, oparte na najnowszych osiągnięciach wiedzy wojskowej.

Poprzez szkolenie, któremu w formacjach SS poświęcano szczególnie wiele miejsca, doprowadza do wpojenia ideologii narodowo-socjalistycznej, tworzy typ politycznie uświadomionego żołnierza, bojownika gotowego walczyć do ostatka o światopogląd reprezentowany przez niego. Tylko twarde wyszkolenie przyczyniło się, do tego, iż w kampaniach wojennych — czy to na wschodzie czy też na zachodzie — pułki SS, które rozrosły się w dywizje, osiągały sukcesy, o jakich dotychczas nie marzono i których nie można było z niczym porównać.

Przy tej rozbudowie formacji Waffen-SS Himmler pozostaje w ukryciu przed opinią publiczną. Plany Himmlera realizuje Obergruppenführer Juttner,[223]

---

[223] Hans Juttner urodził się 2 marca 1894 r. Byt członkiem NSDAP nr 541163 i SS nr 264497, wyróżnionym odznakami pierścienia SS i szpady SS. W 1943 r. doszedł do stopnia SS-Obergruppenführera. Kierował Głównym Urzędem Dowodzenia SS.

szef Urzędu Dowództwa Waffen-SS, późniejszego Głównego Urzędu Dowodzenia, który był wybitnym sztabowcem starej armii.

W czasie wojny powstają we wszystkich okupowanych krajach ochotnicze dywizje tzw. zdobycznych Germanów. Himmler nie zostawia w spokoju żadnego kraju ani tez żadnej grupy narodowej. Jego propaganda werbunkowa rozbrzmiewa wszędzie. Norwegowie, Duńczycy, Holendrzy, Flamandowie i Wallonowie, Francuzi i Hiszpanie, dalej mahometanie z Sandżaku i całego terenu Jugosławii, Węgrzy i Rumuni, Ukraińcy i Galicjanie, wszystkie grupy narodowościowe zamieszkujące Kaukaz, Litwini, Łotysze, Estończycy, Inflantczycy, Finowie i Szwedzi, a poza tym poważne kontyngenty wszystkich grup Volksdeutschów walczą w formacjach Waffen-SS. Pod dobrym dowództwem mają one wybitne osiągnięcia. W ostatnich latach wojny wiele tych ochotniczych oddziałów zawiodło. Sam duch nie zawsze wystarcza, dobre dowództwo i wyszkolenie są najważniejszymi elementami powodzenia akcji.

Straty Waffen-SS były bardzo wysokie, brały one stale udział w walkach na najbardziej zagrożonych, odcinkach. Jako „straż pożarna", formacje Waffen-SS na wschodzie miały odrabiać niepowodzenia dużych części armii po Stalingradzie, jednakże dywizji nie wystarczało do tego celu, najlepsze z nich bowiem musiały przeciwstawiać się inwazji na zachodzie.

Z inicjatywy Himmlera powstał również oddział Dirlewangera.[224] Początkowo dowódca tej formacji przyjmował tylko kłusowników i złodziei leśnych, którzy zgłaszali się w więzieniach i obozach koncentracyjnych ochotniczo do służby frontowej, później również karanych za uszkodzenie ciała i inne nie hańbiące przestępstwa, w końcu zaś skazanych bez pozbawienia praw honorowych oraz więźniów politycznych z obozów koncentracyjnych. Byli oni wybierani osobiście przez Oberführera Dirlewangera spośród kandydatów proponowanych przez komendantów obozów. Ubierano ich w mundury SS i używano do zwalczania partyzantów. Wielu byłych więźniów biło się dzielnie, byli odznaczani i awansowani. Cały ten oddział nie był jednak bezwzględnie pewny, szczególnie wśród politycznych było dużo dezerterów. Oddział miał duże straty i Himmler nakazywał wciąż przeprowadzanie w obozach nowych „zaciągów ochotniczych". Więźniowie widzieli w nich możliwość uniknięcia coraz bardziej się pogarszających warunków życia w obozach koncentracyjnych i zgłoszenia do Dirlewangera

---

[224] Nazwa SS-Brigade Dirlewanger pochodziła od nazwiska dowódcy. Dr Oskar Dirlewanger urodził się 26 września 1895 r. Ukończył studia handlowe. Był członkiem NSDAP nr 1098716 i SS nr 357267. W 1944 r. doszedł do stopnia SS-Oberführera. W 1936 r. uczestniczył w walkach Legionu Condor przeciwko republice hiszpańskiej. W 1941 r. sformował oddział pod nazwą Sonderkommando Dirlewanger, który brał udział w zwalczaniu ruchu oporu na Lubelszczyźnie i za Bugiem. Po przekształceniu w brygadę oddział brał udział od 5 sierpnia 1944 r. w walkach w Warszawie, gdzie wsławił się szczególnym okrucieństwem. W brygadzie Dirlewangera służbę ochotniczą pełnili Niemcy odsiadujący karę więzienia, najczęściej za przestępstwa kryminalne. Brygada Dirlewangera miała charakter formacji nieregularnej co z naciskiem podkreślają źródła Waffen-SS.

były coraz liczniejsze, do tego celu można było jednak zwalniać jedynie około 1/10 zgłaszających się.

Za swoje podstawowe zadanie życiowe Himmler uważał sprawy przesiedleń i osadnictwa. Uważał on, iż dalsza egzystencja narodu niemieckiego może być zagwarantowana jedynie przez stworzenie silnego stanu chłopskiego opartego na zdrowych podstawach gospodarczych oraz dysponującego dostateczną ilością ziemi. Wszystkie jego plany osadnicze na długo jeszcze przed przejęciem władzy miały ten cel. Nigdy nie taił, iż będzie to możliwe jedynie w wyniku zagarnięcia siłą terenów na wschodzie. Z jego inicjatywy sprowadzono Niemców z Besarabii i Wołynia i osiedlono na byłych terenach polskich. Został komisarzem Rzeszy do spraw Umacniania Niemczyzny i stworzył oficjalną organizację w celu planowania i realizacji zamierzonych przesiedleń i osiedleń. Komisarz Rzeszy do spraw Umacniania Niemczyzny wraz z Volksdeutsche Mittelstelle, zadaniem której była opieka nad przesiedlonymi Volksdeutschami, przeprowadzał w czasie wojny akcję przesiedleńczą oraz osiedleńczą.

Komisarz Rzeszy do spraw Umacniania Niemczyzny miał poza tym za zadanie konfiskatę gruntów oraz majątków ziemskich na okupowanych terenach, niezbędnych do realizowania jego celów, jak również administrowanie nimi i przygotowywanie do użytku przesiedleńców bądź zasiedlenia. Dla przeprowadzania wysiedleń ludności zamieszkującej tereny przeznaczone na osadnictwo stworzył Himmler centralę przesiedleńczą.

Plany przesiedleńcze Himmlera nie są mi bliżej znane. Wiem jednak o planie wysiedlenia Czechów z terenów Czech i Moraw i zepchnięcia Polaków dalej na wschód w celu utworzenia zwartego tzw. rdzennego terenu niemieckiego, poza tym stworzenia zwartego niemieckiego obszaru osiedleńczego nad Bałtykiem, a więc od Litwy do Inflant i dużego terenu osiedleńczego w strefie czarnoziemu.

Tylko w tych przeprowadzonych gwałtem przesiedleniach całych narodów Himmler widział możliwość rozszerzenia niemieckiej przestrzeni życiowej i zapewnienia w ten sposób dalszej przyszłości narodu niemieckiego. Zajmował się on tymi planami przesiedleńczymi ze szczególną gorliwością i gdzie tylko to było możliwe, wywierał naciski w celu ich realizacji.

Wydano ustawę o „zapobieganiu potomstwu obciążonemu chorobami dziedzicznymi". Himmler miał decydujący wpływ na jej powstanie. Ustawa ta w dużej mierze zapewniała na przyszłość utrzymanie zdrowia narodu niemieckiego. Dalszą konsekwencją była chęć oczyszczenia istniejącego stanu. Nieuleczalnie chorzy umysłowo, a później także i dziedziczni przestępcy zawodowi mieli zostać wytępieni. Nakaz wykonania tego wyszedł z kancelarii Führera pod szyfrem „zniszczenie bezwartościowego życia". Za tym tkwił Himmler. Kryptonim tej organizacji brzmiał „Spółka Transportowa Użyteczności Publicznej".

Pewna liczba lekarzy i pełnomocników kancelarii Führera przeprowadzała selekcje w zakładach, a później także w obozach koncentracyjnych. Do pracy przy spalaniu niektóre obozy koncentracyjne musiały oddelegować nadających się do tego Blockführerów. Zabijanie wyselekcjonowanych odbywało się w kilku opróżnionych zakładach psychiatrycznych lub podobnych obiektach nadających się do tego celu za pomocą tlenku węgla doprowadzanego do pomieszczeń łaźni przez urządzenia natryskowe.[225]

Jeden z tych lekarzy, dr Schumann,[226] przeprowadzał później w Auschwitz eksperymenty sterylizacyjne za pomocą promieni Rentgena. Urządzeniami do zagłady Żydów znajdującymi się na wschodzie pod zarządem Globocnika kierował pełnomocnik kancelarii Führera.

Już na długo przed wybuchem wojny Führer upoważnił Himmlera do podejmowania wszelkich decyzji mających na celu zapewnienie trwałości i bezpieczeństwa Rzeszy, nawet gdyby te środki stały w sprzeczności z obowiązującymi ustawami. O tym tajnym dekrecie dowiedziano się — nawet w kołach normalnie dobrze wtajemniczonych — o wiele później. Pierwsze skutki tego pełnomocnictwa ujawniły się na początku wojny. W celu odstraszenia z góry od dokonywania sabotaży w czasie wojny również drobne przewinienia karane były przez Himmlera śmiercią. Podobnie wszelkie przypadki uchylania się od służby wojskowej — szczególnie przez badaczy Pisma św.

Rozkazy wydawane były przez Urząd Tajnej Policji Państwowej i brzmiały: „XY na rozkaz Reichsführera. SS ma być natychmiast rozstrzelany". Bez żadnego uzasadnienia. Egzekucje były wykonywane zawsze w najbliżej położonym obozie koncentracyjnym.

W notatce prasowej informowano społeczeństwo, iż XY został rozstrzelany za uchylanie się od służby wojskowej, za sabotaż itp.

O formie notatki decydował Himmler. Żadna z tych egzekucji nie opierała się na wyroku sądowym. Egzekucje były dokonywane na podstawie wyników dochodzeń przeprowadzonych przez Gestapo lub Kripo oraz decyzji Himmlera na podstawie wspomnianego wyżej pełnomocnictwa. Znane mi są również przypadki egzekucji członków SS, którzy byli winni wykroczeń służbowych. W takich przypadkach Himmler był nieubłagany i z zasady odrzucał wszelkie przedstawiane mu okoliczności łagodzące.

---

[225] Akcję likwidacji nieuleczalnie chorych rozpoczęto po wybuchu wojny w 1939 r. Zaczęło się od likwidowania „bezwartościowego życia" — umysłowo chorych, po czym akcję rozszerzono na „niepotrzebnych zjadaczy chleba", do których zaliczano m.in. gruźlików, wreszcie pod kryptonimem „14f13" przystąpiono do likwidacji osób wyniszczonych fizycznie, więźniów obozów koncentracyjnych.

[226] Horst Schumann urodził się 1 maja 1906 r. Ukończył studia medyczne. Posiadał stopień porucznika w Luftwaffe. W latach 1939–1941 uczestniczył w realizacji programu eutanazji, w tym w akcji „14 f 13". Od wiosny 1942 r. do września 1944 r. był lekarzem w obozie KL Auschwitz. W obozie prowadził eksperymenty sterylizacyjne na więźniach przy użyciu promieni Rentgena. Celem tych badań było wypracowanie metody niezauważalnej dla sterylizowanego np. napromieniowanie podczas wypełniania formularza urzędowego przy okienku. Prowadzi również badania nad przypalaniem promieniami X kobiecych i męskich narządów płciowych. Znane są opisy tragicznego losu więźniarek oddanych w jego ręce. Pod koniec wojny został przeniesiony do Ravensbrück. Po wojnie ukrywał się do 1966 r. na terenie Niemiec, a następnie innych krajów.

Po usamodzielnieniu się i gwałtownym rozroście SS Himmler stworzył sąd SS. Za pośrednictwem sądownictwa Himmler chciał chronić przykazania SS o honorze, wierności, świętym prawie własności, prawdomówności itp. i ścigać wykroczenia przeciwko nim, gdyż te wartości moralne nie były dotychczas chronione przez żaden kodeks. Sądownictwo SS miał poza tym za zadanie podniesienie dyscypliny i karności w oddziałach czynnej służby SS.

Wyroki sądów SS, później sądów polowych SS, zgodnie z wolą Himmlera były bardzo surowe. Wykluczenie albo wyrzucenie z SS w czasie pokoju było hańbą, jakiej dotychczas nie znano. Dotknięty tym mógł pracować w Niemczech najwyżej jako zwykły robotnik i nie miał możliwości jakiegokolwiek awansu społecznego. Wyroki sądów polowych były podobne. Nie było chyba takiego trybunału rewolucyjnego, który by wydawał tyle wyroków śmierci co polowe sądy SS i policji.

W czasie wojny, gdy tych wyroków śmierci było zbyt dużo nawet dla Himmlera — musiał przecież zatwierdzić każdy wyrok — zorganizowano frontowe oddziały rehabilitacyjne SS, tzw. Himmelfahrtkommando,[227] których używano do rozminowywania lub prawie beznadziejnych akcji obronnych. Tylko niewielu wyszło żywo i bez ran z tych akcji rehabilitacyjnych, po czym faktycznie byli w pełni rehabilitowani.

Homoseksualizm, dezercja, tchórzostwo w obliczu nieprzyjaciela, odmowa pełnienia służby były z zasady karane śmiercią, podobnie zhańbienie rasy, a później przywłaszczenie mienia żydowskiego. Surowo były ścigane również wykroczenia przeciwko nadzorowi służbowemu. Zwierzchnicy, w zasięgu działalności których zapadło stosunkowo dużo wyroków sądu SS, mogli być łatwo obwinieni o takie przewinienie.

Karne obozy SS w Matzkau i Dachau, które odpowiadały ciężkim więzieniom i w których osadzano skazanych członków SS i policji dla odcierpienia wymierzonej kary pozbawienia wolności, budziły postrach. Zdaniem Himmlera skazani przez sądy SS nie mogli być dość surowo traktowani. Ponieważ te obozy karne były wkrótce przepełnione, przeto większą część więźniów wysyłano również do frontowych oddziałów rehabilitacyjnych. Także skazany po ogłoszeniu wyroku mógł sam prosić o umożliwienie mu rehabilitacji na froncie, co w większości przypadków było uwzględniane.

Himmler utworzył również sąd honorowy. Zachowanie i nienaruszalność honoru należały do podstawowych praw SS. Do zakresu działania sądu honorowego należało polubowne załatwianie zatargów bądź też rozstrzyganie o przywróceniu naruszonego honoru. Szpada honorowa nadawana wyższym oficerom Allgemeine SS oraz wszystkim czynnym oficerom formacji Waffen-SS, jak również dołączona do tego dewiza mówiły wyraźnie o nieubłaganym stosunku Himmlera do tych spraw.

Zapatrywania Himmlera na obozy koncentracyjne, jego poglądy na traktowanie więźniów nigdy nie były łatwe do zrozumienia i wielokrotnie się

---

[227] Himmelfahrt Kommando, tu w znaczeniu ironicznym — Oddział Wniebowzięcia.

zmieniały. Nigdy nie było zasadniczych wytycznych na temat traktowania więźniów, jak również związanych z tym zagadnień. W rozkazach wydawanych we wszystkich tych latach występowały istotne sprzeczności. Również podczas dokonywania przez Himmlera inspekcji obozów koncentracyjnych komendanci nie mogli odeń uzyskać żadnych wskazówek odnośnie do zasad, jakimi należy się kierować przy traktowaniu więźniów.

Raz: najostrzejsze, najsurowsze, bezwzględne traktowanie, innym razem: łagodne traktowanie, zwracanie uwagi na stan zdrowia, próby wychowywania z widokami na zwolnienie. Raz: przedłużenie czasu pracy do 12 godzin i najsurowsze kary za lenistwo, innym razem: podwyższenie premii i urządzanie burdeli w celu spowodowania dobrowolnego zwiększenia wydajności pracy. Raz: praktykowane w niektórych obozach zdobywanie dostępnych jeszcze środków żywnościowych dla dodatkowego żywienia więźniów ma być zaniechane, aby przez to nie pozbawiać tych środków ciężko pracującej ludności cywilnej, innym razem: komendant jest odpowiedzialny za uczynienie wszystkiego, aby zwiększyć racje żywnościowe przyznawane więźniom przez urzędy wyżywienia, poprzez zdobywanie możliwych do otrzymania środków żywnościowych i zbieranie dziko rosnących jarzyn. Raz: ze względu na znaczenie zbrojeń nie należy mieć żadnych względów dla stanu zdrowia więźniów, należy wydobyć z nich maksymalną wydajność, innym razem: w celu utrzymania więźniów możliwie jak najdłużej w stanie zdolności do pracy dla przemysłu zbrojeniowego należy przeciwstawiać się wszelkim wysuwanym przez przemysł nadmiernym żądaniom w zakresie wydajności pracy.

Tak zmieniały się jego poglądy! Również i w dziedzinie karania. Raz uważał, iż jest zbyt dużo wniosków o kary chłosty. Innym razem: dyscyplina w obozach osłabła, należy ją podciągnąć i surowiej karać.

Przykład: w roku 1940 Himmler przyjechał niespodziewanie do obozu w Sachsenhausen. Blisko wartowni napotyka przechodzącą drużynę więźniów, ciągnących spokojnie platformę. Ani strażnicy, ani więźniowie nie poznali siedzącego w samochodzie Reichsführera SS i dlatego nie zdjęli czapek. Przez wartownię Himmler jedzie wprost do obozu. Ponieważ miałem właśnie zamiar iść do obozu — byłem w tym okresie Schutzhaftlagerführerem — mogłem mu zaraz złożyć meldunek. Jego pierwsze pytanie było: „Gdzie jest komendant?" Był bardzo zagniewany, przywitał się krótko. Komendant Sturmbannführer Eisfeld zjawił się po pewnym czasie, gdy Himmler wszedł już na teren obozu. Himmler wsiadł na niego, że on, Himmler jest przyzwyczajony do innej dyscypliny w obozie koncentracyjnym, że więźniowie już w ogóle się nie kłaniają. Nie przyjął do wiadomości wyjaśnień komendanta i więcej z nim nie rozmawiał. Krótko obejrzał budynek aresztu, w którym znajdowali się specjalni więźniowie, i zaraz odjechał. W dwa dni później Eisfeld został zdjęty ze stanowiska komendanta Sachsenhausen, a na jego miejsce sprowadzono do obozu i mianowano komendantem Oberführera Loritza, który poprzednio był komendantem

Dachau, a następnie dowódcą okręgu Allgemeine SS w Klagenfurcie. Himmler usunął Loritza z Dachau, ponieważ był zbyt surowy dla więźniów, a poza tym zbyt mało troszczył się o obóz. W roku 1942 z tych samych przyczyn na wniosek Pohla został on ponownie zwolniony z obozu w Sachsenhausen.

Himmler zarządził, aby poświęcać jak największą uwagę opiece nad rodzinami więźniów — bez względu na przyczynę aresztowania. Rodziny nie powinny popadać w nędzę na skutek aresztowania swego opiekuna, należy im udzielać dostatecznej pomocy. Bezpośrednio po przybyciu do obozu koncentracyjnego każdy więzień Niemiec musiał wypełnić formularz, z którego można było się zorientować w jego warunkach materialnych. Kierownik Wydziału Politycznego był zobowiązany, jeśli więzień sobie tego życzył, powiadomić właściwą placówkę policyjną i komórkę narodowosocjalistycznej opieki społecznej o niedostatku i konieczności przyjścia z pomocą rodzinie więźnia. Po czterech tygodniach musiano meldować o wykonaniu. Jeżeli to nie nastąpiło, miały się włączać właściwe jednostki Gestapo lub Kripo. Również więzień musiał się meldować, gdy dowiedział się później od swej rodziny, że nie uzyskała ona wcale pomocy lub jedynie w niedostatecznym stopniu.

Znane mi są również przypadki, w których Himmler kazał wychowywać zdolne dzieci więźniów zupełnie bezpłatnie w narodowosocjalistycznych zakładach wychowawczych. Również w czasie pokoju żaden więzień nie mógł być zwolniony, dopóki nie wyjaśniono sprawy jego sytuacji materialnej. Po zwolnieniu więzień powinien być zrehabilitowany i nie powinien doświadczać żadnych uszczerbków materialnych. Fakt jego aresztowania odnotowywano jedynie w kartotece RSHA. Informacji na ten temat wolno było udzielać jedynie w uzasadnionych przypadkach na żądanie władz partyjnych i policyjnych. Często zdarzało się jednak, że kochani rodacy, którzy chcieli uchodzić za 100-procentowych narodowych socjalistów, oraz pełni nienawiści i małostkowi funkcjonariusze partyjni bardzo utrudniali życie zwolnionym więźniom. Zdarzało się również, że tacy dawni więźniowie w swej biedzie zwracali się o pomoc do obozu koncentracyjnego, w którym przebywali. Jeśli Himmler dowiadywał się o tego rodzaju przypadkach, reagował zawsze bardzo ostro.

Przebieg wojny wymusza użycie wszystkich stojących do dyspozycji sił roboczych do pracy w przemyśle zbrojeniowym. Znaczna jeszcze rezerwa zatrudniona jest w obozach koncentracyjnych przy pracach nie mających istotnego znaczenia dla gospodarki wojennej. Himmler przyrzeka Führerowi przejęcie przez SS przemysłu zbrojeniowego o decydującym dla zwycięstwa znaczeniu i prowadzenie produkcji przy pomocy więźniów. Od tej chwili uznawał on tylko jedno hasło: najbezwzględniejsze użycie do pracy przy zbrojeniach wszystkich stojących do dyspozycji więźniów, dla RSHA — przeprowadzanie nowych akcji policyjnych w celu zdobycia większej liczby więźniów i specjalnie dla Eichmanna — przyspieszenie akcji żydowskiej.

Himmler mówił przemysłowi zbrojeniowemu: budujcie obozy pracy i za pośrednictwem Ministerstwa Przemysłu Zbrojeniowego żądajcie ode mnie sił roboczych, jest ich dosyć. Obiecywał on dziesiątki, a nawet setki tysięcy więźniów z akcji, które nie były jeszcze rozpoczęte i których ostatecznych wyników nie można było przewidzieć. Ani Pohl, ani Kaltenbrunner nie ważą się odwieść Himmlera od składania obietnic dotyczących nie znanych jeszcze kontyngentów więźniów.

Mimo iż Himmler na podstawie jak najbardziej szczegółowo opracowanych i wszystko jasno przedstawiających sprawozdań miesięcznych z obozów jest dokładnie poinformowany o stanie liczbowym i stanie zdrowotnym więźniów oraz ich zatrudnieniu, nadal popędza i naciska: „Zbrojenia! Więźniowie! Zbrojenia!".

Nawet Pohl zaraził się tym stałym popędzaniem Himmlera i sam urabiał komendantów lub inspektora obozów koncentracyjnych, D II, Maurera, aby całe swoje siły poświęcili wyłącznie temu najważniejszemu zadaniu — zatrudnieniu więźniów w przemyśle zbrojeniowym. Robić wszystko, aby pchać to naprzód.

Okazuje się jednak, że przemysł zbrojeniowy ma wprawdzie ogromne, nie pokryte zapotrzebowanie na siłę roboczą, ale nie nadąża z budową pomieszczeń niezbędnych do jej zakwaterowania. Do budowy tych obozów pracy dla przemysłu zbrojeniowego włącza się Organizacja Todt. Ze względu na brak innych sił roboczych żąda ona również więźniów do pracy. Gdzie ich umieścić? Maurer dzień i noc był w podróżach, nie mógł jednak większości prowizorycznych pomieszczeń akceptować, ponieważ nie odpowiadały najprymitywniejszym wymogom. Powoduje to znów zwłokę w wykonaniu zadań. Himmler szaleje, powołuje komisje śledcze ze specjalnymi pełnomocnikami do wykrycia winnych. Auschwitz jest nabity więźniami oczekującymi na transport do obozów pracy dla przemysłu zbrojeniowego. Nadchodzą nowe transporty od Eichmanna, jeszcze bardziej zapychające obóz. Przenoszenie najważniejszych zakładów przemysłu zbrojeniowego pod ziemię postępuje z natury rzeczy bardzo wolno — zmarnowano przynajmniej dwa lata. Himmler ustanawia dra Kammlera swoim pełnomocnikiem do tych zadań. Kammler też nie jest w stanie nic wyczarować, mijają tygodnie i miesiące bez istotnego postępu. Wojna powietrzna hamuje, przewleka, często obezwładnia na miesiące. Himmler popędza dalej, dręczą go dane obietnice. W Auschwitz giną tysiące zdolnych do pracy więźniów, nie ujrzawszy nawet miejsca pracy w przemyśle zbrojeniowym. W prowizorycznie urządzonych obozach pracy więźniowie stają się wrakami, zanim zdołają dokonać czegokolwiek „decydującego dla zwycięstwa". Wędrują oni do obozów koncentracyjnych, aby „stać się zdrowymi i znów zdolnymi do pracy", w rzeczywistości zaś po to, żeby pogorszyć i bez tego już — z powodu warunków wojennych — przekraczające wytrzymałość ludzką ogólne warunki i ostatecznie na skutek całkowitego wyczerpania stać się ofiarą którejś z szalejących tam epidemii.

Himmler wiedział o tym wszystkim z osobistych inspekcji, ustnych i pisemnych sprawozdań wszystkich mających z tym do czynienia lub stykających się z tym urzędów. Nie interesuje go to wszystko. Niech z problemami radzą sobie urzędy. On żąda nadal kategorycznie: „Więcej więźniów, zwiększyć wydajność pracy, wykonanie zadań." Każdemu zwlekającemu grozi sądem SS.

W czasie mej przynależności do SS miałem następujące osobiste spotkanie z Himmlerem:

W czerwcu 1934 roku w Szczecinie podczas inspekcji pomorskiej SS zapytuje mnie Himmler, czy chciałbym przejść do aktywnej służby w SS w obozie koncentracyjnym. Dopiero po długim zastanawianiu się wspólnie z moją żoną — chcieliśmy się przecież osiedlić na wsi — zdecydowałem się na to, gdyż w ten sposób mogłem być znów aktywnym żołnierzem. W dniu 1 listopada 1934 roku zostałem powołany przez inspektora obozów koncentracyjnych, Eickego do służby w Dachau.

W 1936 r. wielka inspekcja wszystkich urządzeń SS, z obozem koncentracyjnym w Dachau włącznie, przez wszystkich Gauleiterów, Reichsleiterów oraz wszystkich SS- i SA-Gruppenführerów, kierowana przez Himmlera. W tym czasie jestem Rapportführerem i zastępuję nieobecnego Schutzhaftlagerführera. Himmler jest w doskonałym nastroju, gdyż cała inspekcja wypadła dobrze. W tym czasie w Dachau jest również wszystko w porządku. Więźniowie są dobrze odżywieni, czyści, dobrze ubrani i zakwaterowani, zatrudnieni przeważnie w warsztatach, liczba chorych niewarta wzmianki. Ogólny stan około 2500 więźniów umieszczonych w 10 murowanych barakach. Higiena w obozie jest zadowalająca, zaopatrzenie w wodę dobre, bielizna osobista zmieniana co tydzień, pościelowa zaś co miesiąc. 1/3 stanowią więźniowie polityczni, pozostałe 2/3 więźniowie w policyjnym areszcie zapobiegawczym, aspołeczni i skazani na pracę przymusową, homoseksualiści oraz około 200 Żydów.

Podczas inspekcji Himmler i Bormann rozmawiają ze mną i pytają, czy jestem zadowolony ze służby i jak się powodzi mej rodzinie. Krótko potem zostaję awansowany do stopnia Untersturmführera. Podczas tej inspekcji Himmler — jak zwykle — wywołuje kilku więźniów i pyta ich przed zgromadzonymi gośćmi o powód ich aresztowania. Byli to przeważnie przywódcy komunistyczni, którzy szczerze przyznali, że są nadal komunistami i nimi pozostaną. Kilku przestępcom zawodowym, którzy poważnie zmniejszyli listę swych kar, szybko sprawdzona kartoteka więzienna musiała odświeżyć ich pamięć o poprzedniej karalności. Było to typowe postępowanie zawodowych przestępców, byłem tego wiele razy świadkiem. Himmler ukarał tych, którzy kłamali, karną pracą podczas kilku niedziel. Dalej było kilku aspołecznych, którzy swoje zarobki systematycznie przepijali, pozostawiając rodziny opiece społecznej. Również były socjaldemokratyczny minister z Brunszwiku, dr Jasper, oraz kilku Żydów reemigrantów z Palestyny, z właściwą Żydom przytomnością umysłu odpowiadali trafnie na stawiane ze wszystkich stron pytania. Następne spotkanie miało miejsce w roku 1938 w obozie koncentracyjnym w Sachsenhausen. Minister spraw wewnętrznych Rzeszy dr Frick wizytował po raz pierwszy obóz koncentracyjny. Są z nim wszyscy nadprezydenci, prezydenci rejencji, jak również prezydenci policji większych miast. Himmler oprowadzał i udzielał wyjaśnień. Byłem w tym czasie adiutantem komendanta obozu, podczas całej wizytacji znajdowałem się w pobliżu Himmlera i mogłem go dokładnie obserwować. Jest w doskonałym nastroju i wyraźnie zadowolony, iż może wreszcie ministrowi spraw wewnętrznych i panom z wewnętrznej administracji Rzeszy pokazać jeden z owych osławionych i tajemniczych obozów koncentracyjnych. Zasypywany jest pytaniami, na wszystkie odpowiada spokojnie, uprzejmie, lecz często z sarkazmem. Na niewygodne dla niego pytania, jak np. o liczbę więźniów i inne, odpowiada wymijająco, ale z tym większą uprzejmością (zgodnie z rozkazem Reichsführera SS wszystkie dane liczbowe odnośnie do obozów koncentracyjnych uznane były za tajne).

W obozie koncentracyjnym w Sachsenhausen przebywało w tym czasie około 4000 więźniów, w większości zawodowych przestępców, którzy byli zakwaterowani w czystych barakach drewnianych, z oddzielnymi pomieszczeniami na dzień i do spania. Wyżywienie było uznane za dobre i wystarczające, ubranie było dostateczne i czyste, gdyż w obozie była nowocześnie urządzona pralnia. Izba chorych wraz z ambulatoriami były wzorowe, stan chorych niewielki. Prócz aresztu obozowego, którego w żadnym obozie nie pokazywano obcym — ponieważ siedzieli w nim przeważnie specjalni więźniowie RSHA, pokazano wszystkie urządzenia obozowe.

Przed krytycznym wzrokiem tych starych urzędników rządowych i policyjnych na pewno nic „nie mogło się ukryć. Frick okazywał duże zainteresowanie i oświadczył podczas obiadu, że dla niego jest właściwie rzeczą zawstydzającą, iż dopiero teraz w 1938 roku po raz pierwszy widzi obóz koncentracyjny. Inspektor obozów koncentracyjnych Eicke mówił jeszcze o innych obozach koncentracyjnych i ich szczególnych właściwościach. Mimo ograniczonego czasu i chociaż był stale oblężony przez pytających, Himmler znalazł jeszcze okazję, aby ze mną osobiście porozmawiać i zapytać przede wszystkim o moja rodzinę. Nie zaniedbywał tego przy żadnej okazji i odnosiło się wrażenie, iż nie czyni tego jedynie z grzeczności.

Następne spotkanie w styczniu 1940 roku już opisywałem. Chodziło o wydarzenie z więźniami, którzy go nie pozdrowili.

Listopad 1940 r. Moje pierwsze ustne sprawozdanie u Himmlera o Auschwitz wraz z Sturmbannführerem Vogiem z urzędu W.V — WVHA. Opisuję dokładnie, przedstawiając jaskrawo wszystkie braki i niedociągnięcia, które były w owym czasie dotkliwe, ale w porównaniu z późniejszym katastrofalnym stanem stosunkowo niewielkie Himmler nie zajął w tej sprawie stanowiska, powiedział jedynie, że jako komendant ja przede wszystkim muszę się starać o zaradzenie temu, a jak to już jest moja sprawa. Poza tym jest wojna, trzeba wiele improwizować, również i w obozach koncentracyjnych należy zapomnieć o życiu w warunkach pokojowych. Żołnierz na froncie również odczuwa wiele braków, dlaczego nie mają ich odczuwać więźniowie? Na przedstawiane stale przeze mnie niebezpieczeństwo wybuchu epidemii na skutek nie wystarczających urządzeń sanitarnych odpowiadał krótko: „Pan widzi to zbyt czarno".

Zainteresowanie jego wzrosło, gdy zacząłem mówić o całym terenie i objaśniać na podstawie mapy. Zmienił się natychmiast. Żywo przeszedł do planowania, udzielał wskazówek jednych po drugich lub notował wszystko, co miało na tych terenach powstać. Oświęcim miał być rolniczą stacją doświadczalną dla wschodu. Istnieją tam możliwości, jakich nie mieliśmy dotychczas w Niemczech. Siły roboczej jest dosyć. Wszystkie konieczne doświadczenia należy przeprowadzać jedynie tam. Muszą powstać wielkie laboratoria i wydziały hodowli roślin. Hodowla bydła wszystkich znanych ras i rodzajów. Vogel ma się natychmiast starać o fachowców. Zakładać stawy, osuszać grunty, zbudować nasyp wiślany. To będą trudności, w porównaniu do których przedstawione poprzednio braki i niedociągnięcia w obozie nie mają znaczenia. W najbliższym czasie chce on sam wszystko to zobaczyć w Auschwitz. Omawia dalej swoje plany rolne w najdrobniejszych szczegółach, dopóki dyżurny adiutant nie przypomniał o długo już czekającej na przyjęcie ważnej osobistości.

Himmler zainteresował się Auschwitz, jednakże nie w celu naprawienia istniejącego zła lub zapobieżenia mu na przyszłość. Jego niechęć widzenia tego przyczyniała się do zwiększenia zła.

Mój kolega Vogel był zachwycony zamierzoną wspaniałą rozbudową rolniczej stacji doświadczalnej. Ja jako rolnik również. Jako komendant obozu widziałem jednak, że znika ostatnia nadzieja uczynienia Auschwitz kiedykolwiek zdrowym i czystym. Pozostała mi jeszcze słaba nadzieja — zapowiedziana w najbliższym czasie wizyta Himmlera. Miałem nadzieję, że osobiste obejrzenie tych oczywistych braków i złych warunków skłoni go do udzielenia pomocy. Tymczasem budowałem i improwizowałem nadal, aby zapobiec najgorszemu. Nie przynosiło to jednak wielu korzyści, nie mogłem bowiem dotrzymać kroku rozwojowi obozu z coraz większą liczbą więźniów. Zaledwie nadbudowałem piętro nad pomieszczeniem, które normalnie mieściło 200 więźniów, na rampie stał nowy transport z 1000 i więcej więźniów. Wszystkie protesty w Inspektoracie Obozów Koncentracyjnych, RSHA czy też BdS w Krakowie nie pomagały. Jedyną odpowiedzią było: „Nakazane przez Reichsführera SS akcje muszą być przeprowadzone".

W dniu 1 marca 1941 roku Himmler przyjechał wreszcie do Auschwitz. Wraz z nim przybyli Gauleiter Bracht, prezydent rejencji, Wyższy Dowódca SS i Policji na Śląsku, czołowe osobistości z IG-Farbenindustrie i inspektor obozów koncentracyjnych Glücks. Glücks przyjechał wcześniej i stale mnie upominał, abym nie mówił Reichsführerowi nic niemiłego. Ja zaś miałem do powiedzenia same niemiłe rzeczy.

Na podstawie planów i map przedstawiłem Himmlerowi stan istniejący w momencie objęcia obozu, dokonaną rozbudowę oraz stan obecny, W obecności wszystkich obcych nie mogłem mówić otwarcie o brakach, które mnie przytłaczały, ale podczas objazdu terenu, jaki po tym nastąpił, gdy jechałem samochodem wraz z Himmlerem i Schmauserem, nadrobiłem to gruntownie. Zamierzonego celu jednak nie osiągnąłem. Nawet prawie wcale tego nie słuchał, idąc przez obóz, gdy zwracałem mu niedwuznacznie uwagę na złe warunki, jak przeładowanie obozu, brak wody itd. Gdy wciąż ponawiałem prośby o wstrzymanie transportów, udzielił mi ostrej odprawy.

Nie mogłem od niego oczekiwać żadnej pomocy. Przeciwnie, po obiedzie w kantynie szpitala SS zaczął dopiero mówić o nowych zadaniach dla Auschwitz. Budowa obozu dla 100 000 jeńców wojennych. Mówił już o tym w terenie i wskazał mniej więcej miejsce na ten cel. Gauleiter sprzeciwiał się, prezydent rejencji próbował utrącić projekt, uzasadniając to brakiem wody i nie wyjaśnioną sprawą osuszenia terenu. Himmler odprawił ich ze śmiechem: „Moi panowie, to musi być zrobione, moje powody są ważniejsze niż wasze sprzeciwy! Dla IG w miarę postępu robót budowlanych i zapotrzebowania należy przygotować 10 000 więźniów. Należy rozbudować obóz koncentracyjny w Auschwitz w takim stopniu, aby w warunkach pokojowych mógł pomieścić 30 000 więźniów. Zamierzam przenieść tutaj ważne gałęzie przemysłu zbrojeniowego. Należy na ten cel zarezerwować teren. Do tego rolnicze stacje doświadczalne i folwarki".

Wszystko to przy dających się już na Śląsku dotkliwie odczuwać brakach materiałów budowlanych. Gauleiter zwrócił na to uwagę. Na to Himmler: „Po co są więc zarekwirowane przez SS cegielnie i cementownie? Należy więcej pracować lub obóz koncentracyjny przejmie pod swój zarząd niektóre zakłady! Nawodnienie i odwodnienie są zagadnieniami czysto technicznymi, które mają zostać wyjaśnione przez fachowców, nie mogą one jednak powodować odrzucenia projektu. Rozbudowę należy przyspieszyć wszelkimi środkami. Należy improwizować, jeżeli jest to konieczne, wybuchające epidemie należy opanowywać i z całą bezwzględnością zwalczać! Pod żadnym warunkiem nie wolno jednak zamykać obozu przed transportami więźniów. Zarządzone przeze mnie akcje policyjne muszą być kontynuowane. Nie uznaję trudności w Auschwitz!" Do mnie: „Niech pan sobie radzi, jak może".

Krótko przed odjazdem Himmler odwiedził jeszcze moją rodzinę i polecił mi rozbudować dom ze względów reprezentacyjnych. Jest znów bardzo uprzejmy i rozmowny, mimo iż krótko przed tym, na konferencji był lakoniczny i gniewny. Glücks jest wstrząśnięty przedstawianymi stale przeze mnie Reichsführerowi SS sprzeciwami. On nie może mi również udzielić żadnej pomocy. Także w sprawach personalnych, przy przeniesieniach itd., nie dysponuje bowiem lepszymi oficerami i podoficerami. Nie może wymagać od innych komendantów obozów, aby oddawali lepsze siły za gorsze. „Nie będzie tak źle, da pan sobie radę" — taki był koniec rozmowy z moim przełożonym.

Tak zakończyła się inspekcja Himmlera, której oczekiwałem z taką wielką nadzieją. Znikąd żadnej pomocy. Miałem sam sobie radzić, sam miałem sobie pomagać! Zabrałem się zaciekle do pracy. Nie oszczędzałem SS-manów ani też więźniów. Należało wykorzystać do ostatka istniejące możliwości. Prawie cały czas byłem w drodze, aby dokonywać zakupów wszelkiego rodzaju materiałów, kraść je, konfiskować. Miałem sobie pomagać sam! I robiłem to gruntownie! Dzięki moim dobrym stosunkom z przemysłem zdobyłem też znaczne ilości materiałów.

Lato 1941. Himmler wezwał mnie do Berlina, aby dać mi. fatalny i twardy rozkaz masowej zagłady Żydów z całej prawie Europy — w wyniku którego Auschwitz stał się największym w historii miejscem zagłady. Miało to poza tym ten skutek, że w wyniku wybiórek i nagromadzenia zdolnych do pracy Żydów oraz spowodowanego tym katastrofalnego przeładowania i towarzyszących temu zjawisk — wiele tysięcy nie-Żydów, którzy powinni pozostać przy życiu, musiało umierać z powodu chorób i epidemii wywołanych brakiem odpowiednich pomieszczeń, niedostatecznym wyżywieniem, niedostatecznym ubraniem i brakiem niezbędnych urządzeń sanitarnych. Winę za to ponosi jedynie i wyłącznie Himmler, który odrzucał wszelkie sprawozdania właściwych urzędów, kierowane do niego w sprawie istniejących warunków, nie usuwał przyczyn i nie udzielał żadnej pomocy.

Treść tego przejmującego grozą rozkazu przytoczyłem na innym miejscu. Przy wydawaniu tego rozkazu Himmler był niezwykle poważny i nadzwyczaj lakoniczny. Cała rozmowa była też krótka i ściśle rzeczowa.

Następne spotkanie miało miejsce w lecie 1942 roku, gdy Himmler po raz drugi i ostatni odwiedził obóz w Auschwitz. Inspekcja trwała dwa dni i Himmler obejrzał sobie wszystko gruntownie. W inspekcji uczestniczyli m.in. Gauleiter Bracht, Obergruppenführer Schmauser, dr Kammler. Po przybyciu do obozu miałem najpierw w kasynie oficerskim przedstawić stan obozu na podstawie planów. Następnie przeszliśmy do kierownictwa budowy, gdzie Kammler na podstawie map, planów budowlanych i modeli objaśniał zamierzone lub też będące już w budowie obiekty, nie przemilczając przy tym trudności, jakie występują w ich realizacji lub uniemożliwiają ich wykonanie. Himmler słuchał z zainteresowaniem, pytał o niektóre szczegóły techniczne, zgadzał się z całokształtem planów, jednakże nie zajmował się wcale poruszanymi przez Kammlera trudnościami. Następnie objazd całego obszaru interesów obozu. Najpierw gospodarstwa rolne i roboty melioracyjne, budowa wału, laboratoria oraz hodowla roślin w Rajsku, hodowla bydła i szkółki drzewek. Potem Brzezinka, obóz rosyjski, odcinek cygański oraz jeden odcinek żydowski. Z wieży przy wejściu kazał sobie Himmler objaśnić rozmieszczenie, podział i znajdujące się w budowie urządzenia nawadniające i odwadniające, jak również zamierzenia odnośnie do powiększenia obozu.

Widział więźniów przy pracy, obejrzał ich kwatery oraz kuchnie i izby chorych. Stale pokazywałem mu wszystkie braki. I on również je widział.

Widział wycieńczone ofiary epidemii, lekarze udzielali jednoznacznych i bezwzględnych wyjaśnień, widział przepełnione izby chorych, widział śmiertelność dzieci w obozie cygańskim, widział tam straszliwą chorobę dziecięcą noma. Himmler widział dalej przepełnione już wówczas baraki, prymitywne i niewystarczające ilościowo ustępy i umywalnie. Usłyszał od lekarzy o wysokich liczbach chorych i zmarłych, a przede wszystkim o ich przyczynach. Pozwalał sobie wszystko jak najdokładniej wyjaśniać, widział wszystko dokładnie i we właściwym świetle oraz zgodnie z rzeczywistością — i milczał. Mnie samego ofuknął w Brzezince bardzo ostro, gdy nie przestawałem mówić o ciężkich warunkach. „Nie chcę nic więcej słyszeć o trudnościach! Dla oficera SS trudności nie istnieją, jego zadaniem jest zawsze natychmiastowe usuwanie napotykanych trudności! O to jak, niech pan sobie łamie głowę, nie ja!" Również Kammler i Bischoff usłyszeli to samo.

Po inspekcji Brzezinki obejrzał cały proces zgładzenia przybyłego właśnie transportu Żydów. Przyglądał się również przez pewien czas selekcji zdolnych do pracy, nie zgłaszając żadnych uwag. Na temat przebiegu zagłady nie wypowiadał się wcale, przyglądał się jedynie w milczeniu, kilkakrotnie niepostrzeżenie obserwował biorących w tym udział oficerów, podoficerów i mnie.

Następnie przeszliśmy do zakładów Buna. Tam oglądał również same budowle, więźniów i wykonywane przez nich prace. Widział i słyszał o ich stanie zdrowia. Kammler usłyszał: „Pan skarży się na trudności, niech pan zobaczy co IG-Farbenindustrie uczyniło przy tych samych trudnościach!" Nie mówił nic o przydziałach i możliwościach, o tysiącach fachowców, którymi IG dysponowało, w tym czasie było ich około 30 000. Himmler pytał o wydajność pracy więźniów, uzyskał jednak od IG wymijającą odpowiedź. Potem powiedział mi, że w każdym razie należy zwiększyć wydajność. Jak, to była znów moja rzecz, mimo iż słyszał krótko przed tym od Gauleitera i od IG, iż wkrótce należy się liczyć ze znacznym zmniejszaniem racji żywnościowych dla wszystkich więźniów. Widział też ogólny stan więźniów.

Z zakładów Buna przeszliśmy do biologicznej oczyszczalni ścieków, gdzie z powodu niemożliwych do usunięcia trudności materiałowych nie można było kontynuować prac. Był to jeden z najczulszych punktów Oświęcimia o ogólnym znaczeniu: ścieki z obozu macierzystego kierowane były wprost do Soły, bez większego ich oczyszczania. Szalejące stale w obozie epidemie stanowiły zagrożenie dla ludności. Gauleiter przedstawił ten stan jednoznacznie i prosił w bardzo wyraźny sposób o pomoc. Odpowiedź Himmlera brzmiała, iż Kammler zajmie się tym z całą energią. Oglądane następnie plantacje kok-sagizu (kauczuk naturalny) zainteresowały go o wiele więcej.

Z większym zainteresowaniem i przyjemnością Himmler słuchał zawsze czegoś pozytywnego aniżeli negatywnego. Za szczęśliwego i godnego zazdrości można było uważać oficera SS, który miał do zameldowania same pozytywy lub też potrafił przedstawić negatywne zjawiska jako pozytywne.

Wieczorem pierwszego dnia inspekcji miał miejsce wspólny posiłek z gośćmi i wszystkimi oficerami garnizonu oświęcimskiego. Himmler kazał sobie najpierw wszystkich przedstawić, kilku zaś, którzy go zainteresowali, zagadnął bliżej o stosunki rodzinne i przydział służbowy. W czasie przyjęcia pytał mnie o oficerów, na których zwrócił uwagę. Skorzystałem z okazji i przedstawiłem mu swoje trudności personalne, niezdolność i niemożność dużej części oficerów do służby w obozie czy też dowodzenia oddziałami; prosiłem o ich wymianę oraz wzmocnienie jednostek wartowniczych. „Będzie się pan dziwić — odpowiedział — z jakimi to jeszcze okazami oficerów będzie pan musiał dawać sobie radę. Ja potrzebuję na froncie każdego oficera, podoficera i SS-mana nadającego się do służby frontowej. Z tego względu też nie jest możliwe wzmocnienie jednostek wartowniczych. Niech pan wymyśla wszelkie techniczne środki, aby oszczędzać na wartownikach. Niech pan użyje do pilnowania jeszcze większej liczby psów. Mój pełnomocnik do spraw psów służbowych w najbliższym czasie również i u pana wprowadzi nowoczesny sposób wykorzystywania psów, pozwalający na zmniejszenie liczby wartowników. Liczba ucieczek z Auschwitz jest nadzwyczaj wysoka, nie spotykana dotychczas w obozach koncentracyjnych. „Każdy środek — powtórzył — każdy środek uznam za słuszny, którego pan użyje do zapobieżenia ucieczkom i ich udaremnienia. Epidemia ucieczek z Auschwitz musi się skończyć".

Po tym wspólnym przyjęciu Gauleiter zaprosił Reichsführera SS, Schmausera, Kammlera, Caesara i mnie do swego mieszkania pod Katowicami. Himmler miał tam nocować, ponieważ następnego dnia rano chciał jeszcze omówić z Gauleiterem ważne sprawy dotyczące listy narodowościowej i przesiedleń. Na życzenie Himmlera miała z nami jechać również moja żona. Podczas gdy w ciągu dnia Himmler był okresami w złym humorze, porywczy, a nawet często odpychający, tego wieczoru w towarzystwie był zupełnie jak odmieniony. W najlepszym humorze prowadził rozmowę i był bardzo uprzejmy, szczególnie w stosunku do obu pań, tj. żony Gauleitera i mojej. Mówił na wszystkie możliwe tematy, które właśnie poruszano, mówił o wychowaniu dzieci, nowych mieszkaniach, o obrazach i książkach. Opowiadał o przeżyciach w dywizjach SS na froncie i o swoich wyjazdach na front z Führerem. Unikał celowo zahaczenia choćby jednym słowem o rzeczy widziane w ciągu dnia lub też jakiekolwiek problemy służbowe. Mimo uszu puszczał słowa Gauleitera, nawiązujące do nich.

Rozeszliśmy się dosyć późno. W ciągu wieczora nie pito dużo. Himmler, który normalnie prawie nie pił alkoholu, wypił kilka kieliszków czerwonego wina i palił, czego zwykle też nigdy nie robił. Wszyscy byli pod wrażeniem jego świeżych opowiadań i dobrego humoru. Nigdy go takim nie widziałem.

Drugiego dnia przywiozłem go wraz ze Schmauserem od Gauleitera i inspekcja odbywała się dalej. Obejrzał obóz macierzysty, kuchnię, obóz kobiecy — obejmujący wówczas pierwszy rząd bloków aż do bloku 11 — warsztaty, stajnie, „Kanadę" i rzeźnię, piekarnię, skład materiałów budowlanych i magazyn gospodarczy garnizonu. Przyglądał się wszystkiemu uważnie, widział dokładnie więźniów, pytał się o szczegóły co do poszczególnym kategorii więźniów i ich liczby. Nie pozwalał się oprowadzać, lecz tego ranka żądał pokazania mu raz tego, raz tamtego. Widział zatłoczenie obozu kobiecego, niedostateczną liczbę ustępów i brak wody. Oficerowi gospodarczemu kazał się informować o stanie bielizny i ubrań, widział braki we wszystkim. Żądał jak najbardziej dokładnych wyjaśnień o racjach żywnościowych i dodatkach dla ciężko pracujących. W obozie kobiecym w celu stwierdzenia skutków kazał sobie zademonstrować karę chłosty na zawodowej przestępczyni (prostytutce), która stale się włamywała i kradła, co jej wpadło w ręce. Zezwolenie na karę chłosty dla kobiet zastrzegł do swojej osobistej decyzji. Zwolnił kilka kobiet aresztowanych za drobne przewinienia. Z kilkoma badaczkami Pisma św. rozmawiał o ich fanatycznej wierze.

Po obejrzeniu wszystkiego udał się na podsumowanie do mego gabinetu służbowego. Tam w obecności Schmausera powiedział mi mniej więcej, co następuje: „Dokładnie obejrzałem sobie Auschwitz. Widziałem wszystko, dosyć widziałem i słyszałem od was o brakach i trudnościach. Również i ja nie mogę tutaj nic zmienić. Musi pan sam dać sobie z tym radę. Prowadzimy wojnę, musimy więc uczyć się myśleć po wojennemu. Zarządzone przeze mnie akcje policyjne nie mogą być w żadnym przypadku wstrzymane, a w każdym razie nie z powodu przedstawionego mi braku pomieszczeń itd. Program Eichmanna musi być nadal realizowany i będzie się zwiększał z miesiąca na miesiąc. Musi pan się starać, aby szybciej rozbudowywać Brzezinkę. Cyganów należy zlikwidować. Również bezwzględnie musi pan zlikwidować niezdolnych do pracy Żydów. W najbliższym czasie przemysł zbrojeniowy przejmie do swoich obozów pierwsze większe kontyngenty zdolnych do pracy Żydów, wówczas będzie pan miał więcej miejsca. Również i w Oświęcimiu należy rozbudować przemysł zbrojeniowy. Niech się pan do tego przygotuje. Od strony budowlanej Kammler będzie panu udzielał jak najdalej idącej pomocy. Doświadczenia rolne będą dalej intensywnie prowadzone. Potrzebuję pilnie wyników. Widziałem pana prącej osiągnięcia, jestem zadowolony i dziękuję panu, awansuję pana do stopnia Obersturmbannführera".

Tak zakończyła się wielka inspekcja Himmlera w Auschwitz. Widział wszystko i zdawał sobie sprawę z następstw. Czy jego powiedzenie, „ja także nie mogę pomóc" — było rozmyślne? Po skończeniu narady w mym gabinecie obejrzał moje mieszkanie i jego wyposażenie, był nim zachwycony i przez pewien czas rozmawiał jeszcze z moją żoną i dziećmi. Był ożywiony i w najlepszym nastroju. Odwiozłem go na lotnisko, gdzie krótko się pożegnał i odleciał do Berlina.

Wojna zbliża się ku końcowi. Rosyjska ofensywa w styczniu 1945 roku zmusza Reichsführera SS do powzięcia decyzji, czy wobec zbliżania się nieprzyjaciela obozy koncentracyjne mają być ewakuowane czy też pozostawione nieprzyjacielowi. Himmler nakazuje ewakuację i przetransportowanie więźniów do dalej położonych obozów. Rozkaz ten był wyrokiem śmierci dla dziesiątków tysięcy więźniów. Ewakuacja odbywała się częściowo pieszo lub też zdobywanymi przemocą transportami kolejowymi, w odkrytych wagonach przy 20°C mrozu, w śniegu, bez możliwości wyżywienia; przetrzymują to jedynie nieliczni więźniowie. W obozach przyjmujących pogarszają się jeszcze bardziej panujące tam już nieludzkie warunki. Nie można nadążyć ze spalaniem zwłok zmarłych. Jednakże rozkaz obowiązuje nadal, w miarę zbliżania się nieprzyjaciela należy dalej ewakuować.

Gdy zagrożony był Buchenwald, Pohl wspólnie z RSHA, w wyniku energicznej interwencji u Himmlera, uzyskał zgodę na pozostawienie obozu nieprzyjacielowi po ewakuowaniu wybitnych i ważniejszych więźniów. Nie było bowiem praktycznej możliwości pieszego ewakuowania przeszło 10 000, w większości chorych więźniów Buchenwaldu przez gęsto zaludnioną Turyngię. W wyniku nieprzyjacielskich nalotów lotniczych koleje były praktycznie unieruchomione. Führerowi zameldowano, iż po zajęciu Buchenwaldu przez Amerykanów uzbrojeni więźniowie mieli plądrować i gwałcić w Weimarze. Na skutek tego rozkazuje on Himmlerowi, że w przypadku zbliżania się nieprzyjaciela należy bezwzględnie ewakuować wszystkich zdolnych do marszu więźniów obozów koncentracyjnych i obozów pracy. Wkrótce wszystkie obozy koncentracyjne i obozy pracy znalazły się na drogach, maszerując do najbliżej położonych obozów koncentracyjnych lub pracy. Powstaje dziki chaos. Łączność prawie nie działa i chaosu nie można już opanować.

W przypadku Sachsenhausen próbowałem osobiście poprzez RSHA — Müllera wyjednać u Reichsführera SS cofnięcie tego rozkazu, który w istniejących warunkach był szaleństwem. Nie dało się nic zrobić. Himmler rozkazuje zdecydowanie ewakuację ostatnich jeszcze istniejących obozów koncentracyjnych. Dokąd, tego jednak nie powiedział. Za niewykonanie rozkazu lub też zwlekanie komendant obozu odpowiada głową. Przedstawiciele Międzynarodowego Czerwonego Krzyża są nieustannie przy mnie i chcą przejąć obozy pod ochronę Czerwonego Krzyża. Himmler nie wyraża zgody.

Nie ma już żadnego ratunku. Na wszystkich pozostałych jeszcze drogach i szosach, zatłoczonych przez uciekinierów i cofające się jednostki Wehrmachtu, widzi się zataczające się nędzne kolumny więźniów. Wyżywienie mogło wystarczyć jedynie na dwa lub trzy dni, później nie było żadnych możliwości. Czerwony Krzyż jest na drogach, aby zapobiec najgorszemu przez rozdzielanie paczek z darami. Ja sam jestem dzień i noc w ruchu, próbując urządzić punkty zbiorcze w obozach pracy i zorganizować tam punkty zaopatrzenia i opieki nad chorymi. Nieprzyjaciel, głód i choroby są jednak szybsze. Nieprzyjaciel dopędził kolumny nędzarzy. Tysiące trupów i chorych zaścielają drogi, którymi przechodzili. A w opuszczonych obozach koncentracyjnych i obozach pracy tysiące zmarłych i umierających, których nie ma czym żywić. Taki jest koniec obozów koncentracyjnych — wstrząsający i straszliwy obraz, jaki widzi wkraczający nieprzyjaciel — obraz stworzony szaleńczym rozkazem ewakuacyjnym Himmlera.

Dnia 3 maja 1945 roku spotkałem Himmlera po raz ostatni. Zgodnie z rozkazem reszta Inspektoratu Obozów Koncentracyjnych dotarła za Himmlerem do Flensburga. Tam Glücks, Maurer i ja meldujemy się u niego. Wraca on właśnie z narady z resztą rządu Rzeszy. Jest świeży i wesół i w najlepszym nastroju. Wita się z nami i natychmiast rozkazuje: „Glücks i Hoss udadzą się jako podoficerowie armii pod przybranymi nazwiskami przez zieloną granicę do Danii" i tam się ukryją. Maurer z resztą Inspektoratu Obozów Koncentracyjnych zniknie również w Wehrmachcie. Wszystko inne załatwi Standartenführer Hintz, prezydent policji w Fiensburgu. Ściska nam dłonie i jesteśmy zwolnieni. W tym czasie byli jeszcze u niego prof. Gebhardt i Schellenberg[228] z RSHA. Jak Gebhardt mówił Glücksowi, Himmler miał zamiar ukryć się w Szwecji.

Wolą Himmlera było stworzenie z SS potężnej i niezwyciężonej organizacji, która gwarantowałaby ochronę przyszłemu państwu narodowosocjalistycznemu. Temu celowi podporządkowane są wszystkie jego zasady wychowania i doboru. Wymaga on wciąż surowości i samozaparcia, zaangażowania całej osobowości aż do samopoświęcenia się, wykonania wydanych rozkazów przy usunięciu na bok wszelkich względów osobistych, rezygnacji z własnej woli na rzecz wymagań idei narodowosocjalistycznej.

W czasie pokoju, poprzez ciągły odsiew na różnych kursach i szkoleniach dla oficerów Allgemeine SS, starał się on systematycznie oczyszczać szeregi SS z niepewnych i niezdolnych elementów. W okresie późniejszym mieli być przesiani również i podoficerowie, i szeregowcy. Oficer, który przepadł przy egzaminie, nie mógł być więcej awansowany i najlepiej uczyniłby, gdyby dobrowolnie wystąpił z SS. Od wszystkich oficerów SS do 50 roku życia wymagał egzaminów sprawnościowych na odznakę sportową. Każdy oficer powinien umieć jeździć konno, znać szermierkę i prowadzić samochód Tuż przed wojną miała być jeszcze ustanowiona odznaka sportowa SS, przy nadawaniu której miano przeprowadzać badania odwagi, takie jak skok ze spadochronem, pływanie ratownicze itp. U członków formacji Waffen-SS, a więc czynnych oddziałów SS, służba w oddziałach wyrabiała już konieczną twardość, szczególnie odnosiło się to do oficerów. Całe wychowanie nastawione było na surowość i samodyscyplinę. Szczególną uwagę poświęcał Himmler doborowi' narybku. Miał on systematycznie być badany i przesiewany. Wymagania miały być coraz ostrzejsze i trudniejsze. Jedynie ci, którzy sprostali prawie nieludzkim, najtwardszym wymogom, zarówno fizycznego, jak i psychicznego rodzaju, mieli być przyjmowani po dłuższym okresie próbnym do „zakonu SS".

Poprzez wielostronną służbę oraz kursy szkoleniowe w akademiach SS oficer SS miał zdobywać niezbędne doświadczenie i ogólną wiedzę oraz

---

[228] Walter Schellenberg urodził się 16 stycznia 1910 r. Był członkiem NSDAP nr 3504508 i SS nr 124817. W 1944 r. doszedł do stopnia SS-Brigadeführera. W 1934 r. został zwerbowany przez SD do współpracy jako „mąż zaufania". 22 czerwca 1941 r. objął stanowisko szefa Urzędu VI RSHA — Auslandnachrichtendienst, będącego służbą wywiadu zagranicznego SD.

kwalifikacje, aby później móc sprostać zadaniom przy sprawowaniu wszelkich ważnych stanowisk w przyszłym państwie.

Opis ten podaję z pamięci i nie jest on w żadnym razie pełny. Na pewno wiele rzeczy zapomniałem. To, co przedstawiłem, oddaje jednak przybliżony obraz działania człowieka, który w Trzeciej Rzeszy odegrał chyba najzgubniejszą rolę. Może on być również nie w pełni obiektywny z tego względu, iż ja sam byłem zbyt związany z tymi sprawami. Ale takiego spotykałem Reichsführera SS i takim go widziałem.

Rudolf Höss

Kraków, w listopadzie 1946 r.

Heinz Kammler

Szefem Urzędu C w WVHA był SS-Gruppenführer dr inż. Kamler.[229] Kammler przyszedł do WVHA w 1941 r. w celu objęcia całości spraw budowlanych SS. Kammler był starym członkiem partii i SS. Walczył on w korpusie ochotniczym i w okresie późniejszym był w pułku kawalerii Reichswehry. Następnie studiował budownictwo i został dyrektorem do spraw budownictwa w lotnictwie od chwili jego powstania. Stamtąd znający go od dawna Reichsführer SS przeniósł go w roku 1941 za zgodą Goringa do WVHA.

Do tego czasu sprawy budownictwa SS były rozproszone i na skutek podziału kompetencji między liczne instancje bardzo hamowane w ich realizacji. Pohl był wprawdzie szefem urzędu do spraw budżetu i budownictwa, jak wówczas nazywano WVHA, brak mu było jednak odpowiedniego fachowca. Znalazł go w Kammlerze. Będąc człowiekiem z natury pełnym pomysłów i rozmachu, Kammler w lotnictwie rozkręcił się jeszcze bardziej. Odpowiadało to również Pohlowi, który pozostawił Kammlerowi duży margines swobody, zastrzegając sobie jednak ostateczną decyzję. SS znajdowała się wówczas w rozbudowie, wszędzie powstawały koszary, poligony, zakłady badawcze, miała miejsce rozbudowa niesłychanie rozrastających się urzędów i nie na ostatnim miejscu — konieczna rozbudowa obozów koncentracyjnych.

Wkrótce po objęciu stanowiska Kammler zjawił się w Oświęcimiu; na konieczność jego pilnej rozbudowy zwrócił mu uwagę Reichsführer SS. Mój ówczesny kierownik budowy Schlachter był wprawdzie porządnym facetem, miał jednak ciasny umysł, co było nie do przezwyciężenia. Podczas pokoju był prowincjonalnym architektem w Wirtembergii i brak mu było całkowicie rozmachu. Kammler natychmiast to zauważył i obiecał mi przysłać odpowiedniego człowieka z lotnictwa, który zjawił się w dniu 1 października 1941 r. w osobie Bischoffa.

Kammler przystąpił do opracowywania generalnego planu rozbudowy Oświęcimia-Brzezinki zgodnie z rozkazem Reichsführera SS z dnia 1 marca

[229] Patrz przypis 130 na s. 119.

1941 roku. Plan ten pomyślany był rzeczywiście z rozmachem. Kammler uwzględnił wszystkie moje doświadczenia, a także kolejność budowy obiektów. Miał on pełne zrozumienie dla najważniejszego problemu, jakim była przyspieszona rozbudowa urządzeń nawadniających i odwadniających, i zaraz sprowadził fachowca od spraw wodnych.[230] Kammler postawił również natychmiast do mojej dyspozycji najpotrzebniejsze kontyngenty. Czynił wszystko, aby mi pomóc, jednakże skutki wojny były już wówczas wyraźnie odczuwalne. Mimo priorytetu nie można było uzyskać w dostatecznej ilości najpilniej potrzebnych materiałów budowlanych. Budowanie w Oświęcimiu było stałą męką. Gdy się przypuszczało, iż w pewnym miejscu będzie można wreszcie ruszyć z robotą, wówczas musiano wstrzymywać prace z powodu braku materiałów, brakowało bowiem tego, co było najbardziej potrzebne. Kammler pomagał mi zawsze, gdzie tylko mógł. Zmniejszał przydziały innym równie ważnym budowom, aby tylko popychać naprzód roboty budowlane w Oświęcimiu. Wszystko to było jednak kroplą w morzu — nie wystarczało nigdy. Wydarzenia była silniejsze.

Kammler widział rozpaczliwy stan obozu również w późniejszym okresie, improwizował, pomagał prowizorycznymi rozwiązaniami, dostarczał fachowców i wykwalifikowanych robotników ze wszystkich dziedzin budownictwa. Wszystkie jego wysiłki jednak nic nie pomagały. Nie był w stanie dotrzymać kroku tempu napływu więźniów, a tym bardziej prześcignąć je.

Kammler na pewno niczego nie zaniedbał, aby polepszyć warunki budowlane w Oświęcimiu-Brzezince. Miał zrozumienie dla wszystkiego, pomagał jak tylko mógł, był jednak ostatecznie tak samo bezsilny wobec rozwoju wydarzeń jak i ja.

Także i w innych obozach koncentracyjnych Kammler pomagał, jak mógł. Uszczuplił niejeden kontyngent przeznaczony dla budownictwa przemysłu zbrojeniowego. Dzisiaj można o tym powiedzieć, wówczas Reichsführer SS oddałby go za to pod sąd wojenny.

Kammler wiedział dobrze, że tylko w pełni zdolni do pracy, zdrowi więźniowie nadawali się do zatrudnienia w przemyśle zbrojeniowym, zwłaszcza zaś do wyniszczającej ludzi pracy pod ziemią, którymi to pracami sam kierował. Kammler rozmawiał ze mną często o aktualnych sprawach dotyczących więźniów. Przy nadarzających się okazjach wiele razy rozmawiał również na ten temat z Reichsführerem SS. Ten jednak zbywał go, mówiąc iż „nie jest to jego sprawa", mimo iż Kammler wiele razy mu mówił, że z tymi półtrupami nie będzie w stanie wyprodukować ani jednego pocisku V.[231]

Zadaniem Kammlera było budować, budować i jeszcze raz budować dla przemysłu zbrojeniowego, dla wojska, policji, której całe budownictwo

---

[230] Fachowcem tym był profesor niemieckiego uniwersytetu we Wrocławiu, dr inż. Zunker, który w opinii pisemnej z 26 marca 1941 r. stwierdzał, że woda znajdująca się na terenie obozu oświęcimskiego ze względów sanitarnych nie nadaje się nawet do płukania ust.

[231] Broń V, od niemieckiego Vergeltungswaffe — broń odwetowa. Pojęciem tym obejmowano dwa rodzaje broni: V1 — bezpilotowe samoloty-pociski i V2 — pociski rakietowe.

musiał również przejąć, dla obozów koncentracyjnych, dla celów specjalnych i znów dla przemysłu zbrojeniowego oraz w celu przeniesienia zakładów produkcyjnych pod ziemię. Ze strony ministra pracy Sauckla[232] nie otrzymał większej liczby robotników do wykonywania tych zadań, musiał więc w przeważającej mierze wykonywać je rękami więźniów, i to w jakim stanie. Z tymi ludźmi Kammler miał dokonać rzeczy niezwykłych i dotychczas niebywałych, jak tego żądał od niego Reichsführer SS. Broń V miała być produkowana w olbrzymich ilościach, w większości przez więźniów.

Kammlera nie było łatwo złamać, ale przy takich wymaganiach również i on nieraz upadał na duchu. Pracował, pracował, „wykańczał" wielu kierowników budów i współpracowników Praca pod jego kierownictwem nie była łatwa, zbyt wiele wymagał.

Na odcinku prac pod ziemią dysponował olbrzymimi pełnomocnictwami, miał swoje placówki Stapo z sądami specjalnymi, które w jak najbardziej ostry sposób występowały przeciwko jakimkolwiek świadomym opóźnieniom, niezależnie od togo, czy sabotażysta był dyrektor, inżynier, kierownik budowy, fachowiec niemiecki, cudzoziemski robotnik pomocniczy czy tez więzień. Reichsführer SS żądał dotrzymania terminów, które meldował Führerowi. Kammler często znajdował się w trudnym położeniu, jednakże dzięki swej niesłychanie twardej woli i operatywności jako tako nadążał z robotami podziemnymi, mimo iż na tym odcinku wszystko było opóźnione prawie dwa lata. Uruchomienie produkcji znajdowało się w początkowym stadium, gdy rozpoczęła się wielka ofensywa powietrzna, która uczyniła wszelką dalszą pracę iluzoryczna.

Kammler miał poważne osiągnięcia w zakresie produkcji pocisków V1 i V2, Führer zaś polecił mu również zastosowanie tej broni. Z żołnierzy i oficerów wszystkich rodzajów broni Kammler utworzył „dywizję do specjalnych poruczeń" i wystrzeliwał wszystko, co tylko wychodziło z produkcji. Z każdym dniem było tego coraz mniej, ponieważ codziennie bombardowano bądź poddostawców, bądź też szlaki transportowe. W okręgu Mittelbau, gdzie produkowano najwięcej części broni V, leżały tysiącami półfabrykaty lub prawie gotowe pociski i tarasowały wszystko. Także gotowe pociski docierały tylko częściowo do wyrzutni, ponieważ linie kolejowe były codziennie bombardowane przez nieprzyjacielskie lotnictwo.

Na żądanie Kammlera powstały kolejowe brygady budowlane Były to drużyny robocze liczące do 500 więźniów, które po zbombardowaniu linii kolejowych wyjeżdżały na miejsce uszkodzenia w specjalnie wyposażonych pociągach towarowych, aby jak najszybciej usuwać szkody i umożliwić przejazd. Brygady te były wyposażone w specjalny sprzęt i miały poważne osiągnięcia. Zatrudnieni w nich więźniowie byli specjalnie dobierani i żyli w tych pociągach lepiej niż w obozie. Byli jednak stale narażeni na naloty

---

[232] Fritz Sauckel urodził się w 1894 r. Doszedł do stopnia SS-Obergruppenführera. W latach 1933–1942 był Gauleiterem NSDAP i namiestnikiem Turyngii. 21 marca 1942 r. objął stanowisko Generalnego Pełnomocnika do Spraw Pracy.

lotnicze i ponosili znaczne straty. To samo dotyczyło personelu strażniczego. Wojna stała się rzeczywiście totalna.

Także brygady budowlane zawdzięczają swoje powstanie Kammlerowi. Tych roboczych drużyn więźniarskich liczących do 1200 ludzi używano w większych miastach na zachodzie kraju i w Berlinie do jak najszybszego usuwania, skutków bombardowania w zakładach o podstawowym znaczeniu. Miały one również usuwać duże ilości gruzów z głównych arterii komunikacyjnych po wielkich nalotach.

Na początku roku 1944 polecono Kammlerowi wybudowanie w stokach skalnych przy poligonie w Ohrdruf w Turyngii Głównej Kwatery Führera, i to w terminie, który nie wystarczał na właściwe opracowanie samych planów. Reichsführer SS rozkazał, aby ze względu na konieczność zachowania tajemnicy do robót używano jedynie więźniów. Miało tu być zatrudnionych około 30 000 więźniów. Liczbę tę można było osiągnąć w największej części z Oświęcimia, spośród spędzonych tam Żydów. Większość z nich przybyła na miejsce w stanie całkowitego wyczerpania. Zakwaterowanie w namiotach, ziemiankach, prowizorycznych barakach itp., niedostateczne wyżywienie i wkrótce podarta odzież nie polepszały ich stanu i po przepracowaniu kilku dni, w najlepszym przypadku kilku tygodni, więźniowie umierali.

To zatrudnienie więźniów nakazane przez Reichsführera SS i wielokrotnie przez niego kontrolowane pochłonęło wiele tysięcy istnień ludzkich, nie przynosząc poważniejszych efektów. Budowy nie dokończono. Winiono za to Kammlera, on jednak uczynił, co tylko mógł, aby zlikwidować najbardziej rażące niedociągnięcia. Winny natomiast był Reichsführer SS ze względu na swoje niemożliwe do realizacji obietnice, jak i dlatego, iż nie chciał widzieć występujących trudności.

Kammler był w pracy niestrudzony, pełen pomysłów, stał na gruncie rzeczywistości, dostrzegał wszelkie szkody, umiał przejrzeć swoich współpracowników, wymagał od nich dużo aż do ostateczności. Uważał, iż można wymusić nawet rzeczy niemożliwe, pod koniec wojny jednak musiał się z tym pogodzić, iż wojna była od niego silniejsza. Osobiście był bardzo bezpośredni i skromny. Jego stosunki rodzinne układały się pomyślnie.

H.

W listopadzie 1946 r.

Karl Bischoff

Drugim, ale faktycznym kierownikiem budowy obozu koncentracyjnego w Auschwitz był SS-Sturmbannführer Karl Bischoff.[233]

---

[233] SS-Sturmbannführer Karl Bischoff został odkomenderowany do Oświęcimia z Amtsgruppe C WVHA. W pierwszym okresie był Pełnomocnikiem Specjalnego Zarządu Budowlanego Formacji Waffen-SS w Auschwitz do budowy obozu jeńców wojennych, przemianowanego na Centralny Zarząd Budowlany Formacji Waffen-SS i Policji w Auschwitz. W 1944 r. otrzymał stanowisko kierownika Inspekcji Budowlanej Formacji Waffen-SS i Policji na teren Śląska i Czech.

Bischoff został przez Kammlera ściągnięty z lotnictwa i w dniu 1.X.1941 roku objął funkcję kierownika budowy w Auschwitz. Bischoff przez wiele lat pracował w lotnictwie i w czasie wojny w latach 1940–1941 budował lotniska we Francji i Belgii; kierowano go głównie tam, gdzie były kłopoty w wykonywaniu zadań.

Bischoff był twardym, zaciętym i upartym fachowcem budowlanym. Na wszystko patrzył jedynie z punktu widzenia fachowca budowlanego. Był wołem roboczym i wymagał również pełnego zaangażowania od wszystkich swoich podwładnych. Od strony technicznej dawał sobie radę w każdej sytuacji. Dawał sobie również dobrze radę ze sprawami organizacyjnymi, ale najlepszym był w organizowaniu zaopatrzenia w materiały budowlane. Bischoff zdobywał wszystko, co tylko można było uzyskać na terenie Niemiec i krajów okupowanych. W drodze miał zawsze kilku zaopatrzeniowców.

Na samym początku zorientował się w krytycznym położeniu Auschwitz i całkowicie się angażował, posuwając się nieraz aż do brutalności, aby popychać realizację przedsięwzięć budowlanych w Auschwitz. Niejednokrotnie dochodziło między mną a Bischoffem do ostrych spięć, ponieważ nie chciał uznać koniecznej zmiany kolejności realizacji zadań budowlanych, do zarządzania których byłem zmuszony na skutek wydarzeń, lub też pod względem budowlanym i technicznym odmiennie ode mnie oceniał sytuację, albo chciał zatrudnić więźniów na innym odcinku, na co nie mogłem się zgodzić ze względów bezpieczeństwa. Punktem spornym między nami była również sprawa zatrudnienia pracowników cywilnych, bez których — zdaniem Bischoffa — nie można się było obejść. Ja protestowałem przeciwko temu, szczególnie przeciw nadmiernej ich liczbie, z powodu związanego z tym niebezpieczeństwa polegającego na utrudnianiu dozoru. Na skutek tego dochodziło między nami do ciągłych starć, które były często likwidowane dopiero w wyniku upominania Bischoffa przez Kammlera. Mimo wszystko jednak Bischoff pracował przy rozbudowie Auschwitz jak opętany. Przez jakiś czas pracował w Mittelbau, gdzie jednak nie spoczął, póki nie wrócił do Auschwitz, mimo tego iż w Mittelbau miał duże możliwości awansu.

Aczkolwiek Bischoff nabywał materiały budowlane drogą legalną i nielegalną i dochodził również do porozumienia z IG-Farben, wszystko to nie wystarczało do usunięcia braków w Auschwitz. Wszyscy kierownicy placówek wymyślali na niego, przypuszczali bowiem, iż właśnie on jest winien zwłoce w wykonywaniu prac dla ich placówki. Znajdował się on stale w stanie wojny ze wszystkimi.

Nigdy nie był zadowolony z pracy więźniów; uważał, iż więźniowie pracują zbyt mało wydajnie. Nigdy nie można go było od tego odwieść. Dużą część winy za brak postępu w robotach budowlanych przypisywał niedostatecznej i złej pracy więźniów, aby tym móc uzasadniać niedotrzymywanie wyznaczonych terminów. Dla Auschwitz uczynił wszystko, co było w jego mocy. Nikt inny nie byłby w stanie uczynić więcej.

H.

W listopadzie 1946 r.

Arthur Liebehenschel

SS-Obersturmbannführer Arthur Liebehenschel[234] pochodził z Poznańskiego. Przez dwanaście lat służył w Reichswehrze i następnie przeszedł do SS. W roku 1934 był adiutantem w obozie koncentracyjnym w Lichtenburgu, gdzie się ciężko rozchorował. W roku 1936 przeszedł do Inspektoratu Obozów Koncentracyjnych w Berlinie, i pracował w Wydziale Politycznym pod kierownictwem Standartenführera Tamaschke. Po jego odejściu Liebehenschel został szefem Wydziału Politycznego — późniejszego urzędu DI — i pełnił tę funkcję aż do chwili przeniesienia do Auschwitz w listopadzie 1943 roku. Liebehenschel był cichym, spokojnym i bardzo łagodnym człowiekiem. Będąc ciężko chorym na serce, musiał bardzo uważać na stan swego zdrowia. Pracując pod kierownictwem Eickego, Liebehenschel był świadkiem rozwoju obozów koncentracyjnych — aczkolwiek zza biurka. Znał on istotę i całą organizację obozów koncentracyjnych z korespondencji, rozkazów i instrukcji Eickego, który sam opracowywał najważniejsze sprawy. Później pod kierownictwem Glücksa stał się on bardziej samodzielny i sam opracowywał większość korespondencji, a także rozkazów i poleceń dla komendantów obozów, aczkolwiek z podpisem Glücksa. Osobiście obozów koncentracyjnych prawie nie znał, nawet jeśli był kilka razy w tym czy innym obozie. Glücks chciał go dość często wysyłać w swoim zastępstwie do obozów, on jednak zawsze się od tego uchylał. Przed swoim przeniesieniem do Auschwitz był tam tylko raz. Było to powodem, iż ani Glücks, ani Liebehenschel nie znali surowej rzeczywistości obozów koncentracyjnych, a rozkazy i zarządzenia dla obozów koncentracyjnych — często o doniosłym znaczeniu — powstawały przy biurku. Również wszelkie kłopoty i troski obozów widziano z oderwanej od rzeczywistości wysokiej pozycji za biurkiem.

Liebehenschel, który był również zastępcą Glucksa, otrzymywał i rozdzielał codziennie całą pocztę Inspektoratu Obozów Koncentracyjnych. Widział on również większość pism przygotowanych do podpisu dla Glücksa. Dzięki korespondencji więc wiedział wszystko, co pisano z obozów i do obozów, oraz sam kierował wieloma sprawami, ponieważ Glücks łatwo ulegał cudzym wpływom.

Liebehenschel nigdy nie był zbyt dobrze nastawiony do Auschwitz, ponieważ ten wykraczał poza zwykły tok spraw innych obozów i powodował dużo niepokoju. W Auschwitz stale się coś działo, komendant zaś żądał zbyt wiele pomocy i wprowadzania ulepszeń. Poza tym Reichsführer SS interesował się zbyt dużo Auschwitzem. Liebehenschel był w stanie coś zrobić dla Auschwitz, jednak tego nie uczynił. Później tego żałował, gdy sam został komendantem Auschwitz.

Osobiście poznałem Liebehenschla jeszcze podczas jego wizyty w Dachau, do bliższego poznania doszło dopiero później, gdy mieszkaliśmy przez

[234] Patrz przypis 178 na s. 162.

2 lata po sąsiedzku w jednym osiedlu w Sachsenhausen. Spotykaliśmy się często, ale do siebie się nie zbliżyliśmy; byliśmy zbyt odmiennymi naturami, mieliśmy rozbieżne zainteresowania. Liebehenschel był pedantem, który niechętnie dawał się wyrwać z codziennego, spokojnego, utartego rytmu i chętnie pozwalał toczyć się spokojnie wszystkim sprawom.

Z tego spokojnego trybu życia wytrącił go całkowicie jego rozwód. Od kilku już lat nie żył dobrze ze swoją żoną, która była bardzo kłótliwa i małostkowa. W sekretarce Glucksa znalazł kobietę, która go rozumiała i godziła się z jego nawykami. Doszło do rozwodu i Liebehenschel nie mógł pozostać więcej w Inspektoracie. Stąd jego przeniesienie do Auschwitz. On sam wolałby o wiele bardziej inny obóz.

Wkrótce po objęciu służby w Auschwitz ożenił się ponownie. Z małżeństwa tego urodziło mu się jeszcze jedno dziecko. Z pierwszego małżeństwa miał czworo dzieci. Przy rozwodzie przyznano mu najstarszego syna, który wraz z nim przyjechał do Auschwitz, a później, przy ewakuacji Lublina, wpadł w ręce Rosjan i prawdopodobnie nie żyje.

Liebehenschel uważał, iż jego przełożeni Glücks i Pohl, przenosząc go w związku z rozkładem jego małżeństwa do Auschwitz, potraktowali go źle. W związku ze swoim przeniesieniem oczekiwał awansu na Standartenführera. Rozpoczynając służbę w Auschwitz, był skłócony z Bogiem i ludźmi i miał nadszarpnięte zdrowie. Pogorszyła się choroba serca, on sam zaś szukał ukojenia w winie, nie podpadając jednak przy tym po linii służbowej.

W związku z podziałem Auschwitz na 3 obozy Pohl ustalił, iż Liebehenschel będzie dowódcą garnizonu i komendantem obozu macierzystego w Auschwitz, w którym przebywało w tym czasie 18 000 więźniów. Liebehenschel uważał się za pokrzywdzonego, iż otrzymał najmniejszy liczebnie obóz. Doznał on przy tym uszczerbku finansowego, ponieważ Pohl kazał skreślić dodatek dla dyrektorów przedsiębiorstw. W wyniku tego Liebehenschel utracił swój dodatek szefa urzędu i dodatek ministerialny pobierany przez wszystkich pracowników WVHA. Ponieważ rozwód orzeczono z jego winy i musiał płacić alimenty na rzecz żony oraz trojga pozostałych dzieci, teraz zaś zawarł nowy związek małżeński, jego sytuacja finansowa była trudna. W takich okolicznościach objął służbę w Auschwitz.

Ponieważ przez wiele lat pracował w jednostce nadrzędnej, przypuszczał, że nie będzie mu trudno grać roli komendanta obozu. Jego zdaniem ja robiłem w Auschwitz wszystko na opak, wobec czego zaczął urządzać wszystko inaczej, aniżeli to było dotychczas. Jego adiutant Zoller, którego mu pozwolono ściągnąć z Mauthausen, wskazywał mu popełnione dotychczas błędy. W tym też czasie zjawiła się oficjalnie komisja sądu SS prowadząca śledztwo w stosunku do tych członków SS, którzy przywłaszczali sobie przedmioty pochodzące z „akcji Reinhardt". Również w tym czasie aresztowano Grabnera w związku z podejrzeniami o samowolne przeprowadzanie egzekucji więźniów. Akcje te były na tyle na rękę Liebehenschlowi, że uważał, iż dzięki temu będzie mógł udowodnić, jak błędnie dotychczas kierowano sprawami Auschwitz.

W swoim zakresie w istniejącej sytuacji nie zmienił niczego na lepsze. Na stanowisko Schutzhaftlagerführera wprowadził SS-Haupt-sturmführera Hofmanna,[235] który nie dorównywał starym więźniom, otrzaskanym wygom obozu oświęcimskiego. Po upływie krótkiego czasu został „załatwiony" i robił wszystko to, co chcieli więźniowie. Liebehenschel, który nie miał pojęcia o drastycznej rzeczywistości obozu koncentracyjnego, w niczym nie przeszkadzał Hofmannowi, co było przyczyną, iż więźniowie go lubili. Wygłaszał do więźniów przemówienia, w których im obiecywał, iż teraz wszystko będzie lepiej i że on zrobi z tego morderczego obozu właściwy obóz koncentracyjny. Dał więźniom słowo honoru, iż nie będzie więcej selekcji i gazowania więźniów. Kiedy jednak pewnego dnia ze szpitala wyjechała do Brzezinki ciężarówka z „wybranymi", ukuto powiedzenie: „tam oto jedzie słowo honoru komendanta". Stale popełniał tego rodzaju rażące błędy, nie zdając sobie z tego sprawy.

Wkrótce jednak zrozumiał, iż obóz koncentracyjny, a w szczególności Oświęcim w rzeczywistości wygląda inaczej, aniżeli to się widziało w Oranienburgu, mimo iż tam miało się pod nosem Sachsenhausen. Przy pełnieniu nadrzędnych funkcji i zza biurka widzi się wszystko inaczej, przeważnie lepiej.

Liebehenschel także w Auschwitz przebywał najczęściej w swoim gabinecie, dyktując rozkaz za rozkazem oraz sprawozdania; całymi godzinami trwały odprawy garnizonowe, a ogólna sytuacja w obozie systematycznie się w tym czasie pogarszała. On jednak tego nie widział. W tym czasie zawarł ponownie związek małżeński; przy czym okazało się, że jego druga żona obciążona była przez SD zarzutem, iż przez dłuższy czas utrzymywała kontakty z Żydami, również po wydaniu ustaw norymberskich. Fakt ten stał się wkrótce znany w Auschwitz i pozycja Liebehenschla była już nie do utrzymania.

Pohl przeniósł go natychmiast w czerwcu 1944 r. do Lublina. Nie był z tego zadowolony. Ponieważ jego druga żona mieszkała w Auschwitz w mieście, Liebehenschel więcej przebywał w podróżach służbowych do Auschwitz aniżeli w Lublinie. Na skutek ewakuacji Lublina uniknął drugiego przeniesienia, jakie na skutek jego postępowania z pewnością by nastąpiło. Z Lublina po definitywnym opuszczeniu WVHA przeszedł do urzędu Wyższego Dowódcy SS i Policji Globocnika w Trieście w celu zwalczania band. Liebehenschel, który nie potrafiłby skrzywdzić nawet muchy.[236]

H.

W listopadzie 1946 r.

---

[235] SS-Hauptsturmführer Franz Johann Hofmann pełnił w KL Auschwitz I funkcję kierownika obozu macierzystego (Schutzhaftlagerführera) od listopada 1943 r. do czerwca 1944 r.

[236] Po przyjściu Arthura Liebehenschla do Oświęcimia na stanowisko komendanta obozu macierzystego i dowódcy garnizonu SS z dniem 11 listopada 1943 r. nie nastąpiły żadne istotne zmiany w funkcjonowaniu obozu. Nadal prowadzono wśród więźniów selekcje do gazu i kontynuowano akcję masowej zagłady Żydów.

Enno Lolling

Szefem urzędu D III w WVHA był SS-Standartenführer dr Enno Lolling.[237]

W czasie wojny światowej dr Lolling był lekarzem sztabowym w marynarce. Po wojnie praktykował do roku 1939 jako lekarz w Meklemburgii. W związku z przynależnością do SS wcielony został do formacji Waffen-SS i skierowany do pracy w obozie koncentracyjnym. Początkowo był lekarzem obozowym w Dachau, a następnie został skierowany jako naczelny lekarz do Inspektoratu Obozów Koncentracyjnych. Po przejęciu obozów koncentracyjnych przez Pohla Lolling został również szefem służby sanitarnej w WVHA.

Dr Lolling był zmęczonym i zużytym starszym panem; był morfinistą i chętnie pił. Z własnej inicjatywy przez cały okres służby nie dokonał niczego nadzwyczajnego. Pozwalał sobą kierować wydarzeniom, odbywał wiele podróży inspekcyjnych po wszystkich obozach. Nie zwracał jednak uwagi na potrzeby, nie widział właściwie również istniejącego stanu zdrowotnego w obozach, jak i nie interesował się ich ogólnym stanem sanitarno-higienicznym. Dopiero jeśli wybuchła epidemia lub też Pohl zwracał mu uwagę na złe warunki, budził się i pisał raporty. Na więcej nie potrafił się zdobyć. Od lekarzy obozowych żądał sprawozdań za sprawozdaniami itd., czytał je uważnie i następnie opracowywał sam obszerne sprawozdania dla Pohla i naczelnego lekarza SS. W raportach tych przedstawiał sumiennie wszystko to, co wyczytał w sprawozdaniach lekarzy, ale nie przedstawiał prawie żadnego godnego uwagi wniosku w celu poprawy tego stanu rzeczy lub też zapobieżenia występującym mankamentom.

W pierwszym okresie jego urzędowania zarówno Pohl, jak i Glücks starali się go pozbyć. Przez dłuższy czas przebywał Lolling na urlopie, zamierzano go bowiem zwolnić z powodu uzależnienia od morfiny. Ponieważ jednak naczelny lekarz SS nie miał żadnego lepszego lekarza na jego miejsce, wszyscy bowiem nadający się lekarze byli albo na froncie, albo w szpitalach SS, brak lekarzy zaś był jego stałą troską jeszcze w okresie przedwojennym, Lolling pozostał nadal na swoim stanowisku. W końcu pogodzono się z nim i jego „przymiotami". Zarówno w WVHA, jak i w urzędzie D oraz wśród kręgów podległych mu lekarzy nie był on traktowany poważnie. Chętnie starał się przybierać postawę surowego przełożonego, narażał się jednak przez to jedynie na śmieszność. Jego rozkazy wykonywano jedynie na tyle, na ile uznawano je za słuszne.

[237] Enno Lolling urodził się 19 lipca 1888 r. Był członkiem NSDAP nr 4691483 i SS nr 179765, wyróżnionym odznakami pierścienia SS i szpady SS. W 1943 r. doszedł do stopnia SS-Standartenführera. Podczas pierwszej wojny światowej był lekarzem wojskowym, po czym do 1939 r. prowadził prywatną praktykę. W 1940 r. został powołany na stanowisko lekarza obozowego w Dachau, a następnie inspektora służb medycznych w obozach koncentracyjnych. Osobiście uczestniczy w podawaniu więźniom w Ravensbrück śmiertelnych dawek toksyn. W marcu 1942 r. został szefem Urzędu D III służby medyczne i higiena obozowa w WVHA SS: W 1945 r. popełnił samobójstwo.

Podczas inspekcji można go było łatwo wprowadzić w błąd, szczególnie wtedy, kiedy go upojono alkoholem, co najczęściej miało miejsce.

W Auschwitz bywał wprawdzie najczęściej, ale nigdy nie zdarzyło się, aby jego wszechstronne inspekcje przyniosły kiedykolwiek jakiś skutek. Wszystko, co tylko w Auschwitz zostało zrobione w dziedzinie sanitarno-lekarskiej, było wynikiem działania i inicjatywy lekarzy obozowych. Dr Wirths często gorzko przede mną się użalał, że ze strony Lollinga nie spotyka się ani z pomocą, ani ze zrozumieniem.

Do obowiązków Lollinga należało również czuwanie nad eksperymentami dokonywanymi na więźniach. Wiedział on o wszystkim, co na ten temat pisano w sprawozdaniach, sam jednak nie widział niczego, nie dostrzegał również ekscesów, jakie miały miejsce na skutek braku nadzoru.

Na skutek coraz bardziej widocznego braku lekarzy spowodowanego wojną naczelny lekarz SS mógł kierować do służby w obozach koncentracyjnych jedynie takich lekarzy, którzy nie nadawali się do służby na froncie wskutek choroby czy też odniesionych poważnych ran, lub też takich, którzy na skutek podeszłego wieku lub wątpliwych wartości nie nadawali się do służby w innych działach. Z winy właśnie tych często zupełnie bezużytecznych osobników nie można było polepszyć ogólnego sanitarno-higienicznego stanu wszystkich obozów. Tego rodzaju niewłaściwych „lekarzy" Lolling zwalniał jednak dopiero wówczas, gdy nie można ich było dłużej tolerować i gdy wyrządzili zbyt wiele oczywistych szkód.

Na sprzeciwy i żądania komendantów obozów w sprawach lekarsko-sanitarnych nie zwracał zupełnie uwagi, strzegł bowiem uporczywie swoich uprawnień jako szefa urzędu i naczelnego lekarza. Stale również podkreślał swój stopień służbowy.

Będąc kierownikiem urzędu D I, zapoznałem się z tym dostatecznie dobrze, a wspólne odbywanie z nim podróży służbowych nie należało do przyjemności.

Właśnie na jego stanowisku powinien być człowiek pełen energii i dalekowzroczny, posiadający wiedzę i odpowiednie umiejętności. Nadrzędne czynniki jednak tej konieczności nie widziały. Gdyby tak było, można by było wielu złym rzeczom zapobiec.

H.

W listopadzie 1946 r.

Gerhard Maurer

Szefem urzędu D II w WVHA był SS-Standartenführer Gerhard Maurer.[238]

---

[238] Gerhard Maurer urodził się 9 grudnia 1907 r. Był członkiem NSDAP nr 387103 i SS nr 12129, wyróżnionym odznakami pierścienia SS i szpady SS. W 1944 r. doszedł do stopnia SS-Standartenführera. Pracował w Inspektoracie Obozów Koncentracyjnych, a po utworzeniu

Maurer, z zawodu kupiec, był starym członkiem partii i SS. Pochodzi z Saksonii. Jeszcze przed rokiem 1933 pracował na etacie skarbnika w swoim macierzystym oddziale SS. W roku 1934 został skierowany do Monachium do pracy w administracji SS. Pohl przyjął go do wydziału kontroli.

Jako kontroler zwrócił na siebie uwagę Pohla. Maurer uczestniczył przy tworzeniu centralnego zarządu przedsiębiorstw gospodarczych SS. Później Pohl mianował go inspektorem tych przedsiębiorstw. Tutaj Maurer zaznajomił się z obozami koncentracyjnymi i zainteresował się szczególnie zagadnieniem zatrudnienia więźniów w przedsiębiorstwach gospodarczych. Następnie poznaje właściwości komendantów i Schutzhaftlagerführerów i ich negatywne nastawienie w stosunku do przedsiębiorstw gospodarczych; większość starych komendantów i Schutzhaftlagerführerów sądziła, że w przedsiębiorstwach więźniowie są zbyt dobrze traktowani, kierownicy przedsiębiorstw zaś dowiadują się od nich zbyt wiele o wszelkich wydarzeniach w obozie. Robili oni kierownikom przedsiębiorstw różne figle, zabierając nagle pilnych fachowców z przedsiębiorstw do robót zewnętrznych, zatrzymując ich w obozie lub też przydzielając więźniów nie nadających się do wykonywania wymaganych od nich prac.

Maurer występował bezwzględnie przeciwko tego rodzaju praktykom, składając Pohlowi niejeden meldunek na ten temat. W wyniku starań Maurera, aby zlikwidować tego rodzaju szkodliwe praktyki, Pohl mianował później komendantów obozów dyrektorami wszystkich przedsiębiorstw w ich obozach. Otrzymywali oni za to poważne miesięczne dodatki w zależności od wielkości ich przedsiębiorstw, później zaś mieli uczestniczyć procentowo w wygospodarowanym czystym zysku. W ten sposób doprowadził do tego, iż komendanci poświęcali zakładom więcej uwagi i nakłaniali swoich podwładnych do respektowania potrzeb tych zakładów. Maurer był również tym człowiekiem, który spowodował, że Pohl wprowadził system wynagradzania więźniów przez premiowanie. Później w roku 1944 Maurer opracował — na życzenie Pohla — regulamin wynagradzania więźniów, według którego każdy więzień miał otrzymywać wynagrodzenie odpowiadające jego wydajności. Regulamin ten nie wszedł jednak w życie.

Wkrótce po włączeniu Inspektoratu Obozów Koncentracyjnych do WVHA Maurer został szefem urzędu D II — sprawy zatrudnienia więźniów. Urząd ten Maurer radykalnie rozbudował. W każdym obozie powołał odpowiedzialnego przed nim kierownika Wydziału Zatrudnienia, który opierając się na dokładnych instrukcjach miał zajmować się ważnym zagadnieniem pracy więźniów w przemyśle zbrojeniowym. Miał on również opracować kartotekę więźniów w rozbiciu na zawody i dokładnie pilnować, aby byli oni zatrudnieni zgodnie z posiadanymi kwalifikacjami. Wielu Schutzhaftlagerführerów, Rapportführerów i kierowników służby pracy próbowało sabotować

WVHA w lutym 1942 r. został szefem Urzędu D II zajmującego się zatrudnianiem więźniów. Wyrokiem Sądu Wojewódzkiego w Krakowie z dnia 6 grudnia 1951 r. został skazany na karę śmierci. Wyrok wykonano.

pracę kierownika Wydziału Zatrudnienia, ponieważ chcieli nadal samowolnie decydować o zatrudnieniu więźniów. Początkowo występowały liczne tarcia, jednakże Maurer, gdy się o tym dowiedział, ostro interweniował.

Maurer był bardzo przedsiębiorczy, bystry i czujny. Spostrzegał natychmiast wszelkie niedociągnięcia w obozie i zwracał na to uwagę komendantom lub też składał meldunki Pohlowi.

Maurer cieszył się pełnym zaufaniem Pohla. Podczas gdy Glücks wolał tuszować nieprzyjemne sprawy, Maurer właśnie powiadamiał o nich zawsze Pohla.

Po odejściu Liebehenschla Maurer został zastępcą Glucksa. W ten sposób Pohl praktycznie przekazał inspektorat Maurerowi. Stopniowo również i Glücks przekazywał Maurerowi wszelkie ważniejsze sprawy. Jedynie na zewnątrz występował on jako inspektor. Ponieważ od tego czasu, zgodnie z wolą Reichsführera SS, zatrudnianie więźniów w przemyśle zbrojeniowym stało się najważniejszą sprawą, było rzeczą całkiem naturalną, iż na wszystko patrzono jedynie z tego punktu widzenia.

Maurera znałem jeszcze z Dachau i Sachsenhausen. Bliżej poznaliśmy się jednak w okresie mojej komendantury w Auschwitz. Zawsze dobrze się rozumieliśmy i współpracowaliśmy ze sobą. Za pośrednictwem Maurera mogłem przedstawić Pohlowi wiele spraw, co przez Glücksa nie byłoby możliwe. Prawie we wszystkich sprawach dotyczących obozów i więźniów mieliśmy jednakowe poglądy. Tylko w sprawie wybiórki zdolnych do pracy Żydów poglądy nasze się różniły. Maurer chciał zatrudnić jak najwięcej Żydów, także i tych, którzy prawdopodobnie mogliby pracować jedynie przez krótki czas, ja natomiast chciałem wybierać jedynie najlepszych i najsilniejszych z powodów, które już dostatecznie przedstawiłem. W tych sprawach nigdy nie osiągnęliśmy zgodności i chociaż później wyniki stanowiska Maurera wystąpiły dostatecznie wyraźnie, nie chciał on jednak nigdy tego przyznać.

Maurer widział rozwój Auschwitz od początku, ja zaś podczas każdej wizytacji zwracałem jego uwagę na istniejące niedomagania. On widział je również. Przekazywał to wszystko Pohlowi, jeszcze gdy był inspektorem przedsiębiorstw. Nie przynosiło to jednak żadnego efektu. Maurer opowiadał się również za dobrym traktowaniem więźniów. Podczas przeprowadzania inspekcji zakładów często rozmawiał z więźniami na temat ich zakwaterowania, wyżywienia i traktowania. Najczęściej jednak szkodził tym więźniom, ponieważ w ukryciu czyhał zawsze kapo. Maurer był zawsze bardzo obrotny w realizacji swego głównego zadania pracy więźniów w przemyśle zbrojeniowym. W tych sprawach nie znał spokoju i żadnych względów. Sam często przebywał w podróżach służbowych, podczas których doglądał to przygotowania zatrudnienia, to przebiegu rozpoczętej akcji, wreszcie usuwał nieporozumienia między zakładem a kierownikiem drużyny roboczej, załatwiał skargi na pracę więźniów lub też złe traktowanie więźniów przez zakład. Setki spraw. Wieczne żądania Ministerstwa Przemysłu Zbrojeniowego i Organizacji Todt nowych więźniów, stałe wołanie Auschwitz o odtransportowanie zbyt wielkich mas więźniów. Maurer miał bardzo wiele pracy. Nigdy jednak nie było jej dla niego za wiele i mimo swej ruchliwości nie tracił nigdy żelaznego spokoju.

Na skutek jego nieustannego domagania się przeniesienia do służby na froncie oraz nalegań Kammlera w styczniu 1945 roku przydzielony został jako intendent, na czas do połowy kwietnia 1945 roku, do jego dywizji do specjalnych poruczeń, która została później przekształcona w korpus artylerii. Podczas nalotu lotniczego na znajdującą się przy obozie w Buchenwaldzie fabrykę pocisków V Maurer stracił żonę oraz czworo dzieci, które zamieszkiwały tam w osiedlu SS. Bomba trafiła w bunkier, w którym się znajdowały. Krótko przed tym zbombardowane zostało jego mieszkanie w Berlinie.

Maurer miał zrozumienie dla wszystkich spraw więźniów, mimo iż patrzył na nie jednostronnie — jedynie z punktu widzenia zatrudnienia. Nigdy nie chciał jednak przyznać, iż poprzez nadmierne wybieranie Żydów zdecydowanie przyczynił się do pogorszenia sytuacji w Auschwitz, a przez to i we wszystkich innych obozach — a przecież tak było naprawdę.

H.

W listopadzie 1946 r.

Karl Ernst Möckel

SS-Obersturmbannführer Karl Möckel[239] był następcą Burgera na stanowisku kierownika administracyjnego garnizonu w Auschwitz.

Möckel pochodził z Saksonii. Był on starym członkiem partii i miał niski numer w SS. Bardzo wcześnie, na długo przed przejęciem władzy, był etatowym pracownikiem służby administracyjnej SS i w swoich stronach rodzinnych pracował w jednostce i okręgu SS. W roku 1933 przeszedł do szefostwa administracji SS i pracował w tym urzędzie, który przemianowany został na WVHA, w różnych działach administracji do roku 1941.

Po zorganizowaniu przez Pohla urzędów W Möckel został mianowany szefem urzędu W III, któremu podporządkowane były wszystkie przedsiębiorstwa branży spożywczej i pokrewne. Jego specjalnym zadaniem było przejęcie i rozbudowa zakładów wód leczniczych, które w czasie wojny ogromnie się rozrosły ze względu na wielkie i trudne do zaspokojenia zapotrzebowanie frontu i szpitali na wody mineralne, Möckel stał się fachowcem w tej dziedzinie. Szybki rozwój wszelkiego rodzaju zakładów spożywczych oraz zakładanie nowych piekarni i przetwórni mięsa na terenie

---

[239] Karl Ernst Möckel urodził się 9 stycznia 1901 r. Był członkiem NSDAP nr 22293 i SS nr 908, wyróżnionym odznakami pierścienia SS i szpady SS. W 1939 r. doszedł do stopnia SS-Obersturmführera. Wyrokiem Najwyższego Trybunału Narodowego *z* 22 grudnia 1947 r. został skazany na karę śmierci. Patrz również przypis 200 na s. 182.

Rzeszy, a następnie na terenach okupowanych, w celu zaopatrywania formacji wojskowych SS były również wynikiem wojny.

Möckel miał dużo pracy przy zarządzaniu tymi licznymi przedsiębiorstwami, zajmował się jednak tylko stroną techniczno-administracyjną.

Z własnej inicjatywy Möckel nie stworzył niczego wielkiego. Nie leżało to w jego naturze. Dawał sobą chętnie powodować, choć sam był bardzo pracowity. Möckel był spokojnym, nieco wygodnym człowiekiem, pozwalającym najpierw, aby się na niego wszystko waliło, a następnie zaczynającym przeciwdziałać. Był jednak również bardzo uparty i niechętnie zezwalał na wtrącanie się w jego sprawy.

Stosunki Pohla z Möcklem nie układały się dobrze, gdyż Pohl uważał, iż Möckel pracuje zbyt wolno i bez rozmachu. Möckel chciał już na początku wojny uzyskać przeniesienie na front lub też przejść do jakiejkolwiek pracy w formacjach Waffen-SS. Przedsiębiorstwa W kierowane były przez oficerów Allgemeine SS. Pohl jednak stale to odrzucał. Dopiero po ostrym starciu Pohl wyraził zgodę na przejście Möckla w roku 1941 do formacji Waffen-SS. Musiał on jednak zrezygnować z posiadanego stopnia — był Oberführerem Allgemeine SS — i jako zwykły SS-man musiał rozpocząć szkolenie w batalionie zapasowym służby administracyjnej formacji Waffen-SS. Później stopniowo awansował, pełnił również służbę w batalionie zapasowym, a wiosną 1943 roku przybył do obozu koncentracyjnego w Auschwitz.

W związku ze swoją działalnością w zakładach branży spożywczej Möckel znał również obozy koncentracyjne, jednakże administrowanie obozem koncentracyjnym, i to w dodatku takich rozmiarów jak Auschwitz, nie było dla niego łatwe. Także i jego brak lotności w realizowaniu nowych zadań spowodował, iż minęło sporo czasu, zanim wciągnął się do pracy. Swoją służbę pełnił i dobrze, i źle, starał się wszystkiemu podołać, jak potrafił, ale warunki panujące w Auschwitz wymagały więcej. Ja gdzie mogłem, to mu pomagałem z czystego koleżeństwa w stosunku do niego, był bowiem dobrodusznym kolegą. Möckel nie dawał sobie jednak rady. Prócz kilku dobrych pracowników nie miał wiele pomocy ze strony swego coraz bardziej rozbudowującego się sztabu. Ponieważ nie był zbyt lotny, stale go oszukiwano.

Möckel miał młodą żonę, ale ich pożycie nie było dobre. Z tego powodu zaczął coraz więcej pić, pił często całymi dniami i wówczas nie nadawał się do niczego. Za czasów Liebehenschla przybrało to na sile, kiedy obaj zaczęli topić swoje troski w alkoholu.

Zasadniczą pracę wykonywał jego zastępca — SS-Hauptsturmführer Polenz, tak jak to potrafił. Za czasów Möckla nie dokonano niczego istotnego w Auschwitz w kierunku poprawienia stosunków, które stały się nie do zniesienia. Gdy administracja garnizonu się usamodzielniła i została przekształcona w centralny zarząd, starania Möckla szły w kierunku zachowania dotychczasowej samodzielności jego komórki służbowej. Nie był on jednak w stanie panować generalnie nad bardzo zróżnicowanymi z biegiem czasu zadaniami. Jego podwładni partaczyli według swego widzimisię i cieszyli się, iż mieli takiego dobrego szefa.

H.

W listopadzie 1946 r.

Heinrich Müller

SS-Gruppenführer i generał-porucznik policji Müller[240] był szefem urzędu IV w RSHA i zastępcą szefa Policji Bezpieczeństwa i Służby Bezpieczeństwa.

Müller był oficerem w czasie wojny światowej, a następnie wstąpił do policji bawarskiej. Po przejęciu władzy został wcielony do bawarskiej policji politycznej, kierowanej przez Besta,[241] który ściągnął go później do Gestapa w Berlinie. Po krótkim czasie wybił się w tym urzędzie pod kierownictwem Heydricha i następnie sam został szefem Gestapa.

Müller był policjantem z zamiłowania. Do partii wstąpił dopiero po przejęciu władzy i stosunkowo późno został przyjęty do SS. Jego policyjna wiedza zawodowa — pracował zawsze we władzy wykonawczej — i jego kwalifikacje były bardzo przydatne przy rozbudowie Gestapa. Odegrał również istotną rolę przy organizacji Gestapo.

Müller z zasady pozostawał w cieniu i nie lubił, by wiązano go z jakimikolwiek wydarzeniami czy też akcjami. Przy tym wszystkim był on organizatorem wszelkich ważnych i większych akcji Policji Bezpieczeństwa i kierował ich przeprowadzaniem.

Po odejściu Heydricha został czołową osobistością w RSHA. Kaltenbrunner był jedynie szefem i zajmował się głównie Służbą Bezpieczeństwa.

Müller był zawsze dobrze poinformowany o wszystkich ważnych wydarzeniach politycznych w Rzeszy. Miał bardzo wielu konfidentów na wszystkich możliwych stanowiskach państwowych, przede wszystkim zaś

---

[240] Heinrich Müller urodził się 28 kwietnia 1900 r. Był członkiem NSDAP nr 4583199 i SS nr 107043, wyróżnionym odznakami pierścienia SS i szpady SS. W 1941 r. doszedł do stopnia SS-Gruppenführera. Był jedną z najbardziej tajemniczych i nie rzucających się w oczy osób w aparacie RSHA. Zniknął bez śladu na przełomie kwietnia i maja 1945 r. Rzekomy grób Heinricha Müllera otwarty w 1963 r. zawiera szczątki trzech mężczyzn, z których żaden nie mógł nim być.

[241] Werner Best urodził się 10 lipca 1903 r. Ukończył studia prawnicze, które uwieńczył doktoratem. Był członkiem NSDAP nr 341338 od 1930 roku i SS nr 23377, wyróżnionym odznaką szpady SS. W 1933 r. objął stanowisko szefa policji w Hesji, a od 1934 r. rozpoczął służbę w SD, zajmując się tworzeniem „ustawodawstwa policyjnego". W 1936 roku domagał się oddania obozów koncentracyjnych pod kuratelę Gestapo i oskarżał Eicke'go o nadużyciaia natury moralnej wśród jego współpracowników. Po wybuchu wojny został szefem Urzędu I RSHA. W połowie 1940 r. objął stanowisko szefa Zarządu Wojskowego przy Dowódcy Wojskowym we Francji. Od 1942 r był Generalnym Pełnomocnikiem Rzeszy w Danii. Po wojnie został skazany na karę śmierci i ułaskawiony.

w kręgach gospodarczych, z którymi utrzymywał kontakt jedynie przez pośredników. Był mistrzem zamaskowanego działania. Müller był jedynie kilka razy w obozach koncentracyjnych, i to nie we wszystkich. Był jednak o wszystkim dobrze poinformowany. Nie darmo kierownik Wydziału Politycznego w każdym obozie koncentracyjnym należał do Stapo.

Eicke i Müller rozumieli się bardzo dobrze już od czasów komendantury Eickego w Dachau, kiedy Müller pracował w bawarskiej policji politycznej.

Nie można się było nigdy niczego dowiedzieć o osobistym poglądzie Müllera na wszelkie sprawy dotyczące więźniów obozów koncentracyjnych. Wszystkie jego wypowiedzi na ten temat zaczynały się od słów: „Reichsführer SS życzy sobie", „Reichsführer SS rozkazał". Nigdy nie można było poznać jego osobistego zdania.

Ja osobiście, jako adiutant obozu koncentracyjnego w Sachsenhausen, jako komendant obozu koncentracyjnego w Auschwitz, a szczególnie później jako szef urzędu D I miałem z nim dużo do czynienia. Nigdy przy tym nie spotkałem się z tym, aby choć raz powiedział: „Taka jest moja decyzja, rozkazuję to i to, tego sobie życzę". Zawsze krył się za Reichsführerem SS lub Szefem Policji Bezpieczeństwa i Służby Bezpieczeństwa, chociaż każdy wtajemniczony wiedział, że on był osobą decydującą i że Reichsführer SS lub Kaltenbrunner zdawali się całkowicie na niego we wszystkich sprawach dotyczących więźniów. On decydował zarówno o wszystkich uwięzieniach, jak i zwolnieniach. Również i w sprawach egzekucji, jeśli były zarządzane przez RSHA, decydował tylko on, tzn. w ważnych przypadkach przedstawiał rozkazy egzekucji Reichsführerowi SS do podpisu.

Müller orientował się bardzo dokładnie w delikatnej dziedzinie więźniów specjalnych. Znał wszystkie szczegóły odnośnie do każdego z tych niezliczonych więźniów, wiedział, gdzie są przetrzymywani oraz znał ich słabe strony.

Müller był niesłychanie wielostronnym i wytrwałym pracownikiem. Rzadko jednak przebywał w podróżach służbowych. Zawsze dniem czy nocą, w dzień roboczy czy świąteczny, można go było zastać w biurze lub w domu. Miał dwóch adiutantów i dwie sekretarki, które zatrudniał stale na dzienną i nocną zmianę. Na każde pytanie udzielał szybko odpowiedzi, przeważnie dalekopisem, „ponieważ przecież musiał zawsze najpierw uzyskać decyzję Reichsführera SS".

Od Eichmanna i Günthera, którzy mieli z nim znacznie więcej do czynienia niż ja, wiem, że kierował najważniejszymi posunięciami w akcjach żydowskich, mimo iż pozostawiał w tych sprawach Eichmannowi dużo swobody.

Jak już wyżej powiedziałem, był dokładnie poinformowany o wszystkich obozach koncentracyjnych, w tym również o Auschwitz, którego osobiście nigdy nie widział. Wiedział jednak dokładnie o wszystkich szczegółach, czy to chodziło o Brzezinkę lub krematoria, czy też o liczbę więźniów lub dane co do śmiertelności tak dalece, iż nieraz wprawiało mnie to w zdumienie.

Zgłaszane przeze mnie wnioski w sprawie wstrzymania lub też zahamowania akcji, by w ten sposób umożliwić usunięcie niedomagań, były zawsze bezskuteczne, ponieważ zawsze zasłaniał się bezwzględnym rozkazem Reichsführera SS: „Zarządzone akcje mają być bezwzględnie przeprowadzone!”. W tych sprawach próbowałem u mego wszystkiego, ale bez skutku, mimo iż poza tym uzyskiwałem od niego to, co innym nigdy by się nie udało. Szczególnie później, gdy byłem w D I, polegał w dużym stopniu na moim sądzie. Dzisiaj jestem zdania, iż warunków w Auschwitz nie chciano zmienić, aby przez to zwiększyć skuteczność akcji.

Müller miał możność powstrzymania lub zahamowania akcji, mógł o tym przekonać również i Reichsführera SS. Nie czynił jednak tego, ponieważ tego sobie nie życzono, mimo iż dokładnie mógł przewidzieć skutki. Tak to widzę dzisiaj. Wówczas nie mogłem dociec przyczyn postępowania RSHA.

Müller powtarzał mi wielokrotnie: „Reichsführer SS jest zdania, iż zwolnienie więźniów politycznych podczas wojny ze względów bezpieczeństwa jest niedopuszczalne. Dlatego też wnioski o zwolnienie powinny być ograniczone do minimum i przedstawiane jedynie w szczególnych przypadkach”. „Reichsführer SS wydał rozkaz, iż więźniów obcych narodowości nie wolno zwalniać w czasie wojny”. „Reichsführer SS życzy sobie, aby również przy niewielkich wykroczeniach sabotażowych ze strony więźniów obcych narodowości dla odstraszenia żądano ich egzekucji”.

Po tym, co wyżej powiedziano, nie trudno jest zgadnąć, kto stał za tymi rozkazami i życzeniami. Reasumując, można powiedzieć, że RSHA, a co najmniej jego aparat wykonawczy i wszystkie jego skutki — to był Müller.

W osobistych kontaktach Müller był poprawny, uprzejmy, koleżeński, nie dawał odczuć swej rangi ani tego, że jest przełożonym, nie można jednak było nawiązać z nim bliższego kontaktu. Potwierdzali mi to zawsze również jego współpracownicy, którzy od lat u niego pracowali.

Müller był zimnym jak lód wykonawcą lub organizatorem wszystkich zarządzeń uznanych przez Reichsführera SS za konieczne do zapewnienia bezpieczeństwa Rzeszy.

H.

W listopadzie 1946

Gerhard Palitzsch

SS-Hauptscharführer Palitzsch[242] był z pochodzenia Saksończykiem. W roku 1933 przeszedł z „pogotowia politycznego” w Dreźnie do jednostki wartowniczej w obozie koncentracyjnym w Sachsenburg. W roku 1936

[242] Gerhard Palitzsch urodził się w 1914 r. Był członkiem NSDAP i SS. Doszedł do stopnia SS-Hauptscharführera. Pełnił kolejno służbę w obozach koncentracyjnych Lichtenburg, Buchenwald i Sachsenhausen. W Sachsenhausen był kolejno Block- i Rapportführerem. W maju 1940 r. został przeniesiony do Auschwitz, a po utworzeniu obozu familijnego dla Cyganów B II e — jego komendantem. Następnie przeniesiono go na stanowisko kierownika podobozu w Bernie. Był aresztowany i oddany pod sąd SS za przestępstwa kryminalne. Dalszy jego los jest nieznany.

został przeniesiony do Sachsenhausen na stanowisko Blockführera. Poznałem go pełniącego tę funkcję, gdy w roku 1938 przybyłem do Sachsenhausen w charakterze adiutanta. W sztabie komendantury Palitzsch nie zwrócił na siebie mojej uwagi. Schutzhaftlagerführer Sauer, Rapportführer Schitli i później Eisfeld często podkreślali jego obrotność i gorliwość w służbie. Po przeniesieniu Schitliego Palitzsch został Rapportführerem i był nim jeszcze w tym okresie, gdy ja byłem Schutzhaftlagerführerem tamtejszego obozu. Palitzsch pełnił służbę ku zadowoleniu wszystkich. Mimo tego nie mogłem się nigdy pozbyć uczucia, iż szykanuje on potajemnie więźniów. Wiele go obserwowałem, pytałem o to konfidentów, nie znalazłem jednak uzasadnienia do wystąpienia przeciwko niemu. Dziwiłem się jedynie, że więźniowie niechętnie o nim mówili i próbowali udzielać zawsze wymijających odpowiedzi. Blockführerzy i dowódcy drużyn roboczych w Sachsenhausen wraz ze swym Rapportführerem, wyjąwszy kilka osób postronnych, tworzyli przysięgłą grupę starych wygów obozowych, którzy służyli jeszcze przed Eickem, Loritzem i Kochem, zostali przez nich wychowani i wyszkoleni. Jeden krył drugiego. Więźniowie w większości znali ich również od lat, a kapo do nich się przyzwyczaili i reagowali na ich każde mrugnięcie oka.

Nie wiadomo mi, nigdy również o tym nie słyszałem, aby Palitzsch w czasie swej służby w Sachsenhausen robił jakieś świństwa. Nie wątpię w to, iż bił więźniów. W każdym razie już w Sachsenhausen był na tyle szczwany, iż nie dał się złapać. Pod kierunkiem wymienionych wyżej komendantów przeszedł dobrą szkołę.

W czasie organizowania Auschwitz Inspektorat Obozów Koncentracyjnych na wniosek Loritza przydzielił mi go wraz z 30 wybranymi przez niego przestępcami zawodowymi. Z jednej strony byłem z tego zadowolony, ponieważ w osobie Palitzscha otrzymałem starego, doświadczonego Rapportführera, który miał przynajmniej pojęcie o obozie koncentracyjnym, był gorliwym w służbie i potrafił sobie radzić z więźniami. Z drugiej jednak strony miałem wrażenie, i to od samego początku, że Palitzsch jest nieszczery i dwulicowy. Wrażenie to się potwierdziło. W krótkim czasie Palitzsch nawiązał kontakt z Fritzschem i drugim Schutzhaftlagerführerem Meierem i aktywnie uczestniczył w ich machinacjach. U Meiera zdobył ostateczny szlif w zakresie tuszowania wszelkich możliwych łajdactw.

Meier był również „gorąco polecony" przez Glücksa, ponieważ ze względu na swoje wstrętne postępowanie nie mógł pozostać w Buchenwaldzie nawet godziny dłużej. Był on jedną z kreatur Kocha, gotowy do popełnienia każdego świństwa — prawdziwy gangster. W Auschwitz był też jedynie przez kilka miesięcy, dopóki nie udowodniłem mu nadużyć i nie przekazałem pod sąd SS. Glücks był na mnie wówczas bardzo zły, ponieważ przypuszczał, iż będzie się musiał tłumaczyć Reichsführerowi SS. Meier podawał się za krewnego Reichsführera SS i na skutek tego powstrzymywał wielu przełożonych od wystąpienia przeciwko niemu.

Do spółki z tym Meierem i zawodowym przestępcą o tym samym nazwisku, z zawodu krawcem, Palitzsch uprawiał handel złotem, kosztownościami i materiałami, które nielegalnie konfiskował w Auschwitz. Konfiskaty te przeprowadzali oni w dodatku w moim imieniu. O tym wszystkim dowiedziałem się dopiero w roku 1944 od ponownie zatrzymanego więźnia Meiera, kiedy to Palitzsch został postawiony przed sąd SS. Więźniowi temu Palitzsch wraz z dwoma podoficerami z administracji obozu pomógł w ucieczce z obawy, aby te machinacje się nie wydały. Więzień Meier zagroził im, iż wszystko wyda, jeśli nie pozwolą mu uciec. O tej dobranej trójce Meier-Palitzsch-Meier można by napisać pasjonującą powieść kryminalną.

Następcą Meiera został Seidler. Seidler znał Palitzscha z Sachsenburga, następnie byli razem przez kilka lat w Sachsenhausen. Jeżeli Seidler nie był kreaturą w rodzaju swego poprzednika, to miał on analogiczne zdanie odnośnie do traktowania więźniów jak Fritzsch i Palitzsch oraz tuszowania przede mną uchybień.

W służbie Palitzsch był bardzo gorliwy. Zawsze był na posterunku i wszędzie się go spotykało. O wszystkim wiedział lepiej aniżeli Schutzhaftlagerführerzy. Można mu było zlecać najtrudniejsze zadania. Więźniów trzymał w ręku; poprzez swój system szpiclowania pilnował kapo i blokowych, wygrywając jednych przeciwko drugim. Otaczał opieką funkcyjnych cieszących się najgorszą sławą, którzy, gdy ich działalność stała się zbyt rażąca, kierowani byli do karnej kompanii. Palitzsch wydostawał ich jednak stamtąd we właściwym czasie. Tacy, którzy zbyt wiele wiedzieli lub też nie chcieli więcej współdziałać, ulegali śmiertelnym wypadkom przy pracy lub też umierali na tyfus plamisty. „Nieśmiertelny" starszy obozu Brodniewicz[243] był dyrygentem z ramienia Palitzscha.

Palitzsch był zbyt sprytny, aby się z czymś zdradzić. Dostatecznie wiele się nauczył i miał doświadczenie. Poza tym Fritzsch, Seidler i Aumeier zawsze go kryli. Po aferze Meiera śledziłem go jak sam diabeł. Palitzsch wiedział o tym i czuł, bardzo się więc pilnował. W ciągu trzech i pół roku nie mogłem go złapać, chociaż bardzo się o to starałem. Nie było możliwości dowiedzenia się czegokolwiek o Palitzschu od więźniów, nawet od tych, którzy zostali przeniesieni do innych obozów. Strach przed konsekwencjami był zbyt wielki. Schwytany więzień Meier zaczął mówić dopiero wówczas, gdy był całkiem pewien, że Palitzsch również siedzi. Osoby postronne nie są w stanie zrozumieć tego wszystkiego, ale jeśli ktoś był więźniem w Auschwitz lub też w jakiś inny sposób był zorientowany w stosunkach, ten wie, jaką władzę miał Palitzsch i jaką odgrywał rolę.

Palitzsch był zawsze obecny przy egzekucjach, a nawet większość z nich wykonywał osobiście za pomocą strzału w potylicę. Wiele go obserwowałem, nie mogłem jednak nigdy dojrzeć oznak żywszej reakcji.

---

[243] Bruno Brodniewicz, więzień kryminalny z Sachsenhausen. Przywieziony został do Oświęcimia przez Palitzscha w gronie 30 więźniów 20 maja 1940 r. Otrzymał numer więźniarski 1 i został starszym obozu (Lagerältester).

Obojętny i opanowany, bez pośpiechu i z nieporuszoną twarzą wykonywał swoje okropne dzieło. W czasie jego służby przy komorach gazowych nie zauważyłem u niego oznak sadyzmu. Miał zawsze nieruchomą twarz, bez żadnego wyrazu. Był prawdopodobnie psychicznie tak zahartowany, iż mógł bez przerwy zabijać, o niczym nie myśląc. Palitzsch był jedynym spośród uczestniczących bezpośrednio w zagładzie, który nie zwracał się do mnie, aby się zwierzyć z tego, co przeżywał na widok tych okropności. Na skutek śmierci swej żony w roku 1942 na tyfus stracił resztki wewnętrznego oparcia i wszelkie hamulce. Zaczął bezgranicznie pić i miał stale historie z kobietami. Kobiety, przeważnie nadzorczynie, przychodziły i wychodziły stale z jego mieszkania. Przed tym nigdy o tym nie słyszałem. W ten sposób doszło do jego stosunku z łotewską Żydówką w Brzezince, na czym go wreszcie przyłapano. Na długo przed tym ostrzegałem Schwarzhubera przed sprawkami Palitzscha i zwracałem uwagę na jego słabe strony. Schwarzhuber również go od dawna śledził.

Po aresztowaniu Palitzscha stopniowo wychodziły na jaw jego wszystkie łotrostwa. Już w roku 1940 przywłaszczył on sobie od Żydów przebywających w Auschwitz i nowo przybyłych Polaków niesłychane ilości pieniędzy, kosztowności, materiałów, odzieży itd. Później w czasie akcji żydowskich kontynuował to na olbrzymią skalę. Wówczas stał się jednak bardziej wybredny i brał jedynie rzeczy najcenniejsze.

O jego wybuchach wściekłości w obozie i maltretowaniu więźniów nie można się było dowiedzieć niczego dokładnego nawet po jego aresztowaniu. Więźniowie udzielali wymijających odpowiedzi, obawiali się bowiem kapo i blokowych. Nie udało się stwierdzić, czy Palitzsch zabijał więźniów według swego widzimisię i własnego uznania, można jednak przyjąć, iż tak było. Był on na tyle przezorny, że nie pozostawił niewygodnych wtajemniczonych. Nie potrzebował zresztą nawet sam zabijać i maltretować. Miał dość oddanych sobie typów wśród więźniów, którzy chętnie to robili, aby zapewnić sobie korzyści kosztem współwięźniów. Co ich obchodziło życie i zdrowie kolegów, byle tylko im było dobrze!

Palitzsch jest głównie winien temu, iż mogło dojść do takich dzikich ekscesów i do nieludzkiego maltretowania więźniów. Jako Rapportführer mógł on w większości przypadków nie dopuścić do tego, ale on tego właśnie chciał, aby zaspokoić swoją żądzę władzy. Jemu też głównie należy przypisać to, że wybryki kapo i innych tego rodzaju typów mogły przejawić się w tak zbrodniczy sposób, jak to miało miejsce w Auschwitz. Odpowiadało to jego linii postępowania, chciał on nad wszystkim zapanować. W oparach alkoholu często chełpił się, że jest najpotężniejszym człowiekiem w obozie i że ma wszystko w ręku.

Nie wiem, w jakim stopniu Fritzsch, Seidel i Aumeier uzależnieni byli od niego na skutek popełnienia jakichś uchybień, jest jednak możliwe, że Palitzsch świadomie uwikłał ich w jakieś sprawy i trzymał ich przez to w ręku. Żaden środek umacniający jego władzę nie był dla niego zły.

Również w stosunku do swoich kolegów zachowywał się w podobny sposób. Jeżeli któraś z podległych mu osób nie podobała mu się czy też mu zawadzała, przy nadarzającej się okoliczności „potykała się” i była usuwana z zasięgu jego działania.

Przedstawiając Glücksowi moje zastrzeżenia, wielokrotnie podejmowałem próby pozbycia się go. Glücks jednak nic nie czynił. Stwierdził, iż nie przeniesie go, dopóki nie będzie miał w ręku oczywistych dowodów. Jego zdaniem powinienem na Palitzscha lepiej uważać, muszę przecież sobie radzić z podoficerami.

Palitzsch był najbardziej sprytnym i przebiegłym typem, jakiego poznałem w czasie mej wieloletniej i różnorodnej służby w różnych obozach koncentracyjnych. Szedł on dosłownie po trupach, aby zaspokoić swoją żądzę władzy.

H.

W listopadzie 1946 r.

Oswald Pohl

Szefa SS-Wirtschafts- und Verwaltungs-Hauptamt, SS-Obergruppenführera Oswalda Pohla,[244] znam od rozpoczęcia mej służby w Dachau, tj. od dnia 1.XII.1934 r. Pohl pochodzi z Kilonii i służył w SA marynarki, skąd w roku 1934 zabrał go Reichsführer SS i przeniósł na stanowisko szefa administracji w Reichsführung SS.

Podczas gdy za jego poprzedników urząd ten nie odgrywał prawie żadnej roli, Pohl w ciągu bardzo krótkiego czasu potrafił nie tylko stać się niezbędnym dla Reichsführera SS, ale również uczynić swój urząd postrachem i zapewnić mu wielką władzę. Tak np. jego inspektorzy kontroli — przez niego wyszukani, popierani i wyłącznie przed nim odpowiedzialni — byli postrachem wszystkich oficerów administracyjnych we wszystkich placówkach SS. Na skutek tego Pohl osiągnął to, że administracja SS pracowała uczciwie i niezawodnie, wszyscy zaś nieuczciwi i niegodni zaufania kierownicy administracyjni zostali wyłowieni i usunięci.

Za poprzedników Pohla wyżsi dowódcy jednostek SS w sprawach pieniężnych byli dosyć samodzielni i rządzili się według własnego widzimisię.

[244] Oswald Pohl urodził się 30 czerwca 1892 r. Był członkiem NSDAP nr 30842 od 1926 r. i SS nr 147614 od 1934 r., wyróżnionym odznakami pierścienia SS i szpady SS. W 1942 r. doszedł do stopnia SS-Obergruppenführera. 1 marca 1937 r. został powołany na stanowisko szefa Zarządu Gospodarczego Niemieckiego Czerwonego Krzyża. Był szefem administracji w Głównym Urzędzie SS, od kwietnia 1939 r. kierownikiem urzędu administracji. Po utworzeniu WVHA 3 marca 1942 r. stanął na jego czele. Osobiście zaangażowany w eksperymenty żywieniowe w obozach koncentracyjnych, miały one tak jak roślinna kiełbasa z biopsyny zapewnić wyżywienie walczącej armii. Ponosi jako szef Głównego Urzędu Gospodarki i Administracji (SS-Wirtschafts-Verwaltungshauptamt) odpowiedzialność za działanie całości urzędu. Wyrokiem Amerykańskiego Trybunału Wojskowego w Norymberdze z 3 listopada 1947 r. został skazany na karę śmierci. Wyrok wykonano.

Pohl uzyskał zgodę Reichsführera SS na to, że wszelkie wydatki pieniężne w całej SS wymagały jego zezwolenia i podlegały jego kontroli. Napsuło to wiele krwi i wywołało wiele irytacji, Pohl jednak przeprowadził swoje z właściwą mu energią i zdobył przez to niesłychany wpływ na wszystkie jednostki SS. Nawet największe przekory wśród wyższych oficerów SS, jak Sepp Dietrich[245] i Eicke, musieli spuścić z tonu i prosić Pohla o pieniądze, jeżeli chodziło o środki pozabudżetowe.

Każda jednostka SS miała dokładnie wyliczony budżet roczny, który musiał być bardzo skrupulatnie przestrzegany. Tropiciele Pohla, jego inspektorzy kontroli, znajdowali każdy jeden fenig za dużo lub za mało wykorzystany.

Od samego początku głównym zadaniem Pohla było jednak stopniowe całkowite finansowe uniezależnienie SS od państwa i partii i poprzez stanowiące własność SS przedsiębiorstwa gospodarcze zagwarantowanie Reichsführerowi SS swobody działania, koniecznej przy realizacji jego wszystkich planów i dalekosiężnych zadań, o których wykonalności Pohl był zdecydowanie przeświadczony i nad realizacją których nieustannie pracował. Prawie wszystkie przedsiębiorstwa gospodarcze powstały z jego inicjatywy, poczynając od Niemieckich Zakładów Zbrojeniowych — DAW, fabryki porcelany Allach, od zjednoczonych w Niemieckich Zakładach Ziemnych i Obróbki Kamienia — DEST — kamieniołomów i klinkierni, cegielni i cementowni. Zakłady odzieżowe, zjednoczone w W III — Niemieckich Zakładach Artykułów Spożywczych piekarnie, masarnie, sklepy spożywcze i kantyny, liczne rozlewnie wód leczniczych, przedsiębiorstwa rolne i leśne, drukarnie i wydawnictwa książek, stanowiły poważną siłę gospodarczą. A był to dopiero początek. Pohl opracowywał plany gospodarcze, które by pozwoliły usunąć w cień nawet IG-Farbenindustrie. Przy swojej energii był w stanie do tego doprowadzić.

Reichsführer SS potrzebował ogromnych środków finansowych, choćby na same zakłady badawcze i doświadczalne. Pohl zawsze mu ich dostarczał. Reichsführer SS miał gest w przyznawaniu pieniędzy na finansowanie najbardziej dziwnych pomysłów, Pohl zaś wszystko finansował. Nie sprawiało mu to trudności, mimo bowiem olbrzymich nowych inwestycji przedsiębiorstwa gospodarcze SS przynosiły ogromne zyski.

Formacje Waffen-SS, obozy koncentracyjne, RSHA, policja i później jeszcze kilka innych placówek SS finansowane były przez państwo. Roz-

---

[245] Joseph Sepp Dietrich urodził się 28 maja 1892 r. w Hanowerze. Był rzeźnikiem z zawodu. Podczas pierwszej wojny światowej był podoficerem armii cesarskiej Po objęciu władzy przez Hitlera w Niemczech szef SS-Oberabschnitt Süd (Południowy Okręg Administracyjny SS) w Monachium. W tym samym roku (1933) został dowódcą osobistej ochrony Wodza i Kanclerza Rzeszy tzw. Leibstandarte SS Adolf Hitler, przekształconej kolejno w pułk, dywizję i korpus. Podczas lądowania aliantów w Normandii w 1944 r. dowodził zorganizowana doraźnie 4 Armią Pancerną, a następnie 6 Armią Pancerną, jedyną armią SS, która po walkach na Zachodzie przerzucona została na Węgry w celu odblokowania Budapesztu. Marcowa ofensywa 1945 roku załamała się, a 6 Armia SS poniosła ogromne straty. Doszedł do stopnia SS-Obergruppenführera.

mowy w sprawach budżetowych na polecenie Pohla prowadził Gruppenführer Frank,[246] pomocnik Pohla, referent spraw budżetowych i jego zastępca. Te rozmowy budżetowe z Ministerstwem Finansów Rzeszy były walkami o władzę pierwszej klasy, bo bez środków państwowych nie można było wystawić ani jednej nowej kompanii formacji Waffen-SS. Frank był mądry i nieustępliwy i realizował swoje postulaty w rozmowach trwających niekiedy całe tygodnie. Był on wyszkolony przez Pohla i miał Pohla za sobą. Później Frank zreorganizował administrację policji, która była całkowicie skostniała. Po zamachu na Führera Frank został szefem administracji armii. Za nim stał Pohl i dyrygował.

Frank i Lörner,[247] późniejszy szef Amtsgruppe B, byli najbliższymi współpracownikami i zaufanymi Pohla od roku 1934 i tylko oni dwaj mogli się odważyć na przeciwstawienie się mu w krytycznych sytuacjach i bezwzględne powiedzenie swego zdania.

Reichsführung SS i wraz z nim administracja w pierwszych latach po przejęciu władzy miały swoją siedzibę w Monachium. Pohl w tym czasie mieszkał w Dachau w bezpośrednim sąsiedztwie obozu. Na skutek tego od początku stykał się z obozem koncentracyjnym i z więźniami. Dzięki temu poznał gruntownie potrzeby obozu koncentracyjnego i jego mieszkańców. 2 powodu żywego interesowania się zagadnieniem rozbudowy przedsiębiorstw gospodarczych w obozie koncentracyjnym w Dachau bywał on w obozie bardzo często, w niedziele zaś chodził chętnie po wszystkich obiektach obozu. Unikał jednak rozmyślnie wkraczania do właściwego obozu, aby inspektorowi obozów koncentracyjnych Eickemu nie dać powodu do ewentualnych skarg u Reichsführera SS.

Pohl i Eicke — obaj gwałtowne natury — mieli ze sobą stale starcia, często nawet poważne nieporozumienia. Ich poglądy na prawie wszystkie problemy z zakresu ich służby i kompetencji były przeważnie sprzeczne. Także w sprawie traktowania więźniów — o ile Pohl miał w tym zakresie coś do powiedzenia — jak pomieszczenia, wyżywienie, zaopatrywanie w odzież oraz praca w przedsiębiorstwach gospodarczych. Przez cały okres mej znajomości z Pohlem, aż do klęski, miał on zawsze jednakowy stosunek

---

[246] August Frank urodził się 5 kwietnia 1898 r. Był członkiem NSDAP nr 1471185 i SS nr 56169, wyróżnionym odznakami pierścienia SS i szpady SS. W 1944 r. doszedł do stopnia SS-Obergruppenführera. W latach 1920–1930 służył w policji bawarskiej. Od 1933 r. pracował w administracji gospodarczej SS. Od 1939 r. był szefem intendentury SS. W lutym 1942 r. objął stanowisko zastępcy szefa WVHA SS, kierując równocześnie Amtsgruppe A zajmującą się sprawami personalnymi i prawnymi załóg obozów koncentracyjnych. 1 października 1944 r. mianowanogo głównym intendentem Wehrmachtu. Wyrokiem ATW w Norymberdze z 3 listopada 1947 r. został skazany na dożywotnie więzienie.

[247] Georg Lörner urodził się 17 lutego 1899 r. Był członkiem NSDAP nr 676772 i SS nr 37719, wyróżnionym odznakami pierścienia SS i szpady SS. W 1943 r. doszedł do stopnia SS-Gruppenführera. W WVHA kierował Amtsgruppe B zajmująca się zaopatrzeniem i wyposażeniem, jak również uzbrojeniem formacji SS. Wyrokiem ATW w Norymberdze z 3 listopada 1947 r. został skazany na karę śmierci. Wyroku nie wykonano. Po odbyciu części kary został przedterminowo zwolniony z więzienia.

do wszystkich spraw więźniów. Był zdania, iż więzień, który jest dobrze i ciepło zakwaterowany, dostatecznie karmiony i odziany, pracuje pilnie i z własnej woli, kary zaś muszą być stosowane jedynie w nadzwyczajnych przypadkach.

Z inicjatywy Pohla założono w Dachau plantacje ziół leczniczych. Pohl był zapalonym zwolennikiem reformy życia. Na tej plantacji hodowano i uprawiano wszelkiego rodzaju przyprawy i zioła lecznicze w celu odzwyczajenia narodu niemieckiego od szkodliwych dla zdrowia obcych przypraw i sztucznych lekarstw i nakłonienia do używania na wszelkie dolegliwości nieszkodliwych i smacznych przypraw i naturalnych ziół niemieckich. Stosowanie tych przypraw we wszystkich formacjach SS i policji było obowiązkowe. Później w czasie wojny prawie cały Wehrmacht sprowadzał te przyprawy z Dachau.

Na plantacji Pohl miał często okazje do rozmów z więźniami na temat przyczyn ich uwięzienia i życia w obozie. W wyniku tego był na bieżąco zorientowany we wszystkich wydarzeniach w obozie koncentracyjnym w Dachau. Także w późniejszych latach przyjeżdżał prawie co miesiąc na plantację ziół, gdzie także zawsze zamieszkiwał, gdy miał coś do załatwienia w Monachium lub w pobliżu.

Pohl wypowiadał się zawsze za zwolnieniem znanych mu więźniów, jeżeli uważał, że byli oni niesłusznie aresztowani, lub gdy czas trwania uwięzienia wydawał mu się nieuzasadniony.

W szczególnie rażących przypadkach Pohl nie wahał się, choć tego zwykle unikał, interweniować osobiście u Reichsführera SS. Przeważnie jednak bez skutku, ponieważ w sprawach zwolnień Reichsführer SS opierał się zasadniczo na opinii RSHA.

Podczas mej działalności w charakterze D I do zadań moich należało m.in. osobiste forsowanie w RSHA wniosków Pohla o zwolnienie lub monitowanie w tych sprawach. Ustalał on zwykle krótkie terminy i bywał bardzo oburzony, gdy żądane zwolnienie nie następowało w tym czasie. Nie ustępował nawet przy najbardziej beznadziejnych wnioskach o zwolnienie, jak np. w przypadku komunistów norymberskich. W kilku jeszcze przypadkach Pohl uzyskał później tzw. warunkowe zwolnienie polegające na tym, że były więzień mógł pracować w jednym z obozowych przedsiębiorstw jako wolny pracownik cywilny pod nadzorem obozu koncentracyjnego. Ta w późniejszych latach wojny często stosowana forma zwolnień zdała egzamin. Recydywiści zdarzali się rzadko.

W roku 1941 obozy koncentracyjne zostały włączone do grupy D w WVHA i podporządkowane Pohlowi. Był on dokładnie poinformowany o wszystkich obozach przez różne związane z nimi przedsiębiorstwa gospodarcze, ich kierowników, przez czasowego inspektora tych przedsiębiorstw — Maurera, przez szefów Amtsgruppe i szefów urzędów A, B, C i W.

Po przejęciu obozów koncentracyjnych Pohl natychmiast przystąpił do ich reformy według swoich poglądów. Najpierw musiało odejść kilku komendantów obozów, którzy albo nie wykonywali poleceń Pohla, albo też, jak np. Loritz, zdaniem Pohla w ogóle się nie nadawali do służby w obozie koncentracyjnym.

Zasadniczymi wymaganiami Pohla było: przyzwoite traktowanie więźniów, zakazanie podległemu personelowi SS jakiejkolwiek samowoli w stosunku do więźniów, polepszenie możliwości wyżywienia, dostarczenie ciepłej odzieży w zimnej porze roku, odpowiednie zakwaterowanie i polepszenie wszystkich urządzeń higienicznych. Wszystkie te ulepszenia miały na celu utrzymanie więźniów, w takiej kondycji fizycznej, która by im pozwalała na wykonywanie żądanej pracy.

Wojna była jednak silniejsza od jego woli. Brak odpowiednich i godnych zaufania oficerów i podoficerów, przynajmniej dla obozów koncentracyjnych i dla obozów pracy, wzrost liczebności więźniów i powiększanie obozów i miejsc pracy, w wyniku czego kontrola całego personelu nadzorczego stała się prawie niemożliwa, nie pozwoliły na wyeliminowanie samowolnego i złego traktowania więźniów przez personel obozów. Do tego dochodził pogarszający się z miesiąca na miesiąc skład personelu wartowniczego. Wskutek stałego zmniejszania racji żywnościowych wyżywienie było coraz gorsze i niedostateczne. Nie pomagało Pohlowi również to, iż powołał inspektora do spraw wyżywienia. Inspektor ten, prof. Schenk, mimo rozległej wiedzy i umiejętności nie może zwiększyć racji. Niewielka poprawa w wyniku ulepszonych receptur, częściowe podawanie surówek oraz dodatków i dzikich jarzyn zwiększają teoretycznie liczbę kalorii. Kolejne zmniejszenie przydziałów niweczy jego wysiłki.

Braki materiałów tekstylnych powodują jedno zmniejszenie przydziałów dla więźniów za drugim. Normy zaopatrzenia w odzież nie można było utrzymać już w roku 1940. Także i tekstylia oraz obuwie uzyskiwane z akcji zagłady Żydów nie mogły w istotny sposób polepszyć zaopatrzenia. W wyniku nieustannego zatłoczenia wszystkich obozów, braku materiałów budowlanych i wreszcie zatrzymania wszelkich robót budowlanych dostarczenie odpowiednich pomieszczeń więźniom było niemożliwe.

Nawet najlepszy kierownik budowy nie był w stanie nadążyć za tempem rozrostu obozu, pomijając już zagadnienie budowania pomieszczeń na zapas. Całkowicie niemożliwe było polepszenie i rozbudowa urządzeń sanitarnych.

Pohl przeprowadzał systematycznie inspekcje wszystkich obozów koncentracyjnych i większości obozów pracy. Widział dokładnie zły stan obozów i starał się wszędzie pomagać i poprawiać. Jeśli gdziekolwiek spotkał się z przewinieniem oficera czy też podoficera, występował przeciwko nim z całą surowością, bez względu na osobę i zasługi. Jego inspekcje były przeważnie nie zapowiadane i bardzo dokładne. Nie pozwalał się oprowadzać, chciał sam wszystko widzieć. Pędził z jednego miejsca w drugie bez względu na czas, osobę, posiłki itd. Miał wspaniałą pamięć. Raz wymienionych liczb nigdy nie zapominał. Nie zapominał również tego, co widział, jak i wydanych poleceń podczas poprzednich inspekcji. Wydane rozkazy i zalecenia zawsze dokładnie pamiętał. Przyłapanie na uchybieniu lub zaniedbaniu kończyło się zawsze źle dla zainteresowanych.

Prócz Dachau szczególną uwagę zwracał na Auschwitz. Z całą energią angażował się w prace przy budowie i rozbudowie Auschwitz. Kammler często mi mówił, że wszystkie narady budowlane w Berlinie Pohl rozpoczynał pytaniem, jak idzie w Auschwitz. Urząd SS do spraw surowców miał bogate akta z żądaniami, monitami i ostrymi listami Pohla dotyczącymi Auschwitz. Ja byłem chyba jedynym oficerem w całej SS, który miał takie szerokie pełnomocnictwa in blanco do zdobywania wszystkiego, co było potrzebne dla Auschwitz.

Później, gdy byłem D I, pędził mnie stale do obozów koncentracyjnych i obozów pracy, wszędzie tam, gdzie zauważył niewłaściwości, których nie mógł wyjaśnić, abym szukał winnych i ewentualnie przeciwdziałał najgorszemu.

Ponieważ jednak Himmler nie usunął głównej przyczyny, wszelkie starania o naprawienie były z góry skazane na niepowodzenie.

Z jednej strony Pohl był zimnym, trzeźwym rachmistrzem, człowiekiem liczb, który wymagał od swoich podwładnych jak najdalej idącego poczucia obowiązku i wydajności pracy, który zaniedbania i uchybienia ścigał w nieludzki, ostry sposób i brutalnie przeprowadzał swoją wolę i swoje życzenia. Biada temu, kto się odważył krzyżować jego plany; nie spoczął, póki nie unieszkodliwił lub nie zniszczył przeciwnika.

Z drugiej strony był bardzo koleżeński, pomagał każdemu, kto bez własnej winy wpadł w kłopoty. Szczególnie w stosunku do kobiet był miękki, ustępliwy i taktowny. Szczególny nacisk kładł na to, aby nadzorczynie, dziewczęta ze służby łączności oraz pozostałe pracownice cywilne były traktowane uprzejmie i bez zarzutu. Szczególnie troszczył się o rodziny pozostałe po poległych lub zmarłych członkach SS i udzielał im daleko idącego poparcia. Mogły się one do niego zawsze zwracać. Zatrudniony w podległym mu sektorze oficer SS, który czegoś nie dopatrzył lub też zaniedbał, był raz na zawsze u niego skończony.

Pilną i dobrą pracę dostrzegał zawsze. Był zawsze wdzięczny za wszelkie pomysły, ulepszenia i wskazówki mające na celu usunięcie braków. Kto się u niego wyróżnił dobrymi osiągnięciami, zawsze mógł przyjść do niego ze swymi prośbami lub życzeniami. Pomagał zawsze, jeśli tylko było to w jego mocy.

Pohl był bardzo kapryśny i często wpadał z jednej skrajności w drugą. Nie wolno mu było sprzeciwiać się, kiedy był w złym nastroju. Powodowało to nieprzyjemne odprawy. Gdy był w dobrym nastroju, można mu było wszystko powiedzieć, nawet rzeczy najgorsze i najbardziej nieprzyjemne, niczego wówczas nie brał za złe. Niełatwo było przez dłuższy czas przebywać w jego bezpośrednim otoczeniu. Adiutanci zmieniali się często i nagle.

Pohl lubił reprezentację i chętnie pokazywał swoją potęgę. Miał skromny mundur i nie nosił żadnych odznaczeń do chwili, kiedy otrzymał krzyż niemiecki i krzyż rycerski do wojennego krzyża zasługi, a Reichsführer SS zmusił go do noszenia tych odznaczeń.

Mimo swego wieku, a miał przeszło pięćdziesiąt lat, był nadzwyczaj świeży, ruchliwy i niesłychanie wytrwały. Wyjazdy służbowe w jego towarzystwie nie należały do przyjemności.

Swoisty był jego stosunek do Reichsführera SS. U Himmlera Pohl był wszystkim. Każdy list, każdy dalekopis był podpisany: Pański wierny H. Himmler, mimo to jednak Pohl chodził do Reichsführera SS jedynie wówczas, gdy był wzywany. Wszystkie życzenia Reichsfuhrera SS, a było ich niemało, były dla Pohla rozkazem. Nigdy nie słyszałem ani też nie zauważyłem, aby Pohl zastanawiał się nad rozkazami Reichsführera SS lub też się o nich krytycznie wyrażał. Rozkaz Reichsführera SS był dla niego czymś niewzruszalnym, czymś, co musiało być wykonane bez względu na konsekwencje. Nie lubił również, gdy łamano sobie głowę nad rozkazami Reichsführera SS, które często były niejasne lub też mówiono o ich niewykonalności. Szczególnie Kammler i Glücks, którzy lubili dużo mówić i którzy również przy Pohlu na wiele sobie pozwalali, byli często przywoływani do porządku. Mimo gwałtownego usposobienia Pohl był najbardziej chętnym i posłusznym wykonawcą wszystkich życzeń i planów Reichsführera SS Heinricha Himmlera.

Pierwsze małżeństwo Pohla zostało rozwiązane w Dachau. Jego pierwsza żona nie dorastała do jego stanowiska. Z tego małżeństwa miał syna i dwie córki. Syn służył w Waffen-SS i wybitnie się wyróżniał. Kilkakrotnie ranny, był dobrym dowódcą oddziału. Obie córki wyszły za mąż za oficerów SS i miały wiele dzieci.

Drugie małżeństwo zawarł Pohl z wdową po oficerze, który zginął w czasie wojny światowej jako dowódca pułku. Z drugiego małżeństwa Pohl miał jeszcze dwoje dzieci. Pohl żył na szerokiej stopie w majątku SS w pobliżu Ravensbrück.

Jak widziałem w czasie 10-letniej znajomości, osobiście się w tym czasie nie wzbogacił. Nie lekceważył jednak korzyści, jakie dawało mu jego stanowisko.

W połowie kwietnia, wobec groźby przecięcia Rzeszy na dwie części, na rozkaz Reichsführera SS Pohl udał się wraz z pozostałą jeszcze częścią WVHA do Dachau. W Berlinie pozostało jedynie kilku oficerów łącznikowych. Jego rodzina wyjechała krótko przedtem do należącej do jego żony posiadłości w Alpach bawarskich. Amtsgruppe D do chwili ewakuacji Oranienburga miała jeszcze kontakt telefoniczny z szefem Hauptamtu. Później już więcej o nim nie słyszałem

Rudolf Höss

Kraków, w listopadzie 1946 r.

Heinrich Schwarz

SS-Hauptsturmführer Heinrich Schwarz[248] pochodził z Monachium i z zawodu był drukarzem. Był starym SS-manem i członkiem partii. Po rozpoczęciu wojny został powołany do formacji Waffen-SS i skierowany początkowo do garnizonu w obozie koncentracyjnym w Mauthausen, a następnie do pracy w samym obozie. Stamtąd w roku 1941 przyszedł do Oświęcimia na stanowisko kierownika Wydziału Zatrudnienia.

Schwarz był typem choleryka, łatwo pobudliwy, szybko się unosił. Nigdy jednak nie postępował w sposób nierozważny. Był bardzo sumienny i godny zaufania. Otrzymane rozkazy wykonywał dosłownie i do ostatka. Moje polecenia wykonywał szczególnie chętnie i dokładnie. W stosunku do Schwarza nie miałem nigdy podejrzenia, że mnie próbuje podejść lub oszukać. Inni oficerowie w obozie często go wyśmiewali z powodu jego służbowej gorliwości w stosunku do mnie. Nie był on również zbyt lubiany na skutek rygorystycznego podejścia do służby. W stosunku do łazików był bezwzględny.

Schwarz był niezmordowanym pracownikiem, żadnej pracy nie było mu zbyt wiele. Był zawsze rześki i chętny do pracy. Bez wahania mogłem mu zlecać najtrudniejsze zadania. Wykonywał je zawsze sumiennie i solidnie.

Jako kierownik Wydziału Zatrudnienia miał trudną pozycję. Jego podporządkowanie urzędowi D II Maurera nie było łatwe, ten zaś dawał mu się ciężko we znaki. Z urzędu D II przychodziły stale nowe, częstokroć sprzeczne z poprzednimi rozkazy i zarządzenia odnośnie do przeniesienia więźniów. Schwarz był odpowiedzialny za wybranie do pracy więźniów zgodnie z rzeczywistym zawodem i odpowiedni ich przydział. Więźniowie często zmieniali zawód w zależności od szans uzyskania lepszego zajęcia lub też z innych ważnych dla nich względów.

Szczególne kłopoty miał Schwarz zawsze przy wysyłaniu transportów do innych obozów. Nie zgadzała się wówczas nigdy ostateczna liczba, ponieważ zawsze kilku więźniów rozchorowało się lub też z jakichś względów w ostatnim momencie było zatrzymanych przez obóz. Postawieni do dyspozycji w miejsce brakujących więźniowie mieli znów inne zawody od wymaganych itd:

Gdy transport już wyruszył, zaczynały się reklamacje komendanta lub też Wydziału Zatrudnienia obozu przyjmującego. To więźniowie nie byli dostatecznie silni i nie mogli wykonywać przewidzianej dla nich pracy, to nie mieli najmniejszego pojęcia o pracy w podanym przez nich zawodzie. Listy, jakie Schwarz w wyniku tych reklamacji otrzymywał z D II, były miażdżące, roiły się od zarzutów nieudolności i niedbalstwa. Maurer robił to umyślnie w celu zachęcenia do pracy kierowników Wydziałów Zatrudnienia. Na skutek swej sumienności Schwarz był niejednokrotnie zrozpaczony takim

---

[248] Heinrich Schwarz urodził się 14 czerwca 1906 r. Byt członkiem NSDAP nr 786871 i SS nr 19691. Doszedł do stopnia SS-Haupsturmführera. Od 18 sierpnia do 11 listopada 1943 r. był pierwszym kierownikiem obozu macierzystego — Auschwitz I, a po podziale obozu — komendantem KL Auschwitz III (Monowitz) aż do wyzwolenia obozu.

stawianiem sprawy, mimo iż często mu powtarzałem, że D II nie traktuje tego tak poważnie; nie mógł się z tym pogodzić i aczkolwiek w zasadzie był dostatecznie odporny, do samego końca nie potrafił przezwyciężyć obawy przed listami Maurera.

Schwarz nie mógł się pogodzić z podwładnymi, pracując bowiem niezmordowanie, wymagał również tego samego od nich. Poza tym miał bardzo wielu nieprzydatnych, a nawet niezdolnych pracowników. O wymianie nie było co marzyć, ponieważ nie można było uzyskać nic lepszego. Schwarz był koleżeński, nie krył jednak żadnych uchybień i zaniedbań. Na skutek tego popadał stale w konflikt z obozem i oddziałem wartowniczym. Trzymano się przed nim na baczności tak samo jak przede mną.

Był on bardzo surowy w stosunku do więźniów, wymagał wiele pracy, ja miałem jednak zawsze wrażenie, że był sprawiedliwy. Nie tolerował samowoli. Szczególnie dużo pracy miał z podobozami, ich organizacją i nadzorowaniem. Wiele kłopotów miał również z przedsiębiorstwami do chwili, gdy sprawy zatrudnienia jako tako się ułożyły i zakłady zrozumiały, jak należy się obchodzić z więźniami. Poza tym stałe kłopoty z kierownikami drużyn, którzy często musieli być wymieniani. Ustawiczne zatargi między członkami załogi, zarówno własnej, jak i przydzielonej z wojska, marynarki i lotnictwa.

Mimo tej różnorodności zadań Schwarz panował nad wszystkim i był zawsze dokładnie zorientowany. Jeśli jednak mimo tego był przez podwładnych oszukiwany i jego zarządzenia nie były właściwie wykonywane, przyczyna leżała w niemożliwości stałego nadzoru i w braku godnych zaufania sił. Schwarz ze swej strony czynił wszystko, co było możliwe, aby zapobiegać złu oraz usuwać występujące braki.

W Schwarzu miałem wiernego pomocnika, który odciążał mnie w wielu istotnych sprawach, także w akcji zagłady Żydów. Kiedy Schwarz pełnił przy tym służbę, mogłem być spokojny. Jego uwagi nic łatwo nie uchodziło. Nie sądzę, aby Schwarz pozwalał sobie na samowolę lub też bez porozumienia ze mną w moim imieniu wydawał jakiekolwiek zarządzenia.

Jako kierownik Wydziału Zatrudnienia starał się, aby zgłaszane przez poszczególne placówki w Oświęcimiu zapotrzebowania na więźniów były zaspokajane stosownie do stopnia ważności zamierzonych prac, w czym sam się orientował, lub też w przypadkach wątpliwych w zależności od mojej decyzji. Z tego powodu miałem często poważne starcia z kierownikiem budowy i kierownikiem gospodarstwa rolnego.

Gdy Schwarz został komendantem obozu Oświęcim II, jego zadania nie uległy właściwie większej zmianie, tyle że pozbył się Wydziału Zatrudnienia, musiał jednak za to organizować stale nowe obozy pracy. Trudności z przedsiębiorstwami zwiększały się, w poszczególnych bowiem zakładach przemysłu zbrojeniowego również rzadko spotykało się kierowników i inny kierowniczy personel wykazujących właściwe zrozumienie dla spraw więźniów.

Schwarz uporczywie i zawzięcie żądał, aby więźniowie byli poprawnie traktowani, dobrze żywieni i właściwie zakwaterowani. W przypadkach reklamacji występował zdecydowanie i często ostro przeciwko osobom odpowiedzialnym i nie dawał spokoju do chwili usunięcia braków. Przeciwko ogólnym trudnościom nie mógł jednak nic zaradzić, starał się wszelako uzyskać poprawę, szczególnie przez polepszenie wyżywienia w wyniku zwiększenia dodatków żywnościowych.

Po ewakuacji Auschwitz przejął on po Hartjensteinie obóz Natzweiler. Natzweiler był już ewakuowany i składał się jedynie z podległych mu obozów pracy w Badenii i Wirtembergii. Warunki w tych obozach pracy, organizowanych na gwałt przez Organizację Todt, nie były o wiele lepsze aniżeli w Brzezince. Jako komendant Natzweiler Hartjenstein w okresie swej półrocznej działalności niczego istotnego nie zdziałał. Mieszkańcami tych obozów byli prawie wyłącznie Żydzi, wybrani z Auschwitz zgodnie z poglądami Maurera. Podczas nakazanej przez Pohla podróży inspekcyjnej jako kierownik urzędu D I widziałem tam prawie wyłącznie chorych i umierających. W czasie dalszego posuwania się Amerykanów w marcu/kwietniu 1945 roku Schwarz zgodnie z rozkazem wyruszył z żałosnymi resztkami swoich obozów pracy do obozu pracy przy obozie koncentracyjnym w Dachau.

Ogólnie biorąc, Schwarz był jednym z niewielu rzeczywiście przydatnych oficerów w obozie koncentracyjnym w Auschwitz.

H.

W listopadzie 1946 r.

Max Sell

SS-Obersturmführer Sell[249] w chwili wybuchu wojny został wcielony do oddziałów Trupich Główek jako rezerwista SS. Do Auschwitz Sell przybył z kobiecego obozu koncentracyjnego w Ravensbrück na polecenie Maurera w celu odciążenia kierownika Wydziału Zatrudnienia Schwarza. Nie przypominam sobie obecnie, kiedy to dokładnie było. Miał on się zajmować głównie korespondencją, kartoteką pracy oraz opracowywaniem meldunków, aby Schwarz mógł więcej czasu poświęcić obozom pracy.

Sella nie potrafiłem dokładnie przejrzeć. Był on zmęczony i powolny, orientował się z trudem, we wszystkich swoich pracach był bardzo niedbały, co gniewało Schwarza, który nie mógł na nim polegać i musiał wszystko po nim sprawdzać. Większość pracy Sell zlecał więźniom, nawet takie sprawy, które były zakwalifikowane jako „tajne sprawy państwowe". W wielu przypadkach robił on Schwarzowi na przekór i wciąż próbował kierować sprawami zatrudnienia według własnego zdania. Wielu firmom dawał przyrzeczenia, których nigdy nie można było dotrzymać. Podejrzewałem go również, iż ich chętnie brał łapówki.

---

[249] Max Sell urodził się 8 stycznia 1893 r. Był członkiem NSDAP i SS. Doszedł do stopnia SS-Obersturmführera.

Podczas akcji żydowskich, podobnie jak i inni oficerowie w obozie, pełnił 24-godzinną służbę. Miał on wówczas stale spory z będącymi na służbie lekarzami, ponieważ starał się zawsze „wybierać" na własną rękę. Stale podejrzewałem Sella, iż przywłaszcza sobie rzeczy Żydów i szczególnie bacznie go w związku z tym obserwowałem, nigdy jednak nie mogłem go na tym złapać. Również komisja specjalna sądu SS obserwowała go, ale bez skutku. Z więźniami obchodził się w zależności od humoru. „Jego służba pracy" — więźniowie, którzy dla niego pracowali, znajdowali się pod jego specjalną ochroną i z tego względu mogli sobie pozwalać na najgorsze machlojki. Te oszukańcze machinacje nasiliły się szczególnie z chwilą, gdy Sell po podziale Oświęcimia na trzy obozy został kierownikiem Wydziału Zatrudnienia.

Za pieniądze i przedmioty wartościowe sprytny więzień mógł uzyskać każdą odpowiadającą mu pracę. Schwarz często próbował przeszkodzić tym machinacjom, ale Sell potajemnie przywracał ten „czarny rynek pracy".

Szczególnie chętnie zajmował się on obozem kobiecym, tzn. usłużnymi strażniczkami i podobającymi mu się więźniarkami. Te ostatnie widocznie wyróżniał i umieszczał je na „wyższych" stanowiskach. O ogół więźniarek i ich zatrudnienie nie troszczył się prawie wcale, pozostawiał te sprawy łaskawie albo nieudolnej strażniczce, albo też samym więźniom. Mimo iż Maurer uczynił go później osobiście odpowiedzialnym za transporty więźniów do obozów pracy w Rzeszy, niewiele się o te sprawy troszczył.

Maurer chciał go zmienić jeszcze za moich czasów, w Auschwitz był już jego następca. Po paru jednak dniach musiałem kazać tego następcę aresztować, ponieważ schwytałem go na „odkładaniu na bok" rzeczy żydowskich w Kanadzie II. Został on skazany na śmierć. Na skutek tego wydarzenia Sell pozostał, Maurer bowiem nie miał innego oficera do dyspozycji. Maurer miał go jednak stale na oku i traktował go też bardzo surowo. Sell był jednak gruboskórny i nic sobie z tego nie robił.

Poza służbą Sell prowadził dość swobodny tryb życia — wiele kobiet i jeszcze więcej alkoholu. Odbijało się to naturalnie również na służbie. Żaden z jego podwładnych nie szanował go. Przez podlizywanie starał się zdobyć sympatię kolegów. Przyzwoici i porządni odsuwali go jednak. Oświęcimowi wyrządził Sell więcej szkody niż pożytku.

H

W listopadzie 1946 r.

Eduard Wirths

Sturmbannführer dr Eduard Wirths[250] był lekarzem garnizonowym obozu koncentracyjnego w Auschwitz od roku 1942 aż do ewakuacji.

---

[250] Dr Eduard Wirths urodził się 4 września 1909 r. Ukończył studia medyczne. Doszedł do stopnia SS-Obersturmbannführera. W 1942 r. pełnił funkcję lekarza obozowego w Dachau

Wirths miał przed wojną rozległą praktykę wiejską jako lekarz w Badenii na prowincji. Na początku wojny został wcielony jako lekarz do służby w formacji Waffen-SS i pełnił służbę, na froncie w różnych jednostkach. Na skutek pełnego zaangażowania się w wykonywanie obowiązków nabawił się w Finlandii poważnego schorzenia serca, w wyniku czego nie nadawał się już do służby frontowej. W ten sposób znalazł się w Inspektoracie Obozów Koncentracyjnych i w obozie koncentracyjnym w Auschwitz.

Wirths był dobrym lekarzem z silnie rozwiniętym poczuciem obowiązku, był bardzo sumienny i ostrożny. Miał szerokie wiadomości z zakresu wszystkich dziedzin medycyny i stale starał się poszerzać swoje wiadomości i umiejętności, był jednak bardzo miękki dobroduszny, dlatego też potrzebował silnej podpory i kogoś, na kim mógłby się oprzeć. Skrupulatnie wykonywał wszelkie otrzymane rozkazy i polecenia. W wątpliwych przypadkach upewniał się co do ich słuszności.

Dla zleconych przez Wydział Polityczny Grabnera zamaskowanych egzekucji przed ich wykonaniem żądał w zasadzie mego osobistego potwierdzenia; czynił to ku ciągłemu niezadowoleniu Grabnera, który miał mu to za złe. Wirths skarżył mi się często, iż nie może pogodzić tych wymaganych od niego zabójstw z sumieniem lekarza i z tego powodu bardzo cierpi. Prosił również ciągle Lollinga i naczelnego lekarza SS o skierowanie do innej pracy lekarskiej, jednakże bezskutecznie. Musiałem go podtrzymywać, wskazując na twardą konieczność wykonywania rozkazów wydawanych przez Reichsführera SS. Również problem zagłady Żydów powodował u niego skrupuły, o czym w zaufaniu często mi mówił.

W swej sumienności i dokładności sam przeprowadzał wszelkie eksperymenty z cyklonem B, przyrządzał roztwór kwasu cyjanowodorowego do zastrzyków oraz próby, aby tym preparatem można było przeprowadzać masowe odwszenie bez szkody dla zdrowia. Doświadczenia te wielokrotnie powodowały u niego obrażenia, aż wreszcie surowo mu ich zabroniłem.

Podległy mu personel lekarski i pielęgniarski, z niewielkimi wyjątkami, nie stanowił dlań zbyt wielkiej pomocy. W Auschwitz było zbyt mało lekarzy, większość z nich nie nadawała się, często, byli nie do zniesienia na skutek swego zachowania się i wad. Podobnie jak we wszystkich placówkach Auschwitz był tu chroniczny brak personelu. Prawie cała opieka lekarska znajdowała się w rękach lekarzy-więźniów, którzy pod „nadzorem" nielicznych lekarzy SS wykonywali swe czynności, częściowo bardzo dobrze i z korzyścią, częściowo jednak fatalnie. Działalność kapo i blokowych znajdowała swoje ukoronowanie na terenie szpitala. Z powodu wielkiej liczby rewirów dla chorych więźniów oraz panującego w nich bałaganu nie można ich było dostatecznie kontrolować. Nie było też prawie

---

i Neuengamme. Od 6 września 1942 r. do 18 stycznia 1945 r. był lekarzem garnizonu SS w Auschwitz. Odpowiedzialny za pracę lekarzy na rampie w Auschwitz, w okresie nasilenia transportów wiosną 1944 roku kierował do służby na rampie oficerów innych służb sanitarnych m.in. dentystów i aptekarzy. W maju 1945 r. popełnił samobójstwo w areszcie.

możliwości utrzymania konfidentów w szpitalu. Wtajemniczeni więźniowie woleli milczeć. Wirths informował mnie często o swych próbach likwidacji takiego stanu, jak również o niepowodzeniach w tym zakresie. Lekarzom czy pielęgniarzom nie można było udowodnić jakiejkolwiek niegodziwości, szczególnie w okresie masowej śmiertelności podczas epidemii. Podobnie bezskuteczne były próby Wirthsa wydobycia od więźniów — znajdujących się na rewirze na skutek okaleczeń spowodowanych pobiciem — nazwisk sprawców. Obawa przed wszechmocą i wszechwiedzą rzeczywistej władzy obozowej była zbyt wielka.

Za swój najważniejszy obowiązek Wirths uważał nadzór nad wszelkimi urządzeniami higienicznymi, ich ulepszanie, za pomocą wszelkich środków starał się usuwać braki w dziedzinie higieniczno-sanitarnej. Wirths znajdował się w stanie ciągłej wojny z kierownictwem budowy, ponieważ stale domagał się ulepszania i zakładania nowych urządzeń, a zauważywszy błędy nie spoczął, póki nie zostały one usunięte.

W swoich miesięcznych sprawozdaniach lekarskich do urzędu D III[251] oraz naczelnego lekarza SS Wirths przedstawiał w najdrobniejszych szczegółach z całą otwartością i w otwartej i bezwzględnej formie dokładny stan zdrowotny, stan urządzeń higieniczno-sanitarnych i występujące braki. W sprawozdaniach tych Wirths prosił o pomoc w usunięciu tego rażącego, a później — można powiedzieć — okropnego ogólnego stanu obozu. Każdy czytający te sprawozdania mógł sobie wyrobić pogląd na temat istniejących warunków. Również w ustnych meldunkach składanych w D III lub też u Reichsführera SS Wirths bez ogródek mówił o istniejącym stanie. Wymagane przez Pohla za pośrednictwem D III specjalne sprawozdania w okresie epidemii, np. wówczas, gdy wysokie liczby zmarłych zwracały uwagę, opracowywał Wirths w tak jaskrawy sposób i przede wszystkim tak wyraźnie podkreślał przyczyny prowadzące do tego złego stanu rzeczy, iż sprawozdania te mnie samemu wydawały się często przesadzone. Nie zgłaszałem jednak sprzeciwu. Ale wszystkie te raporty lekarskie nie przyniosły Auschwitz żadnej konkretnej pomocy. Żadna kompetentna nadrzędna placówka nie była nieświadoma katastrofalnych warunków panujących w obozie koncentracyjnym w Auschwitz i żadna z władz zwierzchnich — także RSHA — nie mogłaby nigdy powiedzieć, iż nic o tym nie wiedziała.

Wirths często ubolewał nad tym, iż nadrzędne instancje nie chciały nic na ten temat słyszeć, był jednak przekonany, iż pewnego dnia przyjdzie wreszcie zdecydowana interwencja z góry. Pozwalałem mu w to wierzyć, ale od czasu wizyty Reichsführera SS w lecie 1942 roku nie spodziewałem się już niczego więcej.

Wirths czynił wszystko, co było w jego mocy, aby usunąć najgorsze niedociągnięcia, miał dobre nadające się do realizacji pomysły: zanim

---

[251] Urząd D III WVHA SS zajmował się sprawami sanitarnymi i higieną obozu: składał się z następujących referatów: D III 1 — opieka lekarska i dentystyczna dla SS, D III 2 — opieka lekarska i dentystyczna nad więźniami, D III 3 — akcje sanitarne i higieniczne.

jednak przystąpiono do ich wykonania, stawały się już nieaktualne i bezprzedmiotowe na skutek zwiększającego się przepełnienia.

Wirths był moim oddanym i wiernym pomocnikiem, dobrym doradcą we wszystkich sprawach z zakresu jego kompetencji. Sam Lolling przyznawał, czego nie czynił zbyt chętne, że Wirths był najlepszym lekarzem spośród wszystkich lekarzy obozów koncentracyjnych. W okresie dziesięciu lat służby w obozach koncentracyjnych nie spotkałem lepszego od niego.

Więźniów traktował poprawnie i starał się być dla nich sprawiedliwy. Moim zdaniem był często zbyt łagodny i przede wszystkim zbyt łatwowierny. Jego dobroduszność była również wykorzystywana przez więźniów, szczególnie przez kobiety, często z uszczerbkiem dla niego. Szczególnie wyróżniał więźniów-lekarzy. Często miałem wrażenie, iż traktował ich jak kolegów.

Prowadzone przez niego wspólnie z bratem badania nad rakiem, a także, jak mi wiadomo, nieliczne zabiegi operacyjne w tej dziedzinie, nie były szkodliwe. Wyniki tych badań mają duże znaczenie dla całego świata medycznego; o ile wiem, były one jedyne w swoim rodzaju.

Po ewakuacji Auschwitz Wirths przybył najpierw do Mittelbau, a następnie do Bergen-Belsen i w końcu do Neuengamme. Jego choroba serca na skutek pracy w Auschwitz pogorszyła się do tego stopnia, iż był prawie niezdolny do pracy. Poważnie pogarszał się mu również słuch.

Żył w szczęśliwym związku małżeńskim i miał czworo dzieci. Wirths był bardzo koleżeński i lubiany przez kolegów. Pomagał każdemu, kto się do niego zgłosił. Jako lekarz pomagał również wielu rodzinom SS. Wszyscy mieli do niego zaufanie.

H

W listopadzie 1946 r.

Regulamin obozów koncentracyjnych

Niniejszy regulamin obozowy powstał w roku 1936 i miał charakter tymczasowego projektu. Na podstawie nabytych doświadczeń miał być później opracowany zasadniczy i bardziej szczegółowy regulamin obozowy. Według mojej najlepszej wiedzy odtworzyłem z pamięci sens najistotniejszych postanowień regulaminu obozowego.

Rudolf Höss

Kraków, 1 października 1946 r.

CEL OBOZÓW KONCENTRACYJNYCH

Poprzez zapobiegawcze osadzanie w obozie koncentracyjnym należy położyć kres rozkładowej, kreciej robocie wrogów państwa w stosunku do narodu i państwa.

Elementy aspołeczne, które dotychczas swobodnie działały na szkodę całego narodu, poprzez surowe wychowanie w porządku, czystości i systematycznej pracy mają zostać wychowane na pożytecznych ludzi.

Niepoprawni przestępcy i recydywiści poprzez zapobiegawcze osadzenie w obozie mają zostać wyeliminowani z narodu niemieckiego.

STRUKTURA OBOZU KONCENTRACYJNEGO

I. Komendantura
- Komendant obozu
- Adiutant — podoficer sztabowy
- Cenzura pocztowa

II. Wydział Polityczny
- Kierownik Wydziału Politycznego
- Służba Rozpoznawcza

III. Obóz
- Schutzhaftlagerführer
- Rapportführer
- Blockführer
- Arbeitsdienstführer
- Kommandoführer

IV. Administracja
Pierwszy szef administracji
Zarząd depozytów więźniów
Inżynier obozowy

V. Lekarz obozowy

Załoga wartownicza

Oficer dyżurny

I. Komendantura

Komendant obozu jest pod każdym względem w pełni odpowiedzialny za całokształt spraw obozowych. Jego pierwszym obowiązkiem jest stałe zapewnianie bezpieczeństwa obozu.

Musi on być zawsze osiągalny. Należy mu meldować o każdym ważnym wydarzeniu w obozie. Jeśli opuszcza teren obozu, powinien pisemnie przekazać obóz swemu zastępcy. Zastępca jest w pełni odpowiedzialny za obóz podczas nieobecności komendanta. Zastępcą jest zawsze Schutzhaftlagerführer. Po powrocie komendanta obozu zastępca znowu pisemnie przekazuje mu obóz i melduje o wszystkich ważnych wydarzeniach, jakie miały miejsce podczas nieobecności komendanta. Nieobecność komendanta obozu trwająca dłużej niż 24 godziny wymaga zezwolenia Inspektoratu Obozów Koncentracyjnych.

Komendant obozu w ciągłej gotowości powinien sprostać każdej zaistniałej sytuacji. Jego decyzje powinny być jasne i dobrze przemyślane, ponieważ ich skutki są często daleko idące.

W razie alarmu z powodu ucieczki, wyłamania, buntu ma on do dyspozycji całą załogę wartowniczą, aż do ostatniego żołnierza. W czasie trwania alarmu komendant obozu ma całkowitą władzę wydawania rozkazów i decyduje o akcji. Dowódca załogi wartowniczej podlega w tym czasie komendantowi obozu.

Komendant obozu powinien stale pouczać podwładnych oficerów i żołnierzy o ich obowiązkach i zadaniach, w szczególności o sprawach bezpieczeństwa obozu i obchodzenia się z więźniami.

W celu włączenia każdego więźnia do pracy komendant obozu powinien stworzyć odpowiednie warunki zatrudnienia. Ma on stale czuwać nad sprawami zatrudnienia. Komendant obozu ustala czas pracy więźniów, jak również czas wymarszu do pracy i powrotu.

Zwiedzanie obozu wymaga zezwolenia Reichsführera SS lub inspektora obozów koncentracyjnych. Zwiedzający powinni być oprowadzani przez komendanta obozu, a wyjątkowo, w razie jego nieobecności, przez jego zastępcę. Po zakończeniu zwiedzania należy zobowiązać zwiedzających do zachowania w tajemnicy tego, co widzieli.

Adiutant jest pierwszym pomocnikiem komendanta obozu i pozostaje z nim w specjalnym stosunku zaufania. Powinien on dbać o to, aby żadne wydarzenie w obozie nie pozostało komendantowi obozu nieznane.

Adiutant jest zwierzchnikiem wszystkich podoficerów i żołnierzy sztabu komendantury. Adiutantowi przedstawia się całą przychodzącą do obozu pocztę, który ją przegląda i rozdziela na poszczególne wydziały. Opracowuje on całość korespondencji z urzędami poza obozem, jak również wydziałami. Podpisuje pisma na polecenie (i.A.) lub też z rozkazu (A.B.) o mniej ważnej lub stale powtarzającej się treści.

Jest on referentem personalnym sztabu komendantury i przedstawia komendantowi propozycje nominacji i awansów. Opracowuje wszystkie sprawy dyscyplinarne i czuwa nad księgą kar. Jest szczególnie odpowiedzialny za dotrzymanie wszystkich terminów. Opracowuje osobiście wszelkie sprawy poufne i jest odpowiedzialny również za ich bezpieczne przechowywanie.

Jeśli nie ma odpowiedniego oficera lub podoficera, do adiutanta należy ideologiczne szkolenie członków sztabu komendantury.

Adiutantowi podlega całokształt spraw łączności obozu; jest on odpowiedzialny za właściwe funkcjonowanie całego aparatu łączności. Jest on również odpowiedzialny za broń, amunicję i sprzęt sztabu komendantury. Poprzez stałe kontrole ma on się upewniać o ich stanie i kompletności.

Przy codziennej zmianie warty meldują się u adiutanta każdorazowo oficer służbowy i pierwszy dowódca warty oraz przedstawiają mu do wiadomości i parafowania dzienniki służbowe.

Do dyspozycji adiutanta w charakterze sił pomocniczych stoją podoficer sztabowy oraz kilku odpowiednich podoficerów komendantury.

Jeżeli występuje brak odpowiednich oficerów lub podoficerów, adiutant obowiązany jest przeprowadzić ideologiczne szkolenie sztabu komendantury.

Adiutantowi podlega park samochodowy. Jest on odpowiedzialny za jego właściwe używanie oraz wystawianie rozkazów jazdy.

II. Wydział Polityczny

Kierownik Wydziału Politycznego jest zawsze funkcjonariuszem Gestapo lub też Urzędu Policji Kryminalnej Rzeszy.

Pozostaje on do dyspozycji komendanta obozu dla realizacji zadań Wydziału Politycznego. W wykonywaniu służby jako funkcjonariusz Gestapo lub Kripo podlega on właściwej dla danego obozu koncentracyjnego jednostce Gestapo lub Kripo. W charakterze sił pomocniczych stoją do jego dyspozycji odpowiedni członkowie sztabu komendantury.

Kierownik Wydziału Politycznego prowadzi przesłuchania więźniów na polecenie urzędów policyjnych, sądów oraz komendanta obozu.

Jest on odpowiedzialny za kartotekę więźniów i prowadzenie zgodnie z przepisami akt więźniów, jak również rejestrację nowo przybyłych więźniów. W razie braku dokumentacji w sprawie osadzenia w areszcie ochronnym powinien żądać jej uzupełnienia. Jest również odpowiedzialny za terminowe dostarczenie więźniów do dyspozycji władz policyjnych oraz na posiedzenia sadu.

W celu sporządzenia zażądanych opinii o prowadzeniu się więźnia kieruje on akta do Schutzhaftlagerführera i czuwa nad dotrzymaniem terminów. W przypadkach zarządzonych zwolnień zawiadamia właściwe władze policyjne i przeprowadza zwolnienie.

W razie nieszczęśliwych wypadków więźniów przeprowadza konieczne przesłuchania, a w razie nienaturalnej śmierci powinien zawiadomić właściwą prokuraturę i zażądać sądowo-lekarskiej sekcji zwłok. O wszystkich przypadkach zgonów powinien zawiadomić najbliższa rodzinę.

Ma on zarządzać przewiezienie zwłok zmarłych więźniów do najbliżej położonego krematorium i w przypadku, gdy rodzina tego sobie życzy, zarządzić przesłanie urny z prochami do zarządu cmentarza miejsca rodzinnego zmarłego więźnia.

W przypadkach ucieczek więźniów ma się zwrócić do właściwej jednostki policyjnej o podjęcie pościgu. O każdej zmianie stanu więźniów spowodowanej zwolnieniem, przeniesieniem, śmiercią lub ucieczką powinien zawiadomić placówkę, która skierowała więźnia do obozu.

Przy Wydziale Politycznym działa Służba Rozpoznawcza. Do jej obowiązków należy zarejestrowanie każdego więźnia. Dla każdego więźnia powinna być sporządzona fotografia, karta daktyloskopijna oraz dokładny rysopis. Wszystko to należy dołączyć do akt więźnia.

III. Obóz

Schutzhaftlagerführer jest odpowiedzialny za całokształt spraw właściwego obozu. Za pomocą odpowiedniego systemu nadzoru musi on w każdym czasie być dokładnie zorientowany we wszystkich wydarzeniach w obozie.

Ma zwracać szczególną uwagę na to, aby więźniowie byli traktowani wprawdzie surowo, ale sprawiedliwie. O przypadkach złego traktowania powinien natychmiast meldować komendantowi obozu.

Więźniów funkcyjnych, blokowych, kapo i innych funkcyjnych wybiera i mianuje po zaznajomieniu się z aktami. Nie nadających się do pełnionej funkcji więźniów natychmiast jej pozbawia. Nowo przybyłych więźniów poucza osobiście o regulaminie obozowym. Podobnie jak opuszczających obóz — zwalnianych i przenoszonych — poucza o konieczności zachowania w tajemnicy wszelkich spraw obozowych.

Jest on zobowiązany do sumiennego opracowywania opinii o prowadzeniu się więźnia, wystawianych dla Gestapo lub Urzędu Policji Kryminalnej Rzeszy. Po wysłuchaniu właściwego Blockführera poleca doprowadzić nie znanych mu osobiście więźniów w celu osobistego wyrobienia sobie zdania o osobowości danego więźnia.

Meldunki karne powinien jak najdokładniej kontrolować i w każdym przypadku wysłuchać danego więźnia. Wydaje swoją opinię i proponuje komendantowi obozu wymiar kary.

Dzięki stałej kontroli miejsc pracy musi być zorientowany w wydajności pracy więźniów, Musi podejmować wszelkie kroki, aby zapobiegać ucieczkom więźniów. Podejrzani o zamiar ucieczki więźniowie powinni być specjalnie oznaczeni i nie wolno ich przydzielać do pracy poza terenem obozu. Powinien osobiście być obecny przy każdym wymarszu więźniów z obozu i ich powrocie.

Występujące nieporządki powinien natychmiast usuwać. Chorych więźniów należy kierować do izby chorych. Ma specjalnie czuwać nad utrzymaniem maksymalnej czystości i porządku na terenie całego obozu.

Poprzez wyrywkowa kontrolę powinien sprawdzać, czy każdy więzień otrzymuje należną mu rację jedzenia. Poprzez próbowanie pożywienia powinien kontrolować jego przygotowanie.
Powinien stale kontrolować areszt obozowy.

Schutzhaftlagerführer powinien często pouczać cały personel obozu o sposobie traktowanie więźniów, w szczególności o zakazie złego ich traktowania.

Rapportführer jest wobec Schutzhaftlagerführera odpowiedzialny za dokładne ustalanie stanu liczbowego na apelach. Musi on być poinformowany o każdej zmianie zachodzącej w obozie.

Obowiązany jest dbać o punktualne doprowadzanie więźniów do raportu u Schutzhaftlagerführera, do lekarza, do Wydziału Politycznego i do innych placówek komendantury. To samo odnosi się do terminowego przygotowania więźniów do przeniesienia ich do innego obozu i do zwolnienia.

Rapportführer jest przełożonym Blockführerów, reguluje ich służbę oraz kontroluje jej wykonanie. Nie nadających się Blockführerów zgłasza do komendanta obozu w celu ich wymiany.

Obowiązany jest do natychmiastowego meldowania Schutzhaftlagerführerowi wszelkich zauważonych uchybień. Wykonuje wszelkie kary zarządzone przez komendanta obozu lub przez Schutzhaftlagerführera i potwierdza na piśmie ich wykonanie.

Blockführerzy są odpowiedzialni za przydzieloną im określoną liczbę więźniów. Są oni odpowiedzialni za utrzymanie porządku i czystości w powierzonych im pomieszczeniach oraz nadzorują blokowych, sztubowych, pisarzy itp. Muszą umieć wydać opinię o każdym podległym im więźniu. Podczas obchodów kontrolnych miejsc pracy muszą sprawdzać wydajność pracy powierzonych im więźniów.

Dyżurny Blockführer sprawuje kontrolę w bramie wejściowej do obozu. Jest odpowiedzialny za dokładne przeliczenie przemaszerowujących kolumn więźniarskich przy wymarszu i powrocie do obozu. Przy wychodzeniu w czasie dnia więźniów bez eskorty powinien ich dokładnie rejestrować, aby móc jak najwcześniej wykryć ewentualną ucieczkę. Obowiązany jest do wzbraniania wstępu do obozu wszystkim nie upoważnionym członkom SS oraz pracownikom cywilnym.

Wszelkie nieprawidłowości ma natychmiast zgłaszać Schutzhaflagerführerowi lub Rapportführerowi.

Arbeitsdienstführer zestawia drużyny robocze według zawodów i przydatności więźniów i dba o terminowe przygotowanie żądanych drużyn roboczych. Wyszukuje kapo i Vorarbeiterów i przedstawia ich kandydatury Schutzhaftlagerführerowi.

Z jednodniowym wyprzedzeniem żąda od oddziału wartowniczego wartowników potrzebnych do pilnowania drużyn roboczych. Jest odpowiedzialny za dokładne wystawianie kart pracy oraz ewidencję drużyn roboczych.

Poprzez stałe kontrole wszystkich miejsc pracy powinien się jak najdokładniej informować o przebiegu wszystkich prac. O wszelkich napotkanych niedociągnięciach powinien natychmiast meldować Schutzhaftlagerführerowi.

Do większych i ważniejszych robót przydzielani są kierownicy drużyn roboczych. Są oni odpowiedzialni za całą drużynę roboczą. Mają się oni troszczyć o to, aby więźniowie byli zatrudnieni zgodnie ze swoimi kwalifikacjami i aby w toku pracy nie powstawały zahamowania.

IV. Cenzura pocztowa

Kierownik cenzury pocztowej podlega komendantowi obozu i jest odpowiedzialny za załatwianie wszystkich przesyłek pocztowych obozu koncentracyjnego, zarówno przychodzących, jak i wychodzących.

Do cenzurowania poczty więźniów ma do dyspozycji odpowiednich SS-manów ze sztabu komendantury. Pocztę więźniów należy czytać bardzo dokładnie w celu uniemożliwienia przekazywania niepożądanych wiadomości. Zakwestionowaną pocztę dołącza się do akt danego więźnia.

W przypadku uzasadnionego podejrzenia niedozwolonego rozpowszechniania wiadomości o obozie lub korespondowania z członkami rodziny więźniów czy też w podobnych przypadkach komendant obozu może zarządzić kontrolę przesyłek pocztowych danego członka SS. Kontrola tego rodzaju ma być przeprowadzana osobiście przez kierownika cenzury pocztowej.

Inżynier obozowy podlega Wydziałowi Administracji. Jest on odpowiedzialny za wszystkie urządzenia techniczne obozu, szczególnie za codzienne sprawdzanie urządzeń zabezpieczających, jak naładowane prądem zapory z drutu, wewnętrzne i zewnętrzne oświetlenie obozu, mury i ogrodzenia, reflektory i syreny. Jest również odpowiedzialny za utrzymywanie w dobrym stanie całego systemu wodociągów i kanalizacji obozu. Jemu podlega straż pożarna i jest on odpowiedzialny za jej dobre wyszkolenie i stałą gotowość do działania.

Ma przeprowadzać i kontrolować wszelkie roboty remontowe w obrębie obozu. Dla poszczególnych specjalności dysponuje on odpowiednio wyszkolonymi fachowymi podoficerami.

V. Administracja

Pierwszy szef administracji odpowiada za zakwaterowanie, zaprowiantowanie, umundurowanie i wypłacanie żołdu członkom sztabu komendantury, jak również za zakwaterowanie, wyżywienie i odzież więźniów. Jest on doradcą komendanta obozu we wszystkich sprawach gospodarczych i ma mu natychmiast meldować o wszystkich ważnych wydarzeniach. Szczególną uwagę powinien poświęcać zakwaterowaniu, odzieniu, a zwłaszcza wyżywieniu więźniów. Poprzez stałe kontrole ma osobiście sprawdzać przygotowane pożywienie dla więźniów. Więźniowie powinni otrzymywać dobre wyżywienie w dostatecznej ilości. O występujących brakach, którym nie jest w stanie sam zaradzić, pierwszy szef administracji powinien meldować komendantowi obozu. Szczególną wagę należy przykładać do wygospodarowywania pewnych zapasów we wszystkich dziedzinach.

Do pracy w poszczególnych działach pierwszy szef administracji ma do pomocy oficerów i podoficerów służby administracyjnej.

Pierwszy szef administracji sprawuje nadzór nad zarządem depozytów więźniów. Zarządca depozytów więźniów jest odpowiedzialny za całość mienia więźniów znajdującego się w magazynie depozytów. Odzież należy przechowywać wolną od insektów w czystym stanie, rzeczy wartościowe w kasach pancernych, należy prowadzić dokładne wykazy depozytów, które mają być podpisywane przez więźniów. W przypadku śmierci więźnia całość depozytu zmarłego powinna być przekazana najbliższej rodzinie.

Pieniądze przywiezione przez więźniów lub im przesłane powinny być ewidencjonowane i przelewane na specjalne konta więźniów. Każdy więzień może uzyskać wypłatę 15 marek tygodniowo na zakupy w kantynie obozowej. Na życzenie każdy więzień ma prawo zapoznać się ze stanem swego konta.

Zarządca depozytów więźniów odpowiada za to, aby zdeponowane polisy lub karty ubezpieczeniowe więźniów nie utraciły ważności. Składki na ubezpieczenia społeczne opłacane są przez administrację, natomiast ubezpieczenia prywatne opłaca sam więzień.

VI. Lekarz obozowy

Lekarz obozowy jest odpowiedzialny za opiekę lekarską nad całym obozem, za wszystkie urządzenia sanitarne i higieniczne. Ze szczególną starannością powinien czuwać nad higieną obozu, aby zapobiegać wybuchowi wszelkich epidemii lub zarazy. Nowo przybyli więźniowie powinni być jak najdokładniej zbadani, podejrzani zaś natychmiast doprowadzeni do izby chorych na obserwację.

Więźniowie zatrudnieni w kuchni dla więźniów, jak i w kuchni SS podlegają stałej kontroli lekarskiej pod kątem widzenia chorób zakaźnych.

Lekarz obozowy wyrywkowo sprawdza stan czystości więźniów.

Więźniowie zgłaszający się jako chorzy powinni być codziennie przedstawiani lekarzowi obozowemu w celu ich zbadania. Symulantów próbujących uchylać się od pracy powinien on zgłaszać w celu ukarania. W przypadku konieczności chorzy więźniowie przekazywani są na leczenie specjalistyczne do szpitala.

Opiekę dentystyczną nad więźniami sprawuje lekarz dentysta. Konieczność leczenia zębów powinna być potwierdzona przez lekarza obozowego.

Lekarz obozowy powinien systematycznie sprawdzać przyrządzanie i jakość wyżywienia w kuchni. Występujące braki powinien zgłaszać natychmiast komendantowi obozu. Więźniów, którzy ulegli wypadkowi, należy leczyć szczególnie troskliwie, aby ich zdolność do pracy nie uległa pogorszeniu.

Więźniów zwalnianych lub przenoszonych należy przedstawiać lekarzowi obozowemu do zbadania.

Lekarzowi obozowemu podlegają przydzieleni lekarze, dentysta, sanitariusze, jak również więźniarski personel pielęgniarski rewiru dla więźniów.

Lekarz obozowy jest doradcą komendanta obozu we wszystkich sprawach lekarskich — sanitarnych i higienicznych. O wszystkich dostrzeżonych w obozie niedociągnięciach powinien on natychmiast meldować komendantowi.

Opracowywane przez siebie sprawozdania lekarskie do władz nadrzędnych powinien on przedstawiać komendantowi obozu do wiadomości.

VII. Załoga wartownicza

Oddział wartowniczy jest samodzielną jednostką. Dowódca jednostki wartowniczej stawia codziennie do dyspozycji komendanta obozu żądaną liczbę oficerów, podoficerów i żołnierzy do strzeżenia i eskortowania więźniów.

W czasie pełnienia służby oficer dyżurny, straż i eskorta więźniów podlegają rozkazom władzy dyscyplinarnej komendanta obozu.

Pogotowie w sile oddziału strażniczego ma przebywać w obrębie obozu, aby w przypadku alarmu było natychmiast gotowe do akcji. W przypadku alarmu cała jednostka wartownicza przechodzi pod rozkazy komendanta obozu.

Jednostka wartownicza powinna być jak najstaranniej wyszkolona wojskowo, ale sprawy ochrony obozu mają pierwszeństwo przed wyszkoleniem wojskowym. Dowódca jednostki wartowniczej jest odpowiedzialny za to, aby każdy oficer, podoficer i szeregowiec był dokładnie poinstruowany o obowiązkach służby wartowniczej i eskortowaniu więźniów, o użyciu broni, o traktowaniu więźniów, szczególnie o zakazie złego obchodzenia się z więźniami, oraz aby ten instruktaż był stale powtarzany przez dowódców kompanii na szkoleniach.

Aby wychowywać SS-manów w poczuciu jak największej obowiązkowości i surowej dyscypliny, należy jak najsurowiej karać wykroczenia i uchybienia przeciwko obowiązującym przepisom, szczególnie uchybienia w służbie wartowniczej, bezprawne użycie broni, zakazane kontakty z więźniami, złe traktowanie więźniów oraz niedbalstwo lub opieszałość przy pilnowaniu więźniów. Jeżeli zakres uprawnień do ukarania jest niewystarczający, należy meldunki karne przekazywać bez zwłoki inspektorowi obozów koncentracyjnych.

Wyznaczony przez jednostkę wartowniczą do dyspozycji obozu i codziennie się zmieniający oficer dyżurny podlega w czasie służby bezpośrednio komendantowi obozu. Jest on przed nim przede wszystkim odpowiedzialny za bezpieczeństwo obozu.

Oficer dyżurny bieżąco kontroluje wszystkie warty i posterunki oraz przegląda ich broń. Sprawdza kilkakrotnie wszystkie urządzenia zabezpieczające obóz. Spostrzeżone braki usuwa sam lub też natychmiast składa o nich meldunek. Jest obecny przy wymarszu więźniów i ma obowiązek zawracania drużyn roboczych nie mających dostatecznej straży.

W przypadkach niebezpieczeństwa samodzielnie podejmuje niezbędne decyzje do czasu przybycia komendanta obozu lub jego zastępcy.

VIII. Kary obozowe

Dla więźniów wykraczających przeciwko porządkowi i rygorowi obozowemu przewidziane są następujące kary:

a) upomnienie,
b) karna praca w czasie wolnym od zajęć,
c) wcielenie do karnej kompanii na określony czas do jednego roku,
d) areszt,
e) areszt obostrzony z częściowym pozbawieniem jedzenia,
f) areszt w ciemnicy do 42 dni,
g) kara chłosty do 25 kijów.

Kary wymienione w punktach a–f wymierza komendant obozu, karę zaś wymienioną pod literą g — inspektor obozów koncentracyjnych lub Reichsführer SS.

Podstawę ukarania stanowi meldunek karny członka SS lub więźnia funkcyjnego. Schutzhaftlagerführer powinien dokładnie zbadać meldunek i przedstawić go komendantowi obozu. Jedynie komendant decyduje i wymierza odpowiednią karę.

Wniosek o wymierzenie kary chłosty komendant obozu powinien stawiać jedynie wówczas, gdy:

a) w stosunku do stale powtarzających się wykroczeń wszelkie kary, jakimi rozporządza komendant obozu, zawiodły,

b) wykroczenie lub przewinienie więźnia jest tak poważne, że kary pod literami a–f nie wystarczają do ukarania sprawcy czynu.

Do wniosku należy używać przepisanego formularza w trzech egzemplarzach. Formularz ten zawiera dokładne dane personalne mającego być ukaranym, dokładny opis czynu z podaniem miejsca i czasu oraz liczbę proponowanych przez komendanta razów.

Mającego być ukaranym przedstawia się wraz z formularzami lekarzowi, który wpisuje swoją opinię, czy więzień może otrzymać karę chłosty czy też nie. Osoby powyżej 50 lat, inwalidzi wojenni, kalecy, ułomni nie podlegają chłoście.

Po podpisaniu przez komendanta obozu jako osoby odpowiedzialnej wniosek powinien być jak najszybciej dostarczony inspektorowi obozów koncentracyjnych do decyzji. Jeśli wniosek został zatwierdzony, karę chłosty należy wykonać natychmiast.

Kara wykonywana jest przez dwóch Blockführerów w obecności komendanta obozu, Schutzhaftlagerführera i lekarza. W celu odstraszenia kara może być wymierzona w obecności zebranych więźniów.

Po wykonaniu kary komendant obozu, lekarz i dwaj Blockführerzy podpisują formularz, potwierdzając w ten sposób jej wykonanie.

Zatrudnienie więźniów

Całość zatrudnienia więźniów w obozie koncentracyjnym podlegała kierownikowi Wydziału Zatrudnienia. Ten zaś był odpowiedzialny przed Urzędem D II w WVHA za właściwe zatrudnienie wszystkich więźniów według kwalifikacji zawodowych, jak i ich zdolności do pracy.

Wszyscy więźniowie obozu byli ujęci przez kierownika Wydziału Zatrudnienia w tzw. kartotece zawodów. Co miesiąc należało składać meldunki do D II z podaniem stanu liczebnego więźniów poszczególnych zawodów. Dla więźniów mających ważne, lecz jedynie rzadko występujące zawody, jak szlifierze diamentów, szlifierze sprzętu optycznego, mechanicy precyzyjni, zegarmistrze, narzędziowcy itp., prowadzono ewidencję imienną. Więźniowie ci podlegali „ochronie zabytków". Przydział ich podlegał wyłącznie decyzji D II.

Każde zamierzone zatrudnienie, a więc każdy przydział więźniów do pracy, wymagało pisemnego zezwolenia D II, odnosiło się to zarówno do nowo projektowanych, jak również rozszerzenia istniejących miejsc pracy.

Przedsiębiorstwa znajdujące się poza obozem, jak firmy zbrojeniowe, górnictwo i inne ważne dla gospodarki wojennej zakłady, które zwracały się do obozu koncentracyjnego o przydzielenie więźniów do pracy, musiały mieć skierowanie odpowiedniej komendy uzbrojenia do D II. D II stwierdzał za pośrednictwem Ministerstwa Przemysłu Zbrojeniowego stopień pilności danego projektu zatrudnienia. Tymczasem komendant obozu oraz kierownik Wydziału Zatrudnienia mieli zbadać na miejscu rodzaj pracy więźniów, zakwaterowanie i wyżywienie oraz warunki niezbędne do pilnowania więźniów i złożyć sprawozdanie w D II. W przypadku większych przedsięwzięć badania te przeprowadzał osobiście szef urzędu D II.

Po zreferowaniu sprawy przez D II o przyjęciu lub odrzuceniu wniosku decydował osobiście szef Głównego Urzędu, Pohl, w zależności od pilności sprawy, od liczby stojących do dyspozycji więźniów oraz od wyników kontroli w składającym wniosek zakładzie, przeprowadzonej przez komendanta obozu oraz kierownika Wydziału Zatrudnienia lub przez D II.

Wielokrotnie się jednak zdarzało, że Reichsführer SS nakazywał przydzielenie więźniów z ważnych dla celów wojennych lub decydujących dla zwycięstwa powodów, mimo iż komendant obozu i kierownik Wydziału Zatrudnienia oraz D II wniosek odrzucali ze względu na to, iż ani zakwaterowanie, wyżywienie, rodzaj pracy, ani też możliwości dozoru nawet w przybliżeniu nie odpowiadały wymaganemu minimum w tym zakresie.

Reichsführer SS przechodził do porządku dziennego nad wszelkimi zastrzeżeniami, nawet ze strony Pohla.

Dla realizacji swych zadań kierownik Wydziału Zatrudnienia miał do dyspozycji kilku podoficerów. Przeważająca część pracy była jednak wykonywana przez więźniów, podoficerowie zaś mieli dość zajęcia, aby tego jakoś dopilnować. Kierownik służby pracy musiał np. codziennie uzupełniać lub też przenosić istniejące drużyny robocze. Ponieważ było rzeczą niemożliwą, aby spośród tysięcy więźniów znał akurat nadających się do pracy w danej drużynie, musiał zdawać się na więźniów zatrudnionych w służbie pracy, którzy proponowali odpowiednich więźniów lub też przeważnie samodzielnie uzupełniali lub zmieniali drużyny: W podobny sposób postępowano przy formowaniu nowych drużyn.

Było rzeczą naturalną, że dochodziło przy tym do najrozmaitszych manipulacji i nadużyć. Niezliczone razy zdarzały się ułatwienia ucieczki przez przydział do odległych drużyn pracujących poza obozem. W przypadku przyjacielskich kontaktów więźniów ze służbą pracy łatwo było więźniom zmienić zawód, aby w ten sposób dostać się do odpowiedniej lub uprzywilejowanej drużyny roboczej. Także kapo przekazywali sobie za pośrednictwem służby pracy sympatycznych im więźniów, tych zaś, których chcieli się pozbyć, w sposób nie zwracający uwagi przerzucali do drużyn roboczych nadających się do wykonania orzeczonej „kary".

Zgodnie z rozkazem Reichsführera SS wszyscy młodociani więźniowie mieli być wyuczeni odpowiedniego dla nich zawodu. Szczególnie należało preferować zawody deficytowe, jak kamieniarze, rzemieślnicy budowlani. Organizacja i nadzorowanie tego szkolenia uczniów należało do kierownika Wydziału Zatrudnienia, który miał do dyspozycji odpowiednie fachowe siły nauczycielskie. Uczniowie ci mieli również być lepiej zakwaterowani i żywieni. Podczas gdy w starych obozach było to jeszcze do pewnego stopnia możliwe do przeprowadzenia, w Auschwitz na skutek stałego braku pomieszczeń lepsze zakwaterowanie było niemożliwe. Dodatki żywnościowe uczniowie ci otrzymywali również w Auschwitz.

Początkowo każda drużyna robocza miała być pilnowana przez SS-mana, kierownika drużyny, który miał z nią przebywać aż do zakończenia pracy. Jednakże już na długo przed wojną rozbudowa obozów i zwiększanie zadań, z czym nie szło w parze zwiększenie personelu nadzorczego w obozach, zmusiły do całkowitego pozostawienia drużyn roboczych nadzorowi kapo i Vorarbeiterów. W drużynach roboczych o własnej straży do pewnego stopnia był możliwy nadzór nad kapo i więźniami wykonywany przez dowódcę straży lub strażników w zależności od wielkości placu robót, ale drużyny robocze zatrudnione wewnątrz łańcucha posterunków były całkowicie zdane na kapo i Vorarbeiterów. Do kontroli tych drużyn było do dyspozycji jedynie niewielu, przeważnie nie nadających się do tego zadania SS-manów.

Na personelu nadzorczym stawianym do dyspozycji przez firmy lub kierownictwo budowy nie można było polegać. Ludzie ci przekazywali również chętnie swoją pracę zawsze chętnym kapo i Vorarbeiterom. W wyniku tego popadali wkrótce w całkowita zależność od przebiegłych kapo, którzy zwykle przewyższali ich również pod względem umysłowym. W wyniku tego dochodziło do wzajemnego krycia wszelkich zaniedbań i niedociągnięć kosztem powierzonych im więźniów oraz ze szkodą dla obozu, zakładu lub firmy.

Kapo i Vorarbeiterzy byli stale pouczani przez Schutzhaftlagerführera, iż nie wolno im maltretować więźniów. O wszelkich wykroczeniach powinni meldować po powrocie do obozu. Ale czynili to jedynie nieliczni kapo, pozostali zaś karali sami, według własnego uznania i widzimisię. Nawet jeśli jakiś kapo lub Vorarbeiter został czasem schwytany na biciu więźnia i ukarany za to chłostą i skierowaniem do karnej kompanii, nie powstrzymywało to innych kapo od dalszego maltretowania, stawali się jedynie ostrożniejsi. W swoich praktykach mieli poparcie ze strony takich typów, jak Fritzsch, Seidler, Aumeier, Palitzsch itd. Także wśród kontrolujących podoficerów i SS-manów było z pewnością wielu takich, którzy „nie widzieli", jak kapo bili więźniów, lub nawet ich do bicia nakłaniali.

SS-mani ze sztabu komendantury, z jednostki wartowniczej oraz ze wszystkich placówek zatrudniających więźniów byli systematycznie pouczani ustnie i pisemnie o sposobie obchodzenia się z więźniami, w szczególności zaś o zakazie maltretowania więźniów. Przypominam sobie, iż kilku SS-manów z jednostki zostało przez sąd SS skazanych na wysokie kary za maltretowanie więźniów.

SS-mani nadzorujący lub pilnujący drużyny robocze mieli oczywiście obowiązek napędzania więźniów do pracy, ale w żadnym przypadku nie mieli prawa ich karać za popełnione jakiekolwiek uchybienia. Jeżeli jakiś więzień zawinił w pracy przez oczywiste lenistwo, niedbalstwo czy też wyraźną złą wolę lub tym podobne, należało przy powrocie zameldować o tym Schutzhaftlagerführerowi lub też kierownikowi służby pracy.

Podobnie personel nadzorczy w zakładach przemysłu zbrojeniowego, firmach, przedsiębiorstwach itd. był pouczany ustnie przez kierownika Wydziału Zatrudnienia, jak i za pośrednictwem drukowanej pisemnej instrukcji o obchodzeniu się z więźniami, ze szczególnym podkreśleniem, że nikt nie ma prawa karania więźniów ani też jego maltretowania. Jeżeli wpłynął meldunek, że w jakimś przedsiębiorstwie więźniowie zostali pobici, komendant lub kierownik Wydziału Zatrudnienia niezwłocznie zarządzali dochodzenie. Dochodzenia jednak przebiegały bez wyniku, pobici więźniowie bowiem nie wiedzieli nigdy, kto ich pobił. Kierownikowi przedsiębiorstwa zwracano uwagę, iż w razie dalszych meldunków o biciu więźniów zostaną oni z przedsiębiorstwa zabrani. Miało to ten skutek, że później przeważnie nic takiego więcej się nie zdarzało. Całkowicie jednak nie można było temu zapobiec, ponieważ kierownicy przedsiębiorstw nie byli w stanie utrzymać dyscypliny swego personelu, który w wyniku wojny stawał się coraz gorszy.

Kierownik Wydziału Zatrudnienia w czasie swoich podróży kontrolnych miał obowiązek zwracać szczególną uwagę na traktowanie więźniów przez przedsiębiorstwa. Przy tak wielkiej liczbie zakładów i ich rozprzestrzenieniu było to prawie niemożliwym wymaganiem.

Za wykroczenia więźniów przy pracy uważano: jawne lenistwo, uchylanie się od pracy, rozmyślną opieszałość lub też świadome złe wykonywanie pracy, niedbałe obchodzenie się z narzędziami pracy lub obsługiwanymi maszynami, marnotrawstwo lub też zagubienie narzędzi i inne. Na podstawie meldunku karnego, sporządzonego przez nadzorującego, pilnującego lub też kontrolującego oficera SS czy też SS-mana, kapo albo Vorarbeitera czy też personelu nadzorczego firmy, zakładu lub kierownictwa budowy, dany więzień, po uprzednim przesłuchaniu go w każdym przypadku przez Schutzhaftlagerführera, karany był przez komendanta obozu. Wymiar kary proponował Schutzhaftlagerführer, dołączając notatkę o wyniku badania. Komendant obozu miał prawo wymierzania następujących kar:

1) areszt do 42 dni z obostrzeniem w postaci pozbawienia jedzenia, twardego łoża, ciemnicy oraz wobec opornych zakucie w kajdany,

2) karna stójka do 6 godzin z pozbawieniem jednego posiłku,

3) kara słupka do 2 godzin,

4) wcielenie do karnej kompanii na określony czas.

Wniosek o karę chłosty mógł komendant obozu składać jedynie po spełnieniu określonych warunków i zaopiniowaniu przez lekarza. Na wymierzenie kary chłosty kobietom zezwolenia udzielał wyłącznie sam Reichsführer SS, mężczyznom zaś — inspektor obozów koncentracyjnych.

Kary oznaczone punktami 2 i 3 nie były przewidziane w regulaminie z 1936 roku, lecz zostały później wprowadzone rozkazem Reichsführera SS, w ostatnich zaś latach wojny znów je zniesiono.

W czasie nieobecności komendanta obozu Schutzhaftlagerführer miał jego pełne uprawnienia w zakresie wymierzania kary po pisemnym przekazaniu mu obozu.

Schutzhaftlagerführer mógł zarządzić dwugodzinne karne ćwiczenie dla drużyny roboczej, która ogólnie źle pracowała.

Komendanci większych obozów mogli również przekazać Schutzhaftlagerführerowi wymierzanie kary przewidzianej w punkcie 2.

Nielekarska działalność lekarzy SS w obozie koncentracyjnym w Auschwitz

Oprócz swoich zwykłych, normalnych funkcji lekarskich[252] lekarze w Auschwitz wykonywali następujące czynności:

1. Z przybywających transportów żydowskich musieli wybierać, stosownie do wytycznych naczelnego lekarza SS, zdolnych do pracy Żydów — mężczyzn i kobiety.

2. Podczas akcji uśmiercania mieli być obecni przy komorach gazowych, aby nadzorować zgodne z przepisami użycie gazu trującego — cyklonu B przez dezynfektorów i sanitariuszy. Do dalszych ich obowiązków należało sprawdzenie po otwarciu komór gazowych, czy wszyscy zostali uśmierceni.

3. Lekarze dentyści poprzez przeprowadzanie wyrywkowych prób mieli sprawdzać, czy więźniowie dentyści wyrwali wszystkim zagazowanym złote zęby i wrzucili je do przygotowanych i zabezpieczonych skrzynek. Poza tym mieli oni nadzorować przetapianie złota z zębów i bezpieczne przechowywanie go do chwili odstawienia.

4. Lekarze SS w Auschwitz, w Brzezince i w obozach pracy mieli bieżąco wybierać i kierować na zgładzenie Żydów, którzy byli niezdolni do pracy i odnośnie do których nie spodziewano się, aby w ciągu czterech tygodni odzyskali zdolność do pracy. Należało również niszczyć Żydów podejrzanych o choroby zakaźne. Obłożnie chorych należało zabijać za pomocą zastrzyków, innych zaś likwidować w krematoriach lub w bunkrze za pomocą gazu. O ile mi wiadomo, do zastrzyków używano fenolu, ewipanu i kwasu pruskiego.

5. Mieli oni przeprowadzać tzw. akcje zamaskowane. Chodziło tutaj o więźniów Polaków, których egzekucja była zarządzona przez RSHA lub BdS w Generalnym Gubernatorstwie. Ponieważ egzekucji ze względów politycznych lub bezpieczeństwa nie można było ujawniać, jako powód zgonu należało podawać przyjętą w obozie przyczynę. Skazani w tym trybie na śmierć zdrowi więźniowie byli dostarczani przez Wydział Polityczny do aresztu w bloku 11 i tam przez jednego z lekarzy SS likwidowani za pomocą zastrzyków. Chorzy w izbie chorych byli również zabijani zastrzykami w sposób nie rzucający się w oczy. Lekarz miał następnie w świadectwie zgonu podać jako przyczynę chorobę powodującą szybką śmierć.

---

[252] Höss świadomie wprowadza czytelnika w błąd. Większość lekarzy obozowych SS swoje funkcje sprawowała w stosunku do garnizonu SS. Pomoc lekarską więźniom nieśli przede wszystkim lekarze współwięźniowie.

6. Lekarze SS obowiązani byli asystować przy egzekucjach osób skazanych na śmierć przez sądy doraźne w celu stwierdzenia zgonu, jak również przy egzekucjach zarządzanych przez Reichsführera SS lub RSHA czy też BdS w Generalnym Gubernatorstwie.

7. Przy wnioskach o wymierzenie kary chłosty mieli badać więźniów, którzy mieli być poddani karze, czy nie ma przeciwwskazań do jej wykonania, oraz mieli asystować przy wykonywaniu tej kary.

8. Na kobietach obcej narodowości mieli dokonywać przerywania ciąży aż do jej piątego miesiąca.

9. Eksperymenty przeprowadzali:[253]

a) dr Wirths: badania nad rakiem i zabiegi operacyjne na Żydówkach podejrzanych o tę chorobę lub też chorych na raka,

b) dr Mengele:[254] badania bliźniąt, badania na jednojajowych bliźniętach żydowskich.

Spośród lekarzy nie należących do SS:

c) prof. Clauberg:[255] badania nad sterylizacją. Zastrzyki, aby przez zasklepienie jajowodów powodować bezpłodność kobiet żydowskich,

d) dr Schumann:[256] doświadczenia sterylizacyjne. Naświetlanie promieniami Rentgena w celu zniszczenia organów rozrodczych u kobiet żydowskich.

Höss

W sierpniu 1947 r.

---

[253] Eksperymenty lekarskie przeprowadzane były na zupełnie zdrowych więźniach obojga płci. Przeprowadzający zabiegi mieli pełną świadomość, że doświadczenia te prowadzą do kalectwa lub śmierci. Ofiary eksperymentów nie były pytane o zgodę, a nawet nie orientowały się, czemu służy przeprowadzany na nich zabieg.

[254] Josef Mengele urodził się 16 marca 1911 r. w Günzburgu nad Dunajem. Ukończył studia medyczne i filozoficzne z tytułem doktora. Doktoryzował się w Instytucie Antropologii Uniwersytetu w Monachium w 1935 roku, trzy lata później uzyskuje doktorat z medycyny. W 1940 roku wstępuje do Waffen-SS. W 1942 jest jednym z lekarzy dywizji SS Wiking. Doszedł do stopnia SS-Hauptsturmführera. W KL Auschwitz prowadził badania prenatalne, zajmując się problemem bliźniactwa oraz fizjologią i patologią skarlenia. Ofiarami jego eksperymentów były dzieci karły oraz osoby kalekie od urodzenia. Współpracował z Instytutem Badań Antropologicznych i Biologiczno-Rasowych w Berlinie. Faktyczny twórca założonego w maju 1943 roku w Rajsku pod Oświęcimiem Higieniczno — Bakteriologicznego Instytutu Badawczego Waffen-SS i Policji Okręgu Południowy-Wschód. Do zadań Instytutu należą badania laboratoryjne dla szpitali SS i policji w systemie obozów Auschwitz, oraz badania grup krwi. Prowadzone przez Mengele eksperymenty na ludziach wspierane były przez Niemiecki Komitet Badań Naukowych. Współodpowiedzialny za likwidację obozu cygańskiego w Brzezince. Po kapitulacji Niemiec ukrywał się w Ameryce Południowej, prowadził dziennik.

[255] Carl Clauberg urodził się 28 września 1898 r. Ukończył studia medyczne. Doszedł do stopnia SS-Brigadeführera. W 1939 r. został docentem a następnie profesorem ginekologii Uniwersytetu w Królewcu, gdzie zajmuje się hormonami płciowymi i sterylizacją kobiet. Z czasem przenosi się do kliniki chorób kobiecych w Królewskiej Hucie na Śląsku. Pracuje też w szpitalu Knappschaft w Chorzowie. Od jesieni 1942 r, prowadził doświadczenia sterylizacyjne na kobietach więźniarkach Oświęcimia. Badania te kontynuował następnie w Ravensbrück. Wynalazca nieoperacyjnej metody sterylizacji kobiet. Zmarł w areszcie śledczym w RFN w sierpniu 1957 r.

[256] Dr Horst Schumann przed przybyciem do Oświęcimia był dyrektorem zakładu dla psychicznie chorych w Grafeneck; ponosi odpowiedzialność za zagładę swych podopiecznych.

„Noc i mgła”[257]

N.N. = Noc i mgła, i piana morska — były to kryptonimy oznaczające akcje policyjne przeciwko ruchowi oporu w okupowanych krajach Zachodu, a więc w Norwegii, Danii, Holandii, Belgii i Francji.

Akcje te pozostawały w związku z rozbudową fortyfikacji zwanych „wałem atlantyckim” i przygotowaniami do obrony przed grożącą inwazją.

Aresztowanych deportowano początkowo do Natzweiler, a następnie również do Sachsenhausen, Buchenwaldu i Stutthofu.

Ci tzw. więźniowie N.N. mieli być oddzieleni od innych więźniów i nie było im wolno pisać. W celu zastraszenia rodziny ich miały nic nie wiedzieć o miejscu ich pobytu. Na zapytania Czerwonego Krzyża należało udzielać wymijających odpowiedzi. Oddzielenie ich od innych więźniów miało przyczyniać się do utrzymania w tajemnicy ich nazwisk.

Więźniów N.N. wolno było zatrudniać jedynie wewnątrz właściwego obozu lub w zamkniętym miejscu pracy, strzeżonym bardziej niż inne. W żadnym przypadku nie wolno było dopuścić do ich ucieczki.
Rudolf Höss Kraków, w listopadzie 1946 r.

Rudolf Höss

Kraków, w listopadzie 1946 r.

Lebensborn

Z inicjatywy Reichsführera SS powstał również Lebensborn. Lebensborn był to związek, który miał na celu dostarczenie narodowi niemieckiemu jak największego dziedzictwa zdrowej krwi. Według poglądów Reichsführera SS ideę tę można było urzeczywistnić:

Potem obejmuje zakład eutanazji Sonnenstein w saksońskiej Pirnie. Bliski współpracownik Clauberga. Wykorzystuje do doświadczeń z naświetleniami młodych Żydów, Polaków, Czechów i Greków. Szczególnie upodobał sobie nastoletnie greczynki. Naświetlał dzieci z obozu cygańskiego. Po wojnie do 1951 roku jest lekarzem górniczym w Gladbeck, potem ukrywa się, w 1966 roku zostaje wydalony z Ghany do RFN. Przebywa w więzieniu do 1972 roku. Nigdy nie stanął przed sądem.

[257] 7 grudnia 1941 r. Adolf Hitler wydał zarządzenie Nacht-und-Nebel Erlass, na podstawie którego osoby popełniające przestępstwo przeciwko Rzeszy lub niemieckim siłom zbrojnym na obszarach okupowanych mają być potajemnie przekazane SIPO i SD w Niemczech w celu osądzenia i ukarania. Zarządzenie „Noc i mgła” nie dotyczyło przypadków, gdy kara śmierci była rzeczą pewną. Osoby aresztowane w tym trybie nie mogły porozumiewać się z rodziną, nie zawiadamiano również o ich śmierci.

1. Przez szeroką rozbudowę Lebensbornu w drodze odpowiedniej akcji werbunkowej w tych kołach ludności, które miały warunki do realizacji tego celu, aby w ten sposób stworzyć możliwie szeroką bazę zarówno ideową, jak i materialną dla działalności Lebensbornu.

Mimo starań ze strony partii i państwa, aby z narodu o stosunkowo niewielkim przyroście naturalnym uczynić naród o dużym przyroście, idea ta długo jeszcze nie mogła zapanować w narodzie. Poprzez aktywną propagandę oraz dyskretny nacisk ze strony organizacji partyjnych, w większym zaś jeszcze stopniu przez udzielanie finansowej pomocy, jak pożyczki dla nowożeńców i zapomogi na dzieci, liczba urodzeń poważnie wzrosła, była jednak jeszcze bardzo daleka od wymaganego minimum; dla zapewnienia dalszego istnienia narodu niemieckiego ustalono, iż każda niemiecka rodzina musi mieć przynajmniej czworo dzieci.

Aby wypełnić ten wielki niedobór, należało ochronić i zachować całe dostępne dziedzictwo zdrowej krwi.

Nieślubna matka i nieślubne dziecko nadal były traktowane w Niemczech z dezaprobatą. Przeciwko tej pogardzie oraz wynikającym z niej skutkom należało walczyć wszelkimi środkami. Tysiące dzieci nie zostały urodzone, ponieważ niezamężne kobiety obawiały się hańby.

2. Przez możliwie jak najzręczniej sformułowane wezwanie wszystkich młodych mężczyzn i zdrowych kobiet do płodzenia możliwie wielu dzieci, zarówno małżeńskich, jak i pozamałżeńskich.

Na początku wojny Himmler wydał odezwę do wszystkich członków SS i policji, która prawie bez osłonek wzywała ich, aby w związku z oczekiwanym upływem krwi płodzili dzieci z każdą niezamężną kobietą, która na to się zgodzi. Według dekretu rządowego dziecko poległego na wojnie żołnierza mogło otrzymać nazwisko ojca nawet wówczas, gdy rodzice nie mieli ze sobą ślubu ani nie byli nawet zaręczeni. Wystarczało pisemne stwierdzenie ojca, iż dziecko uznaje za swoje.

3. Przez tworzenie licznych domów matki oraz żłobków. W domach matki, które miały być jak najlepiej urządzone, ciężarne matki mogły się przygotowywać do rozwiązania już od piątego miesiąca ciąży.

Dla niezamężnych kobiet oczekujących dzieci ze stosunku z członkiem SS lub policji pobyt w tych domach był bezpłatny, kobiety zamężne zaś opłacały koszty stosownie do zarobków męża, przy czym koszty te były stosunkowo niskie.

Po rozwiązaniu i całkowitym powrocie do zdrowia niezamężne kobiety mogły oddawać swoje dzieci do żłobków i nadal pracować w swoim zawodzie. Mogły one odwiedzać swoje dziecko w każdym czasie i — jeśli chciały — zabrać dziecko do siebie. Opłaty za pobyt dzieci w żłobku obliczano w zależności od zarobków. Mogły one także oddać swoje dziecko wskazanej przez Lebensborn bezdzietnej rodzinie na wychowanie lub też w celu adopcji.

Do chwili wybuchu wojny istniało już sześć takich domów matki oraz żłobków. Przez założenie większej liczby takich zakładów miała zostać rozwiązana materialna strona problemu. Środki na ten cel miano uzyskiwać częściowo od szerokiego kręgu członków, poza tym z subwencji przedsiębiorstw gospodarczych SS oraz z fundacji.

Tak na przykład każdy oficer SS był obowiązkowo członkiem Lebensbornu, wysokość zaś składki członkowskiej zależała od jego dochodów, a u żonatych od liczby dzieci, jakie mieli jeszcze na utrzymaniu.

Oficerom czynnej służby w formacjach Waffen-SS oraz etatowym oficerom Allgemeine SS składki potrącano z poborów.

Bezdzietne rodziny SS, które według orzeczenia lekarskiego nie mogły spodziewać się dzieci, wzywane były przez Reichsführera SS, aby w określonym terminie, w zależności od warunków materialnych, wzięły z Lebensbornu jedno albo więcej dzieci na wychowanie lub w celu adopcji.

Nieżonaci oficerowie SS w wieku powyżej 30 lat wzywani byli przez Reichsführera SS do zawarcia związku małżeńskiego w ustalonym czasie — najczęściej w ciągu jednego roku. Jeśli nie zastosowali się do tego wezwania, tracili wszelkie szansę na awans. Odchodzili w odstawkę.

Przy awansach od Sturmbannführera wzwyż, które Reichsführer zastrzegł do swojej osobistej decyzji, decydujący niemal wpływ miały stosunki rodzinne i liczba dzieci.

Zgodnie z wolą Reichsführera SS członkowie SS mieli dawać wzór i przykład w zakładaniu rodziny z licznym potomstwem. Każda zdrowa rodzina SS miała mieć przynajmniej pięcioro dzieci. Zdrowe, wielodzietne rodziny korzystały pod każdym względem z poparcia — czy też w formie pomocy finansowej, szczodrych darowizn czy też zwolnienia od opłat szkolnych.

Poza tym Reichsführer SS życzył sobie i popierał płodzenie dzieci pozamałżeńskich, w szczególności przez członków czynnej służby w formacji Waffen-SS. Za pośrednictwem „szeptanej propagandy" miano rozbudzić w tych formacjach „chęć posiadania dziecka". SS miała przełamać moralne potępienie w stosunku do „panieńskich matek" i „panieńskich dzieci".

Czasopismo SS „Das Schwarze Korps" omawiało ten temat w obszernych artykułach jasno i bez osłonek jeszcze na długo przed, wybuchem wojny; mimo cenzury prasowej rozpętały się wokół tej sprawy gwałtowne spory.

Wroga zagranica drwiła i komentowała: Himmler chce tworzyć zakłady hodowli ludzi nordyckich. Niemiecka kobieta ma już być jedynie maszyną do rodzenia dzieci itd.

Mimo wielu słabych punktów, wykorzystywanych szczególnie przez kościół do okazywania pogardy i przeprowadzania ataków na Lebensborn i jego cele, Lebensborn rozwijał się dalej.

Höss

Kraków, w styczniu 1947 r.

Rangi w SS

Wyjaśnienie 3 rodzajów rang SS, które istniały obok siebie.

Każdy oficer należał z reguły do Allgemeine SS. Jeśli jeszcze w czasie pokoju został przydzielony do jakiejś jednostki formacji Waffen-SS, tracił stopień służbowy Allgemeine SS i musiał rozpoczynać jako zwykły SS-man w formacji Waffen-SS albo też nadawano mu stopień służbowy odpowiadający jego kwalifikacjom wojskowym czy też uprzednio posiadanemu stopniowi w Wehrmachcie.

Jeżeli oficer SS służył w czasie pokoju przejściowo w formacji Waffen-SS, to po odbyciu ćwiczeń zostawał oficerem rezerwy formacji Waffen-SS i w chwili wybuchu wojny był powoływany jako oficer rezerwy w stopniu, jaki uzyskał.

W czasie wojny większość oficerów Allgemeine SS została powołana do formacji Waffen-SS i postępowano z nimi w wyżej wspomniany sposób. Oficerowie Allgemeine SS, którzy odbyli ćwiczenia oficerskie w Wehrmachcie i tam uzyskali stopień oficera rezerwy, byli powoływani do Wehrmachtu i było im bardzo trudno przenieść się do formacji Waffen-SS.

Dalej oficerowie SS, którzy w czasie wojny zostali awansowani z podoficera na oficera Waffen-SS, nie zostawali oficerami służby czynnej formacji Waffen-SS, lecz oficerami rezerwy. Mieli oni po wojnie, jeśli chcieli pozostać w służbie czynnej, przejść specjalne ćwiczenia i złożyć egzaminy, aby zostać zrównani z oficerami służby czynnej formacji Waffen-SS.

Do tego doszli w czasie wojny tak zwani oficerowie specjaliści (Fachführer) formacji Waffen-SS, analogicznie jak oficerowie specjaliści (Sonderführer) w Wehrmachcie. Chodziło tu przeważnie o fachowców budowlanych, geologów, korespondentów wojennych, techników, inżynierów i innych, którzy mieli przeważnie wyższe wykształcenie, ale dotychczas nie zdobyli żadnego stopnia oficerskiego. W formacjach Waffen-SS byli oficerowie specjaliści w stopniu od Untersturmführera do Sturmbannführera.

W okresie późniejszym oficerami-specjalistami zostawali także oficerowie Allgemeine SS z przedsiębiorstw gospodarczych. Na przykład dr Caesar, kierownik gospodarstw rolnych w Oświęcimiu, był przez jakiś czas jednocześnie: 1) Oberführerem Allgemeine SS, 2) Untersturmführerem rezerwy formacji Waffen-SS i 3) jako dyplomowany rolnik: Fachführerem — Sturmbannführerem.

Wyżsi oficerowie SS formacji Waffen-SS, począwszy od Brigadeführera, używali także stopnia z Wehrmachtu, a więc:

SS-Brigadeführer i generał-major formacji Waffen-SS

SS-Gruppenführer i generał-porucznik formacji Waffen-SS
SS-Obergruppenführer i generał formacji Waffen-SS
SS-Oberstgruppenführer i generał-pułkownik formacji Waffen-SS
Wyżsi Dowódcy SS i Policji używali stopnia policyjnego, jak SS-Gruppenführer i generał policji.

Oficerowie SS z RSHA i innych urzędów używali również oficerskich stopni policyjnych, począwszy od Standartenführera, a więc: SS-Standartenführer i pułkownik policji.

Większość wyższych oficerów policji została z czasem oficerami SS i używała także stopnia SS. Również młodsi oficerowie policji, którzy przeszli z formacji Waffen-SS, używali stopnia SS obok oficerskiego stopnia policyjnego. Jako znak szczególny nosili oni na lewej stronie piersi munduru policyjnego runiczny znak SS. Wyżsi oficerowie policji ze stopniem SS nosili na policyjnym uniformie naszywki SS z odpowiednią oznaką.

Oficerowie-specjaliści byli oznaczeni plecionym czerwono-białym sznurem na naramiennikach. Także formacje Waffen-SS miały podobne kolory rodzajów broni jak wojsko. Kolor rodzaju broni oddziałów obozów koncentracyjnych był brunatny.

Grupy krwi

Tatuaż określający grupę krwi został wprowadzony w SS na początku wojny. Miał on na celu dokładne określenie grupy krwi, aby była ona natychmiast wiadoma w razie niebezpieczeństwa i konieczności przeprowadzenia transfuzji w przypadku zranienia lub też wypadku.

Praktykowane w Wehrmachcie wpisywanie grupy krwi do książeczki wojskowej było w SS również stosowane. Jednakże w momencie niebezpieczeństwa książeczka wojskowa często nie była dostępna.

Tatuażu dokonywano znakami liter odpowiedniej grupy krwi pod pachą lewego ramienia.

Ten tatuaż grup krwi był obowiązkowy jedynie w SS. W Wehrmachcie nie był praktykowany. Innego tatuażu i dla innych celów w SS nie było.

Ja sam właściwie przez przypadek nie jestem tatuowany. Chciałem, aby określenia grup krwi dokonano dla całej mojej rodziny. Na skutek przeniesienia mnie do Oranienburga sprawa ta stale się odwlekała i nie doszła do skutku.

Höss

W styczniu 1947 r.

Oświadczenie

Moje sumienie zmusza mnie do złożenia jeszcze następującego oświadczenia:

W odosobnieniu więziennym doszedłem do gorzkiego zrozumienia, jak ciężkich zbrodni przeciwko ludzkości się dopuściłem. Jako komendant obozu zagłady w Auschwitz realizowałem część straszliwych, ludobójczych planów „Trzeciej Rzeszy". W ten sposób wyrządziłem ludzkości i człowieczeństwu najcięższe szkody. Szczególnie narodowi polskiemu zgotowałem niewypowiedziane cierpienia. Za moją odpowiedzialność płacę swoim życiem. Oby mi Bóg wybaczył kiedyś moje postępowanie.

Naród polski proszę o przebaczenie. Dopiero w polskich więzieniach poznałem, co to jest człowieczeństwo. Mimo wszystkiego, co się stało, traktowano mnie po ludzku, czego się nigdy nie spodziewałem i co mnie do głębi zawstydzało.

Oby fakt ujawnienia i przedstawienia tych potwornych zbrodni popełnionych przeciwko ludzkości i człowieczeństwu spowodował zapobieżenie w przyszłości powstaniu warunków mogących doprowadzić do tak straszliwych wydarzeń.

Rudolf Franz Ferdinand Höss

Wadowice, 12 kwietnia 1947 r.

Spis treści

Przedmowa 5

MOJA DUSZA. ROZWÓJ, ŻYCIE I PRZEŻYCIA 9

POŻEGNALNE LISTY DO RODZINY 135

„OSTATECZNE ROZWIĄZANIE KWESTII ŻYDOWSKIEJ"
W OBOZIE KONCENTRACYJNYM W AUSCHWITZ 141
- Organizacja Schmelt 157
- Hans Aumeier 158
- Richard Baer 161
- Willi Burger 164
- Joachim Caesar 165
- Adolf Eichmann 168
- Theodor Eicke 171
- Karl Fritzsch 178
- Odilo Globocnik 181
- Richard Glücks 185
- Maximilian Grabner 189
- Ernst Grawitz 192
- Fritz Hartjenstein 195
- Heinrich Himmler 197
- Heinz Kammler 221
- Karl Bischoff 224
- Arthur Liebehenschel 226
- Enno Lolling 229
- Gerhard Maurer 230
- Karl Ernst Möckel 233
- Heinrich Müller 235
- Gerhard Palitzsch 237
- Oswald Pohl 241
- Heinrich Schwarz 248
- Max Sell 250
- Eduard Wirths 251

REGULAMIN OBOZÓW KONCENTRACYJNYCH 255
ZATRUDNIENIE WIĘŹNIÓW 265

NIELEKARSKA DZIAŁALNOŚĆ LEKARZY SS W OBOZIE
KONCENTRACYJNYM W AUSCHWITZ 269

„NOC I MGŁA” 271
Lebensborn 271

RANGI W SS 274
Grupy krwi 275
Oświadczenie 276